SE 07

Curso

MAD360

La diferencia entre aprobar
y sacar plaza

Técnico/a Superior en Educación Infantil

COMUNIDAD DE CASTILLA Y LEÓN

Materias Específicas

Si aún no dispones de tu **Curso MAD360**, te ofrecemos un acceso GRATIS de 30 días para que disfrutes de los siguientes recursos:

- Técnicas de Memoria 360.
- MADTEST: Test *online* Nivel PRO.
- Temario en formato digital.
- Planificación de estudio.
- Foro entre opositores hasta la fecha del examen.*
- Recursos y novedades exclusivas.
- Consulta sobre la oposición y el proceso selectivo.
- Actualizaciones legislativas (Boletines Oficiales) hasta 60 días antes de la fecha del examen.*

Para acceder a esta prueba del Curso MAD360** será necesaria la compra de todos los libros para esta especialidad de la edición 2025.

Regístrate en **mad.es/iniciar-sesion** y en la pestaña BIBLIOTECA valida los códigos que encuentras en la última página de tus libros.

NOTA IMPORTANTE:

* Examen de esta categoría profesional correspondiente a la convocatoria publicada en el BOCYL n.º 232, de 28 de noviembre de 2024, o hasta el 31 de marzo de 2026, lo que se cumpla antes, y previa renovación del servicio.

** El acceso al CURSO MAD360 estará disponible desde marzo de 2025 (algunos recursos podrían estar disponibles en fecha posterior). Tendrá una duración de 30 días RENOVABLES mediante pago, desde la validación de códigos, o hasta el 30 de septiembre de 2026, lo que se cumpla antes.

MAD se reserva el derecho a ampliar dichas fechas.

Técnico/a Superior en Educación Infantil de la Administración de la Comunidad de Castilla y León

Técnico/a Superior en Educación Infantil de la Administración de la Comunidad de Castilla y León

Temario Materias Específicas
Volumen 1

ROCÍO CLAVIJO GAMERO
LICENCIADA EN PSICOLOGÍA

M.ª DOLORES RIBES ANTUÑA
AUXILIAR DE PUERICULTURA
DIPLOMADA EN PROFESORADO DE EGB Y LICENCIADA EN FILOSOFÍA Y CIENCIAS DE LA EDUCACIÓN
PROFESORA DE OPOSICIONES AL CUERPO DE MAESTROS DE ENSEÑANZA PRIMARIA
(EDUCACIÓN INFANTIL, EDUCACIÓN ESPECIAL,
AUDICIÓN Y LENGUAJE)
PROFESORA DE OPOSICIONES DE SECUNDARIA

Primera edición, febrero 2025 (446 páginas)
Derechos de edición reservados a favor de 7 Editores
IMPRESO EN ESPAÑA
Diseño Portada: 7 Editores
Edita: 7 Editores
Avda. San Francisco Javier, 9 · Edificio Sevilla 2 · Planta 11 · Módulos 25-27 · 41018 Sevilla
Teléfono: 954 784 411 · WEB: www.mad.es · e-mail: administracion@7editores.com
ISBN: 978-84-142-9033-0
ISBN obra completa: 978-84-142-9035-4

Presentación

Manual de desarrollo del programa de acceso a la categoría de Técnico/a Superior en Educación Infantil de la Administración de la Comunidad de Castilla y León conforme a la convocatoria publicada en el BOCYL núm.232 de 28 de noviembre de 2024.

En este volumen se incluyen los temas 1 a 12 convenientemente desarrollados y actualizados hasta la fecha de edición mediante la incorporación de las novedades legislativas y bibliográficas que les afectan.

Índice

TEMA 1

La ordenación de la educación infantil. Contenidos educativos del primer ciclo de la Educación Infantil en la Comunidad de Castilla y León y requisitos que deben reunir los centros que imparten dicho ciclo

¿Quieres mejorar tus resultados? Combina este temario en **papel** con los recursos ***online*** del Curso MAD360.

Índice

1. La ordenación de la Educación Infantil

1.1. La Educación Infantil en la Ley Orgánica de Educación 2/2006, del 3 de mayo (LOE)

Antes de empezar creemos necesario aclarar cuál es la actual situación del Sistema Educativo. La ley Orgánica de Educación 2/2006, del 3 de mayo (LOE) fue modificada en algunos de sus artículos por la Ley Orgánica 8/2013 del 9 de diciembre para la Mejora de la Calidad Educativa (LOMCE) y, más recientemente por la Ley Orgánica 3/2020, de 29 de diciembre, por la que se modifica la Ley Orgánica 2/2006, de 3 de mayo, de Educación (LOMLOE).

Estas últimas no desarrollan el articulado completo de la Ley de Educación, sino que solo incorpora modificaciones a la anteriormente existente (LOE).

La Ley Orgánica 3/2020, de 29 de diciembre, por la que se modifica la Ley Orgánica 2/2006, de 3 de mayo, de Educación deroga la Ley Orgánica 8/2013, de 9 de diciembre para la mejora de la calidad educativa (LOMLOE), sin embargo, algunas de las modificaciones que introdujo esta Ley siguen vigentes. Por ejemplo, en el capítulo I, del Título II, sobre Alumnado con necesidad específica de apoyo educativo, la Sección cuarta sobre Alumnado con dificultades específicas de aprendizaje fue introducida por la LOMCE y sigue estando vigente.

Como marco legislativo de la educación, por lo tanto, comenzamos por la **LOE (LOE: Ley Orgánica de Educación 2/06 del 3 de mayo) con las modificaciones de la LOMLOE (Ley Orgánica 3/2020, de 29 de diciembre, por la que se modifica la Ley Orgánica 2/2006, de 3 de mayo, de Educación).**

El sistema educativo se organiza en etapas, ciclos, grados, cursos y niveles de enseñanza de forma que asegure la transición entre los mismos y, en su caso, dentro de cada uno de ellos.

Las enseñanzas que ofrece el sistema educativo son las siguientes:

a) Educación infantil.

b) Educación primaria.

c) Educación secundaria obligatoria.

d) Bachillerato.

e) Formación profesional.

f) Enseñanzas de idiomas.

g) Enseñanzas artísticas.

h) Enseñanzas deportivas.

i) Educación de personas adultas.

j) Enseñanza universitaria.

La educación primaria, la educación secundaria obligatoria y los ciclos formativos de grado básico constituyen la educación básica.

La Educación Infantil se regula en el Capítulo I del Título I de la LOE. En dicha norma se establece que la educación infantil constituye la primera etapa educativa del sistema educativo español con identidad propia y de carácter voluntario que atiende a niñas y niños desde el nacimiento hasta los seis años de edad.

Los artículos específicos de la Educación Infantil son:

TÍTULO I

Las Enseñanzas y su Ordenación

CAPÍTULO I

Educación Infantil

Artículo 12. Principios generales.

1. *La educación infantil constituye la etapa educativa con identidad propia que atiende a niñas y niños desde el nacimiento hasta los seis años de edad.*
2. *Los centros que acojan de manera regular durante el calendario escolar a niños y niñas con edades entre cero y seis años deberán ser autorizados por las Administraciones educativas como centros de educación infantil.*
3. *La educación infantil tiene carácter voluntario y su finalidad es la de contribuir al desarrollo físico, afectivo, social, cognitivo y artístico del alumnado, así como la educación en valores cívicos para la convivencia.*
4. *Con objeto de respetar la responsabilidad fundamental de las madres y padres o tutores en esta etapa, los centros de educación infantil cooperarán estrechamente con ellos.*
5. *La programación, la gestión y el desarrollo de la educación infantil atenderán, en todo caso, a la compensación de los efectos que las desigualdades de origen cultural, social y económico tienen en el aprendizaje y evolución infantil, así como a la detección precoz y atención temprana de necesidades específicas de apoyo educativo.*

Artículo 13. Objetivos. *La educación infantil contribuirá a desarrollar en las niñas y niños las capacidades que les permitan:*

a) Conocer su propio cuerpo y el de los otros, sus posibilidades de acción y aprender a respetar las diferencias.

b) Observar y explorar su entorno familiar, natural y social.

c) Adquirir progresivamente autonomía en sus actividades habituales.

d) Desarrollar sus capacidades afectivas.

e) Relacionarse con los demás en igualdad y adquirir progresivamente pautas elementales de convivencia y relación social, así como ejercitarse en el uso de la empatía y la resolución pacífica de conflictos, evitando cualquier tipo de violencia.

f) Desarrollar habilidades comunicativas en diferentes lenguajes y formas de expresión.

g) Iniciarse en las habilidades lógico-matemáticas, en la lecto-escritura y en el movimiento, el gesto y el ritmo.

h) Promover, aplicar y desarrollar las normas sociales que promueven la igualdad de género.

Artículo 14. Ordenación y principios pedagógicos.

1. *La etapa de educación infantil se ordena en dos ciclos. El primero comprende hasta los tres años y el segundo desde los tres a los seis años de edad.*
2. *El carácter educativo de uno y otro ciclo será recogido en una propuesta pedagógica por todos los centros que impartan educación infantil.*
3. *En ambos ciclos de la educación infantil se atenderá progresivamente al desarrollo afectivo, a la gestión emocional, al movimiento y los hábitos de control corporal, a las manifestaciones de la comunicación y del lenguaje, a las pautas elementales de convivencia y relación social, así como descubrimiento del entorno, de los seres vivos que en él conviven y de las características físicas y sociales del medio en el que viven. También se incluirán la educación en valores, la educación para el consumo responsable y sostenible y la promoción y educación para la salud. Además se facilitará que niñas y niños elaboren una imagen de sí mismos positiva y equilibrada e igualitaria y adquieran autonomía personal.*
4. *Los contenidos educativos de la educación infantil se organizarán en áreas correspondientes a ámbitos propios de la experiencia y del desarrollo infantil y se abordarán por medio de actividades globalizadas que tengan interés y significado para los niños.*
5. *Las Administraciones educativas fomentarán el desarrollo de todos los lenguajes y modos de percepción específicos de estas edades para desarrollar el conjunto de sus potencialidades, respetando la específica cultura de la infancia que definen la Convención sobre los derechos del Niño y las Observaciones Generales de su Comité. Con esta finalidad, y sin que resulte exigible para afrontar la educación primaria, podrán favorecer una primera aproximación a la lectura y a la escritura, así como experiencias de iniciación temprana en habilidades numéricas básicas, en las tecnologías de la información y la comunicación y en la expresión visual y musical y en cualesquiera otras que las administraciones educativas autonómicas determinen.*

   Corresponde asimismo a las Administraciones educativas fomentar una primera aproximación a la lengua extranjera en los aprendizajes del segundo ciclo de la educación infantil, especialmente en el último año.
6. *Los métodos de trabajo en ambos ciclos se basarán en las experiencias de aprendizaje emocionalmente positivas, las actividades y el juego y aplicarán en un ambiente de afecto y confianza, para potenciar su autoestima e integración social y el establecimiento de un apego seguro.*
7. *El Gobierno, en colaboración con las Comunidades Autónomas, determinarán los contenidos educativos del primer ciclo de la educación infantil de acuerdo con lo previsto en el presente capítulo. Asimismo, regularán los requisitos de titulación de sus profesionales y los que hayan de cumplir los centros que impartan dicho ciclo, relativos, en todo caso, a la relación numérica alumnado-profesor, a las instalaciones y al número de puestos escolares.*
8. *Para garantizar la continuidad del proceso de formación y una transición y evolución positiva de todo el alumnado, se reflejará en el desarrollo curricular la necesaria continuidad entre esta etapa y la Educación Primaria, lo que requerirá la estrecha coordinación entre el profesorado de ambas etapas. A tal fin, al finalizar la etapa el tutor o tutora emitirá un informe sobre el desarrollo y necesidades de cada alumno o alumna.*

Artículo 15. Oferta de plazas y gratuidad.

1. *Las Administraciones públicas incrementarán progresivamente la oferta de plazas públicas en el primer ciclo con el fin de atender todas las solicitudes de escolarización de la población infantil de cero a tres años. Asimismo coordinarán las políticas de cooperación entre ellas y con otras entidades para asegurar la oferta educativa en este ciclo. A tal fin, determinarán las condiciones en las que podrán establecerse convenios con las corporaciones locales, otras Administraciones y entidades privadas sin fines de lucro. Todos los centros habrán de estar autorizados por la Administración educativa correspondiente y supervisados por ella.*

2. *El segundo ciclo de la educación infantil será gratuito. A fin de atender las demandas de las familias, las Administraciones educativas garantizarán una oferta suficiente de plazas en los centros públicos y concertarán con centros privados, en el contexto de su programación educativa.*

3. *Los centros podrán ofrecer el primer ciclo de educación infantil, el segundo o ambos. En todo caso, las Administraciones educativas promoverán la existencia de centros públicos que incorporen la educación infantil con otras etapas educativas posteriores.*

4. *De acuerdo con lo que establezcan las Administraciones educativas, el primer ciclo de la educación infantil podrá ofrecerse en centros que abarquen el ciclo completo o una parte del mismo. Aquellos centros cuya oferta sea de al menos un año completo del citado ciclo deberán incluir en su proyecto educativo la propuesta pedagógica a la que se refiere el apartado 2 del artículo 14 y deberán contar con el personal cualificado en los términos recogidos en el artículo 92.*

5. *Las Administraciones educativas asegurarán la coordinación entre los equipos pedagógicos de los centros que actualmente imparten distintos ciclos y de estos con los centros de educación primaria.*

TÍTULO III

Profesorado

CAPÍTULO II

Profesorado de las distintas enseñanzas

Artículo 92. Profesorado de educación infantil.

1. **La atención educativa directa a los niños del primer ciclo de educación infantil correrá a cargo de profesionales que posean el título de Maestro con la especialización en educación infantil o el título de Grado** equivalente y, en su caso, de otro personal con la debida titulación para la atención a las niñas y niños de esta edad. En todo caso, la elaboración y seguimiento de la propuesta pedagógica a la que hace referencia el apartado 2 del artículo 14, estarán bajo la responsabilidad de un profesional con el título de Maestro de educación infantil o título de Grado equivalente.

2. El segundo ciclo de educación infantil será impartido por profesores con el título de Maestro y la especialidad en educación infantil o el título de Grado equivalente y podrán ser apoyados, en su labor docente, por maestros de otras especialidades cuando las enseñanzas impartidas lo requieran.

1.2. El currículo de Educación Infantil

El referente legal de ámbito estatal para el currículo de Educación Infantil es el **Real Decreto 95/2022, de 1 de febrero, por el que se establece la ordenación y las enseñanzas mínimas de la Educación Infantil**.

La Ley Orgánica 3/2020, de 29 de diciembre, por la que se modifica la Ley Orgánica 2/2006, de 3 de mayo, de Educación, introduce en la anterior redacción de la norma importantes cambios, muchos de ellos derivados, tal y como indica la propia ley en su exposición de motivos, de la conveniencia de revisar las medidas previstas en el texto original con objeto de adaptar el sistema educativo a los retos y desafíos del siglo XXI de acuerdo con los objetivos fijados por la Unión Europea y la UNESCO para la década 2020-2030.

Atendiendo a este enfoque, el título preliminar del nuevo texto de la Ley Orgánica 2/2006, de 3 de mayo, de Educación, incluye, entre los principios y fines de la educación, el cumplimiento efectivo de los derechos de la infancia según lo establecido en la Convención sobre los Derechos del Niño de Naciones Unidas, la inclusión educativa y la aplicación de los principios del Diseño Universal para el Aprendizaje.

Al mismo tiempo, la ley reformula, en primer lugar, la definición de currículo, enumerando los elementos que lo integran y señalando a continuación que su configuración deberá estar orientada a facilitar el desarrollo educativo de los alumnos y alumnas, garantizando su formación integral, contribuyendo al pleno desarrollo de su personalidad y preparándolos para el ejercicio pleno de los derechos humanos, de una ciudadanía activa y democrática en la sociedad actual, sin que en ningún caso esta configuración pueda suponer una barrera que genere abandono escolar o impida el acceso y disfrute del derecho a la educación. En consonancia con esta visión, la ley, manteniendo el enfoque competencial que aparecía ya en el texto original, hace hincapié en el hecho de que esta formación integral necesariamente debe centrarse en el desarrollo de las competencias.

Asimismo, se modifica la anterior distribución de competencias entre el Estado y las comunidades autónomas en lo relativo a los contenidos básicos de las enseñanzas mínimas. De este modo, corresponderá al Gobierno, previa consulta a las comunidades autónomas, fijar, en relación con los objetivos, competencias, contenidos y criterios de evaluación, los aspectos básicos del currículo, que constituyen las enseñanzas mínimas. Las administraciones educativas, a su vez, serán las responsables de establecer el currículo correspondiente para su ámbito territorial, del que formarán parte los aspectos básicos antes mencionados. Finalmente, corresponderá a los centros educativos desarrollar y completar, en su caso, el currículo de las diferentes etapas y ciclos en el uso de su autonomía, tal y como se recoge en la propia ley.

Con relación a la Educación Infantil, el nuevo texto incorpora a la ordenación y a los principios pedagógicos de la etapa el respeto a la específica cultura de la infancia que definen la Convención sobre los Derechos del Niño y las Observaciones Generales de su Comité.

En desarrollo de lo anteriormente expuesto, el objeto de este real decreto es establecer las enseñanzas mínimas de la Educación Infantil, entendida como una etapa educativa única, con identidad propia y organizada en dos ciclos que responden ambos a una misma intencionalidad educativa. Partiendo de esta visión de conjunto, en uso de la competencia estatal para la ordenación general del sistema educativo y para la fijación de las enseñanzas mínimas recogida en el artículo 6 bis de la ley, y recogiendo al mismo tiempo el mandato del artículo 14.7, que por primera vez encomienda al Gobierno, en colaboración con las comunidades autónomas, la definición de los contenidos educativos del currículo del primer ciclo, este real decreto define los objetivos, fines y principios generales y pedagógicos del conjunto de la etapa, así como las competencias clave cuyo desarrollo deberá iniciarse desde el comienzo mismo de la escolarización. Además, para cada una de las áreas, se fijan las competencias específicas previstas para la etapa, así como los criterios de evaluación y los saberes básicos establecidos para cada ciclo.

Por otra parte, con carácter meramente orientativo y con el fin de facilitar al profesorado su propia práctica, se propone una definición de situación de aprendizaje y se establecen principios para su diseño.

Por último, se incluyen en esta norma otras disposiciones referidas a aspectos esenciales de la ordenación de la etapa, como la evaluación, la atención a las diferencias individuales y la autonomía de los centros.

En el ámbito autonómico el referente legal para el currículo de Educación Infantil es el **Decreto37/2022, de 29 de septiembre, por el que se establece la ordenación y el currículo de la educación infantil en la Comunidad de Castilla y León**.

La educación infantil, que se define como una etapa con identidad propia, organizada en dos ciclos en los que ambos responden a una misma intencionalidad educativa, es considerada por la Administración educativa de Castilla y León como una etapa esencial que prepara al alumnado para cursar con aprovechamiento la enseñanza obligatoria y también para que asienten de forma progresiva las bases de un desarrollo competencial adecuado, a fin de continuar su formación a lo largo de toda la vida. Según esta doble concepción, el desarrollo y el aprendizaje se entienden, más si cabe, como procesos dinámicos que se producen como consecuencia de la interacción con el entorno. Es por ello que, en el proceso de concreción y aplicación del currículo establecido en este decreto, los centros educativos deberán incorporar aprendizajes relacionados con el patrimonio natural, artístico y cultural de la Comunidad Autónoma, y en particular con los de su entorno más próximo, respetando siempre la identidad cultural y social del alumnado y de sus familias.

Igualmente, la práctica educativa en esta etapa deberá respetar la diversidad de capacidades, ritmos y estilos de maduración y aprendizaje, motivaciones, intereses y necesidades del alumnado. Así, la atención al alumnado, y a sus diferencias, serán los ejes sobre los que construir la acción educativa del docente, adquiriendo en este proceso especial relevancia la participación y colaboración de las familias.

En este contexto, cobra especial importancia la metodología a emplear por el profesorado. La creación de ambiente de confianza y afecto, la globalización de la enseñanza, la utilización del juego, la organización flexible de los espacios y los tiempos, junto al manejo de recursos y materiales múltiples y variados, serán los pilares sobre los que construir unos métodos de trabajo que se concretarán en el desarrollo y resolución de situaciones de aprendizaje problematizadas.

Ordenación y carácter de la etapa

Tal como se establece en el artículo 2 del **Decreto 37/2022, de 29 de septiembre**, la educación infantil constituye una etapa educativa de carácter voluntario e identidad propia que atiende al alumnado desde el nacimiento hasta los seis años de edad.

Esta etapa se ordena en dos ciclos. El primer ciclo comprende desde los cero hasta los tres años y el segundo desde los tres hasta los seis años.

En virtud del artículo 5.2 del Real Decreto 95/2022, de 1 de febrero, por el que se establece la ordenación y las enseñanzas mínimas de la Educación Infantil, en el primer ciclo, la Comunidad de Castilla y León realizará un incremento progresivo de la gratuidad de la oferta de plazas a partir del curso académico 2022-2023. El segundo ciclo será gratuito en los centros sostenidos con fondos públicos.

Finalidad de la etapa

Según el artículo 4 del **Real Decreto 95/2022, de 1 de febrero**, la finalidad de la Educación Infantil es contribuir al desarrollo integral y armónico del alumnado en todas sus dimensiones: física, emocional, sexual, afectiva, social, cognitiva y artística, potenciando la autonomía personal y la creación progresiva de una imagen positiva y equilibrada de sí mismos, así como a la educación en valores cívicos para la convivencia

Siguiendo el artículo 3 del **Decreto 37/2022, de 29 de septiembre**, la educación infantil en la Comunidad de Castilla y León tendrá por finalidad, además de la establecida en el artículo 4 del Real Decreto 95/2022, de 1 de febrero, la de contribuir a la identificación y establecimiento de vínculos compartidos por parte del alumnado con la historia y tradiciones propias, con el fin de iniciarse en el reconocimiento y valoración de su patrimonio artístico, cultural y natural, con una actitud de interés y respeto que contribuya a su conservación.

Principios generales de la etapa

Según el artículo 5 del **Real Decreto 95/2022, de 1 de febrero**, los principios generales de la etapa son:

1. La Educación Infantil tiene carácter voluntario.
2. El segundo ciclo de esta etapa educativa será gratuito. En el marco del plan que, conforme a lo previsto en la disposición adicional tercera de la Ley Orgánica 3/2020, de 29 de diciembre, por la que se modifica la Ley Orgánica 2/2006, de 3 de mayo, de Educación, deberá establecer el Gobierno en colaboración con las administraciones educativas, se tenderá a la progresiva implantación del primer ciclo mediante una oferta pública suficiente y a la extensión de su gratuidad, priorizando el acceso del alumnado en situación de riesgo de pobreza y exclusión social y la situación de baja tasa de escolarización.
3. Con el objetivo de garantizar los principios de equidad e inclusión, la programación, la gestión y el desarrollo de la Educación Infantil atenderán a la compensación de los efectos que las desigualdades de origen cultural, social y económico tienen en el aprendizaje y en la evolución infantil, así como a la detección precoz y atención temprana de necesidades específicas de apoyo educativo.
4. Con este mismo objetivo, las medidas organizativas, metodológicas y curriculares que se adopten se regirán por los principios del Diseño Universal para el Aprendizaje.

Siguiendo el artículo 4 del **Decreto 37/2022, de 29 de septiembre**, los principios generales de la educación infantil en la Comunidad de Castilla y León, son los establecidos en el artículo 12 de la Ley Orgánica 2/2006, de 3 de mayo, de Educación y en el artículo 5 del Real Decreto 95/2022, de 1 de febrero, y además los siguientes:

a) La garantía de igualdad de oportunidades en el acceso y la libre elección de centro educativo por parte de las familias.

b) La cooperación con otras administraciones públicas, corporaciones locales y establecimientos privados a fin de garantizar una oferta adecuada acorde a las necesidades.

c) La concepción de los centros que impartan educación infantil como espacios de aprendizaje, socialización, intercambio y encuentro entre el alumnado, las familias y los profesionales de la educación.

d) La constitución de la educación infantil como un proceso educativo continuo, evolutivo y participativo que desarrollará las distintas dimensiones educativas propias del alumnado de estas edades, y como experiencia y preparación para la incorporación a la educación básica.

e) La atención individualizada, poniéndose especial énfasis en la detección y atención temprana de cualquier necesidad educativa tan pronto como se produzca, y en la tutoría y relación con las familias.

f) La coordinación entre los ciclos de educación infantil y con la etapa de educación primaria, al objeto de facilitar la transición y continuidad en el proceso educativo del alumnado, de acuerdo con los mecanismos que establezca la consejería competente en materia de educación.

Estructura curricular

Según el artículo 5 del **Decreto 37/2022, de 29 de septiembre**, el currículo de la educación infantil en la Comunidad de Castilla y León se estructura en los siguientes elementos:

a) Objetivos de etapa.

b) Competencias clave.

c) Competencias específicas.

d) Mapa de relaciones competenciales.

e) Criterios de evaluación.

f) Contenidos.

g) Principios pedagógicos.

h) Principios metodológicos.

i) Situaciones de aprendizaje.

De conformidad con lo establecido en el artículo 10.2 del Real Decreto 95/2022, de 1 de febrero, los centros educativos, como parte de su propuesta pedagógica, desarrollarán y completarán el currículo establecido en este decreto, adaptándolo a las características personales de cada alumno, así como a su realidad socioeducativa.

Objetivos de etapa

El artículo 2 del **Real Decreto 95/2022, de 1 de febrero** define los objetivos como: "logros que se espera que el alumnado haya alcanzado al finalizar la etapa y cuya consecución está vinculada a la adquisición de las competencias clave".

Según el artículo 7 del **Real Decreto 95/2022, de 1 de febrero**, la Educación Infantil contribuirá a desarrollar en los niños y las niñas las capacidades que les permitan:

a) Conocer su propio cuerpo y el de los otros, así como sus posibilidades de acción y aprender a respetar las diferencias.

b) Observar y explorar su entorno familiar, natural y social.

c) Adquirir progresivamente autonomía en sus actividades habituales.

d) Desarrollar sus capacidades emocionales y afectivas.

e) Relacionarse con los demás en igualdad y adquirir progresivamente pautas elementales de convivencia y relación social, así como ejercitarse en el uso de la empatía y la resolución pacífica de conflictos, evitando cualquier tipo de violencia.

f) Desarrollar habilidades comunicativas en diferentes lenguajes y formas de expresión.

g) Iniciarse en las habilidades lógico-matemáticas, en la lectura y la escritura, y en el movimiento, el gesto y el ritmo.

h) Promover, aplicar y desarrollar las normas sociales que fomentan la igualdad entre hombres y mujeres.

Siguiendo el artículo 6 del **Decreto 37/2022, de 29 de septiembre**, los objetivos de la educación infantil en la Comunidad de Castilla y León son los establecidos en el artículo 13 de la Ley Orgánica 2/2006, de 3 de mayo, y en el artículo 7 del Real Decreto 95/2022, de 1 de febrero, y además los siguientes:

a) Iniciarse en el conocimiento y valoración de la cultura, tradiciones y valores de la sociedad de Castilla y León.

b) Iniciarse en el reconocimiento y conservación del patrimonio natural de la Comunidad de Castilla y León como fuente de riqueza y diversidad.

c) Descubrir el desarrollo de la cultura científica en la Comunidad de Castilla y León iniciándose en la identificación de los avances en matemáticas, ciencia, ingeniería y tecnología, de manera que fomente el descubrimiento, curiosidad, cuidado y respeto por el entorno.

Competencias clave

El artículo 2 del **Real Decreto 95/2022, de 1 de febrero** define las competencias clave como: "desempeños que se consideran imprescindibles para que el alumnado pueda progresar con garantías de éxito en su itinerario formativo, y afrontar los principales retos y desafíos globales y locales. Son la adaptación al sistema educativo español de las competencias clave establecidas en la Recomendación del Consejo de la Unión Europea de 22 de mayo de 2018 relativa a las competencias clave para el aprendizaje permanente".

Siguiendo el artículo 7 del **Decreto 37/2022, de 29 de septiembre**, de conformidad con el anexo I del Real Decreto 95/2022, de 1 de febrero, las competencias clave son las siguientes:

a) Competencia en comunicación lingüística.

b) Competencia plurilingüe.

c) Competencia matemática y competencia en ciencia, tecnología e ingeniería.

d) Competencia digital.

e) Competencia personal, social y de aprender a aprender.

f) Competencia ciudadana.

g) Competencia emprendedora.

h) Competencia en conciencia y expresión culturales.

Las competencias y los objetivos de la etapa están íntimamente relacionados. Se entiende que el dominio de cada una de ellas contribuye al logro de los objetivos y viceversa.

Competencias específicas

El artículo 2 del **Real Decreto 95/2022, de 1 de febrero** define las competencias específicas como: "desempeños que el alumnado debe poder desplegar en actividades o en situaciones cuyo abordaje requiere de los saberes básicos de cada área. Las competencias específicas constituyen un elemento de conexión entre, por una parte, las competencias clave y, por otra, los saberes básicos de las áreas y los criterios de evaluación".

Según el artículo 7 del **Real Decreto 95/2022, de 1 de febrero**, las competencias específicas de cada área, que serán comunes para los dos ciclos de la etapa, así como los criterios de evaluación y los contenidos, enunciados en forma de saberes básicos. Estos elementos curriculares se establecen con carácter orientativo para el primer ciclo y conforman, junto con los objetivos de la etapa, las enseñanzas mínimas del segundo ciclo.

Siguiendo el artículo 8 del **Decreto 37/2022, de 29 de septiembre**, las competencias específicas plasman la concreción de las competencias clave para cada una de las áreas.

Mapa de relaciones competenciales

Siguiendo el artículo 9 del **Decreto 37/2022, de 29 de septiembre**, el mapa de relaciones competenciales representa la vinculación de las competencias específicas de las áreas con las competencias clave. Permitirá determinar la contribución de cada área, y del conjunto de estas, al desarrollo competencial del alumnado. El mapa de relaciones competenciales de la educación infantil se recoge en el anexo IV:

ANEXO IV

MAPA DE RELACIONES COMPETENCIALES

		CCL	CP	STEM	CD	CPSAA	CC	CE	CCEC
Crecimiento en Armonía	*Competencia Específica 1*	✓	✓	✓		✓	✓	✓	✓
	Competencia Específica 2	✓		✓	✓	✓		✓	✓
	Competencia Específica 3			✓	✓	✓	✓		
	Competencia Específica 4	✓	✓	✓	✓	✓	✓		✓
Descubrimiento y Exploración del Entorno	*Competencia Específica 1*	✓		✓		✓	✓		✓
	Competencia Específica 2	✓		✓	✓	✓		✓	✓
	Competencia Específica 3	✓	✓	✓			✓		✓
Comunicación y Representación de la Realidad	*Competencia Específica 1*	✓		✓	✓	✓	✓	✓	
	Competencia Específica 2	✓		✓	✓			✓	✓
	Competencia Específica 3	✓		✓	✓	✓		✓	✓
	Competencia Específica 4	✓							✓
	Competencia Específica 5	✓	✓				✓		✓

Criterios de evaluación

El artículo 2 del **Real Decreto 95/2022, de 1 de febrero** define los criterios de evaluación como: "referentes que indican los niveles de desempeño esperados en el alumnado en las situaciones o actividades a las que se refieren las competencias específicas de cada área en un momento determinado de su proceso de aprendizaje".

Siguiendo el artículo 8 del **Decreto 37/2022, de 29 de septiembre**, los criterios de evaluación plasman la referencia de cada área para valorar el aprendizaje del alumnado y el grado de adquisición de cada competencia específica.

Contenidos

El artículo 2 del **Real Decreto 95/2022, de 1 de febrero** define los saberes básicos como: "conocimientos, destrezas y actitudes que constituyen los contenidos propios de un área y cuyo aprendizaje es necesario para la adquisición de las competencias específicas".

Siguiendo el artículo 8 del **Decreto 37/2022, de 29 de septiembre**, los contenidos plasman los aprendizajes que son necesarios trabajar con el alumnado en cada área a fin de que adquieran las competencias específicas; e integran conocimientos, que constituyen la dimensión cognitiva de las competencias; destrezas, que constituyen la dimensión instrumental; y actitudes, que constituyen la dimensión actitudinal.

Principios Pedagógicos

Según el artículo 6 del **Real Decreto 95/2022, de 1 de febrero**, los principios pedagógicos a tener en cuenta en esta etapa son:

1. La práctica educativa en esta etapa buscará desarrollar y asentar progresivamente las bases que faciliten el máximo desarrollo de cada niño y de cada niña.
2. Dicha práctica se basará en experiencias de aprendizaje significativas y emocionalmente positivas y en la experimentación y el juego. Además, deberá llevarse a cabo en un ambiente de afecto y confianza para potenciar su autoestima e integración social y el establecimiento de un apego seguro. Así mismo, se velará por garantizar desde el primer contacto una transición positiva desde el entorno familiar al escolar, así como la continuidad entre ciclos y entre etapas.
3. En los dos ciclos de esta etapa, se atenderá progresivamente al desarrollo afectivo, a la gestión emocional, al movimiento y los hábitos de control corporal, a las manifestaciones de la comunicación y del lenguaje, y a las pautas elementales de convivencia y relación social, así como al descubrimiento del entorno, de los seres vivos que en él conviven y de las características físicas y sociales del medio en el que viven. También se incluirá la educación en valores.
4. Asimismo, se incluirán la educación para el consumo responsable y sostenible y la promoción y educación para la salud.
5. Además, se favorecerá que niños y niñas adquieran autonomía personal y elaboren una imagen de sí mismos positiva, equilibrada e igualitaria y libre de estereotipos discriminatorios.

6. Las administraciones educativas fomentarán el desarrollo de todos los lenguajes y modos de percepción específicos de estas edades para desarrollar el conjunto de sus potencialidades, respetando la específica cultura de la infancia que definen la Convención sobre los Derechos del Niño y las Observaciones Generales de su Comité.
7. De igual modo, sin que resulte exigible para afrontar la Educación Primaria, se podrá favorecer una primera aproximación a la lectura y a la escritura, así como experiencias de iniciación temprana en habilidades numéricas básicas, en las tecnologías de la información y la comunicación, en la expresión visual y musical y en cualesquiera otras que las administraciones educativas determinen.
8. Corresponde a las administraciones educativas fomentar una primera aproximación a la lengua extranjera en los aprendizajes del segundo ciclo de la Educación Infantil, especialmente en el último año.

Siguiendo el artículo 10 del **Decreto 37/2022, de 29 de septiembre**, además de los principios anteriores, y como concreción de los principios generales reflejados en el artículo 4 de este decreto, se determinan los siguientes principios pedagógicos que identifican el conjunto de normas que deben orientar la vida del centro educativo, al objeto de articular la respuesta más adecuada posible a las singularidades del alumnado de educación infantil:

a) La atención individualizada.

b) La atención y el respeto a las diferencias individuales.

c) La respuesta inmediata ante las dificultades de aprendizaje identificadas previamente o a las que vayan surgiendo a lo largo de la etapa.

d) El respeto a la iniciativa del alumnado, así como a su estado emocional.

e) La potenciación de la autoestima del alumnado, así como el desarrollo progresivo de su autonomía personal.

f) La actuación preventiva y compensatoria que evite desigualdades derivadas de factores de cualquier índole, en especial de los personales, sociales, económicos o culturales.

g) La promoción, en colaboración con las familias, del desarrollo integral del alumnado, atendiendo a su bienestar psicofísico, emocional y social, desde la perspectiva del respeto a sus derechos y al desarrollo de todas sus potencialidades.

h) La organización cuidadosa de la adaptación del alumnado a la escuela.

i) La contribución al disfrute del alumnado en el proceso de aprendizaje.

j) El trabajo en equipo, favoreciendo la coordinación de los diferentes profesionales que desarrollan su labor en el centro.

k) La continuidad del proceso educativo del alumnado, al objeto de que la transición entre ciclos y entre la etapa de educación infantil y la de educación primaria sea positiva.

Específicamente, en el **primer ciclo de la etapa** se atenderá además a los siguientes principios:

a) La generación en el alumnado del gusto por la exploración del mundo, la experimentación, el descubrimiento y la relación con los demás, tomando como punto de partida su propio cuerpo.

b) La creación de un ambiente de afecto y confianza, asegurando el respeto al ritmo de desarrollo del alumnado.

c) La instauración de las rutinas de la vida diaria en los centros como eje vertebrador de las actividades que se organicen.

d) La construcción de un ambiente favorable para una transición positiva desde el entorno familiar al escolar, así como la ampliación de las figuras de apego del alumnado.

En todo caso, las medidas organizativas, metodológicas y curriculares que se adopten se regirán por los **tres principios en torno a los que se construye la teoría y la práctica del Diseño Universal para el Aprendizaje**:

a) Proporcionar múltiples formas de implicación, al objeto de incentivar y motivar al alumnado en su proceso de aprendizaje.

b) Proporcionar múltiples formas de representación de la información y del contenido, al objeto de aportar al alumnado un espectro de opciones de acceso real al aprendizaje lo más amplio y variado posible.

c) Proporcionar múltiples formas de acción y expresión, al objeto de permitir al alumnado interaccionar con la información, así como demostrar el aprendizaje realizado, de acuerdo siempre a sus preferencias o capacidades.

Principios metodológicos

Siguiendo el artículo 11 del **Decreto 37/2022, de 29 de septiembre**, en atención a los principios pedagógicos, y como concreción de estos, en el anexo II.A se fijan los principios metodológicos comunes a toda la etapa. Estos principios guiarán a los docentes en la selección de metodologías que integren estilos, estrategias y técnicas de enseñanza, tipos de agrupamientos y formas de organización del espacio y el tiempo, y recursos y materiales de desarrollo curricular adecuados, a fin de que el diseño y puesta en práctica de las situaciones de aprendizaje permitan al alumnado movilizar los contenidos y alcanzar los aprendizajes esenciales.

Estos principios metodológicos se desarrollarán en el siguiente tema al hablar sobre las estrategias metodológicas en la educación infantil.

Situaciones de aprendizaje

El artículo 2 del **Real Decreto 95/2022, de 1 de febrero** define las situaciones de aprendizaje como "situaciones y actividades que implican el despliegue por parte del alumnado de actuaciones asociadas a competencias clave y competencias específicas, y que contribuyen a la adquisición y desarrollo de las mismas".

Siguiendo el artículo 12 del **Decreto 37/2022, de 29 de septiembre**, se entiende por situación de aprendizaje el conjunto de momentos, circunstancias, disposiciones y escenarios alineados con las competencias clave y con las competencias específicas a ellas vinculadas, que requieren por parte del alumnado la resolución de actividades y tareas secuenciadas a través de la movilización de estrategias y contenidos, y que contribuyen a la adquisición y desarrollo de las competencias.

Las situaciones de aprendizaje deberán:

a) Ser globalizadas; es decir, deberán incluir contenidos de varias áreas.

b) Ser estimulantes; es decir, deberán tener interés para el alumnado.

c) Ser significativas; es decir, deberán partir de los conocimientos previos del alumnado en relación con contextos cotidianos de los ámbitos personal, familiar, social y/o educativo.

d) Ser inclusivas; es decir, deberán garantizar el acceso a las mismas de todo el alumnado, adecuándolas a sus características evolutivas y a sus ritmos y estilos de aprendizaje.

Áreas de la etapa

Siguiendo el artículo 14 del **Decreto 37/2022, de 29 de septiembre**, de acuerdo con lo establecido en el artículo 8 del Real Decreto 95/2022, de 1 de febrero, las áreas de la educación infantil son las siguientes:

a) Crecimiento en Armonía.

b) Descubrimiento y Exploración del Entorno.

c) Comunicación y Representación de la Realidad.

Las tres áreas se entenderán como ámbitos propios de experiencia y del desarrollo infantil intrínsecamente relacionadas entre sí. Las delimitaciones entre estas únicamente se establecen con el propósito de ayudar al docente en la ordenación y sistematización del desarrollo de la actividad educativa.

La enseñanza de la lengua extranjera comenzará en el primer curso del segundo ciclo de la etapa, pudiéndose realizar una aproximación a la misma en el primer ciclo, siempre que esto no implique un incremento en la dotación del profesorado.

Dado el carácter globalizado del currículo de la etapa, la enseñanza de la lengua extranjera se abordará a través de los contenidos del área Comunicación y Representación de la Realidad.

Las enseñanzas de religión se iniciarán en el primer curso del segundo ciclo de la etapa y se ajustarán a lo dispuesto en la disposición adicional primera del Real Decreto 95/2022, de 1 de febrero.

Aquel alumnado que no curse religión recibirá la atención educativa adecuada por parte del centro, orientada al conocimiento de la cultura, tradición y valores de la sociedad de Castilla y León, que se desarrollará en el mismo horario que el de las enseñanzas de religión.

Horario

Según el artículo 11 del **Real Decreto 95/2022, de 1 de febrero**, el horario en la etapa de Educación Infantil se entenderá como la distribución en secuencias temporales de las actividades que se realizan en los distintos días de la semana, teniendo en cuenta que todos los momentos de la jornada tienen carácter educativo.

El horario escolar se organizará desde un enfoque globalizador e incluirá propuestas de aprendizaje que permitan alternar diferentes tipos y ritmos de actividad con periodos de descanso en función de las necesidades del alumnado.

Siguiendo el artículo 15 del **Decreto 37/2022, de 29 de septiembre**, la distribución del tiempo escolar y su concreción en el horario de aula no contemplará una distribución por áreas, dado el carácter globalizador e integrador del currículo en esta etapa, e incluirá actividades que permitan respetar los ritmos de actividad y juego. Todos los días se incluirá un tiempo de recreo diario que en el segundo ciclo de la etapa será de treinta minutos.

Los centros que impartan educación infantil prestarán sus servicios educativos al alumnado de lunes a viernes, excepto los días no lectivos, en una jornada diaria de oferta obligatoria de cinco horas y que, con carácter general, estará comprendida entre las 9:00 y las 14:00 horas.

El resto del tiempo de permanencia en el centro será voluntario para el alumnado, pudiendo los centros desarrollar distintas actividades en función de la demanda de las familias, que podrán funcionar durante todo el periodo de apertura del centro fijado en su calendario escolar. La estancia de los alumnos, en todo caso, no podrá superar las ocho horas y media diarias.

En cada curso del segundo ciclo de la educación infantil, el horario de dedicación a las actividades relacionadas con el aprendizaje de una lengua extranjera será de una hora y media semanales distribuida, al menos, en dos sesiones. Corresponde a los centros educativos, en el ámbito de su autonomía y a través de su programación general anual, su distribución semanal.

En cada curso del segundo ciclo de educación infantil, el horario de dedicación a las enseñanzas de religión será de una hora semanal, dentro del horario lectivo. Corresponde a los centros educativos, en el ámbito de su autonomía y a través de su programación general anual, su distribución semanal.

El alumnado de nueva incorporación al centro podrá realizar un período de adaptación, si así lo manifiestan en el momento de formalizar la matrícula los padres, madres o personas que ejerzan la tutoría legal. Este período, que con carácter general tendrá una duración máxima de dos semanas, deberá planificarse al principio del curso y contemplará la participación y colaboración de las familias, así como la flexibilización del horario para conseguir la mejor adaptación. Las medidas adoptadas para este período deberán incluirse en la programación general anual.

El horario lectivo del centro será autorizado por el titular de la dirección provincial de educación correspondiente, previo informe favorable de la inspección educativa.

Evaluación

Según el artículo 12 del **Real Decreto 95/2022, de 1 de febrero**, la evaluación será global, continua y formativa. La observación directa y sistemática constituirá la técnica principal del proceso de evaluación.

La evaluación en esta etapa estará orientada a identificar las condiciones iniciales individuales y el ritmo y características de la evolución de cada niño o niña. A estos efectos, se tomarán como referencia los criterios de evaluación establecidos para cada ciclo en cada una de las áreas.

El proceso de evaluación deberá contribuir a mejorar el proceso de enseñanza y de aprendizaje mediante la valoración de la pertinencia de las estrategias metodológicas y de los recursos utilizados. Con esta finalidad, todos los profesionales implicados evaluarán su propia práctica educativa.

Los padres, las madres, los tutores y las tutoras legales deberán participar y apoyar la evolución del proceso educativo de sus hijos, hijas, tutelados o tuteladas, así como conocer las decisiones relativas a la evaluación y colaborar en las medidas que adopten los centros para facilitar su progreso educativo.

Siguiendo el artículo 17 del **Decreto 37/2022, de 29 de septiembre**, en virtud de lo dispuesto en el artículo 12.1 del Real Decreto 95/2022, de 1 de febrero, la evaluación en esta etapa será global, continua y formativa. Además, en la Comunidad de Castilla y León será criterial y orientadora.

La evaluación en esta etapa estará orientada a identificar las condiciones iniciales individuales y el ritmo y características de la evolución del alumnado.

El referente fundamental, a fin de valorar el grado de adquisición de las competencias específicas de las diferentes áreas, serán los criterios de evaluación que figuran en el anexo III.

Las principales técnicas a emplear serán la observación directa y el análisis del desempeño del alumnado a través de las producciones que realicen.

Estas técnicas deberán aplicarse de forma sistemática y continua a lo largo de todo el proceso educativo.

En los procedimientos de evaluación, el docente buscará la participación del alumnado a través de su propia evaluación y de la evaluación entre iguales.

En el anexo II.B se determinan orientaciones para la evaluación de los aprendizajes del alumnado.

Cuando el progreso del alumnado no sea el adecuado se establecerán medidas de refuerzo educativo. Estas medidas se adoptarán tan pronto como se detecten las dificultades y estarán dirigidas a garantizar la adquisición de los aprendizajes imprescindibles para continuar el proceso educativo.

Los docentes y profesionales que desarrollen su actividad en la educación infantil evaluarán su propia práctica docente como punto de partida para su mejora.

El artículo 18 del mismo Decreto, se refiere a la **promoción y permanencia del alumnado**:

La promoción entre los ciclos de la etapa y entre los distintos cursos del segundo ciclo será automática. Asimismo, también será automática la promoción entre la etapa de educación infantil y la etapa de educación primaria.

Sin perjuicio de lo anterior y, en todo caso con carácter excepcional y extraordinario, podrá autorizarse la permanencia del alumnado un año más en la etapa, con el consentimiento de la familia, en los términos regulados por la consejería competente en materia de educación.

Los **documentos e informes de evaluación** se regulan en el artículo 19 del citado Decreto:

Los informes de evaluación en la educación infantil serán los siguientes:

a) Informe anual.

b) Informe de primer ciclo.

c) Informe final de etapa.

Los documentos de evaluación en el segundo ciclo de educación infantil serán los siguientes:

a) Actas de evaluación.

b) Expediente académico de educación infantil.

c) Historial académico de educación infantil.

Atención a las diferencias individuales

Según el artículo 13 del **Real Decreto 95/2022, de 1 de febrero**, la atención individualizada constituirá la pauta ordinaria de la acción educativa del profesorado y demás profesionales de la educación.

La intervención educativa contemplará la diversidad del alumnado adaptando la práctica educativa a las características personales, necesidades, intereses y estilo cognitivo de los niños y las niñas e identificando aquellas características que puedan tener incidencia en su evolución escolar con el objetivo de asegurar la plena inclusión de todo el alumnado.

Las administraciones educativas establecerán procedimientos que permitan la detección temprana de las dificultades que pueden darse en los procesos de enseñanza y aprendizaje y la prevención de las mismas a través de planes y programas que faciliten una intervención precoz. Asimismo, facilitarán la coordinación de cuantos sectores intervengan en la atención de este alumnado.

Los centros adoptarán las medidas adecuadas dirigidas al alumnado que presente necesidad específica de apoyo educativo.

Asimismo, adoptarán la respuesta educativa que mejor se adapte a las características y necesidades personales de los niños y niñas que presenten necesidades educativas especiales.

Las administraciones educativas podrán incorporar a su oferta educativa las lenguas de signos españolas.

Siguiendo el artículo 20 del **Decreto 37/2022, de 29 de septiembre**, el conjunto de diferencias individuales, tales como capacidad, ritmo de aprendizaje, estilo de aprendizaje, motivación, intereses, contexto social, situación cultural, circunstancia lingüística o estado de salud, que coexisten en todo el alumnado hace que los centros educativos y más concretamente sus aulas, sean espacios diversos. No obstante, todo el alumnado, con independencia de sus especificidades, tiene derecho a una educación adecuada a sus características y necesidades.

Por ello, los principios pedagógicos de atención individualizada y atención y respeto a las diferencias individuales constituirán la pauta ordinaria de la acción educativa de los docentes y demás profesionales de la educación.

Con el objetivo de garantizar la plena inclusión de todo el alumnado, la práctica educativa se adaptará a sus características personales y sociales, necesidades, intereses y estilo de aprendizaje. Igualmente, la intervención educativa procurará la identificación de las características que puedan incidir en su evolución escolar.

La consejería competente en materia de educación establecerá procedimientos que permitan la detección temprana de las dificultades que pueden darse en los procesos de enseñanza y aprendizaje y la prevención de las mismas a través de planes y programas que faciliten una intervención precoz. Asimismo, facilitará la coordinación de cuantos sectores intervengan en la atención de este alumnado. La atención al alumnado que presente dichas dificultades deberá ser integral e inmediata y se regirá por los principios de normalización y de inclusión.

Los centros adoptarán las medidas adecuadas dirigidas al alumnado que presente necesidad específica de apoyo educativo. Asimismo, adoptarán la respuesta educativa que mejor se adapte a las características y necesidades personales del alumnado que presenten necesidades educativas especiales.

Para adecuar la respuesta educativa a las necesidades y diferencias de todo su alumnado, los centros diseñarán un plan de atención a la diversidad, que formará parte del proyecto educativo, y cuya estructura será determinada por parte de la consejería competente en materia de educación.

2. Contenidos educativos del primer ciclo de la Educación Infantil en la Comunidad de Castilla y León

Los contenidos educativos del primer ciclo de Educación Infantil se regulan en el Real Decreto 95/2022, de 1 de febrero, por el que se establece la ordenación y las enseñanzas mínimas de la Educación Infantil.

En su artículo 10.1 establece que "Las administraciones educativas establecerán el currículo de toda la etapa de Educación Infantil, del que formarán parte, en todo caso, las enseñanzas mínimas fijadas en este real decreto para el segundo ciclo de la etapa".

En la Comunidad de Castilla y León el currículo de la etapa de Educación Infantil se regula y desarrolla mediante el Decreto 37/2022, de 29 de septiembre, por el que se establece la ordenación y el currículo de la educación infantil en la Comunidad de Castilla y León.

En este Decreto nos basaremos para la exposición de este apartado. En primer lugar haremos referencia a las competencias clave y seguidamente desarrollaremos el contenido de cada una de las tres áreas de la Educación Infantil.

2.1. Competencias clave

La finalidad más importante de todo sistema educativo es lograr que los jóvenes alcancen su máximo desarrollo integral, en un contexto de igualdad de oportunidades, adquiriendo las competencias que les permitan desenvolverse con garantías en la sociedad global de las próximas décadas.

De acuerdo con los principios rectores que inspiran la Ley Orgánica 2/2006, de 3 de mayo, la educación se concibe como un aprendizaje permanente que se desarrolla a lo largo de la vida. En consecuencia, la educación infantil, como primera etapa que es de nuestro sistema educativo, supone el inicio del proceso de adquisición de las competencias clave para el aprendizaje permanente que aparecen recogidas en el anexo I del Real Decreto, 95/2022, de 1 de febrero, a partir de las enunciadas en la Recomendación del Consejo de la Unión Europea de 22 de mayo de 2018 relativa a las competencias para el aprendizaje permanente.

Como rasgos más importantes de estas competencias, en relación con lo expresado en la citada Recomendación, podemos señalar que:

- No hay límites diferenciados entre las distintas competencias, sino que se solapan y entrelazan entre sí. Determinados aspectos en un ámbito apoyan la competencia en otro.
- No existe jerarquía alguna entre las competencias. Todas ellas se consideran igualmente importantes ya que cada una contribuye a una vida exitosa en la sociedad del conocimiento.

- Ninguna competencia se corresponde directa ni unívocamente con una única área.
- Las competencias pueden aplicarse en ámbitos muy distintos y en diversas combinaciones.
- Todas las competencias se concretan en los aprendizajes de las distintas áreas, y, a su vez, se desarrollan a partir de los aprendizajes que se produzcan en las mismas.
- Hay una serie de cuestiones que intervienen en las ocho competencias clave: el pensamiento crítico, la creatividad, la capacidad de iniciativa, la resolución de problemas, la evaluación del riesgo, la toma de decisiones y la gestión constructiva de los sentimientos.

Cabe señalar que este carácter transversal de las competencias clave favorece notablemente el enfoque globalizado propio de la etapa de educación infantil.

Cada competencia clave integra tres dimensiones, la cognitiva, la instrumental y la actitudinal.

La **dimensión cognitiva** de la competencia alude a conocimientos en forma de hechos y cifras, datos, ideas, teorías o conceptos ya establecidos que constituyen la información que el ser humano debe integrar y asimilar. Esta dimensión se identifica con el "saber".

La **dimensión instrumental** de la competencia supone la habilidad para aplicar esos conocimientos en un quehacer concreto a través de operaciones que requieren ser interiorizadas mediante el entrenamiento. Esta dimensión se identifica con el "hacer".

Por último, la **dimensión actitudinal** de la competencia, que integra valores, emociones, hábitos y principios, incorpora la mentalidad y disposición positiva para actuar o reaccionar en el desarrollo de las operaciones. Esta dimensión se identifica con el "querer".

Existe, por tanto, una fuerte interrelación entre las tres dimensiones que integran cada competencia. Tal es así que los conceptos, los principios, los hechos (es decir, los conocimientos) no se aprenden al margen de su uso, de su utilización y su aplicación (es decir, las destrezas). Al igual que tampoco se adquieren determinadas destrezas de no existir un conocimiento base. Tanto unos como otros aprendizajes estarán siempre condicionados por la influencia social y cultural, que determinarán el tercer componente, las creencias y valores del aprendiz. En la economía del conocimiento, memorizar hechos y procedimientos es importante, aunque no suficiente para el progreso y el éxito. Las capacidades, como la resolución de problemas, el pensamiento crítico, la habilidad para cooperar, la creatividad, el pensamiento computacional o la autorregulación, son más esenciales que nunca en nuestra sociedad. Se trata de herramientas para lograr que lo que se ha aprendido funcione en tiempo real, para generar nuevas ideas, nuevas teorías, nuevos productos y nuevos conocimientos.

A partir del Marco de Referencia Europeo establecido en el Anexo de la Recomendación del Consejo de la Unión Europea de 22 de mayo de 2018, establecemos la siguiente conceptualización de las competencias clave para el aprendizaje permanente:

Competencia en comunicación lingüística (CCL)

La competencia en comunicación lingüística es la habilidad de identificar, comprender, expresar, crear e interpretar conceptos, pensamientos, sentimientos, hechos y opiniones de forma oral (escuchar y hablar), escrita (leer y escribir) o signada, mediante materiales visuales, sonoros o de audio y digitales en las distintas disciplinas y contextos. Esto implica interactuar eficazmente con otras personas, de manera respetuosa, ética, adecuada y creativa en todos los posibles ámbitos y contextos sociales y culturales, tales como la educación y la formación, la vida privada, el ocio o la vida profesional.

El desarrollo de esta competencia constituye la base para el pensamiento propio y para la construcción del aprendizaje posterior en todos los ámbitos del saber, y está vinculado a la reflexión acerca del funcionamiento de la lengua en los géneros discursivos de cada área del conocimiento, así como a los usos de la oralidad, la escritura o la signación para pensar y para aprender, además de hacer posible la dimensión estética del lenguaje y el disfrute de la cultura literaria.

Competencia plurilingüe (CP)

La competencia en comunicación plurilingüe es la habilidad de utilizar distintas lenguas de forma adecuada y efectiva para el aprendizaje y la comunicación. En líneas generales, comparte las principales capacidades de la competencia en comunicación lingüística, es decir, identificar, comprender, expresar, crear e interpretar conceptos, pensamientos, sentimientos, hechos y opiniones de forma oral, escrita y signada en diversos contextos sociales y culturales de acuerdo con los deseos o las necesidades de cada cual.

Además, esta competencia supone reconocer y respetar los perfiles lingüísticos individuales. También implica aprovechar las experiencias propias para desarrollar estrategias que permitan mediar y hacer transferencias entre lenguas, incluidas las clásicas, y, en su caso, mantener y adquirir destrezas en la(s) lengua(s) materna(s), así como en las lenguas oficiales. Integra, asimismo, dimensiones históricas e interculturales orientadas a conocer, valorar y respetar la diversidad lingüística y cultural de la sociedad con el objetivo de fomentar la convivencia democrática.

Competencia matemática y competencia en ciencia, tecnología e ingeniería (STEM)

De sus siglas en inglés "Science, Technology, Engineering & Mathematics", la competencia STEM integra la comprensión del mundo, junto a los cambios causados por la actividad humana, utilizando el pensamiento y la representación matemática, los métodos científicos, la tecnología y los métodos de la ingeniería para transformar el entorno a partir de la responsabilidad de cada individuo como ciudadano.

Así, la competencia matemática es la habilidad de desarrollar y aplicar la perspectiva y el razonamiento matemáticos, junto a sus herramientas de pensamiento y representación, al objeto de describir, interpretar y predecir distintos fenómenos que permitan resolver problemas en situaciones cotidianas.

La competencia en ciencia es la habilidad de comprender y explicar el mundo natural y social utilizando un conjunto de conocimientos y metodologías, incluidas la observación, la experimentación y la contrastación, con el fin de plantear preguntas y extraer conclusiones basadas en pruebas para así poder interpretar, conservar y mejorar el mundo natural y el contexto social.

La competencia en tecnología e ingeniería comprende la aplicación de los conocimientos y metodologías propios de las ciencias en respuesta a lo que se percibe como deseos o necesidades humanos en un marco de seguridad, responsabilidad y sostenibilidad.

Competencia digital (CD)

La competencia digital es aquella que implica el uso creativo, seguro, crítico, saludable, sostenible y responsable de las tecnologías digitales para el aprendizaje, en el trabajo y para la participación en la sociedad, así como la interacción con estas.

Incluye la alfabetización en información y datos, la comunicación y la colaboración, la alfabetización mediática, la creación de contenidos digitales (incluida la programación), la seguridad (incluido el bienestar digital y las competencias relacionadas con la ciberseguridad), asuntos relacionados con la propiedad intelectual, la privacidad, la resolución de problemas y el pensamiento computacional y crítico.

Competencia personal, social y de aprender a aprender (CPSAA)

La competencia personal, social y de aprender a aprender es la habilidad de reflexionar sobre uno mismo, gestionar el tiempo y la información eficazmente, colaborar con otros de forma constructiva, mantener la resiliencia y gestionar el aprendizaje y la carrera propios. Incluye la habilidad de hacer frente a la incertidumbre y la complejidad, adaptarse a los cambios, iniciar, organizar y persistir en el aprendizaje, contribuir al propio bienestar físico y emocional, conservar la salud física y mental, y ser capaz de llevar una vida saludable y orientada al futuro, expresar empatía y gestionar los conflictos en un contexto integrador y de apoyo.

Competencia ciudadana (CC)

La competencia ciudadana es la habilidad de actuar como ciudadanos responsables y participar plenamente de forma responsable y constructiva en la vida social y cívica, basándose en la comprensión de los conceptos y fenómenos básicos relativos al individuo, a la organización del trabajo, a las estructuras sociales, económicas, culturales, jurídicas y políticas, así como al conocimiento de los acontecimientos mundiales y el compromiso con la sostenibilidad, en especial con el cambio demográfico y climático en el contexto mundial.

Competencia emprendedora (CE)

La competencia emprendedora es la habilidad de la persona para actuar con arreglo a oportunidades e ideas que aparecen en diferentes contextos, y transformarlas en actividades personales, sociales y profesionales que generen resultados de valor para otros. Se basa en la innovación, la creatividad, el pensamiento crítico y la resolución de problemas, en tomar la iniciativa, la perseverancia, la asunción de riesgos y la habilidad de trabajar tanto individualmente como de manera colaborativa en la planificación y gestión de proyectos de valor financiero, social o cultural adoptando planteamientos éticos.

Competencia en conciencia y expresión culturales (CCEC)

La competencia en conciencia y expresión culturales implica comprender y respetar diferentes formas en que las ideas, las emociones y el significado se expresan de forma creativa y se comunican en las distintas culturas, así como a través de una serie de artes y otras manifestaciones culturales. Implica esforzarse por comprender, desarrollar y expresar las ideas propias y un sentido de pertenencia a la sociedad o de desempeñar una función en esta en distintas formas y contextos.

2.2. Área Crecimiento en Armonía

El área Crecimiento en Armonía hace referencia a la construcción gradual de la propia identidad y su madurez emocional, al establecimiento de relaciones sociales y afectivas, a la autonomía y cuidado personal y a la mejora en el dominio y control de los movimientos, juegos y ejecuciones corporales, todos ellos entendidos como procesos inseparables y necesariamente complementarios.

La expresión instintiva de las primeras emociones, asociada sobre todo a la satisfacción de las necesidades básicas, irá evolucionando hacia formas progresivamente complejas y sofisticadas, conscientes de las normas y valores sociales.

El área Crecimiento en Armonía se centra en las dimensiones personal y social entendidas como inseparables y complementarias, que se desarrollan y regulan de manera progresiva, conjunta y armónica, aunque solo adquiere sentido desde la complementariedad con las otras dos, ya que se produce en un entorno físico y natural determinado y precisa de la utilidad de distintos lenguajes y representaciones de la realidad.

Contribución del área al logro de los objetivos de etapa

El área Crecimiento en Armonía permite desarrollar en el alumnado las capacidades necesarias para alcanzar los objetivos de la etapa de educación infantil, en los siguientes términos:

En las primeras etapas del desarrollo, el propio cuerpo es fuente de aprendizaje, de relación y de expresión y base de la actividad autónoma, por tanto, se irá evolucionando desde una actividad refleja e involuntaria hacia una actividad motora cada vez más intencional, alcanzando un control progresivo de su cuerpo. La adquisición de destrezas cada vez más complejas será el resultado de responder a la necesidad de utilizar instrumentos

y herramientas en las actividades cotidianas y en los juegos motores, sensoriales, simbólicos y de reglas. Desde esta área se irá progresando en el conocimiento y control progresivo del cuerpo y sus posibilidades, desarrollando el equilibrio, la percepción sensorial y la coordinación en el movimiento.

Por otro lado, en estas edades se produce el descubrimiento de la sexualidad y se inicia la construcción del género, por tanto, las interacciones y modelos deben evitar mecanismos de discriminación en el entorno escolar y social del alumnado. La intervención educativa en esta área va a guiar al alumnado en la construcción de la propia identidad, diferenciada de las demás, potenciando así el logro de una autoimagen ajustada y positiva. Además, los aprendizajes irán encaminados al reconocimiento de la diversidad y el desarrollo de actitudes de apertura hacia otras personas, contribuyendo así a aprender a respetar las diferencias.

Con la incorporación al entorno escolar, irán descubriendo su pertenencia al medio social: se amplían de manera significativa las relaciones interpersonales, se generan nuevos vínculos y se desarrollan actitudes como la confianza, la empatía y el apego, que constituyen la sólida base para su socialización. Además, se trabajará la diversidad familiar, la transición del grupo familiar al grupo social de la escuela, la gestión de conflictos, así como el aula y el centro como grupos sociales de referencia, contribuyendo a la exploración de su entorno familiar y social.

La adquisición de hábitos de vida saludable para el autocuidado y el cuidado del entorno a través de la alimentación, higiene, vestido, descanso y salud, favorecerá el progreso en su autonomía y en el desarrollo de estrategias para satisfacer sus necesidades básicas.

El desarrollo de la afectividad es especialmente relevante en esta etapa, ya que es la base de los aprendizajes y conforma la personalidad infantil. Por ello, deben trabajarse el reconocimiento, la expresión y el control progresivo de emociones, sentimientos, vivencias, preferencias e intereses, y las habilidades socioafectivas y de convivencia, en un clima acogedor y seguro, contribuyendo al desarrollo de sus capacidades emocionales y afectivas.

El aula se convierte en una pequeña comunidad de convivencia en la que se desarrollan las habilidades sociales y cada persona puede expresar sus necesidades, respetando las de los demás, aprendiendo a gestionar y resolver los conflictos de manera dialogada, siendo una oportunidad de crecimiento personal y social para toda la comunidad educativa. Desde esta área, concretamente, se favorecerá el desarrollo de habilidades socioafectivas y de convivencia, estrategias de autorregulación de conducta, la empatía y el respeto, que sean aplicables en todos los momentos de la jornada escolar del alumnado.

El uso de los diferentes lenguajes (verbal, gestual, musical, corporal...) se convertirá en un instrumento esencial para comunicar, nombrar, interpretar, comprender y controlar los distintos sentimientos y emociones referidos a sí mismo y a los demás, mejorar el conocimiento y el control de su cuerpo y establecer interacciones sociales, favoreciendo, así, el desarrollo de habilidades comunicativas.

Experimentar las posibilidades motrices y sensitivas, servirá para avanzar en el control de la motricidad fina y en el desarrollo de las destrezas necesarias para la exploración, manipulación y uso de utensilios comunes. El dominio progresivo de la coordinación visomotriz en contacto con objetos y materiales, así como el control progresivo del movimiento y de la postura, favorecerá el desarrollo de habilidades lógico-matemáticas, de la lectura y la escritura y del movimiento, el gesto y el ritmo.

Por último, desde esta área se trabaja la diversidad étnico-cultural, explorando celebraciones, costumbres y tradiciones desde una perspectiva abierta e integradora, que les permita generar actitudes de aceptación, respeto y aprecio a la diversidad. Además, se trabajan habilidades socioafectivas y de convivencia, a través de la comunicación de sentimientos y emociones y el acercamiento a pautas básicas de relación social que incluyan el respeto a la igualdad de género y el rechazo a cualquier tipo de discriminación.

Competencias específicas del área

Las competencias clave son el marco de referencia a partir del cual se concretan las competencias específicas, convirtiéndose así éstas en un segundo nivel de concreción de las primeras, ahora sí, específicas para cada área.

En el caso del área Crecimiento en Armonía, las competencias específicas se organizan en cuatro ejes que se relacionan entre sí. Las tres primeras competencias específicas se refieren a aspectos relacionados con su propio desarrollo personal: el progresivo control de sí mismos que van adquiriendo a medida que construyen su propia identidad, comienzan a establecer relaciones afectivas con los demás y utilizan los recursos personales para desenvolverse en el medio de una forma cada vez más ajustada e independiente, valorando y confiando en sus posibilidades y cualidades, y respetando las de los demás. La última competencia específica atiende a la necesaria correlación entre la construcción de la propia identidad y las interacciones en el entorno sociocultural donde aquella se produce, resaltando la importancia de propiciar y favorecer interacciones sanas, sostenibles, eficaces, igualitarias y respetuosas.

Las competencias específicas son:

1. Progresar en el conocimiento y control de su cuerpo y en la adquisición de distintas estrategias, adecuando sus acciones a la realidad del entorno de una manera segura, para construir una autoimagen ajustada y positiva.
2. Reconocer, manifestar y regular progresivamente sus emociones, expresando necesidades y sentimientos para lograr bienestar emocional y seguridad afectiva.

3. Adoptar modelos, normas y hábitos, desarrollando la confianza en sus posibilidades y sentimientos de logro, para promover un estilo de vida saludable y ecosocialmente responsable.
4. Establecer interacciones sociales en condiciones de igualdad, valorando la importancia de la amistad, el respeto y la empatía, para construir su propia identidad basada en valores democráticos y de respeto a los derechos humanos.

Criterios de evaluación

La adquisición de las competencias específicas constituye la base para la evaluación competencial del alumnado.

El nivel de desarrollo de cada competencia específica vendrá determinado por el grado de consecución de los criterios de evaluación con los que se vincula, por lo que estos han de entenderse como herramientas de diagnóstico en relación con el desarrollo de las propias competencias.

Estos criterios se han formulado de tal manera que vayan indisolublemente unidos al nivel de adquisición de las competencias clave para esta etapa, de tal forma que no se produzca una evaluación del área independiente de las competencias.

Este enfoque competencial conlleva la ineludible necesidad de que los criterios de evaluación midan tanto los productos finales esperados (resultados) como los procesos y actitudes que acompañan su elaboración. Para ello, y dado que los aprendizajes propios de esta área se han desarrollado habitualmente a partir de situaciones contextualizadas, bien reales o bien simuladas, los criterios de evaluación se deberán ahora comprobar mediante la puesta en práctica de técnicas y procedimientos también contextualizados a la realidad del alumnado.

Los criterios de evaluación de esta área para el primer ciclo de Educación Infantil son los siguientes:

Competencia específica 1.

1.1 Adecuar sus acciones y reacciones a cada situación, en una interacción lúdica y espontánea con el entorno, explorando sus posibilidades motoras progresando en precisión, seguridad, coordinación e intencionalidad.

1.2 Tomar conciencia de las propias sensaciones y percepciones, mostrando interés y curiosidad, y viviendo con placer la actividad sensomotriz.

1.3 Mostrar aceptación y respeto por el propio cuerpo y el de las demás personas, mejorando progresivamente en su conocimiento.

1.4 Explorar y manejar diferentes objetos, útiles y herramientas en rutinas y situaciones de juego, mostrando un progresivo dominio de las habilidades manipulativas.

1.5 Manifestar emociones y sentimientos de seguridad y afecto en la realización de cada acción.

1.6 Adquirir nociones temporales básicas para ubicarse en el tiempo a través de las actividades y rutinas de la vida cotidiana, así como de otros acontecimientos.

Competencia específica 2.

2.1 Iniciarse en la identificación y expresión de necesidades, emociones y sentimientos, desarrollando de manera progresiva las estrategias de regulación emocional.

2.2 Relacionarse con las otras personas aceptando y mostrando afecto de manera libre, segura, respetuosa y alejada de todo tipo de estereotipos.

2.3 Afrontar pequeñas adversidades, manifestando actitudes de superación, así como solicitando y prestando ayuda.

Competencia específica 3.

3.1 Incorporar estrategias y hábitos relacionados con el autocuidado y el cuidado del entorno, manifestando satisfacción por los beneficios que aportan.

3.2 Reconocer y anticipar la sucesión temporal de actividades, ritmos biológicos y pautas socioculturales que estructuran la dinámica cotidiana, asociándola a elementos, procedimientos y actitudes concretas.

Competencia específica 4.

4.1 Establecer vínculos y relaciones de apego saludables, demostrando actitudes de afecto y empatía hacia las demás personas y respetando los distintos ritmos individuales.

4.2 Reproducir conductas y situaciones previamente observadas en su entorno próximo, basadas en el respeto, la empatía, la igualdad de género, el trato no discriminatorio a las personas con discapacidad y el respeto a los derechos humanos, a través del juego de imitación y la iniciación al juego simbólico.

4.3 Participar en actividades y juegos, individuales y colectivos, iniciándose progresivamente en actitudes de paciencia y espera, y diferenciando comportamientos adecuados e inadecuados para una convivencia positiva.

4.4. Iniciarse en la identificación de los grupos sociales más significativos de su entorno a través de su progresiva integración y colaboración en actividades de la vida cotidiana, con la finalidad de incorporarse a la vida en sociedad.

4.5. Iniciarse en la resolución de conflictos con sus iguales, con la mediación de la persona adulta, experimentando los beneficios de llegar a acuerdos.

Contenidos

Los contenidos se han formulado integrando conocimientos, destrezas y actitudes. Su aprendizaje resulta necesario para la adquisición de las competencias específicas. Por ello, a la hora de su determinación se han tenido en cuenta los criterios de evaluación, puesto que éstos últimos determinan los aprendizajes necesarios para adquirir cada una de las competencias específicas.

A pesar de ello, en este decreto de currículo no se presentan los contenidos vinculados directamente a cada criterio de evaluación, puesto que las competencias específicas se evaluarán a través de la puesta en acción de diferentes contenidos. De esta manera se otorga al profesorado la suficiente flexibilidad como para que pueda establecer en su programación docente las conexiones que demanden los criterios de evaluación en función de las situaciones de aprendizaje que al efecto diseñe.

Los contenidos Crecimiento en Armonía se estructuran en cuatro bloques, a saber:

- **BLOQUE A. El cuerpo y el control progresivo del mismo**. En este bloque se fomentará la experimentación de las posibilidades motrices y sensitivas del propio cuerpo, se trabajará la adquisición de destrezas necesarias para la exploración, manipulación y uso de objetos y utensilios comunes. Todo ello servirá para avanzar en el control dinámico en desplazamientos y movimientos, contribuyendo a superar retos y elaborar un esquema corporal cada vez más ajustado.
- **BLOQUE B. Desarrollo y equilibrio afectivos**. Se incluirán en este bloque, contenidos relacionados con la regulación de las emociones y necesidades personales, respetando la diversidad, valorando el trabajo bien hecho, aprendiendo de los errores de forma constructiva y favoreciendo la relación con las personas y el entorno.
- **BLOQUE C. Hábitos de vida saludable para el autocuidado y el cuidado del entorno**. Se fomentará en este bloque el inicio en la adquisición de hábitos sobre consumo responsable, cuidado del entorno, autocuidado, contemplando la actividad física como conducta saludable.
- **BLOQUE D. La interacción socioemocional en el entorno**. La vida junto a los demás. Se iniciará en este bloque el sentido de pertenencia a un grupo y la adquisición de normas de interacción social, que contribuirán a aprender a vivir en armonía y favorecer el desarrollo del trabajo en equipo.

Los contenidos para el primer ciclo de Educación Infantil son:

A. El cuerpo y el control progresivo del mismo.

- Descubrimiento y reconocimiento de la propia imagen y la de las personas de su entorno. Identificación y respeto de las diferencias.
- Exploración y experimentación del propio cuerpo: movimiento, tono, expresividad, gesto.
- Progresiva coordinación y control corporal en actividades que implican movimiento global.
- Integración sensorial del mundo a través de las posibilidades perceptivas. Curiosidad e interés por la exploración sensomotriz.

- Exploración y experiencias activas. El movimiento libre como fuente de aprendizaje y desarrollo.
- El contacto con las otras personas y con los objetos. Iniciativa y curiosidad por aprender nuevas habilidades.
- Experimentación manipulativa y dominio progresivo de coordinación visomotriz en el contacto con objetos y materiales.
- Iniciación a la coordinación y control de las habilidades manipulativas de carácter fino.
- Exploración y valoración de las posibilidades y limitaciones motrices del propio cuerpo.
- Adaptación y progresivo control del movimiento y de la postura a las diferentes situaciones de la vida cotidiana.
- Iniciación en las estrategias para identificar y evitar situaciones de riesgo o peligro.
- El juego como actividad propia para el bienestar y disfrute. Juego exploratorio, sensorial y motor.

B. Desarrollo y equilibrio afectivos.

- Identificación y adecuación de estados emocionales a las diferentes situaciones: tiempos de espera, pequeñas frustraciones asociadas a la satisfacción de necesidades básicas y cuidados.
- Identificación progresiva de las causas y las consecuencias de las emociones básicas.
- Aceptación y control progresivo de las emociones y de las manifestaciones propias más llamativas.
- Aproximación a algunas estrategias para lograr seguridad afectiva: búsqueda de ayuda y demanda de contacto afectivo.

C. Hábitos de vida saludable para el autocuidado y el cuidado del entorno.

- Adaptación progresiva de los ritmos biológicos propios a las rutinas de grupo.
- Cuidados y necesidades básicas: utilización progresiva de los espacios y materiales, y colaboración en las tareas para cubrir sus necesidades.
- Rutinas relacionadas con la autonomía: anticipación de acciones; normas de comportamiento social en la comida, el descanso, la higiene o los desplazamientos, etc.
- Adquisición de hábitos relacionados con la higiene corporal (control de esfínteres, lavado y secado de manos y cara), la alimentación (autonomía, utilización de utensilios, alimentos sólidos) vestido (ponerse y quitarse el abrigo) y el descanso.
- Iniciación en la planificación progresiva de la acción, con ayuda del adulto, para resolver tareas sencillas.
- Hábitos sostenibles relacionados con la alimentación, la higiene, el aseo personal, el descanso y limpieza del espacio.

- Acciones que favorecen la salud y generan bienestar. Interés por ofrecer un aspecto saludable y aseado. Actividad física.

D. Interacción socioemocional en el entorno. La vida junto a los demás.

- Los primeros vínculos afectivos: La transición del grupo familiar al grupo social de la escuela.
- Características de la familia y la escuela como primeros grupos sociales.
- La vivienda: principales dependencias.
- Actividades de la vida cotidiana: primeras nociones de alimentación, higiene y orden.
- Apertura e interés hacia otras personas. Sentimientos de pertenencia y vinculación afectiva con las personas de referencia.
- Interés por participar en la vida familiar y social: relaciones afectuosas y respetuosas.
- Acercamiento a la diversidad derivada de distintas formas de discapacidad y sus implicaciones en la vida cotidiana.
- Adaptación a las pautas que rigen la convivencia y la igualdad en el seno familiar y social.
- Hábitos y regulación del comportamiento en función de las necesidades de los demás: escucha, paciencia y ayuda.
- Estrategias elementales para la gestión de conflictos.
- Desarrollo de actitudes de espera y de participación activa. Asunción de pequeñas responsabilidades en actividades y juegos.
- Iniciación al juego: individual, de imitación y simbólico.
- Observación y exploración del entorno físico y social: observación y conocimiento de algunos oficios y medios de transporte.
- Celebraciones, costumbres y tradiciones étnico-culturales presentes en el entorno.

2.3. Área Descubrimiento y Exploración del Entorno

El área Descubrimiento y Exploración del Entorno persigue que el alumnado descubra, comprenda y represente la realidad de la que forma parte, mediante el conocimiento de los elementos que la integran y de sus relaciones, favoreciendo su participación e interacción de manera activa y reflexiva.

Es el intercambio permanente con el medio y sus vivencias lo que va a permitir que el alumnado amplíe el conocimiento sobre el mundo físico, natural y cultural, sea capaz de interpretar los procesos de causa-efecto y se inicie en el ámbito de la representación de la realidad.

Se pretende, por tanto, favorecer el proceso de descubrimiento, observación y exploración de los elementos físicos, naturales y culturales del entorno, concibiendo este como un elemento provocador de emociones y sorpresas, y tratando de que, junto con su progresivo conocimiento, el alumnado vaya adoptando y desarrollando actitudes de respeto y valoración sobre la necesidad de cuidarlo y protegerlo, impulsando y trabajando desde las edades más tempranas por la consecución de los Objetivos de Desarrollo Sostenible.

Esta área se complementa con las otras dos áreas del currículo de educación infantil, otorgando al mismo un carácter globalizador, puesto que el desarrollo de la dimensión personal y social en inseparable y complementaria, es decir, el descubrimiento, la observación y exploración de los elementos del entorno se produce a través de la interacción corporal con el mismo y el deseo natural para conocerlo y comprenderlo y precisa de la utilidad de diferentes lenguajes y representaciones de la realidad.

Contribución del área al logro de los objetivos de etapa

El área Descubrimiento y Exploración del Entorno permite desarrollar en el alumnado las capacidades necesarias para alcanzar los objetivos de la etapa de educación infantil, en los siguientes términos:

El alumnado en estas edades tiene una necesidad constante de agarrar objetos y manipularlos, de explorar la realidad a través de sus manos y sentidos. Es decir, la exploración del entorno se produce a través del diálogo corporal, interaccionando con objetos, espacios, materiales y con el medio físico y natural. Por tanto, puesto que el descubrimiento y exploración del entorno se produce a través del cuerpo, desde esta área se contribuirá a que el alumnado vaya progresivamente conociendo su propio cuerpo y sus posibilidades de acción.

La exploración creativa de objetos, materiales y espacios, la indagación en el medio físico y natural, así como la iniciación en el pensamiento científico implica la observación y exploración del entorno familiar, natural, social y cultural. Además, permite al alumnado ir adquiriendo las pautas para comprender y participar del medio del que forma parte. Por otra parte, será fundamental aprender a valorar la diversidad y riqueza del medio natural y cultural, así como incidir en la mejora del medio ambiente y la conservación del patrimonio, desarrollando actitudes de respeto, protección y cuidado y fomentando la adquisición de hábitos ecosaludables y sostenibles.

El conocimiento, la participación y la comprensión del mundo que rodea al alumnado permitirán aprender a desenvolverse en el mismo de manera autónoma, a tomar sus

propias decisiones, aprender a desarrollar sus propias ideas y preferencias, y construir su autoestima y valía personal.

Del mismo modo, el descubrimiento y la interacción con los elementos físicos, naturales y culturales del entorno se produce a través de emociones y sorpresas, ampliando el ámbito de confianza y de pertenencia del alumnado, lo que contribuirá al desarrollo progresivo de sus capacidades emocionales y afectivas.

Desde esta área, además, se trabajará el cuidado, valoración y respeto del medio físico y natural. Se realizará una aproximación sobre la influencia de las acciones de las personas en el medio físico y en el patrimonio natural y cultural. Del mismo modo, se trabajará la empatía, el respeto y el cuidado por los animales, el medio natural y el patrimonio cultural, lo que favorecerá el desarrollo de pautas elementales de convivencia y relación social, el ejercicio de la empatía y la resolución pacífica de conflictos.

Por otro lado, la interacción con el medio que nos rodea ofrece una excelente oportunidad para desarrollar una actitud positiva y adquirir las habilidades comunicativas y sociales a través de la utilización de diferentes lenguajes y formas de expresión en el intercambio de experiencias, ideas y sensaciones.

Asimismo, mediante el contacto y la exploración del entorno a través de los sentidos y el movimiento, la inteligencia pone en funcionamiento ideas operativas y ejecutivas necesarias para el funcionamiento abstracto, su precisión, exactitud e inspiración, es decir, la exploración permite aprender por medio de la acción, acompañando al alumnado en los procesos de abstracción, favoreciendo y apoyando la iniciación en el desarrollo de habilidades lógico-matemáticas, de la lectura y la escritura. En esta área se pretende dar solución a situaciones reales o de juego simbólico que pongan en marcha distintos procedimientos lógico-matemáticos que se irán perfeccionando al utilizarlos en situaciones diversificadas. Igualmente, aprenderá a situarse y orientarse en el espacio y a localizar elementos respecto a sí mismo, a los demás y a los objetos.

Por último, a través del desarrollo de actitudes de cuidado, protección y respeto por el medio físico, natural, social y cultural se favorecerá el desarrollo de normas sociales, el respeto por la diversidad y el fomento de la igualdad entre hombres y mujeres.

Competencias específicas del área

En el área Descubrimiento y Exploración del Entorno las competencias específicas se organizan en tres ejes que se relacionan entre sí. La primera se orienta al desarrollo de destrezas que ayudan a identificar y establecer relaciones lógicas entre los distintos elementos que forman parte del entorno; la segunda se centra en el fomento de una actitud crítica y creativa para identificar los retos y proponer posibles soluciones; y la tercera supone el acercamiento respetuoso hacia el mundo natural y el patrimonio cultural para despertar la conciencia de la necesidad de su uso sostenible, protección, cuidado y conservación.

Las competencias específicas son:

1. Identificar las características y funciones de materiales, objetos y colecciones y establecer relaciones entre ellos, mediante la exploración, la manipulación sensorial y el manejo de herramientas sencillas y el desarrollo de destrezas lógico-matemáticas para descubrir y crear una idea cada vez más compleja del mundo.
2. Desarrollar, de manera progresiva, los procedimientos del método científico y las destrezas del pensamiento computacional, a través de procesos de observación y manipulación de objetos, para iniciarse en la interpretación del entorno y responder de forma creativa a las situaciones y retos que se plantean.
3. Reconocer elementos y fenómenos de la naturaleza, mostrando interés por los hábitos que inciden sobre ella, para apreciar la importancia del uso sostenible, el cuidado y la conservación del entorno en la vida de las personas.

Criterios de evaluación

Los criterios de evaluación de esta área para el primer ciclo de Educación Infantil son los siguientes:

Competencia específica 1.

1.1. Experimentar con objetos a partir de sus cualidades o atributos básicos, mostrando curiosidad e interés.

1.2 Nombrar los cuantificadores básicos más significativos relacionados con su experiencia diaria, utilizándolos en el contexto del juego y la interacción con los demás.

1.3. Reconocer las nociones espaciales básicas, tanto en reposo como en movimiento, jugando con el propio cuerpo y con los objetos.

Competencia específica 2.

2.1 Gestionar las dificultades, retos o problemas con interés e iniciativa, mediante el descubrimiento de secuencias de actividades más sencillas con ayuda del docente.

2.2 Proponer soluciones y alternativas a través de distintas estrategias, escuchando y respetando las de los demás.

Competencia específica 3.

3.1 Interesarse por las actividades en contacto con la naturaleza y las características de los elementos naturales del entorno, mostrando respeto hacia ellos y hacia los animales que lo habitan.

3.2. Descubrir las características básicas de los seres vivos mostrando curiosidad e interés.

3.3 Identificar y nombrar los fenómenos naturales habituales en su entorno, explicando sus consecuencias en la vida cotidiana.

Contenidos

Los contenidos de Descubrimiento y Exploración del Entorno se estructuran en tres bloques, a saber:

- **BLOQUE A. Diálogo corporal con el entorno**. Exploración creativa de objetos, materiales y espacios. Incluye contenidos relativos a las cualidades y relaciones entre los objetos y materiales y las herramientas y nociones espacio-temporales que permitan interpretar el entorno.
- **BLOQUE B. Experimentación en el entorno**. Curiosidad, pensamiento científico, razonamiento lógico y creatividad. Se abordarán en este bloque diferentes estrategias para la construcción de nuevos conocimientos, de investigación, de planificación, para proponer soluciones fomentando el interés, la curiosidad y la creatividad.
- **BLOQUE C. Indagación en el medio físico y natural**. Cuidado, valoración y respeto. Se incluyen en este bloque las características y el comportamiento de los seres vivos y elementos naturales así como la importancia del patrimonio natural y cultural, y el desarrollo de actitudes de cuidado y respeto, creando entornos sostenibles.

Los contenidos para el primer ciclo de Educación Infantil son:

A. Dialogo corporal con el entorno. Exploración creativa de objetos, materiales, espacios.

- Curiosidad e interés por la exploración del entorno y sus elementos.
- Exploración creativa de objetos y materiales a través de los sentidos y acciones.
- Cualidades o atributos básicos de los objetos y materiales: color, tamaño, forma, textura y peso. Efectos que producen diferentes acciones sobre ellos.
- Relaciones de correspondencia.
- Cuantificadores básicos más significativos para expresar cantidades.
- Iniciación al conteo. Inicio del sentido del número uno.
- Nociones espaciales básicas en relación con el propio cuerpo y los objetos en espacio real. Arriba-abajo, dentro-fuera, abierto-cerrado.
- Nociones temporales básicas: cambio y permanencia, continuidad; sucesión y simultaneidad; pasado, presente y futuro.

B. Experimentación en el entorno. Curiosidad, pensamiento científico, razonamiento lógico y creatividad.

- Indagación en el entorno manifestando diversas actitudes: interés, curiosidad, imaginación, creatividad y sorpresa.
- La construcción de nuevos conocimientos: relaciones y conexiones entre lo conocido y lo novedoso; andamiaje e interacciones con las personas adultas, con iguales y con el entorno.
- Modelo de control de variables. Estrategias y técnicas de investigación: ensayo - error, observación y comprobación.

C. Indagación en el medio físico y natural. Cuidado, valoración y respeto.

- Efectos de las propias acciones en el medio físico y en el patrimonio natural y cultural.
- Experimentación con los elementos naturales.
- Fenómenos naturales habituales: repercusión en su vida cotidiana.
- Respeto hacia la naturaleza y los seres vivos.
- Características básicas de los seres vivos.
- Hábitos de cuidado del entorno.
- Disfrute de las actividades al aire libre.
- Respeto por el patrimonio cultural presente en el medio físico, especialmente en Castilla y León.

2.4. Área Comunicación y Representación de la Realidad

Esta área pretende desarrollar en el alumnado las capacidades que les permitan comunicarse a través de diferentes lenguajes y formas de expresión como medio para construir su identidad, representar e interpretar la realidad y relacionarse con las demás personas. Aprenderán, así a utilizar las diferentes formas de comunicación y representación en diversos contextos y situaciones de la vida.

La comunicación oral, escrita y las otras formas de comunicación y representación sirven de nexo entre el mundo interior y el exterior, al ser acciones que posibilitan las interacciones con los demás, la representación y la expresión de pensamientos, vivencias, sentimientos, ideas y emociones. A través del lenguaje el alumnado estructura su pensamiento, amplían sus conocimientos sobre la realidad y establecen relaciones con sus iguales y con el adulto, lo cual favorece su desarrollo afectivo y social. Por tanto, esta área se complementa y desarrolla en consonancia con las otras dos de la educación infantil, otorgando al currículo un carácter globalizador.

Los diferentes lenguajes y formas de expresión que se abordan en esta área contribuyen al desarrollo armónico e integral del alumnado desde todas sus dimensiones y tendrán su continuidad en las diferentes áreas de la educación primaria.

Contribución del área al logro de los objetivos de etapa

El área Comunicación y Representación de la Realidad permite desarrollar en el alumnado las capacidades necesarias para alcanzar los objetivos de la etapa de educación infantil, en los siguientes términos:

A través del lenguaje oral, escrito, musical, plástico, corporal y digital, el alumnado aprende, desarrolla su imaginación y creatividad, construyen su identidad personal, muestran sus emociones y su percepción de la realidad. El lenguaje corporal permite descubrir el propio cuerpo, así como indagar en las diferentes posibilidades y capacidades expresivas. Del mismo modo, la interpretación y representación corporal individual y grupal contribuye al descubrimiento de las diferencias con las demás personas, aprendiendo a respetarlas y valorarlas.

El lenguaje verbal proporciona una herramienta para explorar el entorno del alumnado; dando nombre a lo que nos rodea podemos identificar los diferentes elementos del entorno familiar, social y natural y así relacionarnos con él. Por otra parte, los lenguajes artísticos contribuyen al desarrollo de la sensibilidad, al aprendizaje, la escucha y la interpretación del medio que nos rodea. Concretamente, la exploración del lenguaje visual y plástico ofrece la oportunidad de educar la mirada, la apreciación artística, las posibles interpretaciones, permitiendo observar el entorno familiar, natural y social desde el respeto y la sensibilidad.

En la adquisición de la autonomía, el manejo del lenguaje permitirá al alumnado comunicarse, relacionarse y desenvolverse en el entorno de manera independiente y en sus actividades habituales.

Con el lenguaje se amplían los conocimientos sobre la realidad y se establecen relaciones con los iguales y con el adulto, lo cual favorece el desarrollo social y afectivo. Además, el descubrimiento de diferentes formas de expresión permitirá explorar sensaciones, sentimientos y emociones, favoreciendo el desarrollo emocional del alumnado.

El lenguaje u otros sistemas de comunicación son el medio para resolver conflictos a través del diálogo, el respeto a los demás y a las pautas elementales de convivencia. Además, el acercamiento al repertorio lingüístico personal y de los demás, así como la

sensibilidad y curiosidad por conocer otras lenguas favorece la apertura a otras ideas y culturas y a diferentes formas de ser y de hacer.

El alumnado irá descubriendo, mediante la manipulación y la exploración de los distintos lenguajes y formas de expresión, las posibilidades comunicativas para expresarse o representar sus realidades, contribuyendo al desarrollo de las propias habilidades comunicativas.

El lenguaje estructura el pensamiento y posibilita la expresión y la representación de ideas y vivencias para iniciarse en el desarrollo de las habilidades lógico_matemáticas. Por otro lado, el acercamiento natural al lenguaje escrito y a la literatura infantil permite iniciarse en la lectura y la escritura, así como el descubrimiento del lenguaje musical, plástico y corporal al desarrollo del movimiento, el gesto y el ritmo.

Por último, el uso de un lenguaje respetuoso e inclusivo, favorecerá el desarrollo de normas sociales que fomentan la igualdad entre mujeres y hombres.

Competencias específicas del área

En el caso del área Comunicación y Representación de la Realidad, las competencias específicas se relacionan con la capacidad de comunicarse eficazmente con otras personas de manera respetuosa, ética, adecuada y creativa. Se organizan en cinco ejes que se relacionan entre sí. Por un lado, se abordan tres pilares fundamentales de la comunicación: la interacción, la comprensión y la expresión para visibilizar las posibilidades comunicativas de los diferentes lenguajes y formas de expresión, concediendo un carácter prioritario al proceso de adquisición del lenguaje verbal. Por otro lado, y puesto que la comunicación permite interpretar y representar el mundo en el que vivimos, se aborda la aproximación a las manifestaciones culturales asociadas a los diferentes lenguajes, como primer paso hacia el reconocimiento y la valoración de la realidad multicultural y plurilingüe desde la infancia.

Las competencias específicas son:

1. Manifestar interés por interactuar en situaciones cotidianas a través de la exploración y el uso de su repertorio comunicativo, para expresar sus necesidades e intenciones y responder a las exigencias del entorno.
2. Interpretar y comprender mensajes y representaciones apoyándose en conocimientos y recursos de su propia experiencia para responder a las demandas del entorno y construir nuevos aprendizajes.
3. Producir mensajes de manera eficaz, personal y creativa, utilizando diferentes lenguajes, descubriendo los códigos de cada uno de ellos y explorando sus posibilidades expresivas para responder a diferentes necesidades comunicativas.
4. Participar por iniciativa propia en actividades relacionadas con textos escritos, mostrando interés y curiosidad por comprender su funcionalidad y algunas de sus características.
5. Valorar la diversidad lingüística presente en su entorno, así como otras manifestaciones culturales, para enriquecer sus estrategias comunicativas y su bagaje cultural.

Criterios de evaluación

Los criterios de evaluación de esta área para el primer ciclo de Educación Infantil son los siguientes:

Competencia específica 1.

1.1. Participar con interés en interacciones cotidianas, utilizando diferentes sistemas comunicativos.

1.2. Participar de forma espontánea en situaciones comunicativas, adecuando la postura, los gestos y los movimientos a sus intenciones.

1.3. Manifestar necesidades, sentimientos y vivencias utilizando estrategias comunicativas y aprovechando las posibilidades que ofrecen los diferentes lenguajes con curiosidad y disfrute.

1.4. Tomar la iniciativa en la interacción social, disfrutando de las situaciones comunicativas con una actitud respetuosa.

1.5. Mostrar interés por participar en situaciones de uso de diferentes lenguas, iniciándose con curiosidad por la diversidad de perfiles lingüísticos.

Competencia específica 2.

2.1. Escuchar e interpretar los estímulos y mensajes del entorno, reaccionando de manera adecuada.

2.2. Captar señales extralingüísticas que acompañan al lenguaje oral, interactuando en situaciones comunicativas.

2.3. Expresar sensaciones, sentimientos y emociones a partir de distintas representaciones y manifestaciones artísticas y culturales iniciándose en el respeto hacia las producciones propias y ajenas.

2.4. Mostrar curiosidad hacia otros lenguajes y formas de expresión explorando su uso.

Competencia específica 3.

3.1. Reproducir y utilizar el lenguaje oral u otros lenguajes para expresar y compartir necesidades, sentimientos, deseos, emociones, vivencias, regulando las acciones e interactuando en diferentes situaciones y contextos.

3.2. Producir mensajes verbales y no verbales, ampliando y enriqueciendo su repertorio comunicativo con seguridad y confianza.

3.3. Comprender y utilizar progresivamente el vocabulario comunicándose y denominando la realidad.

3.4. Utilizar progresivamente las convenciones sociales: contacto visual con el interlocutor, escucha atenta y espera, interviniendo en los intercambios comunicativos.

3.5. Explorar y disfrutar con las posibilidades expresivas de los diferentes lenguajes artísticos de manera creativa y libre, utilizando los medios materiales propios de los mismos.

Competencia específica 4.

4.1. Participar en actividades lúdicas de aproximación al lenguaje escrito, mostrando una actitud activa, manipulando e interpretando imágenes y otras formas de expresión gráfica acercándose a los símbolos presentes en el entorno.

4.2. Recurrir a escrituras indeterminadas, espontáneas y no convencionales, incorporándolas a sus producciones con intención comunicativa.

4.3. Utilizar la biblioteca de aula mostrando respeto y cuidado.

4.4. Mostrar interés y gusto por los cuentos, imitando y participando con los modelos lectores de referencia.

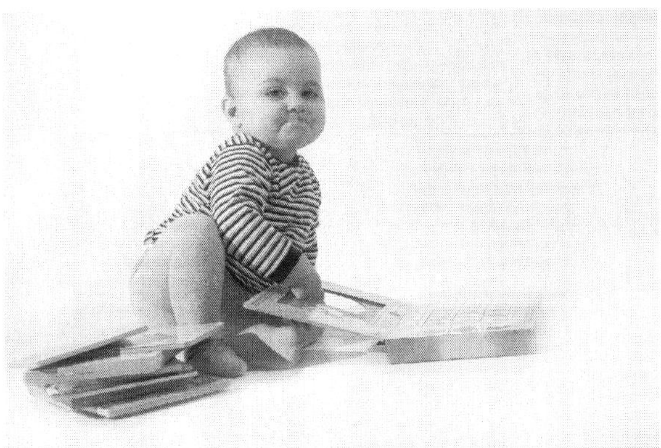

Competencia específica 5.

5.1. Relacionarse con naturalidad en la realidad lingüística y cultural del aula respetándola.

5.2. Manifestar interés y disfrute hacia actividades individuales o colectivas relacionadas con la literatura infantil, las obras musicales, las plásticas, los audiovisuales, las danzas o las dramatizaciones, avanzando en una actitud participativa.

Contenidos

Los contenidos de Comunicación y Representación de la Realidad se estructuran en ocho bloques en el primer ciclo y nueve en el segundo, a saber:

- **BLOQUE A. Intención e interacción comunicativas**. Se desarrollan las habilidades comunicativas, que irán evolucionando desde las primeras interacciones a través de la expresión corporal y gestual, ligadas básicamente a la satisfacción de sus necesidades primarias, hasta la adquisición de los códigos de diferentes lenguas y lenguajes.
- **BLOQUE B. Las lenguas y sus hablantes**. Se potencian actitudes positivas y de respeto tanto hacia el repertorio lingüístico personal, como hacia el de los demás, despertando la sensibilidad y la curiosidad por conocer otras lenguas.

- **BLOQUE C. Comunicación verbal oral: expresión, comprensión y diálogo**. La lengua oral es el instrumento por excelencia para la comunicación y el aprendizaje. Su adquisición y desarrollo ocupa un lugar de especial relevancia. Este bloque permite el acercamiento al lenguaje oral, la intención comunicativa, la discriminación auditiva y conciencia fonológica, así como el enriquecimiento del vocabulario.
- **BLOQUE D. Aproximación al lenguaje escrito**. En este bloque se trabajará el acercamiento al código escrito. En el segundo ciclo se acompañará de forma natural y respetuosa el proceso de enseñanza y aprendizaje de la lectura y la escritura como formas de comunicación, conocimiento y disfrute, teniendo en cuenta que la adquisición del código escrito no es un objetivo que se deba alcanzar en esta etapa.
- **BLOQUE E. Aproximación a la educación literaria**. Se potenciará el acercamiento a textos literarios infantiles desde la escucha de las primeras nanas, canciones de arrullo y cuentos, creando un vínculo emocional y lúdico. La literatura infantil ayudará a construir significados, despertar la imaginación y la fantasía, y acercarlos a realidades culturales propias y ajenas.
- **BLOQUE F. El lenguaje y la expresión musicales**. Permiten la comunicación, posibilitando la escucha atenta y activa, la sensibilidad, la improvisación y el disfrute a través de la voz, los instrumentos, el movimiento corporal o los juegos motores y sonoros.
- **BLOQUE G. El lenguaje y la expresión plásticos y visuales**. Facilitan la comunicación individual y en grupo, despertando la sensibilidad estética, la espontaneidad expresiva y la creatividad a partir de la exploración y contemplación de diferentes expresiones plásticas y visuales.
- **BLOQUE H. El lenguaje y la expresión corporales**. Tienen una función comunicativa, representativa o estética. A través de los movimientos corporales, la expresión dramática y el juego simbólico, expresan afectividad, desarrollan su sensibilidad, representan la realidad y establecen relaciones.
- **BLOQUE I**. En el segundo ciclo se añade la **alfabetización digital** donde se inicia al alumnado en un proceso de utilización de herramientas digitales, como medio de comunicación, información, aprendizaje, relación y disfrute.

Los contenidos para el primer ciclo de Educación Infantil son:

A. Intención e interacción comunicativas.

- El deseo de comunicarse. La emoción y la proximidad como base del intercambio comunicativo: interés e iniciativa por expresarse.
- La expresión facial y corporal: gestos de intención, necesidad y estado de ánimo, así como las sensaciones que los acompañan.
- El contacto e intercambio visuales.
- Las primeras interacciones tónico-emocionales y posturales. Señales extralingüísticas que acompañan al lenguaje oral: entonación, expresiones faciales y gestuales. El diálogo corporal.

- Los objetos de uso compartido como mediadores en los primeros contextos de interacción.
- Actitudes comunicativas significativas: atención conjunta, mirada referencial y comprensión de las expresiones emocionales de la persona adulta y reacción ante ellas.
- Estrategias que facilitan los intercambios en situaciones comunicativas que potencian el respeto y la igualdad: el contacto visual con el interlocutor, los gestos, los movimientos, la escucha atenta, el turno de diálogo y la alternancia.
- Expresiones verbales y gestuales socialmente establecidas para pedir, saludar, despedirse y agradecer.
- Textos de tradición oral: nanas, canciones de arrullo, juegos de regazo, retahílas sencillas, cuentos y poesías.

B. Las lenguas y sus hablantes.

- Repertorio lingüístico básico e individual atendiendo a su edad evolutiva.
- Realidad lingüística del aula y el entorno. Palabras o expresiones que responden a sus necesidades o intereses.
- Curiosidad por otras lenguas y formas de expresión.

C. Comunicación verbal oral: expresión, comprensión y diálogo.

- El lenguaje oral en situaciones cotidianas: primeras conversaciones con sonidos, vocalizaciones y juegos de interacción. Comprensión y expresión.
- Expresión de necesidades, deseos, vivencias y emociones.
- Lenguaje oral como regulador de la propia conducta.
- Comprensión del mundo y de mensajes a través de la escucha activa.
- Repertorio lingüístico: iniciativa por participar en situaciones comunicativas habituales y conversaciones colectivas, léxico y discurso.
- La expresión sonora y la articulación de las palabras. Juegos de imitación, lingüísticos y de percepción auditiva.
- Vocabulario. Comprensión y utilización para denominar la realidad y comunicarse.

D. Aproximación al lenguaje escrito.

- Acercamiento a los usos del lenguaje escrito.
- Exploración y utilización de materiales, instrumentos y soportes propios del lenguaje escrito, en escrituras indeterminadas y espontáneas.
- Disfrute y gusto hacia la lectura e interpretación de imágenes y distintas formas escritas y otros símbolos presentes en el entorno.
- Lectura a través de modelos lectores de referencia, incentivando el gusto por los cuentos.

E. Aproximación a la educación literaria.

- Textos literarios infantiles orales y escritos con contenido adecuado al desarrollo infantil que, preferentemente, desarrollen valores sobre la cultura de paz, los derechos de la infancia, la igualdad de género y la diversidad funcional y étnico-cultural.
- Retahílas, cuentos, poesías y rimas, tradicionales y contemporáneos, como fuente de placer y aprendizaje.
- Situaciones de lectura. Vínculos afectivos y lúdicos a través de modelos lectores de referencia.
- Animación lectora a través de distintas técnicas: papel, digital, kamishibai, títeres, teatro de marionetas y de sombras.
- Biblioteca de aula. Normas de uso.
- Gusto y disfrute por escuchar y ojear cuentos.

F. El lenguaje y la expresión musicales.

- La canción como herramienta de comunicación, aprendizaje y disfrute en el aula de infantil.
- Las actividades musicales como fuente de disfrute y placer.
- La escucha como descubrimiento y disfrute del entorno. Ruido-silencio. Sonidos del entorno y de la naturaleza.
- Reconocimiento, evocación y reproducción de canciones y otras manifestaciones musicales. Sentimientos y emociones que transmiten.
- Posibilidades sonoras y expresivas de la voz, el cuerpo, los objetos cotidianos y los instrumentos.
- Sonidos, entonación y ritmo.

G. El lenguaje y la expresión plásticos y visuales.

- Materiales plásticos y reciclables, colores, volúmenes, texturas, técnicas (garabateo, dactilopintura, rasgado, arrugado, modelado, extendido de pintura, estampación de huellas) y procedimientos plásticos. Respeto y cuidado de los mismos.
- La expresión plástica como fuente de disfrute.
- Respeto hacia las propias elaboraciones y las de los demás.
- Expresiones plásticas y visuales. Otras expresiones artísticas.

H. El lenguaje y la expresión corporales.

- El lenguaje y la expresión corporal como fuente de disfrute y desarrollo personal.
- Los recursos básicos del cuerpo: expresión libre y experimentación de sentimientos, necesidades y emociones a través del gesto, del movimiento y la voz.

- Desplazamientos por el espacio.
- Juegos de imitación a través de marionetas, muñecos u otros objetos de representación espontánea.
- Movimientos sencillos en bailes tradicionales.

3. Requisitos que deben reunir los centros que imparten dicho ciclo

En el Decreto 12/2008 de 14 de febrero por el que se determinan los contenidos educativos del primer ciclo de la educación infantil de la comunidad de Castilla y León y se establecen los requisitos que deben reunir los centros que imparten dicho ciclo, encontramos la normativa que regula las dotaciones e infraestructuras de los centros completos e incompletos del primer Ciclo de Infantil.

Queremos aclarar que parte de este Decreto está derogado por el Decreto 37/2022, de 29 de septiembre, por el que se establece la ordenación y el currículo de la educación infantil en la Comunidad de Castilla y León. En concreto, quedan derogados expresamente los artículos 2, 3, 4, 5, 6 y 7.2 del Decreto 12/2008, de 14 de febrero, por el que se determinan los contenidos educativos del primer ciclo de la Educación Infantil en la Comunidad de Castilla y León y se establecen los requisitos que deben reunir los centros que impartan dicho ciclo, en lo relativo a los contenidos educativos del primer ciclo de la Educación Infantil en la Comunidad de Castilla y León. Reproducimos el articulado referido a los requisitos de los centros.

Artículo 7. Autonomía de los centros

La autonomia de los centros es un derecho establecido por la LOE. En este artículo se establece la necesidad de adaptar las prescripciones administrativas a cada contexto a través del PEC y la propuesta pedagógica.

1. Los centros que impartan el primer ciclo de la Educación Infantil concretarán y desarrollarán la propuesta pedagógica a la que se refiere el artículo 14 de la Ley Orgánica 2/2006, de 3 de mayo, de Educación, y la adaptarán a sus características, en el marco del proyecto educativo del centro.
2. (Derogado).
3. La elaboración y seguimiento de la propuesta pedagógica estarán bajo la responsabilidad de un profesional que tenga el título de Maestro de Educación Infantil o equivalente.
4. Con el objeto de respetar y potenciar la responsabilidad fundamental de las madres y padres o tutores en la educación de sus hijos, los centros cooperarán estrechamente con ellos y establecerán mecanismos para favorecer su participación en el proceso educativo de sus hijos.

Artículo 8. Instalaciones y condiciones materiales de los centros completos

Requisitos e instalaciones mínimas en los centros. Este artículo mantiene las indicaciones de la legislación precedente y es acorde con la del Ministerio de Educación.

1. Sin perjuicio de lo dispuesto en los artículos 11 y 12 del presente Decreto, los centros deberán contar con un mínimo de tres unidades y reunir los siguientes requisitos referidos a instalaciones y condiciones materiales:

   a) Ubicación en locales de uso exclusivamente educativo y con acceso independiente desde el exterior.

   b) Una sala por cada unidad con una superficie de dos metros cuadrados por puesto escolar. Esta sala tendrá, como mínimo, 30 metros cuadrados. Las salas destinadas a niños menores de dos años dispondrán de áreas diferenciadas para su descanso e higiene. Estas áreas dispondrán, al menos, de un lavabo.

   c) Las salas destinadas a niños menores de un año tendrán un espacio diferenciado para la preparación de alimentos. Tendrá que haber espacio para instalar los equipamientos que determine la normativa vigente.

   d) Una sala de usos múltiples de 30 metros cuadrados que, en su caso, podrá ser usada como biblioteca y como comedor.

   e) Un patio exterior de juegos por cada nueve unidades o fracción. Esta zona deberá ser de uso exclusivo del centro, y con una superficie mínima de 75 metros cuadrados.

      En el caso de que el centro esté situado en el mismo edificio o recinto escolar que otro centro de Educación Infantil de segundo ciclo o de Educación Primaria, el patio de juegos de estos cubrirá las exigencias del patio del centro que imparte Educación Infantil de primer ciclo, siempre que se garantice su uso en horario independiente.

   f) Un aseo por sala que esté destinada a niños de dos a tres años. Este aseo deberá ser directamente visible y accesible desde la sala y que contará al menos con dos lavabos y dos inodoros. Este aseo podrá ser compartido por varias salas, siempre que se aseguren las condiciones anteriores para cada una de ellas.

g) Un aseo para el personal, separado de las unidades y de los servicios de los niños, que contará con un lavabo, un inodoro y una ducha.

h) Zona de administración con despacho para la Dirección. Esta podrá ser única cuando en el mismo edificio estén ubicados los dos ciclos de Educación Infantil.

2. Los diferentes espacios educativos serán independientes entre sí. Deberá poder accederse a ellos desde los espacios propios de circulación. La Sala de Usos Múltiples podrá estar directamente abierta a las aulas, sin que compute como superficie de la sala el espacio destinado a circulación y acceso al resto de los espacios.

3. Todos los espacios educativos deberán contar con ventilación e iluminación natural suficiente y deberán tener una geometría adecuada para la práctica educativa. La iluminación natural mínima será de un décimo de la superficie de la sala. La ventilación natural será de un veinteavo.

4. Además de los requisitos establecidos en este Decreto, los centros deberán reunir las condiciones de accesibilidad, habitabilidad y seguridad que se señalen en la legislación vigente.

Artículo 9. Número de niños por unidad

Ratio. Este artículo no introduce variaciones con respeto a la legislación precedente.

1. Los centros tendrán, como máximo, el siguiente número de niños por unidad para los siguientes tramos:

   a) Niños menores de un año: 8 por unidad.

   b) Niños de uno a dos años: 13 por unidad.

   c) Niños de dos a tres años: 20 por unidad.

2. La Consejería competente en materia de enseñanzas de Educación Infantil de primer ciclo determinará el número máximo de alumnos con necesidades educativas especiales para las unidades que integren a niños con estas características. Los centros contarán con los recursos necesarios para que este alumnado esté atendido.

Artículo 10. Profesionales

Establece qué profesionales pueden dar clase en este ciclo y cuáles son las titulaciones requeridas.

1. Los centros deberán contar con un número mínimo de profesionales de atención directa a los niños igual al de unidades en funcionamiento más uno.

2. La atención educativa directa a los niños de primer ciclo de Educación Infantil correrá a cargo de profesionales que posean el Título de Maestro con la especialización en Educación Infantil o equivalente. También será válido el título de Técnico Superior en Educación Infantil o equivalente.

3. En todo caso, por cada seis unidades o fracción deberá haber, al menos, un maestro especialista en Educación Infantil o equivalente.

Artículo 11. Centros incompletos

Especifica en qué condiciones excepcionales pueden abrir centros que estén incompletos.

1. Se podrán crear o autorizar centros con menos de tres unidades cuando se considere que atienden a poblaciones de especiales características sociodemográficas o escolares que se hallen en alguno de los dos siguientes supuestos:

    a) Poblaciones que no superen los 3.000 habitantes en las que no exista en la misma localidad otro centro sostenido con fondos públicos con plazas vacantes que imparta las mismas enseñanzas. La demanda actual y previsible de este centro no debe justificar la existencia de un centro completo. El objetivo pretendido será atender a niños de la misma población.

    b) Zonas cuyas especiales características sociodemográficas exigen una peculiar atención a la infancia. También en el caso de que se trate de una zona urbana consolidada por la edificación que dificulte la ampliación o remodelación de sus instalaciones. En ambos casos, será preceptivo el informe de la Dirección Provincial de Educación correspondiente. Dicho informe valorará la concurrencia de estas circunstancias.

2. El número de unidades de estos centros será adecuado a la población que pueda requerir este ciclo educativo, sin olvidar tener en cuenta lo dispuesto en el artículo 9 de este Decreto sobre el número máximo de niños por unidad.

3. Estas unidades podrán agrupar niños de edades diferentes. En este caso, el número máximo será de 13.

Artículo 12. Requisitos de los centros incompletos

Establece qué instalaciones y qué profesionales deben tener los centros incompletos.

1. Los centros incompletos a los que se refiere el artículo anterior deberán contar, como mínimo, con las siguientes instalaciones y condiciones materiales:

    a) Ubicarse en locales de uso exclusivo y con acceso independiente desde el exterior.

    b) Una sala por cada unidad, con una superficie, de al menos, metro y medio cuadrado por puesto escolar. Esa sala tendrá como mínimo 30 metros cuadrados.

    c) Aseos y servicios higiénico-sanitarios en número adecuado a la capacidad del centro. Estos aseos deben estar separados de los aseos del personal.

d) Despacho de Administración y Dirección, de tamaño adecuado al número de unidades autorizadas.

e) Un espacio de juegos al aire libre, de tamaño adecuado al número de puestos autorizados y no inferior a 20 metros cuadrados. Este espacio podrá estar ubicado, excepcionalmente, fuera del recinto escolar, siempre que esté ubicado en el entorno del centro, que en los desplazamientos de los niños se garantice su seguridad y que no sea necesario transporte escolar. Esta excepcionalidad será aplicada en circunstancias que así lo justifiquen y que serán valoradas y debidamente informadas por la Dirección Provincial de Educación correspondiente.

2. Los requisitos relativos a los profesionales del centro serán los previstos en el artículo 10 del presente Decreto, salvo en lo que se refiere a su número total. Bastará con que sea igual al del número de unidades en funcionamiento.

Artículo 13. Control y supervisión

Será competencia de la Consejería de Educación, a través de la Inspección Educativa, el control y supervisión de la propuesta pedagógica, del cumplimiento de la ratio niños/unidad y de los requisitos que deben reunir los profesionales que atienden a niños y niñas.

Cabe citar por último la Orden EDU/904/2011, de 13 de julio, por la que se desarrolla el Decreto 12/2008, de 14 de febrero, por el que se determinan los contenidos educativos del primer ciclo de Educación Infantil en la Comunidad de Castilla y León y se establecen los requisitos que deben reunir los centros que impartan dicho ciclo.

Esta Orden tiene por objeto el desarrollo del mencionado Decreto 12/2008, de 14 de febrero, clarificando su ámbito de aplicación y precisando los requisitos relativos a los profesionales en los centros incompletos, al mismo tiempo que se concretan determinados aspectos tendentes a lograr la máxima claridad en la identificación de los centros que imparten estas enseñanzas y se flexibiliza la distribución de las unidades en función de la demanda variable de puestos escolares.

Reproducimos los artículos como parte del desarrollo del tema:

Artículo 1. Objeto y ámbito de aplicación

1. La presente Orden tiene por objeto el desarrollo del Decreto 12/2008, de 14 de febrero, por el que se determinan los contenidos educativos del primer ciclo de Educación Infantil en la Comunidad de Castilla y León y se establecen los requisitos que deben reunir los centros que impartan dicho ciclo.

2. Esta Orden será de aplicación en los centros ubicados en el ámbito de gestión de la Comunidad de Castilla y León, que impartan el primer ciclo de educación infantil.

Artículo 2. Denominación de los centros

1. Los centros públicos que ofrecen educación infantil se denominarán genéricamente escuelas infantiles.

2. La denominación genérica de los centros de titularidad privada que impartan enseñanzas de primer ciclo de educación infantil, será la de centros privados de educación infantil.
3. Los centros que tienen autorizado el primer ciclo de la educación infantil y otros niveles educativos tendrán la denominación genérica que corresponda en función de las enseñanzas autorizadas.
4. Todos los centros deberán tener una denominación específica elegida por su titular, que será la que figure en la correspondiente inscripción en el Registro de Centros Docentes. La denominación específica elegida no podrá inducir a error o confusión sobre las actividades del centro.

Artículo 3. Creación de los centros de las Corporaciones Locales

1. Las Corporaciones Locales podrán promover la creación de escuelas infantiles de su titularidad, con arreglo a la normativa aplicable para la creación de los centros escolares. Para su creación será precisa la previa firma del correspondiente convenio con la Consejería competente en materia de educación.
2. En las escuelas infantiles de titularidad de las Corporaciones Locales, cualquier modificación que estas quieran introducir en sus elementos identificativos, deberá ser previamente autorizada por la Consejería competente en materia de educación.
3. La supresión de estos centros se producirá igualmente, según lo establecido en la normativa aplicable para los centros escolares.

Artículo 4. Autorizaciones de funcionamiento para atender la demanda variable de puestos escolares en los centros que impartan el primer ciclo de educación infantil (Este artículo ha sido modificado por la Orden EDU/1511/2023, de 29 de diciembre. Reproducimos el nuevo contenido)

1. Para atender adecuadamente las necesidades de la demanda variable de puestos escolares en los distintos tramos de edad en esta etapa, podrán otorgarse autorizaciones para el funcionamiento de cualquier otra distribución de unidades diferente a la autorizada inicialmente, cuando se cumplan los siguientes requisitos:
   a) Que no se supere el número total de las unidades autorizadas en el centro.
   b) Que las aulas tengan las dimensiones requeridas para albergar el número de alumnos que se escolaricen en ellas.
   c) Que no se superen las ratios establecidas en el Decreto 12/2008, de 14 de febrero, para cada tramo de edad.
2. En el caso de los centros incluidos en el proceso de admisión del alumnado que realiza la Consejería de Educación por estar adheridos al programa de gratuidad del primer ciclo de educación infantil, el procedimiento de autorización de funcionamiento para atender la demanda variable de puestos escolares, se realizará de oficio y se resolverá por la Dirección General competente en materia de creación y autorización de centros educativos. El inicio de este procedimiento se realizará por la dirección provincial de educación motivado por las necesidades de escolarización.

3. El procedimiento de autorización de funcionamiento para atender la demanda variable de puestos escolares de los centros que no participen en el proceso de admisión del alumnado que realiza la Consejería de Educación, se iniciará a instancia del titular del centro mediante solicitud dirigida a la Dirección General competente en materia de creación y autorización de centros educativos, que contendrá los siguientes datos y documentación:

   a) Denominación, domicilio y código del centro.

   b) Distribución de unidades y puestos escolares autorizados.

   c) Distribución de unidades y puestos escolares que solicita, identificando el aula en el que se ubicaría cada unidad.

   d) Memoria explicativa de la solicitud de autorización provisional justificando las necesidades de escolarización que la motivan.

   e) Declaración responsable de la titularidad del centro de que no se han realizado obras en el centro desde la obtención de la autorización de unidades en vigor, que impliquen modificación de sus instalaciones, conforme a los planos supervisados por esta Administración. Quedarán exceptuadas de esta declaración, las obras menores de reparación o mantenimiento que no supongan modificación de la distribución de los espacios en cuanto a su disposición y/o superficie y que no alteren el cumplimiento del Decreto 12/2008, de 14 de febrero.

4. La Dirección General competente en materia de creación y autorización de centros educativos resolverá la petición de la dirección provincial de educación o la solicitud de autorización de funcionamiento para atender la demanda variable de puestos escolares, previo informe técnico sobre el cumplimiento de las condiciones establecidas en el apartado 1 y siempre que exista consentimiento previo del centro. La resolución se dictará en el plazo máximo de dos meses desde el inicio del procedimiento. Transcurrido este plazo sin que se haya dictado resolución, la solicitud se entenderá desestimada por silencio administrativo..

5. La autorización de funcionamiento para atender la demanda variable de puestos escolares tendrá vigencia durante el curso escolar para el que se autorice.

Artículo 5. Centros incompletos

1. En los centros incompletos creados o autorizados conforme a lo previsto en el artículo 11.1 del Decreto 12/2008, de 14 de febrero, el maestro con la especialización en educación infantil o el título de grado equivalente a que se hace referencia en artículo 10.3 de la citada norma, podrá atender a varios centros en la elaboración y seguimiento de su propuesta pedagógica.

2. El maestro que de conformidad con el apartado anterior atienda a varios centros incompletos, no computará en el número total de profesionales de atención directa a los niños en el centro, que podrá estar íntegramente formado por personal con título de Técnico Superior en educación infantil o equivalente.

3. En la relación del personal que el titular del centro está obligado a presentar a la Dirección Provincial de Educación antes del inicio de la actividad educativa, cuando el maestro atienda a varios centros se hará constar esta circunstancia, indicando el horario que tiene en su centro y cuáles son los otros centros a los que atiende en la elaboración y seguimiento de la propuesta pedagógica.

TEMA 2

Diseño de la intervención educativa. Determinación de estrategias metodológicas en la educación infantil

Una buena planificación es imprescindible. Organízate con nuestros **recursos** y **consejos** de tu Curso MAD360.

Índice

1. Diseño de la intervención educativa

La importancia de la Educación Infantil en el conjunto del sistema educativo viene dada por dos razones fundamentales:

1. El centro de Educación Infantil debe suponer una decisiva contribución al desarrollo del niño en sus primeros años de vida. Dado que este desarrollo no se realiza por una simple expansión automática de potencialidades y que tanto las actividades que los niños realizan, como los intercambios entre iguales, como las aportaciones de los adultos, son determinantes cruciales en ese desarrollo, el centro educativo debe organizar de forma adecuada esas actividades e interacciones, propiciando experiencias y espacios, materiales y ambientes que constituyan un medio óptimo para que el desarrollo se vea estimulado por unos procesos de aprendizaje adecuadamente dirigidos.
2. Por otro lado, el centro de Educación Infantil puede contribuir de manera eficaz a compensar algunas de las carencias y a nivelar los desajustes que tienen su origen en las diferencias de entorno social, cultural y económico.

Realiza así, no solo una función primordial de estimulación y optimización de las capacidades infantiles, sino también una función de prevención de posibles dificultades que se manifestarían de forma más clara en posteriores etapas educativas. Igualmente permite la convivencia de niños y niñas de la misma edad, lo que aumenta el conocimiento mutuo y favorece la igualdad entre ambos sexos.

El Decreto 37/2022, de 29 de septiembre, por el que se establece la ordenación y el currículo de la educación infantil en la Comunidad de Castilla y León señala una serie de orientaciones didácticas generales para la etapa así como unos principios de intervención educativa que se consideran especialmente adecuados para la organización del proceso de enseñanza-aprendizaje. Pero de conformidad con lo establecido en el artículo 10.2 del Real Decreto 95/2022, de 1 de febrero, los centros educativos, como parte de su propuesta pedagógica, son los encargados de desarrollar y completar el currículo establecido en este decreto, adaptándolo a las características personales de cada alumno, así como a su realidad socioeducativa.

A partir de esta información, el equipo docente de un centro puede reflexionar sobre el significado de los principios, teniendo en cuenta el contexto de su centro y su forma de trabajo.

En el Proyecto Educativo del Centro (PEC) el equipo debe discutir y consensuar el significado de los principios para un contexto determinado, las decisiones metodológicas adoptadas han de ser coherentes y versar sobre los aspectos generales de la organización y planificación curricular.

El proyecto educativo del centro recogerá los valores, los fines y las prioridades de actuación, incorporará la concreción de los currículos establecidos por la Administración educativa, que corresponde fijar y aprobar al Claustro, e impulsará y desarrollará los principios, objetivos y metodología propios de un aprendizaje competencial orientado al ejercicio de una ciudadanía activa.

1.1. La planificación de la intervención educativa en el actual diseño curricular

El Real Decreto 95/2022, de 1 de febrero, por el que se establece la ordenación y las enseñanzas mínimas de la Educación Infantil, en su artículo 10 se refiere al currículo y define cada uno de los tres niveles de concreción curricular:

"1. Las administraciones educativas establecerán el currículo de toda la etapa de Educación Infantil, del que formarán parte, en todo caso, las enseñanzas mínimas fijadas en este real decreto para el segundo ciclo de la etapa." (Primer nivel de concreción)

"2. Los centros, como parte de su propuesta pedagógica, desarrollarán y completarán el currículo establecido por las administraciones educativas, adaptándolo a las características personales de cada niño o niña, así como a su realidad socioeducativa." (Segundo nivel de concreción).

"3. El profesorado y el resto de profesionales que atienden a los niños y las niñas adaptarán a dichas concreciones su propia práctica educativa, basándose en el Diseño Universal para el Aprendizaje y de acuerdo con las características de esta etapa educativa y las necesidades colectivas e individuales de su alumnado." (Tercer nivel de concreción).

Primer nivel de concreción curricular

Las leyes del sistema educativo español establecen unas directrices básicas de trabajo para todo el territorio nacional y unos contenidos básicos de las enseñanzas mínimas para cada etapa. Estas enseñanzas mínimas se establecen mediante Real Decreto para cada etapa educativa, que en el caso de la Educación Infantil es el Real Decreto 95/2022, de 1 de febrero, por el que se establece la ordenación y las enseñanzas mínimas de la Educación Infantil.

Corresponde al Gobierno, previa consulta a las comunidades autónomas, fijar, en relación con los objetivos, competencias, contenidos y criterios de evaluación, los aspectos básicos del currículo, que constituyen las enseñanzas mínimas. Estas enseñanzas mínimas requerirán el 50 por ciento de los horarios escolares para las Comunidades Autónomas que tengan lengua cooficial y el 60 por ciento para aquellas que no la tengan. Los criterios de evaluación y los saberes básicos del primer ciclo carecen del carácter de normativa básica, que sí tiene en el segundo ciclo y en el resto de etapas educativas, y son únicamente orientativos para el logro de las competencias de la etapa.

Las administraciones educativas, a su vez, serán las responsables de establecer el currículo correspondiente para su ámbito territorial, del que formarán parte los aspectos básicos antes mencionados. Esto se lleva a cabo mediante un Decreto de currículo. En la Comunidad Autónoma de Castilla y León este Decreto es el Decreto 37/2022, de 29 de septiembre, por el que se establece la ordenación y el currículo de la educación infantil en la Comunidad de Castilla y León.

Segundo nivel de concreción curricular

Corresponde a los centros educativos desarrollar y completar, en su caso, el currículo de las diferentes etapas y ciclos en el uso de su autonomía. Este segundo nivel de concreción se refiere al qué, cómo y cuándo del proceso de enseñanza-aprendizaje adaptado a las características del medio y el alumnado al que se dirigen. Se concreta en el proyecto educativo y más específicamente en el proyecto curricular.

Tercer nivel de concreción curricular

El tercer nivel de concreción curricular supone la adecuación del proyecto curricular al aula. Este tercer nivel de concreción se plasma en la programación de aula y corresponde al profesorado. Se basa el proyecto curricular y se adapta a las características de un aula específica y a las necesidades de su alumnado en concreto. En la programación de aula se recogen las unidades didácticas y los aspectos organizativos, entre otros aspectos.

Es decir, una vez establecido el Proyecto Curricular en un centro, y en el marco de los acuerdos tomados en él por los profesores de etapa, estos elaborarán las programaciones de aula que deberán ajustarse, a su vez, a las decisiones tomadas para el ciclo a cada grupo concreto de alumnos.

En definitiva, la programación de aula constituye un instrumento para el profesor, que es contrastado con el equipo de ciclo para establecer las decisiones sobre los distintos componentes curriculares, en el ámbito del aula, con el fin de planificar los procesos de enseñanza y aprendizaje que se realizan durante un curso o un ciclo.

1.2. Concepto de programación

La Programación, en el contexto pedagógico, es el conjunto de acciones mediante las cuales se transforman las intenciones educativas más generales en propuestas didácticas concretas que permitan alcanzar los objetivos previstos.

Entendemos con Gimeno y Pérez Gómez (1985) que *la programación responde a un intento de racionalizar la práctica pedagógica de tal manera que ésta no discurra de forma arbitraria.*

Las **programaciones de aula** corresponden al tercer nivel de concreción o decisión curricular. Son los documentos de planificación que el educador o educadora o equipo de educadores del mismo nivel realiza para su grupo-aula.

Consiste en el conjunto de unidades en las que se concretan todos los elementos del currículo. Refleja las decisiones que se han tomado con relación a los elementos de la Propuesta Pedagógica.

Puede tener carácter anual, mensual, quincenal o semanal. Esto influirá en el número o tamaño de las unidades didácticas.

Hemos de tener en cuenta que es tu instrumento de trabajo como educador/a, que no es una finalidad, es decir, que tiene que servir para facilitar la labor. No cumple su objetivo por el mero hecho de haber sido realizada.

Debe ser flexible y servir de guía, pero no ser un corsé, de manera que al llevarla a la práctica se puedan introducir modificaciones, revisándola y aportando mejoras continuas.

La programación es un documento de trabajo para el educador o la educadora, elaborado en el marco de la Propuesta Pedagógica. Cuando existan varios grupos de la misma edad, es necesaria la planificación de un trabajo conjunto en equipo por parte de los educadores y las educadoras.

1.3. Características de la programación en el primer ciclo

A la hora de programar para el primer ciclo debemos tener presente ciertas matizaciones.

Durante toda la etapa de Educación Infantil, pero muy especialmente en este ciclo, la función educativa del Centro debe contemplarse como complementaria de la que ejerce la familia, e incluso, en aquellos casos en que así se requiera, como compensadora de las limitaciones en la estimulación aportada por esta última.

La programación para este ciclo, así como para la etapa, es una tarea particularmente compleja por la diversidad de problemas que presenta la evolución psicosomática de los niños de esta etapa.

En opinión de De Germani esta dificultad de la programación deriva del hecho de que ni los intereses de los niños se mantienen constantes durante mucho tiempo, *"ni la mente infantil sigue un proceso ordenado"*, por lo que afirma que una programación demasiado rígida y formal pierde, por un lado, la adecuación al nivel de maduración del niño, y, por otro, pierde también el placer de lo espontáneo, propio de su dinámica mental.

Para que una programación en esta edad sea eficaz, la autora sugiere que ha de cumplir las condiciones siguientes:

- Que sea flexible, adaptable en su formulación a cada niño en particular.
- Que sea individualizada en función de su inventario de intereses y capacidades de cada niño dentro de su nivel de desarrollo.
- Que sea formulada desde la perspectiva del niño y no desde el punto de vista del adulto.
- Que sea abierta a los intereses del momento madurativo y a la situación de la clase.
- Que se realice teniendo en cuenta las distintas capacidades que deben desarrollarse en esta edad.
- Que sea realista, es decir, realizable, tomando como base los elementos disponibles en el Centro o en el entorno o contexto en el que ha de desarrollarse (materiales, recursos audiovisuales...).

1.4. Elementos de la planificación

La planificación de la intervención educativa se concreta en *Unidades de programación*, las cuales incluyen los siguientes elementos:

A) Objetivos de la etapa

Los objetivos de la etapa son los establecidos en el artículo 13 de la Ley Orgánica 2/2006, de 3 de mayo, en el artículo 7 del Real Decreto 95/2022, de 1 de febrero, y en el artículo 6 del Decreto 37/2022, de 29 de septiembre, por el que se establece la ordenación y el currículo de la educación infantil en la Comunidad de Castilla y León.

B) Competencias clave

Llamamos competencias básicas, como ya hemos estudiado en el tema 1, a aquellas que se consideran imprescindibles para el desarrollo integral de nuestra vida como ciudadanos adultos. Las competencias básicas que la Consejería de Educación ha incluido en los currículos son las siguientes:

- Competencia en comunicación lingüística.
- Competencia plurilingüe.
- Competencia matemática y competencia en ciencia, tecnología e ingeniería.
- Competencia digital.
- Competencia personal social y de aprender a aprender.
- Competencia ciudadana.
- Competencia emprendedora.
- Competencia en conciencia y expresión culturales.

C) Competencias específicas

Las competencias específicas plasman la concreción de las competencias clave para cada una de las áreas. Son desempeños que el alumnado debe poder desplegar en actividades o en situaciones cuyo abordaje requiere de los saberes básicos de cada área. Las competencias específicas constituyen un elemento de conexión entre, por una parte, las competencias clave y, por otra, los saberes básicos de las áreas y los criterios de evaluación.

D) Contenidos

Los contenidos de partida son los del RD del Currículum organizados en Áreas de Experiencia y dentro de ellas en Bloques. Cada bloque contiene contenidos de los tres tipos: conceptuales, procedimentales y actitudinales.

Estos contenidos se secuencian por ciclos en el PEC y hacen referencia a las tres áreas:

- Crecimiento en Armonía.
- Descubrimiento y Exploración del Entorno.
- Comunicación y Representación de la Realidad.

E) Planificación de actividades

Las actividades son la manera activa y ordenada de llevar a cabo las experiencias de aprendizaje.

Constituyen uno de los elementos de la programación encaminados a la consecución de objetivos. Asimismo, recogerán contenidos de los diversos tipos y regularán las acciones, comportamientos e interacciones entre profesores y alumnos, y entre alumnos aprendizaje.

Las actividades deben relacionarse siempre con su experiencia, responder a sus intereses y requerir el compromiso personal en su realización.

A lo largo de la unidad se configuran diferentes tipos de actividades.

Cada unidad de programación, sea cual sea su tipo y duración estimada, incluirá una planificación de actividades detallada y sistemática. Esta planificación incluye:

- Organización espacial.
- Temporalización.
- Recursos necesarios.
- Colaboraciones con otros agentes.
- Atención a la diversidad.

F) Recursos didácticos y metodológicos

La metodología constituye el conjunto de normas y decisiones que organizan, de forma global, la acción didáctica en el Centro de Educación Infantil.

Los principios metodológicos que deben enmarcar la acción pedagógica serán los siguientes.

Los aprendizajes que el niño realiza contribuirán a su desarrollo en la medida en que constituyan aprendizajes significativos. Para ello el niño debe poder establecer relaciones entre sus experiencias previas y los nuevos aprendizajes.

El educador, partiendo de la información que tiene sobre los conocimientos previos del niño, presentará actividades que atraigan su interés y que puedan relacionar con sus experiencias.

Por otra parte, la perspectiva globalizadora se perfila como la más adecuada para que niños y niñas realicen aprendizajes significativos.

La actividad física y mental del niño es una de las fuentes principales de sus aprendizajes y de su desarrollo. Esta actividad, concretamente a través del movimiento y la acción, se convierte en el aspecto más sobresaliente de su desarrollo. **El juego**, por una parte, tiene un fuerte carácter motivador y, por otra, sirve para establecer relaciones significativas y para que el profesorado organice contenidos con carácter global.

Los aspectos afectivos cobran especial importancia con los niños del Primer Ciclo, al igual que con el resto de la etapa, pues de la calidad de la relación educador-alumno dependerá el autoconcepto que el alumno tenga. La valoración adecuada y equilibrada del yo físico por parte del educador es de gran utilidad para que los pequeños asuman su propia existencia diferencial. Las características específicas de los niños y niñas de este ciclo hacen imprescindible la atención por parte de las personas que le cuidan para satisfacer sus necesidades de hambre, sed, sueño, afecto, calor, juego...

En el caso de los más pequeños, los momentos de atender las necesidades corporales son especiales para establecer relaciones de comunicación y para proporcionar estímulos que promuevan el desarrollo.

El grupo de iguales y su relación se convierte en un recurso metodológico de este ciclo. El grupo de iguales va a contribuir al progresivo reconocimiento de sí mismo: características, sentimientos, emociones. La vida en grupo va a servir para el reconocimiento como individuo, a la vez que el reconocimiento de los otros, lo que permite ir ajustando la imagen de sí mismo.

El aprendizaje de la vida colectiva cuenta con el adulto como elemento regulador. En estas edades, el aprendizaje de las reglas y normas de la vida colectiva necesita de un adulto que responda y que mantenga un clima de confianza y seguridad.

Una adecuada organización del ambiente será fundamental. Así debe adecuarse a las variadas y cambiantes necesidades del niño, hacer posible el sueño y el reposo, aprender a desplazarse autónomamente por los distintos espacios. El Centro debe ofrecer una gama estimulante de objetos, juguetes y materiales que proporcionen múltiples oportunidades de manipulación y nuevas adquisiciones.

La organización de las actividades requiere flexibilidad y posibilidad de adecuación a los ritmos de los niños. **La organización del tiempo** debe respetar sus necesidades: afecto, actividad, relajación, descanso, alimentación, experiencias distintas con los objetos, relación, comunicación, movimiento.

En los tres primeros años de vida es fundamental garantizar una relación estrecha entre familia y escuela para asegurar que los esfuerzos que ambas realizan constituyan estímulos promotores del desarrollo.

Igualmente, es interesante en este período, como práctica educativa, que el adulto comente sus propios actos y los de los niños, de esta manera aportan no sólo palabras, sino conceptos que ayudan a estos últimos a estructurar su pensamiento. También es interesante que el educador exprese sus pensamientos en voz alta, proporcionando modelos de enunciados al mismo tiempo que presenta la imagen de un sujeto hablante y revela que el pensamiento, los sentimientos y las emociones pueden darse a conocer.

La etapa de Educación Infantil tiene un marcado carácter preventivo y compensador. Dada la importancia de la intervención temprana para evitar que los problemas se intensifiquen esta etapa, y más concretamente el Primer Ciclo, es especialmente crítica y precisa de la máxima atención para que las distintas instancias actúen coordinadamente en relación a los niños/as con necesidades educativas especiales.

G) Evaluación

La evaluación se entiende como una actividad básicamente valorativa e investigadora y, por tanto, facilitadora del cambio educativo. Como sabemos, deberá evaluarse tanto al alumno, inicial y de forma continua, como el proceso de desarrollo de la Unidad didáctica.

El Decreto 37/2022, de 29 de septiembre, por el que se establece la ordenación y el currículo de la educación infantil en la Comunidad de Castilla y León especifica por áreas y ciclos los criterios de evaluación para cada competencia específica.

1.5. Técnicas de la programación

La abundante literatura al respecto recoge las siguientes técnicas:

- **A partir de las competencias**: es el planteamiento de la LOE: la consecución y desarrollo de las competencias son el inicio de la planificación y el referente de la evaluación.
- **A partir de los objetivos**: se trataría de partir de un análisis de objetivos para acabar infiriendo los contenidos y actividades. Esta técnica es útil en diseños curriculares cerrados, con objetivos muy concretados.
- **En función de los contenidos**: a partir de una definición más global de los objetivos, se toma como eje organizador los contenidos. Aquí encontraríamos múltiples variaciones: técnicas analíticas, sintéticas, disciplinares, globalizadoras.
- **En función de las técnicas didácticas**: el eje programador serían los procedimientos. Distinguir entre recepción, descubrimiento, trabajo en equipo, autónomo, guiado, indagación, de contacto con el medio.

Podríamos continuar con técnicas centradas en los recursos, en la temporalización, en la conexión con el medio, etc.

En el caso de la Educación Infantil la técnica viene condicionada por:

- Las decisiones previas.
- Los principios de intervención didáctica.
- Los modelos organizativos a que nos referimos en el punto siguiente dentro de los tipos de Programación.

En función de los modelos organizativos o de los ejes organizadores tomados como base, y siempre además de las llamadas unidades didácticas usuales, existen distintos formatos para la elaboración y desarrollo de las unidades de programación.

A) Las rutinas

Son actividades relacionadas con la acogida, el esparcimiento y con la satisfacción de las necesidades básicas que no pueden vincularse fácilmente con ámbitos de trabajo definidos, pero su atención es de importancia trascendental en estas edades.

En concreto, están relacionadas con:

- La satisfacción de las necesidades básicas de afecto o relación interpersonal (entrada, acogida,...) de actividades físicas y de esparcimiento (en el patio o en el jardín,...), de descanso (la siesta, la relajación,...), además de las relacionadas con la higiene, la alimentación y la autonomía.
- Estas actividades suelen tener asignados unos tiempos y unos espacios, y aunque se mantienen durante toda la etapa, su significación varía desde los primeros niveles hasta los más avanzados.
- El trabajo de estos contenidos implica a veces a todo el grupo (el corro, el patio,...), y en otras ocasiones se trata de actividades individuales en las que los niños participan según su ritmo (autonomía de las necesidades básicas...). En cualquiera de estos casos, la interacción del maestro y del niño es una constante.

B) Centro de interés

Se trata de partir de un tópico considerado interesante por los niños y a partir de él, articular una serie de actividades secuenciadas en un tiempo determinado, que los niños realizarán en grupo o individualmente. A través del centro de interés se trabajan conceptos procedimientos y actitudes; así mismo se trabajan las tres áreas de intervención.

Esta propuesta metodológica se basa en algunos conceptos clave:

1. **Globalización**: implica la visión del trabajo educativo como una totalidad, como la integración y unidad.

   Es un término que se genera en el seno de la "Escuela Nueva", planteado por Decroly.

2. **Interés**: interesa aquello que se desea. Lo que atrae la atención y centra el ser y el hacer. El interés está ligado muchas veces a las necesidades, otras está motivado por los valores sociales y la interacción con otras personas.

   El interés también se puede provocar y motivar.

3. **Unidad mente-mano**: Decroly mantenía como una de las estrategias de comprobar que el niño progresaba en sus aprendizajes, la necesidad de unificar la idea del concepto con la producción manual.

4. **Método científico**: se trata de plantear hipótesis y comprobarlas a través de diversas experimentaciones y deduciendo aplicaciones que más tarde derivarán en generalizaciones que hacen avanzar la vida cultural.

5. **Individualización-socialización**: las propuestas globalizadoras atienden por igual a las diferencias individuales que a los aspectos sociales.

   La organización del grupo se comparte en el tiempo, en las actividades personales o colectivas, priorizando actitudes de cooperación, participación y respeto a las diferencias.

6. **Actividad**: el aula se convierte en un conjunto de actividades de búsqueda, reflexión, discusión y experimentación.

El profesor es el guía, orientador y dinamizador para que el interés se mantenga vivo, dedicando especial atención a los niños que muestren dificultades.

C) Juego-trabajo por rincones

En una clase distribuida por rincones se encuentran grupos de niños reducidos realizando actividades distintas simultáneamente.

Cada zona del aula ha sido ocupada y planificada para promover un tipo de juego y aprendizaje en función de los materiales que allí se localizan.

La propuesta de actividades se ha explicado por el educador previamente. Las normas para elección y control de los rincones han sido consensuadas.

No siempre hay propuestas definidas de trabajo, por ejemplo, los de juego simbólico se prestan más a la actividad del niño libre y espontánea.

Los supuestos básicos del método son para Susana Galperin:

- El juego es un factor vital en la vida del niño.
- El juego en un grupo de cuatro o cinco niños facilita la interacción con los otros.
- Cada niño es capaz de decidir cuando está en el marco adecuado para la actividad que desea realizar.

- Cada niño desarrolla su actividad en función de su ritmo de actividad, desarrollo y maduración.
- La experiencia directa con los objetos es el mejor modo de aprendizaje.
- La satisfacción de las inquietudes genera nuevos deseos de conocimiento.
- La planificación, el orden el desarrollo y evolución de las tareas favorecen el desarrollo de mecanismos intelectuales y preparan al niño para que posteriormente se adentre en el pensamiento preconceptual.
- Una estimulación equilibrada que atienda a los aspectos intelectuales, socio-emocionales, efectivos, estético-expresivos, etc., favorecerá el desarrollo de una personalidad armónica e integrada.

Los rincones más habituales en los que se distribuye el espacio de un aula de segundo ciclo son:

- **Rincón de juego simbólico**: en los más pequeños no aparece. Es de crucial importancia para niños de 3-6 años. En él recrean el mundo del adulto, interiorizan roles y liberan conflictos afectivos a través de la dramatización.

  Se dispone de muñecas, cocinita, cesto de disfraces, pinturas de maquillaje, etc.

- **Rincón de plástica**: conviene que el aula disponga de pila de agua corriente y luz natural suficiente.

  En él se sitúan los caballetes, mesas, pinturas, pinceles, etc.

  Asimismo se dispone de arcilla, plastilina y materiales para collages, etc.

- **Rincón de tranquilidad**: suele ubicarse alejado de la zona de paso y movimiento. En él se sitúan alfombra, cojines...

  En este rincón se colocan los cuentos en una estantería, y los niños lo usan para ojear libros o simplemente descansar un poco.

- **Rincón de construcciones**: se sitúan en esta zona todo tipo de juegos de construcción, maderas, bloques, coches, etc.

- **Rincón de la experimentación**: es el lugar de las plantas, animalitos...

  Se pueden colocar semilleros, acuario, jaula...

  Se dispondrá además de pesas, imanes, y todo tipo de objetos que favorezcan la experimentación y formalicen de hipótesis.

- **Rincón del material estructurado**: aquí se sitúan los puzles, dominós, juegos de asociación, bloques lógicos, material de seriación, etc.

D) Los talleres

El término *talleres* alude a numerosas experiencias que tienen lugar en el campo educativo y que conllevan una total o parcial transformación del ámbito escolar.

Las posibilidades organizativas son varias, pero se pueden sintetizar en cuatro:

- En su concepción tradicional se refiere a espacios ajenos al aula de referencia, al que los alumnos asisten para realizar tareas concretas, turnándose con otros grupos. No existen alteraciones de la estructura del espacio ni del aula.

  La continuidad profesor/grupo no se rompe.

  Ejemplo: taller de psicomotricidad, biblioteca, laboratorio, etc.

- Otra acepción es la que se refiere a una distribución de los talleres dentro del aula. En ella, profesor y alumnos comparten siempre el mismo espacio escolar, pero con un planteamiento mucho más abierto que el tradicional.

  En realidad se puede asociar casi a los rincones. La única diferencia es que en los talleres la actividad suele estar más dirigida.

- Se refiere esta variante a la posibilidad de usar el aula como taller en distintos momentos y como aula en otros, variando la distribución de los elementos.

- En último lugar abordamos experiencias en las que existe una pérdida total de la idea de aula como espacio de uso exclusivo para un solo grupo de niños con su profesor.

  Las clases pasan a ser lugares de uso común, reorganizándose en ellas los materiales y el espacio según la actividad específica que se vaya a desarrollar.

  En algunos casos no tienen adjudicado un profesor, sino que se especializan en un determinado taller, siendo los alumnos los que rotan a lo largo de la jornada. Estas experiencias se han llamado "talleres integrales".

Esta propuesta metodológica está fundamentada en el conocimiento del proceso de desarrollo del niño desde todas sus perspectivas.

Basa su enseñanza en experiencias y hechos y su programa se centra en el interés del niño por hacer algo.

Uno de los soportes metodológicos es la motivación que despierta ante la multitud de materiales, escenarios, etc.

En un centro de Educación Infantil suelen funcionar de cuatro a seis talleres que se especializan en temas como:

- Taller de psicomotricidad, música y dramatización: no se dispone de mesas. En él se realizan todo tipo de juegos corporales.
- Taller de naturaleza, observación y experimentación: distribuido por rincones, se dispone de algunas mesas y materiales para la observación y realización de experiencias; así como de observación de seres vivos.

- Taller de lenguaje: se desarrollan actividades, también por rincones, relacionadas con el lenguaje oral y comunicación escrita.
- Taller de plástica: con caballetes, mesas, sillas, paneles, y todo tipo de materiales necesarios para realizaciones plásticas.

E) Proyectos

Se trata de una técnica educativa propuesta por William Heart Kilpatric, representante americano de la Escuela Nueva, a principios del S. XX. Parte de una nueva concepción del aprendizaje, al establecer que el niño no aprende de modo fragmentado sino globalmente y a partir de situaciones de la vida cotidiana. Esto requiere que los temas de estudio surjan del auténtico interés y experiencias de los niños y no de temas artificiosos organizados en materias e impuestos desde una perspectiva adulta.

"El método de proyectos, a pesar de que en su inicio se concibió como una técnica didáctica, podríamos definirlo en la actualidad como un procedimiento de aprendizaje que permite alcanzar unos objetivos a través de la puesta en práctica de una serie de acciones, interacción y recursos con el motivo de resolver una situación o problema" P. de Pablo, en Unidades didácticas, proyectos y talleres; Madrid, Alhambra Longman 1993.

Los proyectos responden a una intención organizada de dar forma natural al deseo de aprender. Parten de un enfoque globalizador abierto, para provocar aprendizajes significativos, partiendo de los intereses y experiencias de los niños.

Es una metodología que supone un nuevo enfoque, un cambio de actitud en el educador, que adopta un papel de canalizador de propuestas, enriquecedor de puntos de vista, previendo recursos, haciendo preguntas y suscitando la búsqueda de soluciones a los problemas planteados en curso de la investigación del proyecto.

El trabajo por proyectos se sustenta en unos principios pedagógicos sólidos que son:

- Aprendizaje significativo.
- Identidad y diversidad.
- Aprendizaje interpersonal activo.
- Investigación sobre la práctica.
- Evaluación procesual.
- Globalidad.

Se diferencia de otras metodologías en:

- Los temas parten de las propuestas e intereses de niños y niñas. Los temas "surgen" no se "provocan".
- Se tiene en cuenta lo que ya saben los niños y lo que quieren saber.
- La programación primera es provisional y varía en su desarrollo, precisando de un diseño abierto que se adapte a la evolución de los acontecimientos.

- Los tiempos previstos son flexibles y aproximados.
- Los errores se valoran positivamente como pasos necesarios de todo aprendizaje y no como aspectos negativos a eliminar
- Prima el proceso sobre el resultado.

Las fases del trabajo por proyectos son:

1. Elección del tema; elegido por los niños directa o indirectamente,
2. ¿Qué sabemos y qué queremos saber?: investigamos ideas previas,
3. Comunicación de las ideas y contraste de las mismas,
4. Búsqueda de fuentes de documentación.
5. Organización del trabajo:
   - Fijación objetivos: pocos y muy operativos.
   - Distribución temporal.
   - Organización de espacio y recursos.
   - Organización secuenciada de actividades.
   - Definición de pautas de observación.
   - Pautas de colaboración con la familia.
6. Realización de actividades: de todo tipo y variando agrupamientos.
7. Elaboración del dossier (murales, álbumes, canciones, videos, textos escritos…).
8. Evaluación de lo realizado.

Los niños trabajan en función de una propuesta no estructurada que surge del interés o curiosidad espontánea del niño.

Los proyectos suelen surgir en torno a preguntas como ¿Cómo nacen los peces? ¿Cómo flotan los barcos? ¿Cómo decoraremos la clase en Navidad? etc.

Siguiendo a Kilpatrick diferenciamos los siguientes:

- **Proyecto-producto**: su objetivo es la producción de algo concreto: una cometa, etc.
- **Proyecto-consumo**: referido al disfrute producido en el transcurso de una determinada actividad: una fiesta, una composición musical, etc.
- **Proyecto-problema**: surgido de una actividad que conlleva dificultad, trata de responder a la duda o pregunta planteada.
- **Proyecto de adiestramiento o de aprendizaje específico**. Su objetivo es conseguir un cierto grado de conocimiento o dominio de una técnica.

Para el desarrollo del proyecto se siguen unas etapas:

- **Búsqueda de información**: se acuerdan una serie de actividades para recoger la información relativa al tema: recopilación de datos, visitas, búsqueda de ilustraciones, etc.
- **Reparto de funciones**: se distribuyen por grupos las tareas a realizar.
- **Realización de las actividades**: los niños traen los materiales o datos y se hace partícipe a toda la clase.

A partir de este momento se inicia el Proyecto propiamente.

Esta propuesta metodológica está fundamentada en las ideas previas de los niños, acertadas o falsas ante un tema que suscita su interés.

Busca la funcionalidad de los aprendizajes, ya que se plantean situaciones no estructuradas en las que se pretende dar a los niños la oportunidad de estructurar progresivamente la realidad circundante.

A medida que se avanza en el conocimiento de la realidad, van profundizando en los elementos que la componen y dando significados cada vez más ricos.

F) Contextos globalizadores

El centro de Educación Infantil debe proponer experiencias, situaciones y momentos constantes que estimulen el desarrollo integral de la personalidad del niño y de la niña. A través de estas experiencias y situaciones se pueden trabajar los distintos contenidos de forma globalizada mediante diferentes actividades-habituales o con estas experiencias y situaciones se pueden trabajar los distintos contenidos de forma globalizada mediante diferentes actividades –habituales o espontáneas– de la vida cotidiana (aseo, comida...), siempre desde una perspectiva lúdica, y por supuesto partiendo de la actividad infantil.

Las situaciones globalizadoras, aunque se pueden plantear en cualquier momento de la etapa infantil (0-6 años), las consideramos de especial utilidad durante el primer ciclo de la misma.

Podríamos señalar para su planificación y desarrollo tres fases:

1.º El juego. Partiremos de una actividad lúdica para ver los intereses y curiosidades más inmediatas. Se inicia un proceso de interacción niño-a educador-a. Es el momento de dejar hacer, de reír, de la ternura, del llanto… y cuando se origina la situación globalizadora.

2.º Catalogación de intereses a través de la observación de las actividades de juego.

3.º Valoración de la situación. Apreciación última del proceso vivenciado.

En todas las modalidades anteriores el educador es el encargado de planificar los objetivos y contenidos que se trabajarán partiendo de los intereses de los niños.

Adquiere la responsabilidad de crear situaciones en el aula que posibiliten y favorezcan la construcción de aprendizajes significativos por parte de los niños.

Serán sus funciones: organizar espacios, seleccionar materiales, distribuir tiempos, todo ello con clara intencionalidad educativa.

A él corresponde la creación de un clima afectivo y seguro y la planificación de las relaciones con los padres.

Es además el encargado de evaluar, es decir, de comprobar la adecuación entre objetivos y logros así como de introducir las modificaciones necesarias en dicha planificación si se considerase necesario.

2. Determinación de estrategias metodológicas en la Educación Infantil

En el Anexo II.A. del Decreto 37/2022, de 29 de septiembre, por el que se establece la ordenación y el currículo de la educación infantil en la Comunidad de Castilla y León se desarrollan los principios metodológicos de la etapa.

Un aspecto prioritario en la etapa de educación infantil es que el alumnado tenga acceso a una educación, atención y desarrollo de calidad desde la primera infancia. La finalidad de esta etapa es contribuir al desarrollo integral y armónico del alumnado en todas sus dimensiones (física, afectiva, social, cognitiva y artística), así como su educación en valores cívicos para la convivencia y el inicio del proceso de adquisición de las competencias clave para el aprendizaje permanente.

Ha de ser determinante favorecer una **atención individualizada** en función de los diferentes niveles madurativos, lo que supone considerar la diversidad dentro del grupo y respetar el tiempo, las necesidades, el nivel de desarrollo y el ritmo de aprendizaje del alumnado. Deben tenerse en cuenta dichos procesos, sin afán de acelerar el curso normal del desarrollo y del aprendizaje, y permanecer atentos para compensar los posibles efectos que pudieran derivar de desigualdades de origen cultural, social y económico (prevención primaria), o detectar de manera precoz y temprana las necesidades específicas de apoyo educativo (prevención secundaria). Todo ello permitirá realizar una personalización del aprendizaje, garantizando la igualdad de oportunidades y la inclusión educativa a través de la aplicación de los principios del Diseño Universal para el Aprendizaje (DUA).

Uno de los principios que orienta la labor docente en esta etapa es que el alumnado desarrolle **experiencias emocionalmente positivas** y adquieran **aprendizajes significativos que sean cercanos y próximos a sus intereses**. Deben propiciarse múltiples oportunidades de aprendizaje, para que, de manera activa, el alumnado construya y amplíe el conocimiento estableciendo conexiones entre lo que ya sabe y lo nuevo que debe aprender, y dé significado a dichas relaciones. Asimismo, se brindará un espacio para la reflexión sobre el propio aprendizaje, dedicando tiempo a la iniciación y el entrenamiento en la metacognición como proceso que favorece el control de los procesos de pensamiento en la regulación y reflexión sobre las propias tareas y capacidades. Del mismo modo, es importante que el alumnado tenga libertad de movimiento, que contribuya a su autonomía y esfuerzo muscular de brazos y piernas; de elección para que aprendan a tomar decisiones autónomamente y utilizar sus propias ideas e inclinaciones con el fin de hacerse personas seguras y proactivas; de acción, para adquirir con sus aciertos y sus errores su propia autonomía; y de ser, respetando sus propias ideas, deseos, preferencias y necesidades, de manera que el alumnado construya su autoestima y el sentido de la valía personal para afrontar la vida con confianza.

El **principio de globalización** tiene gran relevancia en la organización del aprendizaje en esta etapa dadas las características evolutivas del alumnado. La perspectiva globalizadora proporciona criterios y pautas para formular objetivos, organizar saberes, diseñar situaciones de aprendizaje y procurar materiales, tareas en las que la atenta intervención del profesional de la educación infantil es clave.

Es importante en esta etapa el **aprendizaje por modelado**, en el que el alumnado aprenda por imitación observando normas, hábitos, rutinas y conductas de las personas de su entorno. Le deja una huella más profunda lo que ve que lo que escucha. Por ello, el docente debe proporcionar a su alumnado diversidad de situaciones en las que se ofrezcan distintos modelos positivos de referencia. Por tanto, del mismo modo, será fundamental enseñar con el ejemplo, evitando las correcciones, para enseñar al alumnado a aceptar los errores y hacer del error una experiencia constructiva.

Es esencial favorecer un **ambiente lúdico**, agradable, estimulante y acogedor, que ofrezca múltiples situaciones de comunicación, relación y disfrute, para que el alumnado se sienta a gusto y motivado, aprenda en un clima de afecto y seguridad, adquiera autonomía y elabore una imagen de sí mismo positiva, equilibrada, igualitaria y libre de estereotipos discriminatorios.

Dado que las tres áreas de la educación infantil están relacionadas entre sí, y no existe una delimitación exhaustiva entre ellas, desde el conjunto de las mismas se atenderá progresivamente al desarrollo afectivo, a las estrategias de autorregulación, a la gestión emocional, al movimiento, a las pautas elementales de convivencia y relación social, a la educación para el consumo responsable y sostenible y a la educación para la salud. Se fomentará el desarrollo de todos los lenguajes y formas de expresión, tanto como medio de comunicación, representación e interiorización de aprendizajes, como vehículo de diálogo, regulación de la conducta y resolución de conflictos.

En el contexto del centro educativo tiene especial relevancia el **trabajo en equipo**, para garantizar la coordinación del profesorado en la puesta en práctica de metodologías activas, la implicación en el diseño de situaciones de aprendizaje, el intercambio de experiencias y la reflexión sobre la práctica docente.

Estilos de enseñanza

En este enfoque competencial, el alumnado es el principal protagonista en la construcción de su conocimiento. A través de su actividad, tanto física (observa, juega, manipula, experimenta...) como mental (interioriza, asimila, acomoda...) y emocional (disfruta, se interesa, aprecia...), va construyendo sus primeros conocimientos acerca de sí mismo y del mundo físico, natural y social que le rodea. No sólo es importante la actividad individual y autónoma, sino también la interacción entre iguales, para compartir y contrastar sus opiniones y experiencias en un ambiente de escucha y respeto.

El docente será un mediador y guía en el proceso educativo de su alumnado. Debe crear un clima adecuado y una buena cohesión grupal y proporcionar el andamiaje sobre el que el alumnado construirá sus conocimientos. Para ello, planificará situaciones de aprendizaje enriquecedoras, tomará decisiones sobre la organización de la jornada y los ritmos de actividad, los distintos tipos de ambientes y agrupamientos, y la selección de materiales ricos, variados y multisensoriales.

Estrategias metodológicas y técnicas

La puesta en práctica de los principios citados anteriormente se realizará por medio de una selección adecuada de estrategias metodológicas, entre las que deben destacarse la investigación y el descubrimiento. A estas edades, el alumnado tiene una capacidad innata para observar, explorar e investigar que les permite descubrirse a sí mismo y a su entorno. El adulto, en consecuencia, diseñará actividades que permitan al alumnado comprender el mundo, hechos y situaciones reales, y dar respuesta creativa a problemas que se le planteen, proceso en el que aprenderán a recurrir a la búsqueda, la investigación y la aceptación del error propio como parte del aprendizaje.

El juego es la principal técnica para trabajar en estas edades, proporciona un auténtico medio de aprendizaje y disfrute, favorece la imaginación, la creatividad y la posibilidad de interactuar con otros compañeros y compañeras. Permite al docente tener un conocimiento de su alumnado, de lo que sabe hacer cada uno por sí mismo, de las ayudas que requiere y de sus necesidades e intereses.

Recursos y materiales de desarrollo del currículo

Los centros educativos seleccionarán y adaptarán los recursos y materiales considerando sus posibilidades para potenciar una metodología centrada en la perspectiva competencial e integradora, y considerando como criterios de selección la diversidad, la accesibilidad, la manipulabilidad y su potencialidad didáctica.

Por tanto, se incorporarán al aula materiales variados, tradicionales o innovadores, en soportes instrumentales de distinto tipo, y procedentes de diferentes fuentes: el centro, el entorno, la naturaleza o los elementos que el propio alumnado aporta al aula, con la carga emotiva que conlleva.

Dichos materiales se distribuirán en los distintos espacios del aula y se garantizará el acceso del alumnado a los mismos, puesto que la relación con los objetos es sustancial para el aprendizaje en esta etapa. A través de la manipulación, el alumnado construye el conocimiento, establecen relaciones causa-efecto, desarrollan sus habilidades motrices, creativas y comunicativas, y exteriorizan sus sentimientos y emociones.

Asimismo, en la selección de los recursos se atenderá principalmente a los que ofrezcan mayores posibilidades de acción y transformación, de desarrollo de la imaginación y la creatividad y de creación de situaciones para la resolución de conflictos cognitivos y sociales.

El uso de las TIC ha de estar integrado en la dinámica habitual de aula tanto de los instrumentos (ordenador, tablet, pizarra digital, panel interactivo, panel digital) como de las aplicaciones digitales (como robots, apps o la realidad aumentada), puesto que son recursos valiosos e imprescindibles en la actualidad para despertar la motivación e interactividad del alumnado, fomentar la cooperación e impulsar la iniciativa y creatividad, entre otras.

Finalmente, el profesorado, elaborará, en el ámbito de su autonomía y la del centro, recursos y materiales curriculares propios, prestando atención especial para ello a los rasgos ya citados: capacidad de generación de motivación, de sintonía con los intereses del alumnado, y de explotación didáctica.

Agrupamientos y organización del espacio y el tiempo

El clima del aula debe propiciar la interacción social y, para ello, en función de las distintas actividades planificadas, se recurrirá a las diversas formas de agrupamiento: gran grupo, pequeño grupo, pareja o trabajo individual. Las variadas fórmulas grupales potencian diversas formas de comunicación, la expresión de sentimientos y emociones, el respeto a distintos puntos de vista e intereses, y el aprendizaje en valores. La relación entre iguales favorece, también, los procesos de desarrollo y aprendizaje, las actitudes de colaboración y ayuda, el enriquecimiento a partir de las variadas capacidades de cada uno, y ofrece en la práctica situaciones en las que estructurar su pensamiento y la transmisión coherente de las ideas en el nivel que corresponde a su grado de desarrollo.

En el diseño de las situaciones de aprendizaje es relevante la distribución, organización y utilización de espacios en el aula, que han de ser flexibles, estéticamente atractivos y generadores de creatividad, para dar respuesta a las necesidades esenciales de la infancia: relacionarse con uno mismo o con los demás; jugar a ser (el juego simbólico); construir y destruir; explorar, descubrir y manipular; moverse y calmarse; expresarse en múltiples lenguajes; crear e imaginar; experimentar en contacto con la naturaleza y el medio que le rodea. Entre dichas necesidades esenciales, destaca la importancia del juego en la infancia, por lo que también el espacio deberá estar diseñado y concebido para jugar. Una vez seleccionados, los espacios deben estar claramente organizados, ordenados, limpios, señalizados y planificados con sistemas de apoyo visual, controlando la cantidad de materiales u objetos que se ponen a disposición del alumnado. Y para su utilización, además, deben existir en ellos sistemas de planificación y anticipación, como rotación, secuenciación de tareas o identificación de la pertenencia a un grupo concreto.

En cuanto a la organización del tiempo en la etapa de educación infantil, debe acomodarse a las características, ritmos y necesidades del alumnado y de la intencionalidad pedagógica del docente, respetando en todo momento los momentos de concentración del alumnado. La planificación de la jornada escolar se llevará a cabo mediante hábitos, rutinas, normas y descansos activos, que permitan crear un clima seguro, tranquilo y predecible y favorezca la adquisición de las primeras nociones temporales, hábitos de organización y un incremento progresivo de su autonomía.

Los principios metodológicos de intervención educativa se pueden plasmar en proyecto curricular a través de diferentes propuestas como son:

2.1. Aprendizaje significativo

Es un concepto acuñado por Ausubel, y su significado es lo opuesto a memorístico.

El aprendizaje significativo alude a la posibilidad de establecer vínculos sustantivos y no arbitrarios entre lo que ya se sabe y lo que se va a aprender.

Se trata de un proceso de construcción de significados en el que el niño, partiendo de sus experiencias y conocimientos previos y habitualmente en interacción con los demás, atribuye un significado (puede ser parcialmente correcto o inadecuado) a una parcela de la realidad. Esta relación entre conocimientos previos y nuevos debe ser intencional y relevante para el sujeto.

Para González Lucini (1989), el aprendizaje significativo "es aquel en el que el alumno desde lo que sabe (ideas previas) y gracias a la manera como el profesor le presenta la nueva información (función mediadora), reorganiza (conflicto cognitivo) su conocimiento del mundo (esquemas cognitivos), encuentra nuevas dimensiones que le permiten transferir ese conocimiento a otras situaciones (funcionalidad cognitiva) y descubre los procesos que lo explican (significatividad lógica), lo que le proporciona una mejora de la capacidad de organización comprensiva (aprender a aprender) para otras experiencias, sucesos, idea, valores y procesos de pensamiento que va a adquirir escolar o extraescolarmente (significatividad psicológica)".

Dicho aprendizaje supone una intensa actividad que exige un proceso de reflexión. Es un aprendizaje interpersonal y no individual, donde la acción del profesor y de las personas que le rodean proporciona las ayudas pedagógicas clave en los momentos oportunos

Por tanto, el concepto de aprendizaje significativo en la etapa de Educación Infantil consiste en partir de lo que los niños ya saben y de lo que les interesa para integrar los nuevos conocimientos en sus estructuras mentales previas, modificándolas o ampliándolas.

A) Características del aprendizaje significativo

Para que el aprendizaje sea significativo han de cumplirse dos tipos de condiciones:

1.º Los contenidos han de ser parcialmente significativos, tanto desde el punto de vista de su estructura interna (significatividad lógica: no debe ser arbitrario ni confuso y los datos que lo componen deben tener una estructura lógica y ordenada), como desde el punto de vista de su posible asimilación (significatividad psicológica: en la estructura cognitiva del alumno ha de haber elementos pertinentes para establecer las relaciones).

2.º Los alumnos han de tener una actitud favorable para el aprendizaje; es decir, deben tener disposición para aprender, deben estar motivados para relacionar lo que ya saben con lo que han de aprender.

Las motivaciones están muy ligadas a los intereses.

3.º El proceso de aprendizaje debe conectar con las necesidades, intereses y motivaciones del alumno. Son procesos mediados por la intervención del profesor.

4.º Se trata de conseguir que los nuevos contenidos queden integrados en la estructura cognitiva del sujeto. Para ello hay que servirse de los organizadores previos, cuya función es facilitar la integración entre los nuevos aprendizajes y los que ya posee.

Dichos organizadores pueden ser:

- Organizador expositivo: cuando el alumno posee escasos conocimientos sobre los contenidos a trabajar.
- Organizador comparativo: cuando el alumno ya está familiarizado con los contenidos de trabajo.

El aprendizaje significativo se define por:

- **Su funcionalidad**: es funcional cuando puede ser utilizado inmediatamente para resolver una situación problemática o para adquirir nuevos aprendizajes.
- La memorización comprensiva: implica oposición a memoria repetitiva y mecánica. Supone que aquello que se retiene es parte integrante del propio aprendizaje y se incorpora por tanto a las estructuras cognitivas; por ello, es más resistente a la extinción.
- **Intensa actividad mental**: se trata de un proceso de construcción activa de significados en el que el niño atribuye significado a las nuevas parcelas de su aprendizaje.

En este sentido, la actividad implica actuación intelectual y manual formativa basada en las necesidades e intereses del niño, en su capacidad de investigación y su disposición de crear.

La actividad así entendida, es un proceso que en el niño de estas edades incluye aspectos internos y manifestaciones externas.

La actividad del niño tiene efectos sobre el mundo externo, pero tiene sobre todo una función constructora, creadora, estructurante de su pensamiento, de sus emociones, siempre supone un proceso interno.

Si no hay acción voluntaria, no hay conocimiento.

Para que se produzcan aprendizajes significativos es necesario que el niño esté motivado para ello. Por ello habrá que tener en cuenta sus motivaciones e intereses.

Las tareas que deben proponerse a los niños en la edad de 0 a 6 años deben implicar una actividad mental constructiva y ello se consigue a través de actividades que faciliten la acción del pequeño a través del juego, de la manipulación, de la exploración directa del mundo que lo rodea y a partir de retos conceptuales y problemas que lo lleven a buscar soluciones.

B) Consecuencias del aprendizaje significativo sobre los diferentes elementos del currículo

Naturalmente esta concepción del aprendizaje va a tener **repercusiones** sobre la práctica educativa. Las principales son:

1. **Sobre los objetivos**:
   - Los objetivos son más importantes que los contenidos, ya que la adquisición de un aprendizaje significativo modifica la capacidad de aprender.
   - Aprender significativamente es la manera más adecuada para alcanzar los objetivos educativos, formulados en términos de capacidades.

2. **Sobre los contenidos**:
   - Deben presentarse de forma que los alumnos:
     * Puedan asimilarlos desde sus conocimientos previos.
     * Provoquen en el alumno intensa actividad motivadora.
     * Provoquen en el alumno un conflicto cognitivo que le lleva a un orden superior en el conocimiento.
   - Deben organizarse de forma lógica, secuenciada, que sea aplicable la transferencia de los aprendizajes.
3. **Sobre la tarea del profesor**:
   - La labor del profesor no consiste en transmitir conocimientos sino en:
     * Descubrir los saberes previos de los alumnos.
     * Suscitar el conflicto cognitivo.
     * Proporcionar al alumno materiales que le ayuden a "reequilibrar" los nuevos aprendizajes.
     * Conocer la estructura lógica de los bloques temáticos.
     * Conocer la estructura psicológica del alumno.
   - Debe promover la aplicación, uso y transferencia de lo aprendido.
   - Debe organizar la información, facilitar la comprensión y permitir la resolución por parte del alumno.
   - Debe conseguir la motivación a través de diferentes estrategias, ya que es condición necesaria.
4. **Sobre la actividad del alumno**:
   - El alumno aprende las cosas de forma relacionada.
   - El alumno recibe orientaciones alrededor de las que debe construir sus aprendizajes.
   - El alumno debe analizar los elementos de los aprendizajes para estructurarlos.
   - El alumno no memoriza ni reproduce, sino que descubre y estructura.
5. **Sobre la evaluación:**
   - Se prima la "calidad sobre la cantidad de lo aprendido".
   - Se evalúa la aplicabilidad, la transferencia.
   - Se evalúan las capacidades y no los saberes.
   - No se evalúa solo el resultado, sino el proceso.
   - La evaluación no debe "etiquetar" al alumno.

Los aprendizajes que el niño realiza en esta etapa contribuirán a su desarrollo en la medida en que constituyan aprendizajes significativos. Para ello, el niño debe poder establecer relaciones entre sus experiencias previas y los nuevos aprendizajes. El proceso que conduce a la realización de estos aprendizajes requiere que las actividades y tareas que se lleven a cabo tengan un sentido claro para él.

El profesor, partiendo de la información que tiene sobre los conocimientos previos del niño, presentará actividades que atraigan su interés y que el niño pueda relacionar con sus experiencias anteriores.

2.2. Principio de Globalización

Globalizar desde el punto de vista didáctico significa organizar el conocimiento atendiendo al interés del niño y a su desarrollo psicológico de forma no fragmentada y conjunta.

Las condiciones que debe cumplir una programación globalizada son (Torres, 1988):

- Debe ser interesante para los alumnos, partir de sus necesidades, intereses y capacidades.
- Debe ser interesante para el equipo de profesores, que se muestre ilusionado con las propuestas de trabajo diseñadas y su puesta en práctica.
- Debe tomarse en consideración la edad, maduración y nivel de los alumnos.
- Deben formar parte de un continuo, tanto en el curso como en la etapa.
- Deben desarrollar todas las capacidades infantiles y permitir alcanzar los objetivos establecidos en los currículos.
- Deben procurar la adquisición de aprendizajes significativos y funcionales y basarse en el juego y la actividad.
- Deben potenciar la observación, manipulación, experimentación y descubrimiento.
- Deben posibilitar el uso de materiales, espacios y agrupamientos variados.
- Deben procurar una evaluación continua y formativa.

Entre los autores de la Escuela Nueva, Decroly es considerado como el impulsor de la globalización. Su método se base en la importancia de:

- Respetar la actitud del niño a apoderarse globalmente de los sectores de experiencia que le suscitan un interés efectivo.
- Organizar todas las actividades escolares en torno a centros de interés propios de cada edad.
- Y articular las actividades mismas en actividades de observación, de asociación y de expresión.

Estas fases siguen un orden lógico:

1. **La fase de observación.** Los núcleos de trabajo deben conectar con la experiencia social, familiar y escolar del alumno. Se trata, ahora, de comenzar a organizar esa experiencia que ha sido captada de forma global. Esta perspectiva global constituirá el punto de partida al que sucederá una fase de análisis. Para realizarlo, el alumno se servirá de la observación, que puede ser directa e indirecta.

   La observación directa es la que lleva a cabo el sujeto sobre las situaciones u objetos concretos que van a ser tratados. Puede facilitarse con la realización de actividades extraescolares o llevando a la clase los elementos que se van a estudiar (plantas, animales, etc.).

   La observación indirecta puede realizarse con posterioridad a la directa para presentar otras perspectivas de la realidad objeto de estudio y en aquellas situaciones en que el acceso al elemento de estudio no sea posible. Los medios a través de los cuales se puede llevar a cabo esta observación indirecta son muy variados: maquetas, fotografías, películas, dibujos, gráficos, láminas, planos, etc.

   Las dos formas de observación pueden complementarse. La observación directa crea imágenes mentales más firmes, pero no cabe duda de que las distintas maneras de presentar los elementos de estudio que caracterizan a la observación indirecta, hacen posible el desarrollo de la actividad mental en el alumno.

2. **La fase de asociación.** El alumno, de forma progresiva, va a ir analizando, relacionando de la realidad que ha observado. Esta búsqueda de asociaciones irá permitiendo que el alumno acceda al contenido del tema sobre el que va a trabajar y constituya una estrategia de primera magnitud para ordenar el pensamiento y extraer contenidos potencialmente significativos, que permitirán canalizar las experiencias de enseñanza/aprendizaje.

   Estas asociaciones irán siendo más complejas. Pudiendo ser:

   - Asociaciones espaciales.
   - Asociaciones temporales.
   - Asociaciones causales.
   - Asociaciones de utilidad y trabajo.
   - Asociaciones éticas, morales y sociales.

3. **La fase de expresión.** Al tiempo que el alumno lleva a cabo la observación directa y/o indirecta y efectúa el análisis por asociaciones que hace factible su aproximación ordenada a la realidad, hemos de facilitarle y sugerirle formas de expresión de diversa índole que le permitan desarrollar las capacidades comunicativas y expresivas. Serán las siguientes: expresión lingüística, expresión corporal, expresión plástica, expresión musical, etc.

   La práctica de la fase de expresión comprende todo aquello que permita la manifestación del pensamiento del alumno de forma que lo haga más accesible a los demás y a sí mismo de una forma más concreta (dibujo, modelado, dramatización...) o más abstracta (lectura, escritura, expresión matemática, etc.).

Modelos de programación globalizada

Para Hernández (1989) los supuestos básicos de globalización son:

1. **La globalización como suma de materias**: centrada en el profesor y su criterio o experiencia. Se persigue el "saber hacer" de los alumnos y no siempre se eligen temas de acuerdo con sus intereses.

   La significatividad del aprendizaje no siempre se da y las relaciones entre los contenidos a veces resultan "forzadas" o artificiales.

2. **La globalización como interdisciplinariedad**: es más propia de niveles superiores como EP o ESO y surge cuando el equipo docente plantea la necesidad de que las diferentes disciplinas se aborden de forma relacionada.

   Es una modalidad que con frecuencia se lleva a cabo a partir del criterio del profesor exclusivamente y no necesariamente produce aprendizajes significativos.

3. **La globalización como estructura psicológica del aprendizaje**: es una perspectiva centrada en el alumno, que es quien realmente establece las relaciones y la globalidad de los aprendizajes.

   La significatividad y funcionalidad está prácticamente garantizada ya que son los alumnos los que establecen las conexiones entre los aprendizajes, sacan las conclusiones, buscan los materiales, investigan y exploran.

Las diferentes modalidades en las que se puede concretar la metodología globalizadora son:

1. **Globalización libre**. Propuesta por Otto, tiene como antecedente principal a Decroly. Consiste en sugerir, de forma natural, experiencias infantiles no previstas en el currículum, a partir de las cuales se globalizan los aprendizajes.

   En la actualidad, la metodología que más se ajusta a esta concepción son los proyectos de trabajo.

2. **Globalización moderada**. Propuesta por Stoker. Para este autor, la enseñanza globalizada no debe abarcar todos los contenidos del currículum. Propone, junto a las unidades globalizadas, que se trabaje con otras materias que requieran un tratamiento más sistemático y ordenado.

Esto no quiere decir que cuando sea necesario, estas materias se enuncien según la experiencia que tenga el sujeto o junto a las unidades globalizadas con un carácter auxiliar. La opción de Stoker requiere el estudio de los Niveles Básicos de referencia para asociar en unidades globalizadas aquellos objetivos que estén dispersos en varias áreas o materias pero que formen unidades perceptivas para el sujeto. En la práctica, materias básicas como la lectoescritura y las matemáticas, deben abordarse bajo esta perspectiva, ya que necesitan de cierta sistematización y orden. La metodología de rincones o talleres, podría ajustarse a esta concepción, ya que son metodologías a través de las cuales se globalizan muchos contenidos, pero suelen simultanearse con otros tipos de actividades.

3. **Enseñanza integrada**. Consiste en asociar contenidos de diversas áreas en torno a ejes como los sentidos, las estaciones, etc. El problema aquí radica en no establecer integraciones artificiales y en seleccionar adecuadamente los ejes a partir de los cuales organizamos todos los contenidos de las diversas materias. Se puede identificar con los centros de interés clásicos en los proyectos de muchas editoriales de EI.

2.3. La actividad

Las nuevas tendencias en educación ponen el acento en la actividad del niño. Esta importancia viene derivada del fracaso de las experiencias educativas que consideran al niño como "un ente pasivo", como un receptáculo de contenidos que en un momento determinado hay que memorizar y repetir.

Este aprendizaje es superficial, no suele ser duradero, no genera formación ni modificación de estructuras cognitivas y en ningún caso estimulante para el alumno.

La actividad es imprescindible para la formación del alumno, para el alumno se convierte en el principio metodológico por excelencia; mucho más en la etapa de Educación Infantil.

El niño está ligado a la acción desde sus primeros momentos de vida; por lo tanto, cualquier iniciativa debe considerarse desde un plano activo.

La actividad implica una concepción constructivista del aprendizaje, no meramente se limita a la actividad física.

Una enseñanza activa es aquella que provoca conflictos en los alumnos independientemente de los métodos concretos mediante los cuales lo consiga.

Los principios básicos de la actividad son:

- Las actividades y experiencias que se realicen deben respetar los ritmos de actividad, juego y descanso de los niños, porque cada sujeto tiene su ritmo de maduración, desarrollo y aprendizaje. Es decir, atender las peculiaridades individuales de los niños.
- La actividad infantil se concibe como un proceso de naturaleza interna, y no simplemente manipulativa. Para el desarrollo de la verdadera actividad intelectual la manipulación ha de ir seguida de un proceso de reflexión.

- Pese a que es el alumno quien construye el aprendizaje, la actividad constructiva es un proceso no individual, sino interpersonal, es decir mediado. El profesor debe intervenir en las actividades que el alumno puede desarrollar si es debidamente estimulado y/o dirigido (ZDP).

2.4. Juego

Es imprescindible destacar la importancia del juego como la actividad propia de esta etapa. En el juego se aúnan, por una parte, un fuerte carácter motivador y, por otra, importantes posibilidades para que el niño y la niña establezcan relaciones significativas y el profesorado organice contenidos diversos, siempre con carácter global, referidos sobre todo a los procedimientos y a las experiencias. Se evitará la falsa dicotomía entre juego y trabajo escolar.

2.5. Aspectos afectivos y relacionales

Estos aspectos, como es sabido, son de especial relevancia en esta etapa. Un ambiente cálido, acogedor y seguro permitirá al niño la construcción de una autoestima positiva, la superación de los pequeños retos y el conocimiento progresivo del medio.

El educador se convierte en una prolongación de las figuras familiares con el que el niño debe establecer una relación personal de gran calidad y proximidad emocional, que le ofrezca la seguridad y afectos necesarios para su desarrollo.

Así mismo el encuentro y la interacción con los iguales se producen sobre todo en el entorno escolar. Por ello, el establecimiento de vínculos, el aprendizaje de las formas de relación y convivencia, el desarrollo progresivo de actitudes sociales y la superación de la frustración y conflictos de la convivencia, se irán superando progresivamente a través del encuentro y el juego con los compañeros.

Son aspectos pues, que adquieren especial relevancia en EI siendo imprescindible la creación de un ambiente cálido, acogedor y seguro, en el que el niño se sienta querido estableciendo con el educador una relación personal de gran calidad, lo que transmita confianza y seguridad para su desarrollo.

2.6. Organización del ambiente

El espacio escolar permitirá al niño situarse en él, sentirlo suyo, a partir de sus experiencias y relaciones con personas y objetos.

La distribución del espacio debe adecuarse a las variadas y cambiantes condiciones y necesidades de los niños, hacer posible el sueño y reposo de los más pequeños, facilitar a los que se desplazan el acceso y el uso autónomo del espacio y tener presentes las características del grupo. Se deben prever las distintas situaciones y decidir sobre los medios que las hagan posibles, evitando organizaciones rígidas y excesivamente especializadas.

La variedad de actividades educativas que se realizan con los niños pequeños hace necesario habilitar determinados espacios que reúnan las condiciones para las mismas.

Una adecuada organización del ambiente, incluyendo espacios, recursos materiales y distribución de tiempo, será fundamental para la consecución de las intenciones educativas. El espacio escolar permitirá al niño situarse en él, sentirlo suyo, a partir de sus experiencias y relaciones con personas y objetos.

La distribución del espacio debe adecuarse a las variadas y cambiantes necesidades de los niños, hacer posible el sueño y reposo de los más pequeños, facilitar a los que se desplazan el acceso y uso autónomo del espacio, y tener presentes las características de cada grupo de edad y sus necesidades. Se debe prever que los niños dispongan de lugares propios y de uso común para compartir, para estar solos o para jugar y relacionarse con los demás, espacios para actividades que requieren una cierta concentración y espacios amplios que faciliten el movimiento. El educador deberá prever las distintas situaciones y decidir sobre los medios que las hagan posibles, evitando organizaciones rígidas y excesivamente especializadas.

El centro debe ofrecer una gama variada y estimulante de objetos, juguetes y materiales que proporcionen múltiples oportunidades de manipulación y nuevas adquisiciones. La selección, preparación y disposición del material y su adecuación a los objetivos educativos son elementos esenciales en esta etapa.

En la Educación Infantil la organización de las actividades requiere flexibilidad y posibilidad de adecuación a los ritmos de los niños. La organización del tiempo debe respetar sus necesidades: afecto, actividad, relajación, descanso, alimentación, experiencias directas con los objetos, relación y comunicación, movimiento. El educador organizará la actividad partiendo de los ritmos biológicos y estableciendo rutinas cotidianas, lo que contribuirá a estructurar la actividad del niño.

Los materiales deben ser seleccionados y adecuados por el equipo educativo a las intenciones que se persigan. Por las propias características de los niños de Educación Infantil (pensamiento concreto, inteligencia sensoriomotriz...) los materiales cobran gran importancia en esta etapa. Serán abundantes, atractivos, polivalentes, y por supuesto, seguros.

2.7. Equipo educativo

Aunque en El no hay especialistas, el conjunto de profesores de la etapa debe actuar de forma coordinada y unánime, compartiendo criterios de programación, temporalidad, evaluación, actividades...; a pesar de que finalmente cada profesor imprime su carácter personal a su actividad docente.

En los centros de Educación Infantil se configura una comunidad educativa con mayor facilidad que en otro tipo de centros. La Educación Infantil alcanza su pleno sentido en un marco de colaboración y coordinación entre los elementos que inciden en el proceso educativo de los niños y niñas: el equipo docente y las familias.

La existencia del equipo educativo es indispensable para asegurar una coherencia y continuidad en la acción docente. El equipo actuará conjunta y responsablemente en las tareas y funciones que le son propias. Estas se refieren a la elaboración, desarrollo y evaluación del proyecto curricular.

2.8. Contacto con la familia

En todas las etapas educativas ha de estar presente, pero dada la naturaleza y edad de los niños, en Educación Infantil es fundamental un contacto regular, recíproco y veraz, que garantice la actuación conjunta, la comunicación de incidencias o problemas y en general aspectos relevantes al desarrollo, maduración, hábitos... del niño.

La familia desempeña un papel crucial en el desarrollo del niño. En este sentido, el centro de Educación Infantil comparte con la familia la labor educativa, completando y ampliando sus experiencias formativas. La eficacia de la Educación Infantil depende, en gran medida, de la unidad de criterios educativos en los distintos momentos de la vida del niño, en casa y en la escuela. Para que esto sea posible es necesaria la comunicación y coordinación entre educadores y padres.

Mediante el intercambio de información, familia y educadores tratan de guiar y facilitar la incorporación y adaptación del niño al centro.

2.9. La intuición

En palabras de Sánchez Cerezo, intuición es "el conocimiento directo, inmediato y cierto de un objeto o fenómeno real, concreto o de ideas, relaciones, valores".

Intuir es fundamentalmente ver, captar a través de los sentidos.

El niño se siente atraído por lo que le rodea, por lo que observa cotidianamente. Su aprendizaje se forma en el contacto con las cosas, con las personas, con el mundo tangible que le rodea y escapan de su razonamiento simbolismos o conceptos que marcan los modos de vivir de los adultos.

El principio metodológico de la intuición no se reduce a la mera presentación de los objetos, sino que exige todo un conjunto de estrategias que favorezcan la intuición.

No siempre el objeto estará presente, pero podremos utilizar representaciones (esquemas, láminas, dibujos...) que amplíen y cubran las perspectivas de intuición completa.

2.10. La individualización

Mediante este principio nos proponemos atender individualmente a cada uno de los alumnos en la adquisición de niveles básicos de referencia, en función de sus capacidades y posibilidades.

Ello posibilitará además la construcción de un autoconcepto real y positivo de sus capacidades y limitaciones.

2.11. La socialización

Nos proponemos mediante este principio integrar socialmente al alumno dentro del grupo clase. La adaptación e integración en el grupo clase, la interiorización de hábitos de socialización, de conocimiento de normas, el representar un papel en el seno del grupo, son dimensiones esenciales de la personalidad que se convierten por ello en uno de los ejes esenciales de la intervención educativa.

2.12. Partir del nivel de desarrollo del alumno

Significa atender tanto al nivel de competencia cognitiva, evolución afectivo-social y psicomotriz como a los conocimientos que ha construido previamente.

El papel de estos conocimientos previos es fundamental para conseguir un verdadero aprendizaje significativo, son los indicadores de un pensamiento que se construye, de los medios de comprensión de los que dispone el alumno y pueden determinar la elección de los procesos didácticos. También nos pueden proporcionar valiosas indicaciones en la definición realista de los objetivos a alcanzar.

2.13. Motivación

Constituye la raíz dinámica del aprendizaje y aparece constituida por un conjunto de variables que actúan sobre la conducta con diferentes grados de fuerza y en un sentido determinado cara a la consecución de un determinado objetivo.

Su carácter intrínseco exige que el profesor no pueda sino intentar que, a través de incentivos intelectuales, emocionales o sociales se despierte o mantenga.

2.14. Creatividad

Se caracteriza porque se dirige a intentar desarrollar en el alumno la capacidad para crear algo personal y distinto.

Para contribuir a promover la creatividad el profesor deberá seguir normas del tipo de:

- Facilitar la creación de un clima de confianza.
- Libertad y apertura.
- Fomentar la presencia de interrogantes.
- Intentar evitar la rutina y buscar nuevas técnicas y métodos de trabajo.
- Desarrollar un clima de relaciones humanas cordiales.
- Hacer posible el trabajo original y personal, etc.

2.15. Principios y aportaciones de la Escuela Nueva

Por Escuela Nueva se conoce la tendencia pedagógica nacida en los últimos años del siglo pasado, que intenta revolucionar las técnicas empleadas por "la escuela tradicional".

El movimiento conocido por "Escuela Nueva" que nace a finales del siglo XIX viene a constituir el núcleo de renovación pedagógica del siglo XX ya que:

- Marca la ruptura con los sistemas anteriores tradicionales centrados en la actividad del profesor.
- Concede gran importancia a los estudios psicológicos para, a partir del conocimiento del desarrollo, mejorar la actuación pedagógica.
- Muestra la posibilidad de aplicar investigaciones experimentales a las Ciencias de la Educación.
- Establece una serie de principios fundamentales que siguen siendo válidos en la actualidad: actividad, libertad, individualización, socialización, intuición, globalización e interdisciplinariedad, motivación y creatividad.

Las características más sobresalientes se pueden sintetizar en:

1. **Escuela vitalista:** el niño no debe aprender para la escuela, sino aprender para la vida.
2. **Escuela activa**: la acción y el juego como métodos prioritarios. Importancia de los trabajos manuales y mecánicos.
3. **La Escuela Nueva respeta los enseres infantiles**: la espontaneidad del educando se respetará en todo momento. Se creará un clima propicio para la libertad.
4. **Escuela paidocéntrica:** el niño ocupa el centro de la educación.
5. **Escuela socializadora:** muchas actividades se encaminarán a la colaboración y a la socialización.
6. **La coeducación:** se plantea como una necesidad en una escuela colaboradora y cooperativa.

2.16. Nuevas corrientes e innovación educativa

A) Aprendizaje colaborativo

El aprendizaje colaborativo se basa en el planteamiento de actividades en las que los alumnos tienen que trabajar en equipo e interactuar para conseguir un objetivo común.

Sus ventajas son muchas: convierte a los estudiantes en protagonistas de su propio aprendizaje, desarrolla sus competencias y habilidades, refuerza sus relaciones interpersonales y les permite adquirir un aprendizaje significativo. Ofrecemos varios consejos y herramientas para introducir con éxito este tipo de método en el aula.

B) Pedagogía inversa

Como se puede deducir de su nombre, la pedagogía inversa o *flipped classroom* es un método de trabajo que propone invertir los roles de la enseñanza tradicional, modelo en el que el profesor explica y los alumnos escuchan y realizan los deberes en su casa. La *flipped classroom* asigna al alumno la responsabilidad de revisar los contenidos teóricos en casa, para que luego puedan resolver sus dudas y trabajar los conceptos en clase de forma individual o colaborativa.

Esta metodología promueve el aprendizaje significativo pues se basa en la interpretación y búsqueda del alumno, implica el manejo de herramientas tecnológicas, favorece el aprendizaje autónomo y cooperativo y desarrolla de un modo claro la totalidad de las competencias.

C) Gamificación

El juego cumple una serie de condiciones que lo convierten en una metodología especialmente apta para la promoción de aprendizajes.

Un juego es una actividad libre, lúdica y autotélica (no tiene más fin que la actividad en sí misma). Estas características hacen que los niños se entreguen con motivación, apertura y significatividad a las experiencias, convirtiéndose en una excelente metodología de aprendizaje.

Para una adecuada planificación como estrategia de enseñanza se requiere un pormenorizado análisis de las habilidades y contenidos implicados en el desarrollo del juego, así como los materiales, escenarios, tiempo y agrupamientos.

Estas actividades lúdicas se presentan en diferentes formatos, cada uno de los cuales tiene su aportación al desarrollo:

- **Competición**: es un modelo de gamificación muy usado en el ámbito empresarial. Podemos verlo de dos maneras, le premiamos por su contribución y su prestigio individual, o le premiamos porque su contribución da prestigio a nuestra comunidad educativa.

  En el ámbito educativo solemos hablar de *cooperación,* es decir de formación de alianzas, porque ambas partes salimos ganando.

- **Recompensa,** elemento obvio de las dinámicas del juego, cuando apliquemos la gamificación al proceso formativo. Diferentes tipos de recompensa, reflejarán diversidad de comportamientos en nuestros alumnos: si premiamos con una recom-

pensa abstracta, seguramente fomentemos conductas exploratorias o de riesgo; sin embargo, si ofrecemos algo efectivo, el comportamiento será más directo e inmediato.

- **Riesgo**: el riesgo, como el fracaso o el conflicto no son necesariamente aspectos negativos. Superarlos y reconvertirlos nos desarrolla y fortalece.
- **Estrategia**, de forma explícita o implícita. Nos puede permitir diseñar experiencias de aprendizaje que se basen en habilidades aplicables, funcionales y procedimentales. Implica al pensamiento abstracto, la toma de decisiones, la autoestima.
- **Perder**, no podemos obviar esta posibilidad. Es el factor que hace que juguemos una vez más, ¿cómo podemos aplicarlo? ¿cómo lo hacemos para que genere aprendizaje? Podemos crear situaciones en los que no existe ganador, pudiendo así generar el cambio deseado o las ganas de reconstruir para afrontar de nuevo el reto. Otra posibilidad es que todos ganen de algún modo, o la pérdida en un juego se compense con la ganancia en otros en el que somos más hábiles. Por último, señalar que perder contribuye al ajuste del autoconcepto (no podemos ganar siempre y/o en todo) y a la superación y el esfuerzo de la persona.

TEMA 3

Atención y satisfacción de necesidades básicas en la infancia: planificación de actividades educativas y organización de espacios, tiempos y recursos

Sigue nuestras **Técnicas de Memoria 360** y sácale el máximo rendimiento a tus horas de estudio.

Índice

1. Atención y satisfacción de necesidades básicas en la infancia

1.1. El desarrollo integral del niño y de la niña de 0 a 3 años

Todos los autores coinciden al señalar que la atención y los cuidados que recibe un niño en los tres primeros años de vida, son fundamentales y de gran influencia para su desarrollo posterior. Por ello es importante que las personas que trabajan con niños de estas edades conozcan las principales características del desarrollo infantil, tanto para poder ofrecerles una atención y cuidado adecuados a su nivel de desarrollo, como para estar alerta a cualquier signo de retraso, y así poder intervenir cuanto antes si fuera necesario. La finalidad, en cualquier caso, es conseguir que el niño crezca sano, feliz, seguro y bien equilibrado para que pueda alcanzar un desarrollo físico y psíquico adecuados.

En nuestro sistema educativo este intervalo de edad (0-3 años) coincide con el primer ciclo de educación infantil, etapa no obligatoria, por lo que podemos encontrarnos a estas edades niños que estén escolarizados y niños sin escolarizar.

Existe una rama en la Psicología que estudia los procesos de cambio psicológico y madurativo que ocurren a lo largo del periodo vital, es la Psicología Evolutiva, y nos basaremos en ella para exponer las características del desarrollo en las distintas etapas.

Es necesario indicar que, aunque el orden en que los niños alcanzan los distintos logros es prácticamente igual para todos, no ocurre lo mismo con el momento en que lo consiguen. Es decir, establecemos unas edades orientativas en las que la mayoría de los niños adquieren determinadas habilidades, pero cada niño tiene su propio ritmo de aprendizaje y desarrollo, unos son más rápidos y otros más lentos, sin que ello suponga ninguna anomalía. En la mayoría de los casos estos pequeños retrasos son normales. No debemos obsesionarnos con la idea de que hay determinadas actividades que el niño "tiene" que adquirir en una fecha concreta. Por ejemplo, es cierto que un bebé suele comenzar a caminar alrededor de los 12 meses, pero también hay niños que lo hacen antes y niños que empiezan después, no significando esto que uno sea más o menos inteligente que el otro. Por todo ello, es necesario evitar las comparaciones entre niños de la misma edad, especialmente en los primeros años en que ocurren muchos cambios y se adquiere un gran número de habilidades en un corto espacio de tiempo.

Empezaremos la exposición del tema hablando sobre las características generales del desarrollo, para después centrarnos en diferentes aspectos evolutivos. Hemos distinguido entre desarrollo físico, desarrollo intelectual y desarrollo social. No obstante, es necesario aclarar que el desarrollo del niño en las primeras etapas es global; las diferentes funciones están íntimamente relacionadas, lo que hace que la interacción del niño con el mundo se realice de forma globalizada.

1.1.1. Características generales del desarrollo

En los primeros años de vida se configuran las estructuras neuronales y se produce un crecimiento físico y desarrollo psicomotor, perceptivo e intelectual tan rápido como no va a suceder en ninguna de las etapas posteriores. Además, comienzan los procesos de individualización y socialización.

Se pueden destacar cinco características fundamentales en el desarrollo a estas edades:

- **El desarrollo es un proceso de construcción dinámico**. Esto quiere decir que el niño no es un ser pasivo que se limita a recibir información del entorno, sino que es un agente activo de su propio desarrollo, que construye en constante interacción con el medio. El niño aprende explorando y actuando sobre el medio, el cual a su vez produce un continuo cambio en el niño y la formación de nuevas estructuras de pensamiento y relación.

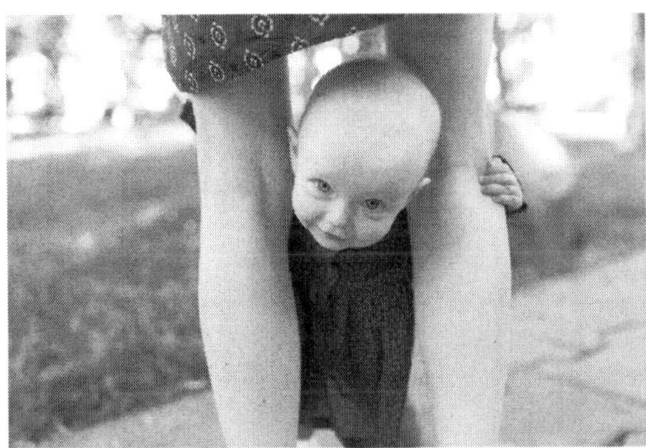

- **Es un proceso adaptativo**. Es decir, en este proceso de interacción el niño modifica su comportamiento para ir adaptándose progresivamente al mundo en el que vive y del cual recibe la información. Podemos decir que una de las finalidades del desarrollo es la adaptación al medio físico y social en que vivimos.
- **El desarrollo es también un proceso global**. Esto podemos tomarlo en dos sentidos. Por un lado, al decir que el desarrollo tiene lugar globalmente nos referimos a que las distintas áreas siguen una evolución paralela, todas se desarrollan a la vez. Aunque también es verdad que determinadas áreas tienen más peso en unas edades que en otras. Por ejemplo, el crecimiento físico es mucho más llamativo en los primeros meses del bebé (puede duplicar el peso con el que nació en pocos meses) que en la infancia posterior. Por otro lado, podemos decir que es un proceso global porque ocurre por la interacción de muy variados factores, tanto individuales o genéticos, como exógenos o ambientales. El niño nace con un potencial de aprendizaje y desarrollo determinados por la herencia genética, pero las condiciones ambientales pueden favorecer o dificultar el desarrollo. Entre las condiciones ambientales incluimos factores físico-químicos (nutrición, condiciones geofísicas, etc.) y factores socioculturales (condiciones económicas, nivel cultural, condiciones de marginalidad, etc.).
- Así mismo, **el desarrollo es un proceso continuo**. Es decir, cada nuevo logro que consigue el niño es una prolongación de las habilidades que ya poseía y que las supera. Esto se conoce con el nombre de andamiaje. El niño necesita de unos andamios, conocimientos y habilidades que ya domina, y en los que se apoya para construir nuevos aprendizajes, por lo que se convierte en un agente activo de su propio desarrollo.

- Por último, el desarrollo es un proceso no uniforme. Esto quiere decir que los distintos logros que va consiguiendo el niño en desarrollo no ocurren en todos a la misma edad exactamente. Como ya hemos dicho en la introducción, tan solo podemos ofrecer una edad aproximada para la consecución de las diferentes habilidades, pero no una fecha exacta, pues cada niño es un ser único e irrepetible con su propio ritmo de aprendizaje y unas características, intereses y necesidades propios.

1.1.2. Características del desarrollo físico

El crecimiento físico y madurativo en los tres primeros años de vida es enorme. Una diferencia de edad de tres años entre dos personas adultas prácticamente no se nota a simple vista. Pero comparemos a un bebé recién nacido con un niño de tres años. No nos fijaremos en su desarrollo intelectual o cognitivo, ni siquiera social. Prestemos atención solamente a su talla, peso, características sensoriales y habilidades motoras. Hay un abismo entre ellos. Esto nos da una idea del rápido ritmo de crecimiento y desarrollo que tiene lugar en estas edades.

Para ver las características del desarrollo físico nos centraremos en tres aspectos: los cambios corporales, las capacidades sensoriales y las habilidades motrices.

A) Los cambios corporales

El bebé recién nacido tiene una talla media de 50 cm y un peso medio de 3,300 kg en el caso de los varones, y una media de 49 cm de talla y 3,100 kg de peso en el caso de las niñas. Al cumplir los tres años un niño alcanza una talla media de 96,5 cm y un peso medio de 14,690 kg. La talla y peso medio de las niñas es algo menor, situándose en 95,6 cm y 13,900 kg.

En cuanto a la apariencia, el bebé nace con la cara arrugada e hinchada y normalmente con la cabeza abultada o deformada por el trabajo del parto. La piel puede descamarse en los primeros días. En poco tiempo, la cabeza adquiere un aspecto normal y la piel se vuelve sonrosada y tersa. Poco a poco la piel, el pelo y las uñas del niño se van fortaleciendo.

El **crecimiento físico y muscular** es muy rápido durante el primer año, lo que permite a su vez un rápido desarrollo en las capacidades motrices del niño. Entre el segundo y tercer año, aunque el niño sigue creciendo, lo hace más lentamente.

Los dientes comienzan a aparecer alrededor de los seis meses, al año puede tener entre seis y ocho dientes. A los dos años y medio o tres años el niño cuenta con veinte piezas dentales. Esta dentadura no es la definitiva, pues más adelante cambiará los dientes, pero eso no ocurre antes de los tres años.

El **ojo** es el órgano sensorial menos desarrollado cuando nace el niño. La visión de un recién nacido es aún borrosa pero va madurando progresivamente. A los tres años el ojo está prácticamente desarrollado permitiendo una visión normal. Otros órganos sensoriales, como el oído y el olfato, sí están maduros en el momento del nacimiento, aunque siguen mejorando a lo largo del desarrollo.

La **necesidad de sueño** también evoluciona durante los tres primeros años. El recién nacido duerme prácticamente todo el día. Aunque las diferencias individuales son grandes, la media de horas de sueño durante el primer mes puede situarse en 16 o 17 horas diarias en siete u ocho intervalos. Poco a poco permanece más tiempo despierto y va durmiendo más horas seguidas durante la noche, hasta que consigue dormir la noche entera. En torno al año y medio el niño duerme toda la noche y durante el día una siesta que no debe superar la hora u hora y media. A los tres años hay niños que prescinden de la siesta. El número de horas que debe dormir un niño a esta edad varía de unos a otros, pero puede situarse alrededor de las 10 u 11 horas en total diarias.

Las **necesidades de alimentación** también varían mucho en este intervalo de edad. Especialmente durante al primer año. No solo en la cantidad y tipo de alimentos, sino también en la frecuencia. La alimentación del recién nacido es exclusivamente de leche. Alrededor de los cuatro meses comienza a tomar otro tipo de alimentos progresivamente: cereales, fruta, verdura, carne, pescado, etc. Al principio los tomará en puré, pero con el inicio de la dentición puede empezar a masticar. Poco a poco su alimentación se irá pareciendo a la de un adulto. A la edad de tres años puede comer prácticamente de todo. Es deseable que el niño se inicie en el aprendizaje del uso de cubiertos (cuchara y tenedor) a edad temprana, para que al llegar a los tres años sea perfectamente capaz de comer solo.

Otro logro importante que se consigue a estas edades es el **control de esfínteres**, lo cual supone un paso más en la marcha hacia su autonomía. Al principio el niño necesitará ayuda para ir al baño, pero cada vez irá adquiriendo más independencia. A los tres años es conveniente que sea capaz de ir al baño sin ninguna ayuda.

B) Las capacidades sensoriales

En el momento del nacimiento un bebé se caracteriza principalmente por ser sensitivo. El recién nacido reacciona sobre todo a la imagen y sonidos de la figura humana. Esta preferencia por la figura humana antes que por cualquier objeto facilita la socialización del individuo.

Aunque los órganos sensoriales funcionan desde el primer momento, no tienen todavía la madurez suficiente para que su funcionamiento sea igual al de un adulto.

El **sentido de la vista** es el que está menos desarrollado al nacer, el oído, sin embargo, se desarrolla desde que el niño está en el útero de la madre. De todas formas el sentido más desarrollado es el del tacto.

A continuación veremos separadamente la evolución de cada uno de ellos:

- **La visión**: dentro del vientre de la madre el bebé ya responde a la luz que le llega desde el exterior. Al nacer el sistema visual es bastante inmaduro; al principio su visión es todavía borrosa, pero la agudeza visual mejora tan rápidamente que entre los seis meses y el año de edad ya se iguala a la capacidad del adulto. El niño de pocos días es capaz de seguir con la mirada un objeto que se acerca a su rostro. Al principio se fijan solo en los contornos, pero a partir de los dos meses observan también el interior de las figuras, que prefieren mirar si además tienen movimiento.

  La atención visual aparece por periodos muy cortos y son las características de los objetos las que determinan dicha atención. Como ya hemos dicho, prefiere mirar objetos en movimiento. También muestran preferencia por los estímulos simples y no por los complejos. Se produce, asimismo, una respuesta a la novedad, es decir, su atención se ve más cautivada por estímulos novedosos que por los familiares.

  El rostro humano es el estímulo preferido por los bebés, tanto por su importancia social como por sus características (contraste, color, movimiento, etc.), que lo hacen muy atractivo para el niño. La capacidad para percibir el rostro humano sigue una evolución que podemos resumir de la siguiente forma: el niño de menos de 6 semanas solo se fija en puntos o ángulos, no reconoce el rostro como tal. A las 10 semanas enfoca su atención a la zona de los ojos. A las 12 semanas empieza a fijarse también en la boca. A las 24 semanas se sigue fijando en la zona de la boca que le resulta más atractiva si tiene movimiento (hablando o emitiendo una sonrisa). A partir de las 30 semanas reconoce las expresiones faciales y comienza la diferenciación de rostros.

  El lóbulo cerebral que se encarga del procesamiento de la información visual es el lóbulo occipital.

- **El oído**: cuatro meses antes de nacer el bebé ya puede percibir sonidos en el útero de la madre. Se ha demostrado la preferencia por la voz y la comunicación humana entre otros sonidos. El bebé puede distinguir entre distintas voces, reconociendo especialmente la de la madre.

  Las respuestas de un bebé ante un sonido pueden ser: pataleo, giro de cabeza, llanto, pero lo más frecuente es la reacción de sorpresa o sobresalto.

  Es necesario destacar la importancia del oído como principal vía que tienen los niños para aprender acerca del lenguaje.

- **El olfato**: el sistema olfativo se perfecciona rápidamente. El recién nacido puede detectar olores siempre que sean suficientemente fuertes. En pocos días son capaces de detectar olores de mucha menor intensidad.

- **El gusto**: la sensibilidad al sabor también está presente antes del nacimiento. Tanto los bebés prematuros como los nacidos a término reaccionan de forma positiva ante los estímulos dulces y negativamente ante los estímulos salados o amargos. En los primeros meses de vida somos más sensitivos a los estímulos gustativos que durante cualquier otra etapa de la vida. No hay que olvidar que es en esta época en la que el niño se acostumbra a los nuevos sabores: en un año y medio aproximadamente pasa de tomar solo leche a poder comer cualquier alimento.

- **El tacto**: la sensibilidad al tacto, presión, dolor y temperatura está bien desarrollada desde antes del nacimiento, tanto desde el punto de vista funcional como estructural.

  El niño necesita el contacto táctil para su desarrollo, le gusta tocar y ser tocado. Debemos saber que la caricia y el contacto corporal son la forma más primitiva y reconfortante de comunicación en la vida humana. Esta forma de comunicación debe prolongarse más allá de los primeros meses, preferiblemente durante toda la vida, pero especialmente en las edades que nos ocupan en este tema, desde el nacimiento a los tres años.

C) Habilidades motrices

El desarrollo de las habilidades motrices depende de la maduración neurológica y pasa por las siguientes fases:

- **Fase de automatismo**: corresponde con los primeros meses. La mayoría de las acciones son reflejas.
- **Fase receptiva**: se extiende a lo largo del segundo trimestre de vida y coincide con el perfeccionamiento de los sentidos. Las acciones son ya voluntarias pero predomina la observación, a través de los cinco sentidos, de todo lo que rodea al niño.
- **Fase de experimentación y adquisición de conocimientos:** comienza en los primeros meses y se extiende a lo largo de toda la vida. Las habilidades motrices se utilizan como medio para adquirir conocimiento.

Por otro lado el desarrollo de la motricidad se ajusta a dos leyes fundamentales:

- **Ley céfalo-caudal**: se controlan antes las partes del cuerpo más cercanas a la cabeza y luego las más alejadas. Es decir, el orden en que se controlan las distintas partes del cuerpo es cuello, tronco, brazos y piernas.
- **Ley próximo-distal**: se controlan antes las partes más cercanas al eje corporal y después las más alejadas. Por lo tanto, en el caso del brazo, por ejemplo, se controlará antes el hombro, luego el codo y por último muñeca y dedos.

Teniendo en cuenta todo esto podemos decir que la habilidad motriz se desarrolla de la siguiente forma.

En la primera semana de vida del bebé los movimientos están controlados principalmente por **reflejos**, pero a los dos meses de edad aproximadamente la mayoría de las

acciones son voluntarias. Como ya hemos dicho, el control empieza por los músculos del cuello y la cabeza. Al mes de edad la cabeza todavía estará inestable cuando se le sostiene en brazos. A partir de los dos meses comienzan a levantar la cabeza estando boca abajo y sosteniéndose en los brazos. A los cuatro meses pueden sostener la cabeza sin vacilar y a los seis adquieren un control estable cuando están sentados.

La habilidad para rodar. Esta capacidad se inicia al mes aproximadamente, pero no es hasta los tres o cuatro meses cuando consiguen dar una vuelta completa. A partir de los seis meses la mayoría de los niños pueden torcerse y rodar en todas direcciones.

La capacidad para agarrar objetos es al principio un acto reflejo. Pero a partir de los dos meses el reflejo comienza a desaparecer y a los tres meses permanecen generalmente con las manos abiertas, pudiendo sostener objetos voluntariamente durante poco tiempo. Ahora también se entretienen jugando con sus manos. Entre los cuatro y los seis meses pueden sostener los objetos durante más tiempo, empiezan a tocarse las piernas y pies. Serán capaces de estirar la mano para alcanzar lo que les llama la atención y pueden cambiar las cosas de una mano a otra. Alrededor de los ocho meses la coordinación ojo-mano se perfecciona y puede agarrar objetos pequeños, aplaudir y agitar las manos. Entre los nueve y doce meses son capaces de utilizar la pinza (dedos índice y pulgar) para agarrar objetos. Al final de este periodo el niño puede meter cosas en un recipiente, destapar cajas y pasar páginas de un libro, aunque no una por una. Entre los doce y los quince meses los niños comienzan a construir (por ejemplo, torres con cubos). A partir de esta edad pueden empezar a usar la cuchara para comer y garabatear con un lápiz sobre un papel. A los dos años consiguen hojear un libro página por página. Poco a poco se vuelven más diestros en el uso de las manos. Si al principio cogen el lápiz con el puño cerrado, al aproximarse a los tres años ya lo hacen utilizando la pinza, y en vez de garabatos pueden empezar a hacer dibujos con una marcada intencionalidad. Otras habilidades que logra el niño al aproximarse a su tercer cumpleaños son el uso de las tijeras, ensartar cuentas en un hilo y quitarse la ropa.

La **capacidad para sentarse** suele comenzar hacia el cuarto o quinto mes en que el bebé puede mantenerse sentado con apoyo. Esta habilidad se va perfeccionando poco a poco, de modo que a los seis meses ya puede sentarse sin apoyo durante pocos segundos; a los siete, pueden permanecer más tiempo y a los ocho, la mayoría de los niños puede sentarse sin ayuda y voltearse solos estando sentados. A partir de los nueve meses pueden sentarse bien erguidos durante mucho tiempo.

El **desplazamiento autónomo del niño comienza con el gateo**. A los cuatro meses el bebé, estando boca abajo, puede levantar la cabeza y las piernas del suelo y hacer movimientos como si fuera a nadar. Este es el inicio del gateo. Al poco tiempo conseguirán arrastrarse sobre el estómago impulsándose con las manos o las piernas. El gateo propiamente dicho se iniciará cuando adquiera la habilidad de doblar las rodillas bajo el cuerpo. Entre los nueve y doce meses la capacidad para desplazarse mejora notablemente, ya sea arrastrándose o gateando. Muchas veces los niños que ya saben andar prefieren el gateo como medio de desplazamiento, especialmente si son buenos gateadores. A medida que mejora la habilidad para caminar irán dejando el gateo.

A partir de los 8 o 9 meses la mayoría de los niños son capaces de **ponerse en pie** agarrándose a algo o a alguien y permanecer en esta posición durante unos momentos, siempre que cuenten con apoyo. Al final del décimo mes muchos niños pueden hacerlo solos sin ayuda brevemente, y entre los 11 o 12 meses pueden permanecer erguidos bastante bien. Alrededor de los quince meses pueden levantarse para ponerse de pie sin necesidad de apoyarse en los muebles. A partir de esta edad irán adquiriendo progresivamente un mayor equilibrio y estabilidad.

Ya a los nueve meses, si cogemos al bebé por debajo de los brazos, efectúa **movimientos de marcha.** Un poco más adelante comenzará a dar pasos laterales apoyándose en los muebles. Luego podrá andar con ayuda sujetándolo por una o ambas manos. Muchos niños comienzan a caminar solos en torno a los doce meses, pero otros muchos no lo hacen hasta varios meses después, especialmente si gatean bien, ya que un gateador experto tiene cubiertas sus necesidades de exploración del medio y le interesa menos andar. A los 18 meses es normal que el niño ya sepa caminar, y los que han empezado a edades más tempranas estarán perfeccionando esta habilidad, de modo que a los dos años el niño ya es capaz de correr, subir y bajar escaleras de la mano o apoyándose en la barandilla y saltar con los pies juntos. Entre los dos y los tres años los niños son muy inquietos y no paran de moverse, les encanta subirse y bajarse de los muebles, saltar, meterse en objetos grandes como por ejemplo cajas de cartón. A los tres años empezarán a subir y bajar escaleras sin necesidad de apoyarse. Se puede decir que a esta edad la capacidad para caminar está plenamente establecida.

1.1.3. Características del desarrollo intelectual o cognitivo

En los tres primeros años de vida el niño adquiere muchos aprendizajes sobre sí mismo y sobre el mundo que le rodea, pero para que este aprendizaje sea posible es necesario un proceso madurativo paralelo al desarrollo cognitivo. Entre cero y tres años el niño es predominantemente perceptivo, que, unido a su acción motriz, son las notas más características de su forma de comportarse. Por ello el desarrollo del pensamiento en el niño está muy ligado a su desarrollo perceptivo y motor.

Para exponer las características del desarrollo intelectual vamos a basarnos en dos puntos fundamentales: el pensamiento y el lenguaje. A decir verdad ambas capacidades están interrelacionadas, ya que el lenguaje no es solo un vehículo de comunicación sino que es, además, un instrumento de conocimiento y aprendizaje. Por otro lado, el desarrollo del pensamiento hace que el lenguaje como capacidad para comunicarse y relacionarse progrese notablemente. No obstante, a efectos explicativos trataremos ambos procesos separadamente.

A) El pensamiento

Uno de los autores que mejor ha descrito el desarrollo del pensamiento infantil es Piaget. Nos basaremos en su teoría para explicar la evolución cognitiva del niño de cero a tres años.

Piaget divide en periodos y subperiodos el desarrollo de la inteligencia desde el nacimiento hasta los quince años. Para tener una visión de conjunto presentamos a continuación, de forma esquemática, dicha división, para después extendernos en los periodos correspondientes a los tres primeros años:

- *Periodo sensoriomotor (0-24 meses)*
  * Subestadio 1: el ejercicio de los reflejos (0-1 mes).
  * Subestadio 2: reacciones circulares primarias (1-4 meses).
  * Subestadio 3: reacciones circulares secundarias (4-8 meses).
  * Subestadio 4: coordinación de los esquemas secundarios (8-12 meses).
  * Subestadio 5: Reacciones circulares terciarias (12-18 meses).
  * Subestadio 6: invención de nuevos medios a través de combinaciones mentales (18-24 meses).
- *Periodo de las operaciones concretas (2-11 años)*
  * Subperiodo preoperacional (2-7 años).
    • Subestadio preconceptual (2-4 años).
    • Subestadio intuitivo (4-7 años).
    • Subperiodo de las operaciones concretas propiamente dicho (7-11 años).
- *Periodo de las operaciones formales (11-15 años)*

Al igual que cuando hablamos del desarrollo físico, lo importante es que en cada niño se da esta misma secuencia de desarrollo y no la edad concreta a la que ocurre. Repetimos una vez más que las edades solo son orientativas y cada niño puede adelantarse o retrasarse respecto a ellas.

1. El periodo sensoriomotor (0 – 24 meses)

El nombre que recibe este periodo se debe a que en esta etapa la inteligencia es fundamentalmente práctica, unida a lo sensorial y a la acción motriz. Veamos a continuación qué caracteriza a cada subestadio:

- **Subestadio 1.El ejercicio de los reflejos (0-1 mes)**: el niño comienza su adaptación al mundo mediante reflejos innatos. Algunos de estos reflejos nos acompañarán durante toda la vida, como el estornudo y la retracción de un miembro cuando recibimos un pinchazo.
- **Subestadio 2. Reacciones circulares primarias (1-4 meses)**: las primeras adaptaciones se denominan circulares porque son acciones que le resultan agradables al

niño y las repite una y otra vez. Y son primarias porque el efecto inicial fue debido al azar y además son acciones que se centran en su propio cuerpo. En esta etapa empiezan las primeras anticipaciones, por ejemplo, cuando el niño ve el biberón antes de acercárselo ya abre la boca, grita o se estremece, sabe que va a comer.

- **Subestadio 3. Reacciones circulares secundarias (4-8 meses)**: las acciones ya no se centran sobre el propio cuerpo sino sobre el exterior. Aparece la imitación intencionada de movimientos y sonidos producidos por un modelo. Además, comienza la conservación del objeto, esto quiere decir que el niño toma conciencia de que, si un objeto desaparece de su vista, este sigue existiendo. Así, si escondemos un objeto con el que ha estado jugando irá a buscarlo siempre que se vea parcialmente. En esta etapa el niño también disfruta con la repetición, pero ya no se centra en su propio cuerpo, sino en el exterior. Intenta influir sobre los demás para que repitan aquello que le gusta. Por ejemplo, si hacemos sonar un sonajero ante su vista, el niño agitará brazos y piernas hasta que repitamos dicha acción.
- **Subestadio 4. Coordinación de los esquemas secundarios (8-12 meses)**: en este periodo la capacidad de atención aumenta. El niño observa con detenimiento lo que ocurre a su alrededor. En cuanto a la permanencia del objeto, el niño ya es capaz de buscar objetos desaparecidos u ocultos. Se inicia la intencionalidad, el niño para conseguir unos fines utiliza unos medios intencionados. Esto está unido a la comprensión de la causalidad, el niño sabe que tiene que actuar para que algo su-ceda. La imitación se perfecciona, es capaz de imitar movimientos con partes de su cuerpo que no ve, como la boca o los ojos. Comienza también la imitación de conductas nuevas que no estaban en su repertorio, aunque estas deben mejorar todavía bastante.
- **Subestadio 5. Reacciones circulares terciarias (12-18 meses)**: estas acciones se denominan terciarias porque introducen un elemento nuevo. Lo que el niño repite no es exactamente lo mismo, sino que va introduciendo cada vez pequeñas variaciones para observar lo que sucede. Podemos decir que el bebé experimenta sistemáticamente. Y además cuando no consigue lo que quería, vuelve a intentarlo. La permanencia del objeto, la causalidad y la percepción del espacio y el tiempo son superiores. Igualmente, la imitación es más precisa, se vuelve más frecuente y de forma más deliberada.
- **Subestadio 6. Invención de nuevos medios a través de combinaciones menta-les (18 – 24 meses)**: en esta etapa el niño sustituye la acción directa sobre los objetos por una experimentación interna. Es decir, el niño es capaz de representarse mentalmente el mundo exterior a través de imágenes, recuerdos, etc. De este modo, piensa cómo tiene que actuar y actúa, no necesita tantear mediante la manipulación de los objetos. Las categorías espaciales, temporales y la causalidad experimentan un gran desarrollo. El niño, observando un efecto puede determinar ya cuál es su causa. La capacidad de imitación alcanza tal grado que ya no necesita que el modelo esté delante para imitar su conducta. Todos estos avances suponen también una capacidad de simbolización, la cual se manifiesta incluso en el juego. Pueden transformar cualquier objeto en otro y actuar como si fuera lo que se ha imaginado. Por ejemplo, pueden imaginar que una caja de cartón es un coche y jugar con ella como si de un coche se tratara.

2. El estadio preconceptual (2 – 4 años)

El estadio preconceptual es una de las etapas en que se divide el pensamiento preoperatorio, que abarca desde los 2 a los 7 años. Aquí nos vamos a centrar solamente en el subestadio preconceptual que abarca desde los 2 a los 4 años. Las demás etapas quedan fuera de nuestro ámbito de edad.

El periodo de las operaciones concretas se caracteriza por la utilización del razonamiento. Pues bien, en este subestadio que nos ocupa los razonamientos son preconceptuales o transductivos. Esto quiere decir que el procedimiento que utiliza el niño para sus razonamientos va de lo particular a lo particular, a diferencia del pensamiento deductivo (de una idea general se deduce un hecho particular) y del inductivo (a partir de casos particulares se elabora una idea general que los engloba).

En esta etapa el niño centra su atención solo sobre un detalle del hecho que observa, sin poder tener en cuenta otros detalles.

B) El lenguaje

Durante el primer año de vida el lenguaje entendido como medio de comunicación y relación con el entorno pasa de ser un simple ejercicio articulatorio, en los primeros meses, a la emisión de las primeras palabras con sentido en torno al primer cumpleaños. Durante el segundo y tercer año el lenguaje experimenta un desarrollo espectacular. El vocabulario se va aumentando por días y se empiezan a dominar las reglas sintácticas y gramaticales, aunque de modo imperfecto todavía, sin tener conciencia de ellas.

El desarrollo del lenguaje pasa por dos etapas fundamentales: la etapa prelingüística o preverbal, que abarca desde el nacimiento a los 18 o 24 meses de edad, aproximadamente, y la etapa lingüística o verbal a partir de los dos años.

1. La etapa prelingüística o preverbal (0-24 meses)

En esta etapa el niño no es capaz de utilizar correctamente el lenguaje de su entorno, pero sí de emitir determinados sonidos y vocalizaciones.

El llanto y la sonrisa, junto con la mirada y los gestos, suponen la base de la comunicación en los primeros doce meses. Al nacer la única forma de comunicación que tiene el bebé es el llanto, que en principio es un acto reflejo, pero al mes el niño ya es capaz de llorar deliberadamente cuando desea algo.

Entre uno y dos meses algunos bebés empiezan a hacer **sonidos guturales** para indicar un estado placentero. Alrededor de los 4 o 6 meses comienzan lo que se conoce con el nombre de balbuceo, que constituye una especie de juego para el niño, y consiste en la emisión de sonidos con los cuales experimenta con sus órganos fonatorios y los va controlando, al mismo tiempo se divierte escuchando su propia voz. A los seis meses son capaces de responder a su nombre, y reconocen algunas palabras, como "papá", "mamá", "adiós", etc.

A partir del sexto mes los niños muestran un interés creciente por escuchar el habla de los adultos y les gusta repetir los sonidos que escuchan a su alrededor (ecolalia), aunque esta imitación de sonidos es todavía muy imperfecta.

A partir del sexto mes, a través del **balbuceo y los juegos articulatorios**, el niño va dominando la emisión de distintos fonemas vocálicos y consonánticos, hasta que al final del primer año aproximadamente aparecen las primeras palabras reconocibles que suelen ser "papá", "mamá", "tata".

Hay autores que sitúan en este momento el inicio de la etapa lingüística, pero otros autores prefieren reservar este término para el momento en que el niño comienza a unir dos o más palabras, es decir, a utilizar frases.

Los primeros sonidos que el niño es capaz de emitir son: p, m, t, n, a, i, e. Por lo que las primeras palabras, entre los doce y quince meses aproximadamente serán una combinación de estos sonidos. Al principio las palabras estarán mal pronunciadas, pueden acortar las palabras demasiado largas y sustituir unos sonidos por otros. A esta edad el niño conoce entre 1 y 15 palabras y pasará largos ratos emitiendo largas secuencias de sonidos que son una mezcla de palabras y de balbuceo. Poco a poco va aprendiendo a nombrar cosas de su entorno y sigue dominando nuevos sonidos: ua, ia, k, l, g, d, b.

En cuanto al lenguaje comprensivo, es capaz de entender órdenes sencillas.

A partir de los quince meses y hasta los dos años, el niño utiliza las holofrases o palabras-frases. Es decir, con una sola palabra el niño quiere expresar una idea completa. Por ejemplo, si el niño dice "agua", según el contexto puede estar expresando "dame agua" si tiene sed o "quiero bañarme" si está en la piscina.

En este periodo surgen las **primeras combinaciones sustantivo-verbo y sustantivo-adjetivo**. Estas combinaciones se conocen con el nombre de prefrase.

En este intervalo de edad (15-24 meses) el vocabulario se compone de entre 15 y 50 palabras.

El lenguaje comprensivo evoluciona muy rápidamente, de modo que lo que el niño comprende es mucho más de lo que puede decir.

2. La etapa lingüística o verbal (a partir de los dos años)

A los dos años el niño puede unir perfectamente dos palabras. Muchos han comenzado antes de esta edad. Ahora el niño utiliza un lenguaje telegráfico, con un lenguaje muy simplificado expresa una idea completa, aunque ya no se puede considerar holofrase porque utiliza la combinación de palabras. Poco a poco se van incorporando nuevos fonemas al lenguaje: f, v, s.

Entre los dos años y dos años y medio el niño es capaz de describir objetos y sucesos, dar órdenes y hacer preguntas, aunque la elaboración y estructura de la frase es todavía muy simple. Ya es capaz de diferenciar las cinco vocales y su vocabulario se compone de 50-400 palabras. Utiliza bastantes adjetivos y comienza el uso de los adverbios.

A partir de los dos años y medio y hasta los tres años, el vocabulario experimenta un rápido aumento. Se sitúa en torno a las 400-1000 palabras. Su lenguaje puede resultar ininteligible para las personas que no conviven con el niño debido a los fallos sintácticos y fonéticos.

Por otro lado, es capaz de unir sin problemas tres y cuatro palabras o incluso más al acercarse al tercer cumpleaños.

Empieza a utilizar algunas **reglas lingüísticas:** terminación del plural, terminación del gerundio, infinitivos, las preposiciones más usuales, los artículos y los verbos auxiliares. Todavía tiene dificultades para el uso de los verbos irregulares.

Domina nuevos sonidos: z, r.

A los tres años hace preguntas más complejas, utilizando términos como: quién, cómo, qué está haciendo. También empieza a utilizar algunas oraciones compuestas incluyendo alguna subordinada.

Al final de este periodo el niño ha alcanzado un nivel de comprensión bastante bueno.

1.1.4. Características del desarrollo social

El primer logro en el desarrollo social es el **reconocimiento de sí mismo** como ser individual. A partir de aquí el niño puede empezar a reconocer a las diferentes personas que le resultan familiares y establecer una relación con ellas.

Podemos definir la socialización como un proceso por el cual el niño adquiere e interioriza los valores, normas, costumbres, y conductas que son propias de la sociedad en la que vive. Este proceso comienza en el mismo momento del nacimiento gracias a la capacidad del niño para preferir estímulos sociales. En él tienen un papel muy importante el juego y los agentes de socialización que son, principalmente, la familia, los compañeros y el colegio.

Otro aspecto importante dentro del desarrollo social es el desarrollo afectivo, que en el periodo de edad que nos ocupa se caracteriza por el apego.

A) Agentes de socialización

Como ya hemos dicho los principales agentes de socialización son la familia, los compañeros y la escuela.

1. La familia

En el seno de la familia es donde se crean los primeros vínculos afectivos. En ella es donde se establecen las primeras normas y rutinas que van a configurar el espacio social en que se mueve el niño. De cómo se establezcan estas primeras relaciones va a depender en gran medida la configuración de la propia identidad, las características de personalidad y la autoestima del niño.

Destacaremos la importancia que tiene la figura del hermano como agente socializador. Los hermanos mayores son los compañeros de juego más regulares que tiene el niño; estos intentan establecer sus propias normas para mantener su posición dentro de la familia ya que, ahora, con la llegada de un nuevo miembro, se sienten amenazados. Además, los hermanos pequeños suelen tomar al mayor como modelo a seguir, teniéndolos además como confidentes y consejeros.

2. Los compañeros

Antes de los tres años los compañeros tienen menos peso como agentes de socialización, es posteriormente, con la escolarización, cuando los niños empiezan a relacionarse más entre ellos. De todas formas basta una visita al parque para proporcionar al niño que todavía no está escolarizado la oportunidad de relacionarse con otros niños.

Los iguales ayudan a desarrollar la competencia social, despertando en el niño los sentimientos de simpatía, amistad, cooperación y empatía. Por otro lado, en la relación con otros niños, también se aprende la competitividad, los sentimientos de envidia y de celos y la rivalidad. Pero incluso estos aspectos negativos contribuyen al desarrollo social del niño.

3. La escuela

Antes de los tres años no son mayoría los niños que están escolarizados. En cualquier caso destacaremos la importancia de la escuela como agente socializador en la medida en que la organización del tiempo y el espacio es más estructurada que en el ámbito familiar. Además el niño se acostumbra a recibir una atención compartida con otros niños por parte de los adultos. De hecho, a medida que el niño se aproxima a los tres años y se va haciendo más autónomo, la interacción con el adulto se va haciendo más escasa y aumenta la interacción con los iguales.

B) El juego

El juego del niño evoluciona mucho desde el nacimiento a los tres años. El juego es importante para el desarrollo social, ya que no solo permite el control del cuerpo, el desarrollo del equilibrio y la exploración del ambiente, sino que además ayuda al niño a resolver sus emociones y a controlar sus sentimientos. A través del juego el niño también ocupa su puesto en la comunidad en la que vive y aprende a comportarse como un ser social.

La evolución que sigue el juego del niño es la siguiente:

- El bebé de pocos meses comienza a jugar primero con los adultos que tiene a su alrededor, solo con la persona o bien utilizando además algún objeto como un sonajero, por ejemplo. En esta etapa el juego es una oportunidad para explorar el entorno y disfruta repitiendo una y otra vez lo que le resulta interesante o llama su atención (reacciones circulares primarias o secundarias según la edad del bebé).
- A partir de los diez meses aproximadamente el niño es capaz de jugar solo durante un buen rato, pero prefiere la compañía de otra persona.
- A los 18 meses el juego se vuelve independiente, no necesita la presencia de un adulto, pero si están jugando juntos puede molestarle que abandone el juego.
- En torno a los dos años de edad los niños son capaces de jugar juntos, pero no existe un juego compartido, sino paralelo. Esto quiere decir que la proximidad es solo física ya que no existe ni diálogo ni reciprocidad entre ellos. Se limitan a compartir el espacio físico o incluso algún juguete, pero cada uno juega a su manera o a cosas diferentes.
- A los tres años hay un interés creciente por el juego con otros niños. Aunque siguen prefiriendo el juego paralelo, empiezan a jugar también de modo cooperativo, aceptando unas reglas y esperando el turno cuando el juego así lo requiere. A esta edad también empieza a gustarle compartir sus juguetes.

C) El desarrollo afectivo

Ya hemos destacado la importancia de la familia en la construcción de la personalidad del niño. Uno de los motivos fundamentales es que la familia es el primer círculo en el que el niño recibe afecto, y esta necesidad de afecto que tiene el niño va a marcar su vida afectiva posterior y sus relaciones con los demás.

En este desarrollo afectivo juega un papel primordial el **apego**, que podemos definir en términos generales como un lazo afectivo que una persona o animal forma entre él mismo y otro de su especie, un lazo que les impulsa a estar juntos en el espacio y a permanecer juntos en el tiempo. La característica más sobresaliente es la tendencia a lograr y mantener un cierto grado de proximidad al objeto de apego, que permita tener un contacto físico en algunas circunstancias o comunicarse a cierta distancia, en otras.

En el caso concreto del recién nacido esto se traduce en una búsqueda por mantener el contacto directo con los adultos y obtener de ellos la gratificación emocional que necesitan.

La principal figura de apego del bebé de pocos meses es la madre, cosa natural si tenemos en cuenta que es la que le proporciona el alimento a través de la lactancia, y normalmente es también la que se preocupa de los cuidados físicos que necesita. Sin embargo, el apego se va extendiendo progresivamente a las otras personas que rodean al niño: figura paterna, hermanos o cuidadores habituales del niño. En ocasiones también se establece el apego con algún animal doméstico o incluso con un objeto inanimado, como pueden ser un peluche, una mantita, etc.

La **evolución del vínculo afectivo** sigue una secuencia de estadios cuyo orden es invariable, sin embargo, las edades que indicamos son solo aproximativas:

- En primer lugar, en el recién nacido existe una preferencia por el ser humano, pero no llega a establecer diferencias entre ellos. Hasta los dos meses el bebé es un activo buscador de estímulos sociales, pero acepta de igual modo los cuidados de los familiares que de desconocidos.

- En una segunda etapa que se prolonga hasta los seis meses aproximadamente, el niño busca la interacción con las figuras de apego pero no rechaza a los desconocidos. A los cuatro meses el niño distingue perfectamente a su padre y a su madre, prefiriendo ser tocados, abrazados y cuidados por las personas que conoce, pero sin rechazar a los extraños.

- La tercera etapa se extiende desde los seis a los doce meses. En este periodo el bebé manifiesta una clara preferencia por las figuras de apego a la vez que rechaza a los desconocidos. Ante los extraños experimentan miedo que se manifiesta con llantos, ocultamiento y rechazo.

- El cuarto estadio se caracteriza por la progresiva independencia de las figuras de apego. A partir del primer año y coincidiendo con el inicio de la marcha y la conquista del espacio cercano a través del desplazamiento, el niño no va a necesitar tan continuamente las figuras de apego, aunque sigue siendo una base segura desde la que explorar el medio.

Esta progresiva independencia, el desarrollo del lenguaje y las nuevas capacidades cognitivas hacen que, alrededor de los años, las figuras de apego ya no sean solamente un elemento protector y una base segura, sino que las interacciones estarán ahora más cargadas de significados sociales.

Concluiremos este apartado diciendo que tan perjudicial para el niño es la falta de existencia de una figura de apego, como la existencia de un apego excesivo debido a actitudes sobreprotectoras de los padres o adultos que interactúan con el niño.

1.2. Necesidades básicas en la infancia. Riesgo por evitar

En abril de 1996 el Banco Mundial organizó una conferencia sobre *Desarrollo Infantil: inversión en el Futuro*. En ella se trató, entre otros temas, sobre la importancia de alcanzar un compromiso mundial para responder a las necesidades de desarrollo de los niños. En esta conferencia se elaboró una lista de necesidades básicas para el óptimo desarrollo infantil, lista que fue respaldada tanto por la UNICEF como por la OMS (organización mundial de la salud), así como por numerosas ONGs.

A cada edad es esencial responder a las necesidades básicas de salud y nutrición. Una vez cubiertas estas necesidades los niños requieren distintos tipos de estimulación para ejercitar sus habilidades y para desarrollar otras nuevas.

Las necesidades del niño, por lo tanto, están en función de sus habilidades y su nivel de desarrollo. Por ello, basándonos en todo lo expuesto en el tema hasta el momento y siguiendo lo establecido en la conferencia citada anteriormente, podemos establecer que las necesidades de los niños de cero a tres años de edad son las siguientes:

a) **Necesidades del niño desde el nacimiento hasta los doce meses:**

- Protección contra daños físicos.
- Nutrición adecuada.
- Cuidado de salud adecuado (vacunación, higiene, etc.).
- Estimulación apropiada del lenguaje.
- Cuidado sensible y atento.
- Establecimiento de un vínculo afectivo con el padre y/o la madre (apego).

b) **Necesidades del niño entre 1 y 2 años:**

Además de todo lo anterior, el niño presenta nuevas necesidades acordes con su nivel de desarrollo:

- Adquirir habilidades motoras, de lenguaje y pensamiento, que el adulto debe facilitar por medio de la estimulación.
- Desarrollar su independencia.
- Aprender autocontrol.
- Oportunidades para jugar y explorar.
- Jugar con otros niños.
- Libertad para ser activos.

c) **Necesidades del niño de 2 a 3 años:**

Además de todas las necesidades anteriores a esta edad el niño requiere también:

- Oportunidades para tomar decisiones.
- Participar en juegos teatrales.
- Que le lean libros de complejidad creciente.
- Oportunidades para cantar sus canciones preferidas.
- Hacer rompecabezas.
- Oportunidades para probar los límites y oponerse a la autoridad.
- Oportunidades para alejarse un poco de los padres.
- Aprender a considerar las necesidades y sentimientos de otras personas.

Los riesgos a evitar se sitúan en ambos extremos: la sobreprotección o el desamparo. Ambos, en sus distintas manifestaciones y grados, son factores que inciden negativamente en el desarrollo de la personalidad.

2. Organización de espacios, tiempos y recursos. Planificación de actividades educativas

En el Anexo II.C. del Decreto 37/2022, de 29 de septiembre, por el que se establece la ordenación y el currículo de la educación infantil en la Comunidad de Castilla y León se desarrollan las orientaciones para el diseño y desarrollo de situaciones de aprendizaje:

Diferentes circunstancias, momentos, disposiciones y escenarios, entre otros, pueden componer una situación de aprendizaje, que se deberá plantear en formato de situación problema en un contexto determinado, estar compuesta por tareas de creciente complejidad, en función del nivel psicoevolutivo del alumnado, y cuya resolución creativa implique la movilización de manera integrada de lo adquirido y aprendido en las tres áreas en las que se organiza la etapa y conlleve la construcción de nuevos aprendizajes.

Demandan, por tanto, del alumnado la utilización de procesos mentales profundos, así como la movilización de recursos variados y precisan la combinación de diferentes saberes, el establecimiento de conexiones con el entorno y la participación de la comunidad educativa.

Deben reunir unas características definidas: resultar motivadoras para el alumnado y atractivas para poder aplicar y desarrollar adecuadamente las competencias clave, permitir un aprendizaje significativo y contextualizado, ser transferible a otras situaciones de la vida cotidiana, seguir los principios del Diseño Universal para el Aprendizaje, implicar la producción y la interacción oral e incluir el uso de recursos auténticos en distintos soportes y formatos, y fomentar aspectos relacionados con el interés común, la sostenibilidad o la convivencia democrática, esenciales para que el alumnado se prepare para responder con eficacia a los retos del siglo XXI.

Para la selección, diseño y planificación de las situaciones de aprendizaje se tomarán como referente los criterios de evaluación, en los que se formulan los niveles de desempeño de los distintos elementos recogidos en las competencias específicas de cada área, así como las competencias clave con las que éstas se vinculan.

Aplicación de los principios DUA para la atención a las diferencias individuales

La situación de aprendizaje debe ser susceptible de integrar a la totalidad del alumnado, sin precisar de antemano la realización de adaptaciones o diseños especializados. Por ese motivo, el modelo DUA ofrece como recomendación para ello la selección de situaciones pensadas y elaboradas para todos y todas, que tengan en cuenta la diversidad que está presente en las aulas, que estimulen la creación de diseños flexibles que contengan actividades con distintos grados de complejidad y permitan la elección de alternativas y diversos caminos de aprendizaje, como vía para atender las necesidades educativas, generales y específicas, de todo el alumnado.

Para ello, se ofrecerán herramientas, recursos, materiales y apoyos necesarios que propicien que el alumnado acceda, comprenda, organice y adquiera conocimientos y desarrolle sus competencias, partiendo desde el punto en el que está y progresando hasta donde sean capaces. De ese modo, el proceso de enseñanza se centra en un modelo competencial que resalta y favorece la capacidad que posee cada persona, mejorando y optimizando la calidad del aprendizaje, a la vez que se atiende y fortalecen las cualidades personales y la madurez como la autonomía, la autoestima o la inteligencia emocional.

Ámbitos de desarrollo de las situaciones de aprendizaje

Con el fin de facilitar el diseño de situaciones de aprendizaje, se tomarán como referencia los diferentes ámbitos del niño: personal, educativo, social y familiar, asociados a diferentes contextos y con el tratamiento globalizador característico de la educación infantil. En todas las situaciones de aprendizaje se trabajarán contenidos de las tres áreas de la etapa y se vincularán con distintos ámbitos. Sirvan de ejemplos los contextos siguientes:

- Contextos relacionados con el ámbito personal: autorregulación y bienestar emocional, autonomía, motivación, salud, alimentación, descanso, actividad física, vínculos afectivos, autoestima, metacognición o hábitos y rutinas personales.

- Contextos relacionados con el ámbito educativo: festividades y celebraciones del centro, autorregulación del aprendizaje, convivencia entre iguales, trabajo en equipo, hábitos y rutinas relacionadas con el aprendizaje o producciones creativas utilizando diferentes herramientas y lenguajes.
- Contextos relacionados con el ámbito social: profesiones, festividades y celebraciones sociales, normas cívicas, educación vial, cuidado y respeto por el medioambiente, medios de comunicación, tecnologías de la información y la comunicación, tradiciones populares (juegos, cuentos, poesías, canciones) o manifestaciones culturales y artísticas.
- Contextos relacionados con el ámbito familiar: vínculos afectivos, diversidad familiar, viajes, convivencia familiar, vivienda, festividades y celebraciones familiares o hábitos y rutinas familiares.

Entre las propuestas ligadas al ámbito personal, en el contexto de la autonomía se podría diseñar una situación de aprendizaje que implique la necesidad de aprender hábitos y rutinas personales que ayude al alumnado a desenvolverse en la vida diaria. Para ello, se realizarán actividades relacionadas con la higiene personal (lavarse los dientes y las manos, peinarse), la nutrición (dieta y hábitos saludables) y la vestimenta (subir y bajar cremalleras, atarse los zapatos, ponerse y quitarse los calcetines, los zapatos o las prendas de vestir), fomentando el cuidado personal, desarrollando el reconocimiento visual y ejercitando la motricidad.

Entre las propuestas ligadas al ámbito educativo, en el contexto de las producciones artísticas y creativas, se podría plantear la creación de una obra plástica creativa y la organización de una pinacoteca. Se elaborará una producción artística, asignándole un nombre, y se describirá, explicando los procedimientos, técnicas utilizadas y su contenido. Además, se indagará sobre la numeración de cuadros, la venta de entradas y se elaborará un catálogo con ayuda del adulto.

Entre las propuestas ligadas al ámbito social, en el contexto del respeto por el medio ambiente, se podría plantear la creación de un huerto doméstico. A partir de la recopilación de dibujos, fotografías o información extraída de internet sobre el crecimiento de las plantas, la cantidad de tierra y agua que se requiere, las semillas o las características de las hojas, entre otras, se seleccionarán materiales reciclables y se creará un huerto en el aula.

Entre las propuestas ligadas al ámbito familiar, en el contexto de los vínculos afectivos, se podría iniciar una situación de aprendizaje a partir de las fotografías que el alumnado ha enseñado a los compañeros sobre su animal doméstico. El reto consistirá en investigar sobre los animales domésticos y los vínculos afectivos que se establecen con ellos. Se clasificarán atendiendo a alguna característica con el objetivo de convertir el aula en una exposición que incorpore información sobre diferentes animales.

Indicaciones para la planificación de situaciones de aprendizaje

El profesorado de educación infantil diseñará situaciones de aprendizaje atendiendo a que sean estimulantes, significativas e integradoras, estén bien contextualizadas y se adecuen al proceso de desarrollo armónico e integral del alumnado en todas sus dimensiones (cognitivo, emocional y psicomotriz), tengan en cuenta las potencialidades, intereses y necesidades del alumnado, se ajusten al modelo de comprensión de la realidad del momento de la etapa y favorezcan diferentes tipos de agrupamientos (trabajo individual, por parejas, en pequeño grupo y en gran grupo).

La estructura general de una situación de aprendizaje debe contemplar los apartados siguientes:

- Título y contextualización: identificación de la situación a partir de un reto o problema, descripción de la misma, motivación y producto final.
- Fundamentación curricular:
  * Objetivos de etapa a los que se pretende contribuir.
  * Competencias clave vinculadas a las competencias específicas.
  * Competencias específicas.
  * Criterios de evaluación, junto a los contenidos de las áreas que es necesario movilizar.
  * Elementos transversales.
- Metodología.
  * Métodos: estilos, estrategias y técnicas.
  * Organización del alumnado y agrupamientos.
  * Cronograma y organización del tiempo.
  * Organización del espacio.
  * Materiales y recursos.
- Planificación de actividades y tareas.
- Proceso de evaluación: indicadores de logro en los que se subdividan los criterios de evaluación, técnicas e instrumentos de evaluación, criterios y herramientas para la calificación, momentos en los que se evaluará y agentes evaluadores.
- Valoración de la situación de aprendizaje.

Indicaciones para el desarrollo de la secuencia didáctica o de aprendizaje

El desarrollo en la práctica de las situaciones de aprendizaje contempla unas fases establecidas en secuencia. En primer lugar, la fase de motivación (¿qué sabemos?), en la que a través del uso de distintos elementos atractivos (cuentos, personajes, materiales tangibles, decoración, visitas...) se buscará activarlos conocimientos previos del alumnado, que hagan inferencias, planteen hipótesis y surjan conflictos cognitivos en interacción con sus iguales.

A dicha fase le sucede la fase de desarrollo (¿qué queremos saber?), en la que se potenciará la realización de actividades lúdicas, de observación, investigación, experimentación y exploración, que le ayuden a resolver retos planteados, en los que los contenidos conecten con la realidad y generen su curiosidad e interés por adquirirlos, con el fin de que sean saberes funcionales que les permitan desarrollar sus funciones ejecutivas y construir aprendizajes significativos. Para ello, es decisivo favorecer el diseño y organización de distintos espacios y agrupamientos, así como la elección de materiales variados, atractivos y estimulantes.

Como final de secuencia, se procede con la fase de cierre o síntesis, que es la fase del producto final y su difusión o comunicación (¿qué hemos aprendido?), en la que se reflexiona sobre el propio aprendizaje valorando el proceso llevado a cabo, difundiendo los resultados a la comunidad educativa, a través de dosieres, exposiciones, reproducciones artísticas, mercadillo u otro tipo de soportes y medios de difusión.

En esta secuencia la evaluación tiene distintos modos de presencia: la evaluación continua durante toda la secuencia que permita realizar modificaciones y tomar decisiones para ir ajustándola a las necesidades, capacidades e intereses del alumnado. Dicha evaluación debe entenderse como un procedimiento colaborativo en el que el profesional evalúa (heteroevaluación) y posibilita a los niños iniciarse en la autoevaluación, la coevaluación y en la competencia de aprender a aprender (metacognición).

Pero, además, es precisa una evaluación de la situación de aprendizaje, en la que se valorará si ha habido una definición adecuada de los elementos curriculares, y se realizará un análisis de su desarrollo, de su impacto y de la satisfacción de los participantes. Con la información recogida, se procederá a un análisis, reflexión e interpretación de los datos y la elaboración de un informe con la finalidad de prevenir las posibles dificultades y mejorar el proceso educativo para el diseño de futuras situaciones de aprendizaje.

2.1. La organización del espacio, los materiales y el tiempo como recursos didácticos

2.1.1. Introducción

El ambiente es un agente educativo de primer orden, y por ello debe responder a las necesidades de los niños y niñas, facilitando su desarrollo y aprendizaje a través de las interacciones que establecen con él.

La organización de espacios y tiempos es uno de los aspectos en el que los educadores suelen tomar decisiones.

La organización del ambiente educativo estará en función de los protagonistas en su dimensión social, económica y cultural, su edad, sus necesidades e intereses, sus valores culturales y, además habrá de propiciar su encuentro y relación.

Por ello es necesario conocer en profundidad los protagonistas concretos que componen la comunidad educativa, su desarrollo, sus intereses y necesidades:

- Fisiológicas: limpieza, alimentación, sueño, seguridad, etc.
- Afectivas: sentirse querido, contacto físico, caricias, etc.

- Autonomía: elaborar la separación, etc.
- Socialización: conocimiento del otro, juego en común, compartir, etc.
- Movimiento: adiestramiento, descubrimiento, relación e interacción, etc.
- Juego: recreación, diversión, disfrute, etc.
- Comunicación: juego dramático, expresión corporal, plástica, verbal, etc.
- Descubrimiento y conocimiento.
- Inserción cultural.

De todo ello se deriva que no existe una organización que se pueda tener como modelo, sino que el único criterio es el de que favorezca el desarrollo de todas las capacidades.

La organización de los espacios y los tiempos en la Educación Infantil se ha de realizar de forma que responda a las necesidades e intereses educativos.

Los espacios condicionan el tipo de actividad, los agrupamientos, la autonomía e incluso está demostrada su repercusión sobre el estado de ánimo.

Cumplirán la legislación, serán atractivos, decorados y naturalmente seguros e higiénicos.

Los tiempos en Educación Infantil se caracterizan por su flexibilidad y por organizarse en torno a rutinas que satisfacen las necesidades infantiles y convierten el entorno en algo seguro y previsible para el pequeño, contribuyendo a la formación de hábitos.

Los materiales y equipamientos son fundamentales en una etapa en la que los niños poseen un pensamiento concreto y por tanto su conocimiento requiere de la manipulación con objetos y elementos. Tendrán el tamaño conveniente y los materiales adecuados; serán estimulantes y variados.

En la Comunidad de Castilla y León se establecen una serie de requisitos referidos a instalaciones y condiciones materiales mediante el Decreto 12/2008, de 14 de febrero, por el que se determinan los contenidos educativos del primer ciclo de la Educación Infantil en la Comunidad de Castilla y León y se establecen los requisitos que deben reunir los centros que impartan dicho ciclo.

2.1.2. Organización de los espacios

Los espacios escolares de un Centro de Educación Infantil, abarcan no solamente sala o aulas, sino cualquier ámbito donde se vayan a realizar actividades del proceso de enseñanza–aprendizaje:

1. **Espacios educativos.** El espacio donde pasa más tiempo el niño es su aula y es necesario tener en cuenta las siguientes propuestas, contenidas en el Decreto 12/2008, de 14 de febrero, por el que se determinan los contenidos educativos

del primer ciclo de la Educación Infantil en la Comunidad de Castilla y León y se establecen los requisitos que deben reunir los centros que impartan dicho ciclo:

Tipo de unidad	Ratio máxima	N.º de metros cuadrados del aula (2 m² por alumno)
Menores de 1 año	1/8	30 m² como mínimo
De uno a dos años	1/13	30 m² como mínimo
De dos a tres años	1/20	40 m²
De tres a seis años	1/25	50 m²

Habrá una sala por cada unidad con una superficie de dos metros cuadrados por puesto escolar y que tendrá, como mínimo, 30 metros cuadrados.

Las salas destinadas a niños menores de un año tendrán un espacio diferenciado para la preparación de alimentos, con capacidad para los equipamientos que determine la normativa vigente.

El aula destinada a niños menores de dos años dispondrá de áreas diferenciadas para el descanso e higiene personal, y dispondrá, al menos, de un lavabo.

Aula de Educación Infantil en el CEIP Ciudad de Buenos Aires, en Palencia

También deberá contar con una sala para usos múltiples, de 30 metros cuadrados que, en su caso, podrá ser usada como biblioteca y para comedor, por ejemplo, y un patio exterior de juego por cada nueve unidades o fracción, que durante su utilización, deberá ser de uso exclusivo del centro, y con una superficie mínima de 75 metros cuadrados. En el caso de un centro situado en el mismo edificio o recinto escolar que un centro de Educación Infantil de segundo ciclo o de Educación Primaria, el patio de juegos de estos cubre las exigencias del patio del centro que imparte Educación Infantil de primer ciclo, siempre que se garantice su uso en horario independiente.

2. **Espacios de higiene**. Se establecerán dos tipos de servicios, uno para aseo del personal separado de las unidades y de los servicios de los niños, que contará con un lavabo,

un inodoro y una ducha. y un aseo por sala que esté destinada a niños de dos a tres años, que deberá ser directamente visible y accesible desde la misma y que contará al menos con dos lavabos y dos inodoros. Este aseo podrá ser compartido por varias salas, siempre que se aseguren las condiciones anteriores para cada una de ellas.

3. **Espacios administrativos**. Todos los centros de Educación Infantil contarán con un despacho de la Dirección, una secretaría y una sala de profesores, cuyo tamaño estará en función de los puestos escolares autorizados.

2.2. Características espaciales en la escuela infantil

La organización del aula, además de ser lo suficientemente acogedora para los niños, también debe de tener en cuenta las necesidades específicas de cada edad, siempre y cuando se siga una criterio totalmente flexible, para poder acomodarla a diferentes actividades diarias y tener la opción de poder modificarlas.

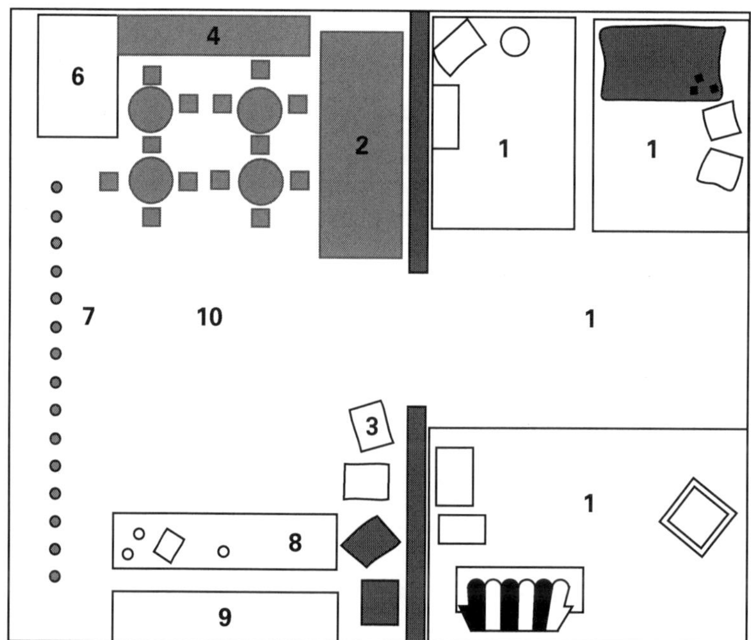

1. Espacio de juego simbólico.
2. Espacio matemático.
3. Biblioteca.
4. Pizarra.
5. Mesas y sillas.
6. Armario archivador.
7. Percheros.
8. Espacio de plástico.
9. Colchones de cuna.
10. Espacio libre

Siempre se necesita, sobre todo en las edades más tempranas, una delimitación del espacio de trabajo, de juego, etc.

Hay que evitar las zonas muertas y procurar mover el mobiliario cuando las circunstancias lo requieran.

No existe un reglamento para la organización de un aula, pero a continuación podemos presentar un gráfico de cómo puede ser una aula de Educación Infantil.

2.2.1. Definición, características y distribución

El aula de educación infantil la podemos definir como la situación o el ámbito humano específico que proporciona un conjunto de experiencias, condiciones e influencias que condicionan la vida y el desarrollo del niño.

Los elementos constitutivos del aula son:

Ambiente	
Factores Objetivos	**Factores Subjetivos**
Físicos	Personales
Organizativos	Perceptuales
Sociales	Cognitivos
Curriculares	Culturales

Descripción de las partes:

1. **Espacio de juego simbólico**: este espacio nos sirve para combinarlo con otro tipo de actividad y juegos.
2. **Espacio matemático**: en este apartado se mantendrá todo el material manipulativo y de experimentación para desarrollar la lógica matemática.
3. **Biblioteca**: se establecerá un expositor o estantería donde irán colocados los libros. En lugar de sillas tendremos una serie de cojines, los cuales se podrían guardar posteriormente después de la actividad en una caja.
4. **Pizarra**: debemos utilizar una pizarra que esté a la altura de los niños.
5. **Mesas y sillas**: cuando se trabajan fichas o pequeñas tareas manuales, es necesario el uso de sillas y mesas; no obstante no hace falta utilizarlo para el gran grupo, sino de una manera rotativa.
6. **Armario archivador**: es importante que el maestro disponga de huecos donde poder archivar el material, en incluso si está al alcance de los niños, ellos mismos podrían colocar parte de su trabajo en el archivador.
7. **Percheros**: a lo largo de la pared se colocarán los percheros, a la altura de los niños. Sería interesante identificar el perchero de cada alumno con una foto de este o con un dibujo diferente para cada uno, con el fin de que reconozcan fácilmente el que le corresponde.

8. **Área dormitorio**: se colocarán las diferentes colchonetas para poder dormir la siesta si fuera necesario, o bien en ocasiones se puede dar algún tipo de descanso.

9. **Espacio libre**: sería el espacio central, en el cual se realizarían actividades colectivas.

En cuanto a la zona de recreo, tampoco existen criterios fijos para tal fin y para organizarla se podrían tener en cuenta los siguientes aspectos:

1. **Zona de arenal:** donde se colocarían los columpios o se jugaría sin más con la arena.
2. **Zona de asfalto:** donde se podrían realizar actividades motrices.
3. **Zona de la fuente:** sería conveniente la existencia de una fuente.

Otra zona de importancia sería la **sala de psicomotricidad:**

Sería un espacio amplio, con forma rectangular. Se colocaría una gran alfombra central y en uno de los laterales de la sala se podría colocar un espejo.

En el resto de las paredes se podrían poner armarios para meter todos los materiales de psicomotricidad, tales como: cojines, colchonetas, cuerdas, aros, etc.

La sala debería de ser grande y espaciosa y lo suficientemente luminosa. Para ello podrían colocarse los espejos frontalmente a las ventanas.

En cuanto a los aseos para la higiene personal estarán contiguos a las salas anteriormente mencionadas. Los urinarios deberán de estar a la altura de los niños, al igual que las cisternas, ya que los alumnos que presenten cierta autonomía podrán ir solos al servicio.

A) Otras formas de distribución

La terminología de los subespacios del aula varía de un sitio a otro.

Nos podemos encontrar con la denominación de rincones: aquellos espacios delimitados donde se llevan a cabo diferentes actividades lúdicas: rincón de lenguaje, rincón de psicomotricidad, rincón de juego, rincón de matemáticas, rincón de experimentación, etc.

Otra denominación con la que nos encontramos es la de talleres: de cosido, de cuadros, de cocina, de telares, etc.

B) Ámbitos que conforman el ambiente escolar

Los contextos social y familiar ejercen un indudable influjo tanto en la constitución de la escuela como en los estímulos que recibe el niño.

Las experiencias procedentes del medio, especialmente de la familia, afectan no solo a las vivencias personales, sino también a las primeras relaciones interpersonales del niño. En las primeras etapas de su vida el niño tiene necesidad de pautas coherentes, positivas y estables que reclaman la complementación de las estimulaciones del contexto sociofamiliar y del ámbito escolar.

El ámbito físico está formado por el conjunto de condiciones físico-espaciales que configuran el ambiente y que ejercen un poderoso influjo en la vida escolar.

El ámbito organizativo lo constituiría el conjunto de normas y disposiciones de todo tipo que sistematizan y rigen la vida del aula.

2.2.2. Funciones del educador en la organización del aula

Se pueden establecer cuatro dimensiones que figuran alrededor de la organización del aula:

1. Funciones relacionadas con la organización del ámbito físico.
2. Funciones relacionadas con la creación de la disciplina.
3. Funciones que desarrollan los modelos comportamentales y relacionales.
4. Funciones vinculadas a la presentación de los estímulos.

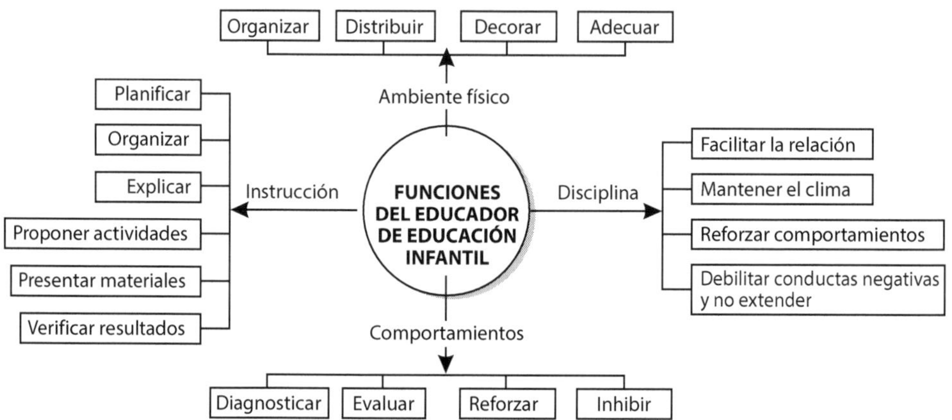

2.3. Los materiales en la práctica educativa

Tan importante como la organización de los espacios y los tiempos es el material didáctico, ya que constituye uno de los recursos más importantes para la Educación Infantil.

El material que se usa en la Educación Infantil es muy variado y va encaminado al desarrollo de las áreas manipulativa, motriz, sensorial, cognitiva, social, afectiva, etc.

MOTRICIDAD GRUESA	MOTRICIDAD FINA
Aros	Tijeras-recortables
Cuerdas de saltar	Punzones-lápiz-pincel-pinturas
Cintas	Cremalleras
Balones	Arcilla y barro
Colchonetas	Gomets
Espejo	Plastilina
Túnel-tobogán-triciclos-pasilleros Arrastres	Material de insertado, de enroscar, encajables

Posibles materiales para psicomotricidad

VISUAL	TÁCTIL	AUDITIVA
Murales	Juego de texturas	Discriminación de sonidos
Encajables	Objetos reales	Instrumentación
Puzzles	Caja de pesas	
Dominós de colores	Lija	
Forma geométricas	Material Montessori	

Recursos materiales que desarrollan el área sensorial

MATERIALES GENERALES	MATERIALES ESPECÍFICOS
Lotes de emparejar, formas geométricas	Barras rojas y azules de M. Montessori
Dominós de colores, formas, números y tamaños	Números en color (Cuisenaire)
Cartas de secuenciación temporal-espacial	Material de Reviniere-Lebert
Bolsas de bolas, números de lija	Material de bloques lógicos de P. Dienes

Recursos materiales que desarrollan la representación matemática

MEDIOS AUDIOVISUALES	OTROS RECURSOS METODOLÓGICOS
Títeres y marionetas	La imagen
Retroproyector	Objetos personales
Cartel, mural y póster	Los cumpleaños
Diapositiva y televisión	

Otros recursos materiales

Existen muchos tipos de juegos para el ordenador, prácticamente para todas las áreas que se trabajan en el aula. Por ejemplo:

Centro de recursos online del portal de educación de la Junta de Comunidades de Castilla y León

2.3.1. Criterios generales para seleccionar el material

Como se ha podido ir comprobando, hoy en día son muchos los recursos que se pueden utilizar en el aula.

No obstante es conveniente, antes de su utilización, establecer una serie de criterios generales:

- Cualquier recurso que se utilice se adecuará a la edad evolutiva del niño.
- Todos los materiales han de favorecer el proceso-aprendizaje.
- Todos los materiales deben responder a las necesidades del niño.
- Siempre se han de utilizar los materiales de forma atractiva hacia los niños, para que puedan captar y centrar mejor la atención.
- Estimularán la imaginación y la creatividad.
- Es preferible el material poco estructurado.
- Por supuesto no han de ser tóxicos o peligrosos para el niño.

2.3.2. Clasificación de materiales

Los materiales que se utilicen en el Centro deben reunir las condiciones de calidad y seguridad apropiadas para el uso por los niños de estas edades. Aunque son numerosas las clasificaciones y ejemplos de materiales nosotros los agrupamos según las distintas actividades o materias, en este sentido podemos considerar:

- **Materiales de juego**. Los materiales que sirven para potenciar el juego han de responder a las necesidades de los niños. Han de coincidir con los ritmos individuales de desarrollo y favorecerlos.

  El niño ha de poder satisfacer sus necesidades de desarrollo, que se efectúan a través del juego. Progresivamente, en cada etapa, está más evolucionado con respecto a la anterior, se han perfeccionado sus habilidades y van surgiendo otras posibilidades. Por ello, a cada edad le corresponde un material de juego determinado.

  En el momento de elegir materiales para el juego es importante cubrir los siguientes aspectos:

  * Los que contribuyen al desarrollo físico.
  * Los que ayudan al desarrollo intelectual.
  * Los que favorecen la imaginación, la creatividad y la expresión.
  * Los que potencian la actividad lúdica.
  * Los que satisfacen las relaciones sociales.

- **Materiales de psicomotricidad**. Los materiales para trabajar la psicomotricidad en estos períodos han de responder a unos objetivos que vienen marcados por el desarrollo del niño.

  Han de favorecer el descubrimiento del esquema corporal, han de ayudar al niño a conseguir una autonomía de desplazamiento de su cuerpo, potenciar la marcha, desarrollar la orientación espacial, el equilibrio, etcétera.

Para realizar este tipo de actividades será útil disponer de: colchonetas, tobogán, rampas, triciclos, aros, balones de distintos tamaños, barras y bastones, tacos de madera o plástico, sacos de arena, etcétera.

Hay que tener en cuenta, al elegir estos materiales, el cubrir las necesidades que comporta:

* El desarrollo de la motricidad gruesa.
* El desarrollo de la motricidad fina.

- **Materiales de lenguaje**. Estos materiales deben favorecer las estructuras lingüísticas y estar preparados teniendo en cuenta el nivel de lenguaje en que se encuentra el niño. Todos tienen un mismo objetivo, y es el de potenciar las capacidades expresivas de los pequeños.

Podemos agruparlos de la siguiente manera:

* Los que ayudan a la adquisición de vocabulario.
* Los que lo enriquecen.
* Los que le ayudan a conseguir realizar frases simples.
* Los que potencian una pronunciación correcta.
* Los que incrementan el lenguaje continuo.
* Los que favorecen el lenguaje imaginativo y creativo.
* Los que trabajan la adquisición y diferenciación de fonemas.
* Los que preparan para la lectura, etcétera.

Entre los múltiples materiales destacamos: los títeres, los murales, los cuentos, las letras móviles, las pizarras pautadas, etcétera.

- **Materiales de educación sensorial**. Las capacidades sensoriales desempeñan un papel esencial durante todo el período de la infancia. Estas capacidades están

concretadas en la educación de los cinco sentidos. Por este motivo, será imprescindible que se organice un material para trabajarlos.

Por ejemplo, las tablas cromáticas, papeles de lija con distintos grabados (fino, rugoso...), los frascos olorosos, las campanas Montessori, las cajas de sonidos, etcétera.

Los materiales que ofrecen la posibilidad de trabajar las vías sensoriales deben favorecer:

* La capacidad de percibir las diferentes propiedades de los objetos.
* La capacidad de percibir íntegramente un objeto con todas sus propiedades.
* La capacidad de percibir la forma, el tamaño, la figura, el color y la textura de los objetos.
* La capacidad de trabajar el sentido térmico.

- **Materiales de matemáticas**. Según su *procedencia*: puede ser *material no específico* pero de gran utilidad (botones, chapas, cordones, cajas...) para realizar actividades matemáticas. O bien *material específico* pensado para este fin: parte del material Montessori (barras, cajas de contar, etc.), los bloques lógicos, las regletas de colores de Cousinet, juegos de dominó, etcétera.
- **Materiales de observación y experimentación**. La observación pone en contacto directo al niño con el mundo que le rodea, con su entorno más inmediato. El deseo de manipular y experimentar exige al educador ofrecer un material susceptible de ser transformado.

  Estos materiales deben responder al sentido de la curiosidad que tiene el niño, deben motivarle la experimentación.

  En el área de la experiencia es muy sencillo disponer de abundante material y muy económico. Hay cosas que se encuentran en casi todas las casas y que pueden aportar los niños. Otras se pueden recoger en distintas salidas a visitar el entorno.

  A continuación, enumeramos algunos ejemplos, teniendo en cuenta que la mayoría de ellos pueden ser recogidos a partir del **material de desecho**, como:

  * Frascos de formas y tamaños diferentes.
  * Tapaderas de tarros. Las tapas para enroscar y desenroscar son un material destinado preferentemente a niños de 2 a 3 años.
  * Cartones de envasar huevos.
  * Bandejas de alimentos congelados.
  * Platos y vasos de papel.
  * Cajas de diferentes tamaños.
  * Tambores de detergente.
  * Chapas de botellas.

* Retales de telas de tacto diferente, lanas de diferentes colores, etcétera.
* Botones, bolas y anillas de formas, tamaños y colores diferentes.
* Papeles de clases diferentes, lija, seda, aluminio, regalos, celofán, cartón, papeles pintados...
* Frutas.
* Juguetes rotos.
* Pelotas de material y tamaño diferente.
* Conchas marinas.
* Menaje de cocina irrompible.
* Revistas, periódicos...

- **Material vivo**:
  * Plantas resistentes, geranios, cactos, cintas, óleos...
  * Flores, a ser posibles silvestres.
  * Animales que se pueden conservar en la clase largo tiempo, por no requerir muchos cuidados: caracoles, lombrices de tierra, hormigas, pájaros, peces, gusanos de seda, tortugas...
  * Animales que pueden tenerse en clase durante algunos días: pollitos, conejos, gatitos, saltamontes, hámsteres...

Conviene tener material organizado en clase con el rótulo correspondiente. Para ordenarlo se puede recurrir a dos criterios. Uno, agruparlo por semejanzas; otro criterio práctico, si se dispone de espacio suficiente, es conservar en cajas grandes todo el material necesario para que los alumnos trabajen una determinada unidad o unidades relacionadas.

- **Materiales para la educación artística**. Para que el desarrollo sea integral, es preciso dotar al niño de materiales que favorezcan la educación plástica, musical y corporal.

  Los materiales serán específicos para cada una de las formas de expresión; por ejemplo, es evidente que para la educación plástica es preciso dotar a los niños de arcilla, papel y pinturas (estas deben ser no tóxicas), para la educación musical, instrumentos de percusión, un aparato de música, etc., y para la educación corporal tendremos el baúl de los disfraces (pañuelos de colores, telas, faldas, vestidos viejos...). Es importante disponer de un espejo grande.

  Estos materiales deben:

  * Potenciar la creatividad y la imaginación.
  * Proporcionar recursos expresivos al niño.
  * Canalizar sus sentimientos, intereses y actitudes.
  * Introducir en el mundo del arte.
  * Desarrollar su sentido de la estética.
  * Potenciar que el niño goce con las interpretaciones artísticas.

- **Materiales audiovisuales y Tecnologías de la información y la comunicación**:

  a) Materiales audiovisuales: aquellos medios que se sirven de diversas técnicas de captación y difusión de la imagen y el sonido, aplicados a la enseñanza y aprendizaje de los alumnos: televisión, reproductor de CD, grabadora de MP3, fotografías, franelograma, proyector de diapositivas.

  b) Tecnologías de la información y de la comunicación (TIC): ordenador, videoproyectores, pizarra digital interactiva, internet, intranet, materiales didácticos digitales (CD o en línea)...

2.4. La distribución del tiempo

Entendemos la rutina como el ritmo que permite al niño anticipar acontecimientos, adquirir conciencia temporal, relacionar espacio-tiempo, actividad-persona...

La rutina diaria en los primeros años de la vida ofrece los momentos más privilegiados para la relación afectiva, la comunicación, el conocimiento de sí mismo y de los otros, el aprendizaje, etc.

Se puede aprovechar por tanto la rutina diaria para iniciar a los niños en el aprendizaje de hábitos.

La organización de los tiempos habrá de tener en cuenta la previsión de rutinas que ayuden a los escolares a ubicarse en su entorno inmediato a través de la interiorización del orden de las actividades y experiencias dotadas de una lógica temporal.

Es importante que el profesional que trabaja en la Educación Infantil, planifique y secuencie su acción pedagógica globalmente en torno a las tres áreas:

- Crecimiento en Armonía.
- Descubrimiento y Exploración del Entorno.
- Comunicación y Representación de la Realidad.

También es importante mencionar la existencia de las adaptaciones curriculares para aquellos alumnos con necesidades educativas especiales.

Las nociones temporales se van adquiriendo a lo largo de toda la etapa de Educación Infantil. El orden temporal de las actividades tendrá en cuenta que:

1. Hay que partir de un ambiente especialmente preparado para interactuar con los objetos.
2. A través de las actividades de representación se adquiere el proceso simbólico.
3. Adecuar el espacio y el tiempo a las diferentes actividades.
4. Se establecerán rutinas cotidianas, partiendo de los ritmos biológicos de los niños y establecer unos marcos de referencia temporales.
5. Hay que establecer una organización horaria que prevea diferentes ámbitos de experiencias y en espacios bien definidos.

Si nos centramos en el primer ciclo de la Educación Infantil, será en este periodo cuando las rutinas presentes de la vida se establezcan a través de determinados tiempos:

- El control de esfínteres.
- Higiene y aseo.
- Alimentación y nutrición.
- Juego.
- Actividad espontánea.

- La manipulación.
- Salidas.

En torno a todos estos tiempos se definirán todos los contenidos, tanto conceptuales, como procedimentales y actitudinales.

La planificación de los tiempos para el desarrollo de todas las capacidades se realizará teniendo en cuenta la observación del desarrollo madurativo y evolutivo de los niños.

2.4.1. Organización del tiempo

La organización del tiempo en Educación Infantil es un aspecto fundamental, por ello es importante realizar un análisis previo de las variables sobre las que hay que planificar el hecho educativo:

- Fisiológicas: el sueño, la nutrición, higiene.
- Afectivas: sentirse bien consigo mismo y con los que le rodean.
- Autonomía: adquirir una buena independencia.
- Socialización: juegos con otros, compartir, dar, recibir.
- Juego y movimiento: aprendizaje por descubrimiento, la imitación, simbolización.
- Comunicación: relacionarse con los demás.
- Relación con el medio: tener contacto con lo que le rodea.

Por tanto, la planificación horaria estará en función de que los alumnos puedan desarrollar todas sus capacidades con unos tiempos individuales de aprendizaje.

La organización temporal es un elemento importante en la programación. El horario, como comentamos anteriormente, está supeditado a las necesidades específicas de los alumnos que cursan Educación Infantil, tanto en la organización de espacios como de tiempo se tendrán en cuenta los ritmos biológicos y de aprendizaje.

A) Criterios para la organización del tiempo

- La previsión de los tiempos estará acorde con las necesidades: se ha de procurar establecer unos horarios que aborden las necesidades y las actividades de todos los escolares en función de cualquier necesidad fisiológica.
- Proceso de socialización: uno de los objetivos a llevar a cabo en la Educación Infantil es el aprendizaje social de forma progresiva.
- Flexibilización de horarios: es importante adaptar las previsiones horarias a los ritmos de los niños, así como también aquellas necesidades básicas.
- Organización espacio-temporal: hay que estudiar previamente el uso de los espacios y de los tiempos, así como contenidos referidos a las salidas, talleres, fiestas, etc., cuyo objeto será la progresión en el tiempo.

- Elaborar un plan de adaptación: el niño ha de adaptarse a la nueva vida escolar y desarrollar una serie de relaciones con sus compañeros.
- Diversificación de horarios: en función de la edad de los niños, características del grupo, periodos del año, duración de la jornada escolar e intenciones educativas.
- Contacto con las familias: en todo lo relativo a horarios y justificación de los mismos.

B) Modelos de distribución del tiempo

Dos-tres años		Tres años	
8,00 a 10,00	Juegos en el aula común.	9,00 a 9,30	Recepción de los niños. Juegos. Cantos.
10,00 a 10,15	Cuentos y vocabulario.	9,30 a 10,30	Juego libre con materiales didácticos. Actividades semidirigidas (psicomotricidad, lenguaje y conocimiento del medio).
10,15 a 10,30	Juegos dirigidos y plastilina.	10,30 a 11,00	Aseo. Hábitos higiénicos.
10,30 a 10,45	Actividades programadas.	11,00 a 12,00	Juegos al aire libre.
10,45 a 11,00	Psicomotricidad.	12,00 a 12,30	Aseo y preparación para la comida.
11,00 a 11,10	Aseos.	12,30 a 1,45	Comida.
11,10 a 13,00	Recreo.	1,45 a 2,00	Aseo.
13,00 a 14,00	Comida.	2,00 a 3,30	Siesta.
14,00 a 14,30	Aseos.	3,30 a 4,30	Juegos. Actividades rítmicas. Audiciones musicales. Cuentos.
14,30 a 16,00	Siesta.	4,30 a 5,00	Ordenación de la clase. Aseo y preparación para la salida.
16,00 a 16,15	Aseos.		
16,15 a 16,45	Actividad en el jardín (o, si hace mal tiempo, juegos y música dentro del aula).		
16,45 a 17,00	Aseo y preparación para la salida.		

C) Cuadro gráfico sobre horario detallado

HORARIO SEMANAL PARA UNA CLASE DE EDUCACIÓN INFANTIL					
MAÑANA					
HORAS	**LUNES**	**MARTES**	**MIÉRCOLES**	**JUEVES**	**VIERNES**
9,00 - 9,15	Entrada. Saludo. Revista. Colgar la ropa. Preparar el material, etc.	Entrada. Saludo. Revista. Colgar la ropa. Preparar el material, etc.	Entrada. Saludo. Revista. Colgar la ropa. Preparar el material, etc.	Entrada. Saludo. Revista. Colgar la ropa. Preparar el material, etc.	Entrada. Saludo. Revista. Colgar la ropa. Preparar el material, etc.
9,15 - 10,00	Unidad didáctica: observación. Conversación.	Unidad didáctica: experiencia social.	Unidad didáctica: experiencia natural.	Unidad didáctica: experiencia social.	Unidad didáctica: experiencia natural.

10,00 - 10,30	Actividades lingüísticas de la unidad: vocabulario.	Actividades lingüísticas de la unidad: vocabulario. Elocución. Pronunciación. Articulación.	Actividades lingüísticas de la unidad: vocabulario. Descripción oral. Narración oral.	Poesías. Adivinanzas.	Cuentos.
10,30 - 11,00	Actividades psicomotrices: conocimiento físico de los objetos.	Actividades psicomotrices: conocimiento físico de los objetos. Orientación espacial.	Actividades psicomotrices: conocimiento físico de los objetos. Esquema corporal.	Actividades psicomotrices: conocimiento físico de los objetos. Orientación temporal.	Actividades psicomotrices: conocimiento físico de los objetos. Respiración-relajación.
11,00 - 11,30	Recreo libre supervisado.	Recreo libre supervisado.	Recreo libre supervisado.	Recreo libre supervisado.	Recreo libre supervisado.
11,30 - 11,40	Higiene: lavarse las manos, la cara, cepillarse, etc.	Higiene: lavarse las manos, la cara, cepillarse, etc.	Higiene: lavarse las manos, la cara, cepillarse, etc.	Higiene: lavarse las manos, la cara, cepillarse, etc.	Higiene: lavarse las manos, la cara, cepillarse, etc.
11,40 - 12,00	Actividades de prelectura.	Actividades de precálculo.	Actividades de preescritura.	Actividades de precálculo.	Actividades de prelectura.
TARDE					
3,00 - 3,30	Expresión plástica.	Dramatización.	Religión/Ética.	Normas sociales. Convivencia.	Dramatización.
3,30 - 4,30	Música.	Actividades al aire libre: juegos dirigidos.	Pintura. Actividades rítmicas.	Actividades al aire libre: jardinería.	Modelado. Audición de grabaciones.
4,30 - 5,00	Libre disposición u ordenar la sala.	Libre disposición o guardar materiales.	Libre disposición o apreciar el trabajo de los demás.	Libre disposición o guiñol.	Puesta en común de la semana.

TEMA 4

Autonomía Personal: pautas de desarrollo. Hábitos de autonomía personal: creación, mantenimiento, conflictos y trastornos

¿Conoces tu **curva del recuerdo**? Con Técnicas de Memoria 360 te explicamos cómo organizar los repasos.

Índice

1. Autonomía personal en la infancia: pautas de desarrollo

1.1. El inicio de la autonomía

1.1.1. Períodos

La autonomía se puede definir como la capacidad para actuar con independencia de los demás, de acuerdo con unas normas interiorizadas y unos valores sociales correspondientes al contexto cultural en que se vive, según el nivel de desarrollo general del individuo, que incluye los aspectos físico, emocional, cognitivo y social. A medida que el niño va creciendo como persona y va adquiriendo nuevas habilidades, se va haciendo más autónomo.

Durante los primeros años de vida el encargado de satisfacer todas las necesidades del niño es el adulto, pero poco a poco, el niño va desarrollando una serie de capacidades que harán crecer su interés por hacer cosas por sí mismo. Para que pueda lograr la autonomía, el adulto debe ir delegando en el niño pequeñas responsabilidades y permitirle que pueda satisfacer progresivamente sus propias necesidades. A la edad de tres años ha alcanzado logros bastante importantes. Sin embargo, el proceso no acaba aquí, sino que va a continuar toda la vida.

Como decimos, el proceso de adquisición de autonomía se inicia en la infancia, por lo que uno de los principios básicos sobre los que se sustenta la etapa de educación infantil es, precisamente, la autonomía. En esta etapa el adulto debe ser la balanza que equilibre el concepto dicotómico de autonomía/dependencia, adaptándose en todo momento al momento evolutivo del niño y a su nivel madurativo de desarrollo. En todo este proceso es fundamental transmitir seguridad y confianza al niño y respetar su iniciativa.

El proceso de adquisición de la autonomía personal tiene que pasar por una serie de fases hasta que el niño tome conciencia de sí mismo como individuo independiente y diferente a los demás.

A) Período de 0 a 3 años

Podemos decir que el proceso de autonomía se inicia desde el mismo momento del **nacimiento**, ya que el desarrollo de sus propios órganos y sistemas le permiten funcionar en forma independiente de la madre una vez nace. Es decir, el recién nacido es autónomo en sus funciones anatómicas y fisiológicas para conservación de la vida: la respiración, la digestión y el metabolismo, etc. Además, tiene cierta autonomía para expresar satisfacción o displacer: puede expresar lo que siente y quiere con su lenguaje gestual y el llanto.

El logro más importante en este momento en relación al proceso de autonomía es que el niño llegue a reconocerse como ser independiente de su madre, con necesidades específicas.

La construcción de la identidad propia es un proceso que parte de una total indiferenciación entre el niño y su entorno. Según Wallon, hasta el final del primer año o comienzos del segundo, el niño estará unido a su ambiente familiar de una manera tan íntima que parece no distinguirse de él. Para este autor, esta simbiosis tiene un carácter afectivo y es semejante a la simbiosis orgánica del período fetal.

Durante los primeros meses de vida, el niño vive en una cierta dualidad confusa con la madre, no reconoce a la madre como alguien que se ocupa de él y no localizará la gratificación como algo que procede del exterior, sino como una cierta inercia propia.

Como decíamos anteriormente, no es hasta el período comprendido entre el segundo y sexto mes cuando el niño discrimina a unas personas de otras, aunque hasta el octavo mes no presentará conductas de rechazo hacia los extraños.

Es también en este momento (hacia el final del primer año) cuando los niños parecen reconocerse a sí mismos como diferentes a los demás, siempre que la imagen presentada se corresponda con la que en ese momento tienen. No obstante, antes del primer año, los niños reconocen cosas que les pertenecen y elementos parciales de su cuerpo, aunque reaccionan ante esa imagen como si fuera la de otra persona. A partir del período comprendido entre los 15 y 18 meses, el reconocimiento de su imagen dependerá menos de que se corresponda con la que tienen en ese momento. Hacia el final del segundo año sí puede afirmarse que los niños reconocen su imagen con claridad, con independencia de su carácter contingente o no. En este momento comienzan a utilizar el pronombre yo, el posesivo mío y su propio nombre.

Durante el segundo año se debe favorecer que el niño realice por sí mismo actividades como comer, vestirse, o resolver sus necesidades fisiológicas. En esta etapa el niño empieza a manifestar abiertamente su deseo de hacer cosas él solo y debemos aprovechar esta predisposición para favorecer su desarrollo y conquista progresiva de autonomía.

En el proceso de adquisición de autonomía es necesario poner ciertos límites; en este sentido, el hecho de hablar con el niño sobre sus errores o lo que no puede hacer, facilita el desarrollo de la tolerancia a la frustración, el autocontrol y la autoestima.

Algunas responsabilidades que se le pueden dar al niño en estas edades son recoger sus juguetes y dejar su ropa sucia en el lugar adecuado. Se establecerán, de forma clara, consecuencias derivadas de la no realización de estas tareas. Dos aspectos muy ligados al conocimiento de uno mismo son la identidad sexual (reconocerse como niño o como niña) y la identidad de género (conocimiento de las funciones y características que la sociedad asigna como propias a niños y niñas). Los niños y niñas adquieren ambos conceptos de forma paralela.

B) Período de 3 a 6 años

Como hemos visto, durante los primeros años, niños y niñas construyen su identidad existencial, es decir, la conciencia de la existencia de sí mismos como sujetos independientes de los otros.

La tarea que tienen ahora por delante no es menos importante: deben enriquecer esta primera imagen de sí mismos con características y atributos que sirvan para definirse a uno mismo como persona con entidad y características propias, diferenciada de los demás.

Siguiendo a Rosenberg, podemos describir el contenido del **autoconcepto** que tienen con las siguientes características:

1. Tendencia a describirse en base a atributos personales externos. "Soy un niño que juega al balón", "soy una niña que sabe leer".
2. Tendencia a describirse en términos globales. Por ejemplo, como "buena en la escuela", sin más especificaciones.
3. Tendencia a concebir las relaciones sociales como simples conexiones entre personas. Las relaciones sociales, más que concebirse en términos de sentimientos interpersonales, se limitan a ciertas conexiones entre unas personas y otras.
4. Tendencia a elaborar el autoconcepto sobre evidencias externas y arbitrarias. Así, por ejemplo, una niña de cinco años puede decirnos que es "mala" porque "un día rompí un jarrón", y un niño de la misma edad que es "guapo" porque "me lo dice mi mamá".

Para Wallon este período corresponde al *estadio del personalismo*, que consta de tres períodos de aspectos a menudo aparentemente contradictorios, aunque todos tienen por objeto la independencia y el reconocimiento del yo. Así, en el primero, de oposición y de inhibición, al mismo tiempo que cesan los juegos de alternancia se hace habitual una actitud de rechazo, como si la única preocupación del niño fuera la de proteger la autonomía de su persona. En el período de gracia, el objetivo del yo será hacerse valer y recibir aprobaciones. Pero pronto necesita nuevos méritos que obtendrá robándolos a otros, no se trata de reivindicar, sino de un esfuerzo de sustitución personal por medio de la *imitación*.

Otro aspecto muy relacionado con la construcción de la identidad personal se refiere a la **moralidad del niño**, que para Piaget, en el período que venimos estudiando, es heterónoma, es decir, es la moral del respeto unilateral o de obediencia al adulto. En ella, el niño valorará las acciones en función de lo que se alejen o no de las reglas impuestas por el adulto, y considerará que si una regla es desobedecida, debe tener un castigo.

En la misma línea que Piaget, están los trabajos de Kohlberg (1968, 1982). Una de sus aportaciones más importantes se refiere a que el desarrollo moral avanzará a medida que lo haga el cognitivo. No obstante, un alto nivel cognitivo no implica automáticamente un alto nivel moral. Según Kohlberg, los niveles por los que evoluciona el razonamiento moral serían:

- Preconvencional.
- Convencional.
- Postconvencional.

Según estos criterios, los niños de 4 a 6 años se encontrarán en el primero, si bien este nivel puede prolongarse hasta los 10 años, más o menos. Las características de esta etapa son semejantes a las mencionadas por Piaget anteriormente, y lo novedoso del autor radica en presentar a los sujetos situaciones hipotéticas sobre dilemas morales (por ejemplo, el valor de la vida, el robo, etc.) para saber cómo reaccionan. Uno de estos dilemas es el de *Heinz y la medicina*, en el que el protagonista, al no tener dinero para comprar la medicina que salvará a su esposa, se ve obligado a robarla en la farmacia. El tipo de respuesta que los niños de esta edad dan es que el marido transgrede las leyes al robar. Según su criterio moral, el marido no debe valorar la vida por encima del robo.

1.1.2. La autoestima

Hasta aquí nos hemos centrado en los aspectos relativos al contenido del yo. Cuando centramos nuestra atención en el valor o importancia que los niños atribuyen a estas autodescripciones, en cómo evalúa el niño, nos estamos interesando por la autoestima (Palacios, J. e Hidalgo, V., 1990).

La autoestima, a diferencia del autoconcepto, implica una orientación afectiva que puede evaluarse como positiva o negativa.

Dada la importancia de que el niño desarrolle una adecuada autoestima, han sido muchas las investigaciones destinadas a estudiar los factores que la determinan. Uno de los trabajos que más luz ha arrojado sobre esta cuestión es el llevado a cabo hace bastantes años por Coopersmith. Los resultados de su estudio pusieron de relieve la importancia de la aceptación y calidad del trato que dispensaban al niño los "otros significativos" de su entorno como factor determinante de la autoestima. Junto a estas cualidades, la historia personal de éxitos y fracasos es un segundo determinante.

Durante los años de la etapa infantil, los "otros significativos" son sus padres. Las actitudes de los padres y sus prácticas de crianza y educación son los aspectos determinantes del desarrollo de la autoestima de los niños. **Las actitudes y prácticas de los padres de niños con alta autoestima podemos definirlas**, siguiendo a Maccoby:

- Son padres cariñosos, que aceptan a su hijo por completo y le demuestran frecuentemente su afecto.
- Son padres firmes, en el sentido de que establecen reglas que razonan y mantienen de forma consistente, aunque con flexibilidad.
- Son padres que utilizan tipos de disciplina no coercitivos. Utilizan más la retirada de privilegios que el castigo corporal y discuten con el niño las razones por las que su conducta fue inapropiada.
- Suelen ser padres democráticos, en el sentido de que estimulan al niño a que exprese sus opiniones, que con frecuencia son aceptadas y tenidas en cuenta.

1.2. Concepto, características y metodología en la formación de hábitos

Debemos distinguir entre tres conceptos relacionados, pero diferentes: hábito, habilidad y rutina.

Un **hábito** es una conducta que se realiza de forma continua sin que exista un control externo (premios o castigos) que favorece la autonomía del individuo.

Las **habilidades** se refieren a las capacidades físicas, cognitivas o motrices que la persona necesita para realizar una conducta con éxito. Es decir, para la consecución de los diferentes hábitos son necesarias unas habilidades previas que permitan la realización de las conductas que constituyen el hábito. Si un niño aun no tiene la habilidad motriz necesaria para atarse unos cordones o abrochar un botón, no podrá adquirir ese hábito. Por este motivo en los programas de adquisición de hábitos se secuencian las actividades en función de las habilidades infantiles. En el ejemplo citado, primero se empieza por cierres con velcro, cremalleras, etc.

La **rutina** permite la automatización de los hábitos. Solo por el hecho de que un niño tenga la habilidad necesaria para realzar la conducta, esta no tiene por qué convertirse automáticamente en un hábito. Para el desarrollo del hábito es necesaria la repetición que aportan las rutinas.

En el proceso de adquisición de hábitos, en primer lugar, creemos necesario resaltar la importancia que tiene la mediación del adulto en su consecución y la necesidad de actuar de forma coordinada en todos los ambientes en que se desarrolla la vida del niño, nos referimos principalmente al ámbito familiar y al escolar. Otro aspecto a tener en cuenta es la edad, grado de autonomía y habilidades básicas del niño, pues como hemos dicho, es lo que le va a permitir realizar con éxito las conductas implicadas en los diferentes hábitos. Es decir, debemos partir de lo que el niño es capaz de hacer y progresivamente, ir enseñando nuevas habilidades. Hacerlo de esta manera proporciona al niño seguridad y motivación.

Las **habilidades necesarias para el desarrollo de un hábito** son de dos tipos:

- **Habilidades de ejecución**: en ellas está implicado el desarrollo de la motricidad fina y de la motricidad gruesa. Son las habilidades que hacen posible el movimiento del niño, la coordinación visomanual y su destreza manipulativa.
- **Habilidades de planificación**: estas habilidades requieren la capacidad cognitiva para comprender las acciones y secuencias propias de un determina hábito y para saber en qué momento ha de realizarlas, cómo, cuándo, dónde y por qué.

Estos dos tipos de habilidades nos llevan a considerar que un hábito no está plenamente adquirido hasta que el niño no es capaz de reconocer las situaciones en las cuales se ha de aplicar dicho hábito y lo haga sin la intervención de terceras personas, es decir, con autonomía. Por ejemplo, el hábito de lavarse los dientes después de comer no estará plenamente adquirido por el hecho de que el niño tenga la habilidad necesaria y realice el cepillado correctamente. Estará adquirido cuando al terminar de comer vaya solo a lavarse los dientes, sin necesidad de que nadie se lo diga.

Como podemos suponer, el proceso de aprendizaje para adquirir los hábitos hasta este punto, es largo y complejo.

La **intervención educativa** en este proceso de aprendizaje requiere una planificación y programación previa, que incluya los siguientes **elementos**:

- **Objetivos**: cuál es el hábito que queremos conseguir. Podemos plantear un objetivo general (que el niño como solo) u objetivos específicos y secuenciados que supongan pequeños pasos hasta que logre el objetivo general (comer con las manos, uso del tenedor, uso de la cuchara...).
- **Contenidos**: son conceptos, procedimientos y actitudes relacionados con el hábito en cuestión.
- **Metodología**: se refiere a las técnicas que vamos a utilizar para el desarrollo de los hábitos: juego, canciones, modelado... no existe una sola técnica para el desarrollo de los hábitos, sino que se pueden usar múltiples e, incluso, combinar varias.
- **Actividades**: son las acciones concretas que se llevan a cabo para lograr los objetivos que nos hemos marcado.
- **Recursos**: son los medios personales, materiales y espaciales que vamos a necesitar para el desarrollo del programa.
- **Temporalización**: se refiere a la planificación temporal. En qué momento se va a llevar a cabo el programa, cuánto tiempo se le dedica y frecuencia.
- **Evaluación**: como en todo proceso educativo, debemos realizar una evaluación para comprobar el grado de consecución de los objetivos planteados, pero también para comprobar si todo el proceso ha sido adecuado, valorando la planificación, la intervención profesional, los problemas encontrados y cómo se han resuelto, etc.

El aprendizaje de un hábito pasa por varias **fases**:

1. **Fase de preparación**: en esta fase vamos a definir los elementos del programa que acabamos de mencionar. Tendremos que analizar las habilidades del niño, sus posibilidades y la adecuación al entorno. Debemos buscar actividades que sean apropiadas a la edad del niño y al momento madurativo. En este momento es importante también la motivación. Debemos fomentar el interés y buena predisposición de los pequeños hacia los nuevos aprendizajes que permitan el logro de los objetivos que nos hemos planteado. Así mismo, es fundamental facilitar una relación de confianza. Para ello el adulto debe mostrar una actitud positiva y relajada, dejando actuar al niño por sí solo e interviniendo solo cuando sea necesario para guiar el proceso.
2. **Fase de aprendizaje**: es el momento en que se enseña el hábito. La principal forma de adquisición de los hábitos es la imitación, por ello el adulto, en primer lugar, debe mostrar la conducta a realizar y el niño ha de imitarla. Al mismo tiempo que el adulto realiza la acción le irá explicando de manera clara y con pocas palabras qué tiene que hacer y cómo tiene que hacerlo. La actitud del adulto debe ser amable y empática de

modo que dé seguridad al niño y no tenga miedo a equivocarse. Una vez mostrada la tarea a realizar, el niño intentará realizarla. El adulto servirá de guía, observando sus dificultades y mostrando apoyo cuando sea necesario. Hay que dar tiempo suficiente al niño para que aprenda, analice y corrija los errores, propiciando un ambiente relajado y sin prisas. A través de la práctica repetitiva, el niño entenderá el proceso y, por lo tanto, la acción. Es entonces cuando podrá realizarla de manera autónoma.

Es recomendable plantear la actividad como un juego, realizando actividades cortas y repetitivas que no fatiguen al niño y que no supongan la retirada de una actividad placentera para el niño.

3. **Fase de automatización**: en esta fase el niño ya sabe realizar la conducta y necesita menos la colaboración del adulto. El papel del adulto en este momento va a ser fundamentalmente de motivación, valorando positivamente el esfuerzo y la ejecución del niño y potenciando su autonomía.
4. **Fase de consolidación**: el hábito está totalmente interiorizado de modo que el niño es capaz de realzar la conducta aprendida de forma autónoma sin intervención de un tercero, en el momento en que la situación lo requiere.

A modo de conclusión de todo lo expuesto podemos proponer una serie de **consejos metodológicos**:

- Además de la práctica y repetición de las conductas que conforman el hábito, podemos utilizar canciones, poesías, retahílas, juegos, cuentos o programas infantiles educativos que traten sobre el tema que se quiera trabajar.
- Partir de la capacidad y habilidades que tiene el niño.
- Tener en cuenta, a la hora de desarrollar hábitos, los espacios y recursos de los que disponemos y la buena elección del momento.
- La comunicación verbal debe acompañarse de una demostración física que sirva de modelo, para que así se puedan poner en funcionamiento los mecanismos de imitación (modelado).
- El modelado será más efectivo cuanto mayor sea la conexión afectiva entre el niño y el adulto. Este debe mostrarse paciente y empático.

- Obtendremos mejores resultados si se presentan las pautas de forma lúdica.
- Es fundamental respetar el tiempo que necesita cada niño/a para adquirir el hábito (individualización).
- El papel del adulto debe ser de supervisión y guía, sin mostrarse autoritario.
- Es importante elogiar los avances del niño.

Reglas para la formación de hábitos

Sin la maduración anatómico-fisiológica necesaria para la formación del hábito, es inútil intentar formarlo. Se requiere, por tanto, un nivel madurativo así como un plan educativo adecuado.

Entre las características de dicho plan encontramos:

- Planteamiento de un programa previo, coherente con los hábitos que se desean implantar y con su nivel de desarrollo. Ej. No empezaremos a enseñar a un niño de 2 años a vestirse si previamente no ha aprendido a desvestirse, que es la etapa previa."
- Ritmo y firmeza en la repetición del hábito que se pretende iniciar. Debemos contemplar y respetar horarios fijos y refuerzos cada vez que se haga bien.
- Deleite. El hábito debe proporcionar satisfacción al niño, procuraremos los medios para que asocie la ejecución del hábito con satisfacción.
- Comprensión entre el niño y la persona que inicia el hábito con el fin de crear un ambiente comprensivo entre ellos.
- Uso de asociaciones como gestos, palabras que estimulen o recuerden la ejecución del hábito.
- Ejemplo adecuado por parte de los adultos que rodean al niño.
- Coherencia de modelos.
- Apoyo y cooperación de los padres para la consolidación de hábitos.

La figura de maestros y educadores resulta imprescindible en la formación de hábitos, tanto por su selección de metas y medios como por el valor imprescindible de su ejemplo cotidiano. Es de suma importancia para su generalización y consolidación la colaboración de la familia.

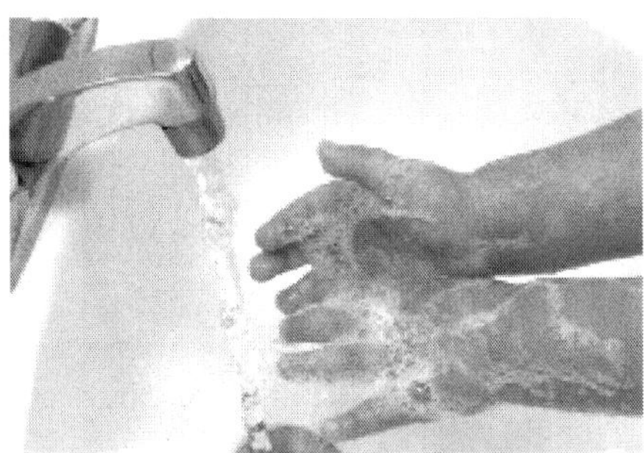

Favorece la adquisición de hábitos los siguientes aspectos:

- Diversificación de los contextos de actuación: es condición necesaria para la generalización.
- Coherencia en todos los agentes educativos.
- Planificación de la adquisición de hábito, teniendo en cuenta los elementos anteriormente citados.
- Estimulación y refuerzo por los pequeños pasos conseguidos.
- Normas y pautas constantes.

Para Fernández Gutiérrez (1992) las **ventajas que proporcionan los hábitos** son:

- Liberan los recursos cognitivos para que el niño pueda emplear su energía en otros aprendizajes, convirtiéndose al mismo tiempo en un recurso que dinamiza sus operaciones y su competencia.
- Dan marcos de referencia y pautas de comportamiento antes situaciones diversas y diferentes.
- Proporcionan a la estructura mental del niño una trama a partir de la que se hace posible el progreso del pensamiento.
- Mantienen el equilibrio psíquico de los niños e incrementa sus posibilidades de desarrollo y aprendizaje.

Los hábitos así mismo repercuten en otros aspectos del desarrollo como:

- **Autonomía**: el niño debe ir adquiriendo cotas mayores de autonomía a lo largo de la Etapa. El poder alimentarse, desplazarse, vestirse o ir al baño solo constituyen grandes hitos.
- **Autoestima**: cuando el niño va haciendo progresivamente más cosas solo, se siente competente, eficaz y "mayor". Ello redunda en una autoestima positiva. Así mismo aumenta su seguridad en sí mismo, siente que conoce, controla y sabe desenvolverse en el entorno.
- **Adquisición de aprendizajes**: muchos hábitos contribuyen a la mejora de las habilidades manipulativas finas (pensemos en abrochar, dirigir la cuchara adecuadamente...), el aprendizaje de formas socialmente establecidas (se aprenden a través de los saludos...), vocabulario, conocimiento y control del propio cuerpo.
- **Socialización**: a través de algunos hábitos como los saludos, el compartir, el escuchar, mejorará sus habilidades sociales y se sentirá miembro del grupo, con habilidades semejantes a los iguales.
- **Desarrollo de todas las capacidades**: el niño piensa, actúa, se comunica, se mueve, se desplaza...., lo que supone actividades de muy diverso tipo que redundan en el desarrollo global de todas las capacidades.

Es complejo abordar el **agrupamiento** de los mismos, ya que muchos de ellos están interrelacionados y pueden ser considerados simultáneamente de higiene y alimentación.

Es una clasificación flexible y somos conscientes de las muchas posibilidades que ofrece su agrupamiento.

Hábitos higiénicos

1. Aseo personal:
   - Lavado manos, dientes, limpieza de nariz.
2. Alimentación:
   - No mancharse la ropa ni el entorno.
   - Uso de cubiertos.
   - Uso de servilleta.
3. Control de esfínteres.
4. Cuidado del entorno:
   - No tirar papeles.
   - Recogida de enseres.
   - No rayar las mesas...
5. Posturales:
   - Corrección en la postura de sentado.
   - Presión de los útiles de escritura.
   - Colocación de la cabeza e inclinación del cuerpo...
6. Sueño:
   - Siesta.
   - Relajación tras psicomotricidad.
7. Protección de enfermedades y accidentes:
   - No tomar alimentos y bebidas frías.
   - No desabrigarse.
   - Taparse la boca al toser...
8. Alimentación adecuada:
   - Probar todos los alimentos, tomando al menos un poco de todos.

Hábitos de autonomía personal

- Vestido, desvestido.
- Alimentación autónoma.

- Control e higienes de esfínteres autónoma.
- Desplazamientos por el entorno inmediato.

Hábitos sociales

- Saludos: entrada y salida, buenos días...
- Compostura.
- Respeto por los turnos.
- Prestar, compartir.
- Participar de tareas tanto escolares como domésticas.

Hábitos relacionados con tareas escolares

1. Rutinas de clase:
   - Colgado de abrigos.
   - Reparto de materiales.
   - Formación de la fila...
2. Hábitos de trabajo escolar:
   - Acabar las fichas.
   - Mantener el aseo en las producciones.
   - Uso de materiales y espacios correcto.

1.3. Agentes educativos en la formación de hábitos

A) La familia

La familia es una institución social, un grupo humano de convivencia donde se tiene a los hijos y se les cuida: se les alimenta, se les da vivienda, salud y estímulo. La familia apoya el desarrollo de los hijos por medio del afecto favoreciendo su autonomía y autoestima. Asimismo se les educa para vivir en sociedad dándoles normas, responsabilidades, información...

Aunque ha cambiado mucho a lo largo del tiempo y cada cultura tiene su propio modelo familiar hasta este momento la familia ha cumplido por lo menos esas funciones. En nuestra sociedad la tarea de educar la comparte con la escuela.

El ser humano, para independizarse físicamente, necesita pasar nueve meses en el seno materno. Al nacer, no puede sobrevivir por sí mismo, depende enteramente del adulto. En toda su evolución los padres van a influir decisivamente por medio de:

- Su estructura y roles como grupo primario.
- Su ejemplo.

- El estilo de vida familiar.
- Fijación de límites y refuerzos a las conductas positivas.

Los miembros de la familia son los primeros educadores, los que tienen más influencia y los agentes de prevención básicos. De ellos dependen completamente los hijos a los que acompañan en este proceso de construcción de su personalidad. Las influencias que se reciben en la primera infancia quedan profundamente en la personalidad. En esas épocas se está muy abierto a todo y no se tiene madurez para comprender o cuestionar lo que se vive.

El estilo de vida de una familia viene dado por sus costumbres: alimentación, higiene, orden, comunicación... y también por su organización: quién toma las decisiones, qué normas hay, cómo se distribuyen los gastos, cómo se reparten las tareas, cómo se cuida la salud física, psicológica y social.

En la infancia por medio del estilo de vida familiar, se adquieren los hábitos que van a ser fundamentales para la salud, la adaptación y la integración social en la vida adulta. Detrás de cada costumbre siempre hay una serie de actitudes y valores ante la vida, ante los demás, ante las cosas... que influirán en gran manera en el niño.

La educación para los hábitos tiene su primer punto de anclaje en la familia desde el nacimiento, y se va a conformar más especialmente en los primeros años de vida, si bien en todo el proceso evolutivo de la persona va a ir modificándose. Conductas y hábitos como el cepillado de dientes, la comida a horas regulares y equilibrada, los hábitos de sueño, la actitud ante las drogas, la cultura dentro de la familia hacia el ocio y el deporte marcarán de forma muy influyente las conductas y actitudes futuras en los niños.

B) La escuela

Si bien hemos dicho que la familia es la encargada de tener, criar y alimentar a los hijos y también de darles el afecto y el equilibrio emocional que necesitan para desarrollarse, también tiene que compartir otras tareas con la escuela. Las aportaciones de la escuela son muy importantes: es un centro de convivencia entre iguales, aunque también hay adultos, que son los que orientan las relaciones.

Es un centro de aprendizaje donde se adquieren los conocimientos y la cultura de la comunidad. Convivencia y aprendizaje se dan dentro de un ritmo de trabajo y de una disciplina que van aumentando poco a poco el grado de responsabilidad y participación del alumnado. Así se consiguen los objetivos de la educación.

El educador tiene una gran responsabilidad porque después de los padres es el adulto que más influye en los niños y con el que pasan una buena parte de su tiempo. Para realizar su tarea y ser un elemento de promoción de la salud es necesario: que tenga la información y la formación suficientes, que actúe como un modelo de costumbres saludables, que establezca relaciones personales que le permitan conocer, orientar y apoyar individualmente a cada alumno. Estas relaciones están basadas en el afecto, el respeto, la autoridad y el diálogo. Deben utilizarse todos los recursos a su alcance para despertar la motivación y el interés por conocer y descubrir el mundo que nos rodea, que cuente con la familia para trabajar en cooperación porque la educación es una tarea común.

La escuela es un entorno con gran intencionalidad educativa y su contribución en la consolidación de hábitos es crucial.

1.4. Los principales hábitos de autonomía

Ser autónomo va más allá del aprendizaje de unas acciones (realización de una tarea) e implica, además, la cognición (saber qué se tiene que hacer) una cierta planificación (tiempo, momento, recursos), no haber control externo (ni premios ni castigos), sin necesitar la presencia o presión externas (recuerdo, requerimiento...) y unas actitudes hacia el compromiso y la responsabilidad.

Una de las maneras de ser autónomo se logra a través del aprendizaje de los hábitos, especialmente cuando hablamos de niños. Posteriormente, y sobre la base de estos hábitos, la autonomía irá adquiriendo unos horizontes más amplios si bien los hábitos estarán, siempre, implícitos.

Las habilidades básicas que engloba la autonomía han de ser trabajadas para conseguir niños independientes tanto a nivel personal como social. Incluyen:

A) Área del autocuidado

Incluye todas las habilidades de adaptación relacionadas con la autonomía en el aseo, comida, higiene, y aspecto físico. Desde muy pequeños debemos facilitar que ellos se vistan, elijan ropa, coman solos, y tengan interés por ir bien arreglados, peinados, y aseados, aunque en principio no sepan hacerlo muy bien (les pondremos un babero bien grande para que coman a gusto y nosotros tranquilos con las manchas, les dejamos los coleteros para que elijan el que más les guste y que pegue con su ropita).

B) Área de la autodirección

Habilidades relacionadas con la autorregulación del propio comportamiento, comprendiendo las elecciones personales, seguimiento de horarios, finalización de tareas, resolución autónoma de tareas, búsqueda de ayudas cuando lo necesiten, etc. Es decir, debemos organizarnos los adultos bien para luego, con el ejemplo, hacer entender a los niños lo importante de dicha planificación. Respetamos sus horarios de comida, sueño, juego. Si toca recoger los juguetes, se colocan todos aunque al principio necesiten de nuestro acompañamiento y en el caso de que no quieran, ellos eligen aunque de antemano se les ha indicado que no van a poder pasar a otra actividad hasta que no lo hagan (dicho una vez con tono tranquilo y tajante).

C) Área de la comunicación

Comprende las capacidades para comprender y transmitir información a través de los comportamientos y destrezas comunicativas elementales. Debemos poner de continuo a nuestros hijos en situación de comunicar lo que quieren, no adelantándonos a expresar o darles lo que necesiten. El habla se aprende por imitación, por ello, debemos hablar mucho y verbalizar todas nuestras actuaciones ya que facilitan la comprensión por parte del niño. Cuando ya saben hablar un poco, muy interesante es que se inicien en actividades de teatro, que les ayudará en la vocalización, memoria, expresión y destrezas comunicativas en general.

D) Área de las habilidades académicas funcionales

Referidas a los aprendizajes escolares instrumentales y aplicados a la vida (lectura, escritura, cálculo, conocimientos naturales y sociales) tan necesario para un posterior funcionamiento autónomo (poder comprar, leer las estaciones del metro, saber de las relaciones personales, del funcionamiento de nuestra sociedad...).

E) Área de las habilidades sociales

Comprende intercambios sociales interpersonales (inicio, mantenimiento, y finalización de interacciones), identificar el contexto social en el que participa, reconocer sentimientos, controlar los impulsos, ayudar y cooperar con otros.... Los niños deben aprender a perder el miedo y saber entablar conversaciones para participar en juegos con niños que no conocen en el patio, o en el colegio, saber que a todo el mundo se trata con respeto y así se consiguen las cosas, y cómo comportarse en la sociedad (esperar turnos de palabra, cuando los mayores hablan los niños se callan y no molestan...), saber entender a los demás en sus problemas y peticiones, y no imponer mis deseos por encima de todo, etc.

F) Área del ocio y del tiempo libre

Desarrollar intereses variados de ocio y satisfacción en el hogar, en la comunidad y la participación adecuada en juegos y situaciones sociales de ocio. No solo debemos presentar las más variadas ofertas de ocio que podamos a nuestros hijos (no solo en todos los campos: deporte, arte, cultura, diversión con los amigos) sino que debemos procurar que sean ellos mismos los que sepan generar actividades gratificantes e interesantes para ellos.

G) Área de la salud y seguridad personal

Son aquellas habilidades relacionadas con el mantenimiento de la salud (hábitos, chequeos médicos, prevención de accidentes, primeros auxilios...) y las relaciones con la propia defensa frente a comportamientos de agresión hacia uno mismo (saber afrontar situaciones de agresión tanto física como psíquica por ejemplo en el colegio), cómo saber decir NO cuando no queremos algo que nos perjudica (evitando las drogas en un futuro), con seguridad y convencimiento en lo que hacemos.

H) Área del trabajo

Habilidades relacionadas con el desempeño de un trabajo y todo lo que conlleva: cumplimiento de horario, finalización de tarea, aceptación de críticas, manejo de dinero, recursos... Esto ya se aprende desde la escuela, haciéndoles responsables de llegar siempre con tiempo, no acostarse si no están realizados todos los trabajos del colegio, el gusto por lo bien hecho, saber aprender de errores, y ejercer la crítica constructiva, etc.

I) Área de la utilización de la comunidad

Referente al buen uso de los recursos de la comunidad, transportes, centros de compras, áreas recreativas, servicios médicos.... Todo eso nos lleva a enseñar a usar los diferentes recursos, saber dónde dirigirse cuando se necesita algo, cómo nos relacionamos con las diferentes personas que nos atienden (saludar al llegar, pedir las cosas por favor, saber agradecer, despedirnos correctamente, tratar con respeto, no chillar, saber comportarnos en general) y saber ejercer nuestros derechos y obligaciones como parte de la comunidad.

J) Área de la vida en el hogar

Habilidades que nos permiten la autonomía en la casa: preparación de comidas, planificación de compras, cuidado de ropa, etc. Desde muy pequeños podemos enseñarles a hacer comidas (aprenderemos los peligros de la cocina: fuego, cuchillos, etc., y lo divertido de la misma), a hacer la cama, a doblar, colocar la ropa en la lavadora, a dejar recogida la habitación, dónde apuntar las cosas que nos van faltando, etc.

1.5. Las primeras colaboraciones para resolver las necesidades básicas

1.5.1. Creación de hábitos de higiene, aseo personal, etc.

La higiene en general es una de las maneras de conservar la salud y de prevenir muchas enfermedades. Es importante desarrollar una serie de pautas de higiene personal que orienten al niño hacia unas normas básicas de aseo.

Hay que ir aprovechando las posibilidades que presente al inicio del proceso, haciéndole comprender la comodidad de estar limpio, intentando por todos los medios que se acostumbre a pedir ayuda. Poco a poco conseguirá desarrollar su autoconfianza, llegando a una autonomía plena.

La higiene personal comprende varios aspectos en la vida de una persona: aseo corporal, limpieza de manos y cara, control de esfínteres (se desarrolla en otro apartado del tema), otros cuidados…

A) Aseo corporal

Al principio la realización correrá a cargo de los más cercanos, sus familias.

Cuando el niño adquiera una madurez adecuada y comience a desarrollar ciertas habilidades con autonomía, se podrá intentar educarlo en su aseo corporal. Para ello es necesario disponer de una bañera, cuyo suelo sea antideslizante (por posibles caídas), el agua se mantendrá a una temperatura de 38 ºC y se aconseja el uso de jabones neutros que no irriten las mucosas (ojos).

Durante los primeros baños se le irá ayudando dirigiéndole la mano; a medida que pasen los días, se podrá observar cómo adquiere autonomía, dejando, progresivamente, que se vaya bañando solo. Hay que establecer **unas normas generales para el baño**:

- Se ha de llevar a cabo a la misma hora, que bien pudiera ser la última de la tarde.
- Utilizar actividades de juego (que meta en el baño juguetes), como medio favorecedor para que el niño se acostumbre a bañarse.
- No dejar al niño en ningún momento solo, ya que es muy peligroso; cualquier percance puede hacerle perder confianza en sí mismo, con el consiguiente retroceso en el aprendizaje.
- En la medida de sus capacidades, estimularle para que vaya limpiándose con la esponja o una manopla cada una de las partes de su cuerpo.
- Desarrollar el hábito de aseo personal como una necesidad y no como una imposición que le haga coger fobia al baño.
- Para salir de la bañera es conveniente ayudarle hasta que consiga una plena autonomía.
- Es aconsejable el uso de una toalla grande para que le dé mayor autonomía de movimiento y no le suponga mucho esfuerzo.

B) Limpieza de manos y cara

La limpieza de las manos y de la cara es necesaria varias veces al día, razón por la que se ha de educar al niño específicamente en esta actividad y lo más pronto posible.

Vamos a explicar una serie de medidas que van a favorecer la limpieza:

- Es importante que el lavabo esté a la altura adecuada, y la toalla cerca del niño.
- Debemos contar con un espejo delante del niño para que pueda verse la cara cuando esté lavándose.
- El jabón que se debe utilizar no ha de molestar a los ojos y será neutro.
- Por último, nos colocaremos detrás del niño para explicarle y hacer con él (inicialmente) todo el proceso: una vez llenado el lavabo de agua tibia, el niño se mojará las manos y se las frotará una contra la otra; al principio le cogeremos ambas manos para ir dirigiéndole; posteriormente se las aclarará; a continuación podrá

lavarse la cara y para ello utilizará una esponja o una manopla (debemos colocársela). Se irá frotando una mejilla, luego la otra, la barbilla, la nariz, etc., y así hasta terminar. Finalmente, aclarará la manopla en el agua y efectuará la misma operación. Una vez acabada esta, podrá coger la toalla y secarse adecuadamente.

Durante el desarrollo de este programa, además de ayudarle manualmente iremos dándole instrucciones verbales para ir indicándole los pasos a dar, así como para corregir malos hábitos previamente aprendidos. El proceso se repetirá tantas veces como sea necesario, hasta que el Educador pueda pasar a una segunda fase de observador, interviniendo solo en casos necesarios.

C) Otros cuidados de aseo

- **Limpieza de oídos**: debe hacerse durante el baño y se secará con una toalla suave. Esta limpieza es conveniente que la efectúen personas adultas hasta que se haga totalmente autónomo.
- **Limpieza de la boca**: en cuanto observemos la buena disposición del niño, podemos iniciarlo en el cepillado de dientes. Para ello hay que humedecer el cepillo de dientes y echar pasta dentífrica; después, se cepillará de arriba hacia abajo, pasando a la parte externa y luego a la interna; por último, se enjuagará la boca, llenándola de agua y echándola fuera. Es conveniente habituar al niño a que realice esta operación después de cada comida.

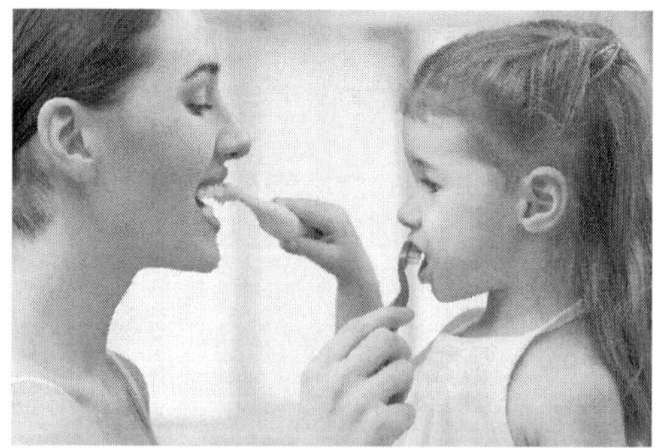

Otro aspecto que no debemos olvidar es la necesidad de acudir al dentista periódicamente para revisiones del estado de la boca.

- **Limpieza de fosas nasales**: hasta que el niño sepa hacerlo solo, se le ayudará con bastante frecuencia, pues suelen tener bastantes resfriados. Posteriormente, se les enseñará a sonarse y limpiarse la nariz, primero tapando una fosa nasal y luego la otra.
- **Limpieza de uñas**: el aprendizaje de esta técnica será bastante tardío, ya que requiere cierta habilidad y destreza para coger las tijeras o el cortaúñas.
- **El momento del cambio de pañales**:
  * Siempre que sea necesario proceder al cambio de pañal.
  * Después del cambio de pañal proceder a la higiene genital, debiéndose realizar en dirección al recto o de arriba - abajo.
  * Para el lavado emplear agua tibia.
  * A continuación secar muy bien prestando especial atención a los pliegues inguinales para evitar que la piel quede húmeda.

1.5.2. Creación de hábitos para vestirse

Al principio, todos los niños, sin excepción, van a necesitar de un adulto para vestirse, ya que es uno de los hábitos que más trabajo cuesta adquirir. Hay que tener en cuenta varios aspectos en este apartado:

- Iremos de lo más fácil a lo más difícil.
- Comenzaremos con ropas sencillas. Le enseñaremos la ropa interior (camiseta y calzón/braga); se le ayudará a ponerse la camiseta, dándole instrucciones verbales de cómo tiene que introducir los brazos, indicándole cuál ha de meter primero, y cuál después. Para colocarse el calzón/braga, el niño se sentará cómodamente y meterá las piernas, luego se pone de pie para poder subirse la prenda adecuadamente. Por último, le mandaremos que se meta la camiseta por dentro del calzón/braga. Es conveniente repetir varias veces esta operación, pero sin fatigarle con esta actividad para que no la considere como una carga.
- Poco a poco le enseñaremos a ponerse el resto de la ropa (pantalones, camisas, etc.). En el caso de las niñas que utilicen vestidos, es conveniente que estos se abran por la parte delantera ya que, en caso contrario, no conseguirían la total autonomía.
- El hábito de ponerse y quitarse los zapatos, debe enseñársele teniendo en cuenta que hay que usar calzado holgado, para que no se produzcan rozaduras ni compresiones. En primer lugar, se quitará y pondrá los zapatos repetidas veces; después le enseñaremos cómo atárselos, para lo que practicará con unos zapatos cualquiera hasta que aprenda a hacer la lazada, y después intentará atar sus propios zapatos.

Para enseñarle esta tarea, nos colocaremos detrás del niño, llevándole las manos hasta que vaya memorizando los pasos que hay que dar. El aprendizaje de esta actividad supondrá bas-

tante tiempo, por lo que se llevará a cabo simultáneamente en el aula y en el hogar familiar. Para reforzar este aprendizaje también se desarrollarán diferentes técnicas de psicomotricidad fina, con objeto de ejercitar los dedos, lo que favorecerá el desarrollo del programa planteado.

1.5.3. Control de esfínteres

A) Aspectos generales

El control de esfínteres es una necesidad básica que requiere para su desarrollo la existencia de una serie de habilidades previas. Es imprescindible que los alumnos a los que se les vaya a realizar el control, sepan comprender bien órdenes sencillas y presenten cierto grado de autonomía; partiendo de esto, podríamos llevar a cabo un buen aprendizaje para controlar la micción y la defecación.

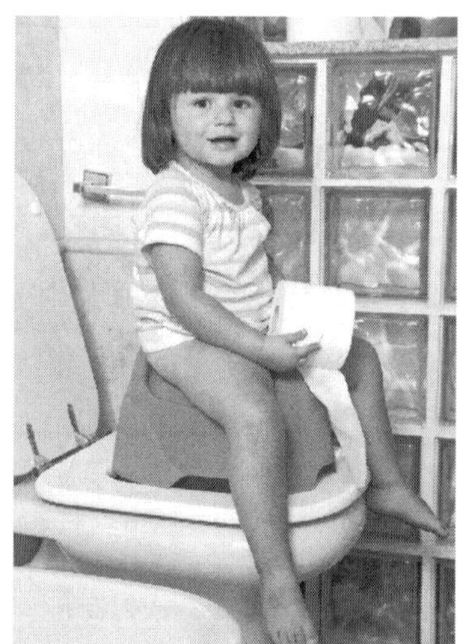

Para realizar un buen control de esfínteres, conviene que todos y cada uno de los profesionales implicados en el tema: Profesor Tutor, Educador, padres y otros profesionales, lleven a cabo coordinadamente el programa que se ha diseñado para tal menester.

Si hay algún niño que no llega a comprender la necesidad de este aprendizaje, hay que hacerle ver las ventajas de la limpieza corporal y la sensación de bienestar que se desprende de la misma. Es contraproducente reñirle o ponerle en ridículo, ya que perjudicaría su desarrollo general. Debemos utilizar compensaciones y recompensas, tanto psíquicas (bienestar, aprobación social y familiar, etc.), como físicas (premios).

B) Etiología de la enuresis

Algunos niños, debido a un daño orgánico, no pueden evitar orinarse, no teniendo el control de esfínteres ningún sentido en estos casos. Sí podrían existir alternativas paliativas por medio de la cirugía, encaminadas a conseguir en el niño un mayor desarrollo autónomo para que la micción no le cree tantos trastornos.

Hay niños que presentan enuresis sin un daño orgánico aparente, y es en estos casos donde debe aplicarse un programa sobre el control de la micción. No obstante, hay niños con discapacidades graves que no son conscientes de una posible regularización de la orina. Por este motivo, este tipo de programas se aplica primordialmente a aquellos niños que no poseen causa orgánica y no presentan discapacidad o sus trastornos son más bien leves.

C) ¿Cómo llevar a cabo un buen control de esfínteres?

Para llevar a cabo un programa de control de la micción, debemos tener en cuenta las opiniones del equipo que atiende al niño, en el caso de que exista alguna discapacidad. Será cuestión de más o menos tiempo llegar al total control, lo que dependerá también de las dificultades que plantee el niño. Comenzaremos el programa lo más pronto posible, pues a medida que van madurando se hacen más conscientes del problema. En la aplicación del programa hay que tener en cuenta algunos aspectos esenciales:

- El servicio debe estar cerca del aula. Siempre que el niño pueda desplazarse autónomamente, a la hora que se le indique deberá ir él solo al servicio; en caso contrario, el Educador participaría en su traslado. El niño permanecerá sentado en el servicio, al menos, durante cinco minutos.
- El registro permitirá llevar un seguimiento día a día del proceso. Este registro se llevará a casa para continuar la labor diaria (en el caso de que los niños no estén internos).
- Para calcular el tiempo que debe mediar entre cada salida al servicio, hay que ir tanteando y observando cada media hora, después cada hora, y así sucesivamente, hasta que se fijen unos intervalos de tiempo correctos. El horario será flexible, al menos durante algún tiempo. Se sucederán los mismos intervalos de tiempo en el Centro educativo y en el hogar.
- Una vez que el niño va controlando la micción, tendrá que realizar otras habilidades no menos importantes, como: ir solo al servicio, bajarse y subirse los pantalones (en caso de ser niños), bajarse y subirse los calzoncillos/bragas, sentarse solo en el servicio, utilizar el papel higiénico adecuadamente, tirar de la cisterna y lavarse y secarse las manos. Todas estas acciones convendrían que fuesen revisadas, para un mejor control de su autonomía.

1.5.4. Control del esfínter anal

Se utiliza el mismo método para el control de la caca, únicamente se diferencia del anterior en que el niño permanecerá sentado más tiempo en el servicio. El control se ha de llevar paralelamente ya que, en un principio, el niño no sabe si va a hacer pipí o caca.

Ante frecuentes trastornos de estreñimiento, es conveniente estimular la motilidad intestinal a través de dietas, masajes o posturas, aunque existen casos en los que se va a necesitar el uso de laxantes.

HITOS EVOLUTIVOS CON RELACIÓN A LA HIGIENE		
Edad	**Higiene corporal**	**Control de la evacuación**
1-2 años	Comprende que debe lavarse las manos. Se inicia en el aprendizaje de lavarse las manos. Coopera, de alguna manera, en el baño.	Aprendizaje del control de las heces. Inicialmente indica la necesidad después de ser evacuado. Aprende a controlarlo de forma correcta. Puede controlar el pipí durante el día. Puede haber descuidos por distracción.
2-3 años	Coopera en la limpieza de las manos. Coopera en el baño. Aunque le cuesta, comprende que hay que lavarse la cabeza. Le cuesta el control de las uñas. Comprende la higiene bucal.	Controla los esfínteres durante el día. Hay pocos descuidos. No siempre controla las circunstancias, por lo que debe favorecerse que vaya periódicamente al WC. Puede controlar por la noche, pero en la mayoría de los casos debe levantarse para evitar accidentes.
3-4 años	Le cuesta aceptar el control de las uñas, especialmente los pies. Participa activamente cuando se baña. Se lava correctamente las manos. Le cuesta secarse bien. Puede no controlar correctamente la suciedad de brazos, muñecas, entre los dedos, etc. Le cuesta la higiene más específica: orejas, oídos, dientes. Sabe que ha de lavarse las manos después del WC, pero hay que controlarlo.	Controla el pipí durante el día sin accidentes. En general, controla el pipí de noche, puede levantarse, o hay que despertarlo. En caso de despertarlo, lo acepta para evitar accidentes. Suele bajarse la ropa para ir al WC. Sabe retener las heces si las circunstancias lo requieren. Le cuesta contener el pipí, aunque es capaz. Va a menudo solo al WC y empieza a limpiarse al terminar con una eficacia inestimable. Sabe que tiene que tirar de la cadena.
4-5 años	Sabe lavarse las manos sin control. Necesita ayuda para finalizar bien el baño, pero es más independiente. Sabe que ha de lavarse las manos antes de las comidas y, en muchos casos, después. Sabe que ha de lavarse los dientes y lo hace pero es preciso el control. Acepta el cuidado de las uñas. Aún tiene problemas con el pelo, si es largo. Acepta mejor lavarse las manos después de usar el WC.	Empieza a resolver solo las necesidades por la noche. Sabe resolver sus necesidades durante el día. Se limpia más correctamente al terminar sus necesidades. Puede aguantar durante un tiempo más prolongado. No tira siempre de la cadena, pero sabe que tiene que hacerlo. Si es un niño, hace pipí de pie. Normalmente ya no hay accidentes de noche. Pide que se lo despierte si aún no controla completamente. Acepta el control en la dieta si tiene dificultad en controlar.

5-6 años	Empieza a peinarse, si tiene el cabello corto. Se controla las uñas o pide ayuda. Se lava los dientes. Desea bañarse solo sin ayuda. Requiere poco control para lavarse las manos después del WC. Sabe que debe lavarse las manos antes y después de las comidas, pero precisa control	Durante la noche se espabila solo sin ayuda. Se limpia al salir del WC con bastante corrección. Tira de la cadena, aunque hay que controlarlo.

1.5.5. El hábito de sueño

La vida del niño, aun desde el claustro materno, está caracterizada por períodos de actividad y de reposo; por tanto, desde el momento mismo del nacimiento debe regularizarse y, sobre todo, adaptarse esta modalidad del comportamiento del niño a las condiciones ambientales.

Es muy importante que el niño descanse durante la noche y duerma un número determinado de horas, para que pueda mantener su actividad normal durante el día.

En la escuela se le enseñará cómo compaginar la actividad con el descanso, el reposo y el sueño. También se debería relajar a los niños en determinados momentos del día, dependiendo de las actividades que tengan y de sus necesidades. Esto se llevaría a cabo a través del ritmo, la música y determinados ejercicios propios para su edad.

Hasta los cinco años de edad, el niño debe dormir la siesta, ya sea antes o después del almuerzo:

a) **El sueño juega en el descanso un papel muy importante**. La característica común del sueño en la infancia es la de su disminución progresiva a medida que la edad avanza.

   El recién nacido duerme aproximadamente 20 horas diarias y apenas despierta para satisfacer el hambre.

   Así pues, durante los primeros meses está muy ligado a los ciclos de alimentación. Teniendo en cuenta esto se pueden establecer unos horarios comunes, pero con flexibilidad, adaptándose a su ritmo de adormecimiento y de despertar, respetando lo máximo posible las necesidades de cada uno.

A los 6 meses, el sueño es de unas 16 horas diarias y al año de edad alrededor de 14 horas. De dos a tres años el niño está dotado de gran actividad, de enorme espíritu de investigación, de atención por las cosas que le rodean, apenas duerme de una hora a hora y media durante el día, y más o menos unas doce durante la noche.

b) **El niño debe ir a acostarse con una actitud placentera**. Ciertas alteraciones del sueño como intranquilidad, movimientos de miembros, crisis de terror, etc., pueden depender de causas físicas, como indigestiones, parasitosis intestinal, etc., o bien, las más de las veces, de estados emocionales del pequeño o ligeras alteraciones de ciertos sectores de la personalidad que tienen su escape a través del sueño.

Cuando los niños y niñas son muy pequeños, el educador y educadora no puede saber con facilidad que le está ocurriendo al niño y que le pasa cuando lloran. A veces estos episodios de llanto suelen producirse en el momento el que el niño se va a dormir la siesta. Nuestra tarea cuando esto ocurra es tranquilizar al niño o la niña. La mejor manera de saber que hacer en cada caso es conocer al bebe, así podemos utilizar la mejor estrategia en cada caso (que cosas excitan al niño o ponen nervioso, como es su llanto, cuánto dura, con qué se relaja...).

Para acostarse con una actitud placentera es muy importante la adecuación del espacio, sería recomendable tener un espacio separado concebido únicamente para este fin. Es recomendable un espacio tranquilo, sin ruidos, aireado, con posibilidades de oscurecerlo, con cunas, colchonetas o hamacas y sacos o mantas individuales. Es conveniente también vestirles con una ropa ligera que les ayude a estar más relajados/as. Para dormirse es probable que necesiten el chupete o balancearse, acariciar su mantita, el pelo... Para ayudarles a conseguir esa relajación previa que requiere el sueño, el educador/a creará un ambiente de tranquilidad emocional que les haga sentirse bien, organizando actividades a modo de estrategias tales como:

* Caricias.
* Cuentos.
* Canciones.
* Música relajante...

1.6. La función del Técnico Superior en Educación Infantil

Desarrollará sus actividades en las áreas funcionales de diseño, programación, desarrollo y evaluación de actividades de enseñanza-aprendizaje.

Las técnicas y conocimientos abarcan el campo del desarrollo y aprendizaje infantil. Se encuentran ligados directamente a:

- Proceso de desarrollo evolutivo infantil en todos sus ámbitos: cognitivo-motor y socioafectivo, así como alteraciones de dicho desarrollo.

- Programas, instituciones, servicios y modalidades de atención a la infancia.
- Técnicas de planificación, programación e investigación sobre la acción.
- Técnicas de observación y evaluación.
- Estrategias y métodos de enseñanza-aprendizaje necesarios para la intervención educativa en diferentes edades y contextos.
- Medios y recursos de intervención en el ámbito infantil, así como las técnicas requeridas para su desarrollo: juegos de expresión y comunicación y cualquier otro que favorezca el desarrollo infantil.
- Técnicas de trabajo en equipo y dinamización de grupos.

Siguiendo a Luengo un *modelo de principios de intervención del educador* es:

1. *Favorecer y fomentar la protección y la salud de niños y niñas y tener en cuenta el medio y los espacios*:
    - Organizar entornos seguros, limpios y saludables.
    - Estructurar ambientes abiertos a diferentes tipos de organización (individual, colectiva, de pequeño grupo) y de actividad (expresión, experimentación, observación, juego motriz...).
    - Cuidar el espacio para la adquisición adecuada de hábitos de alimentación y aseo.
    - Seleccionar materiales adecuados, pertinentes y seguros.
    - Potenciar hábitos de salud, cuidar la alimentación y diversificarla, fomentar la actividad física, la educación afectiva y sexual, el respeto y cuidado por el entorno.
2. *Fomentar la diversión, el juego, lo placentero, potenciar la actividad lúdica como agente del proceso evolutivo de niños y niñas*:
    - Tener en cuenta la actividad lúdica del niño como marco básico para la construcción del conocimiento, como fuente de experiencia y comprensión del entorno, como elemento de interiorización del medio en que se desenvuelve...
    - Priorizar la interacción lúdica entre iguales y la importancia de generación de normas, rutinas y hábitos, de relación con quien se comparte el tiempo, el espacio, los materiales, las actividades, los adultos...
    - Creer en el juego, en la recreación, en el simbolismo, en la diversión, en el disfrute..., como contexto básico para la interpretación del entorno y el "entrenamiento" de pautas de interacción con él.
3. *Estimular y favorecer la seguridad emocional y la autoestima, priorizar el establecimiento del autoconcepto y la generación de adecuados y sólidos vínculos de apego*:
    - Facilitar vínculos de apego estables, incondicionales, armónicos.
    - Priorizar la disponibilidad de tiempos para interacciones lúdicas e íntimas.

- Percibir, interpretar y responder a las demandas de niños y niñas.
- Mantener la coherencia en el desarrollo de los ritmos y actividades.
- Facilitar comportamientos autónomos y de asunción de responsabilidades.
- Priorizar la aceptación de uno mismo, el autoconocimiento, el desarrollo armónico.

4. *Fomentar la capacidad de exploración y conocimiento del entorno y considerar el entorno como fuente permanente de enriquecimiento y aprendizaje*:
   - Favorecer la relación de niños y niñas con el medio físico y social.
   - Desarrollar hábitos de interés, respeto y cuidado por el entorno.
   - Favorecer actitudes responsables y solidarias hacia el medio en que se desenvuelve el niño.
   - Generar actitudes de "investigación" e indagación del contexto.
5. *Favorecer la formación de relaciones sociales con iguales y adultos y facilitar experiencias de interacción social*:
   - Creer en la interacción social como fuente de conocimiento e interpretación de la realidad.
   - Favorecer relaciones personales y afectivas que permiten el desciframiento y ejercitación de actitudes de: respeto, tolerancia, aceptación de las diferencias, cooperación, solidaridad...
6. *Favorecer la integración de las diferencias y la atención a la diversidad en todas sus dimensiones*:
   - Generar actitudes y prácticas de autoevaluación del centro, de los educadores y de la comunidad educativa.
   - Diseñar y desarrollar sus proyectos desde claves de organización flexible y respetuosa con las diferencias del alumnado por cuestiones de capacidad, origen cultural, procedencia social y sexo...
   - Prever en los procedimientos de admisión la incorporación de alumnado afectado por circunstancias de desventaja.
   - Desarrollar prácticas educativas basadas en el principio de atención individualizada.
   - Organizar y desarrollar las experiencias educativas en torno a un currículum abierto a todos, a todas las capacidades, a todas las maneras de estar y ser en el mundo.
   - Cuestionar y revisar de manera permanente los procesos y procedimientos de trabajo en las aulas, de colaboración con las familias, de utilización de materiales, de organización en equipo del profesorado...

2. Principales conflictos y trastornos en la infancia

2.1. Trastornos de la conducta del sueño

Los problemas asociados al sueño son muy comunes en la infancia.

Algunas de las alteraciones acontecen cuando el niño está mal físicamente (infección, mala digestión...), cuando el medio no es confortable (exigencias, ansiedad, frialdad), exceso de actividad diaria o los terrores nocturnos y el sonambulismo.

- **Terrores nocturnos:** consisten en episodios nocturnos en los que el niño grita bruscamente y se despierta. Suelen ir acompañados con taquicardia, ansiedad, sudoración. Con respecto a las pesadillas, los terrores aparecen en el primer tercio de la noche y la actividad emocional es más intensa que con la pesadilla.
- **Sonambulismo**: el niño se levanta de la cama y camina, después de haber estado durmiendo entre 30 y 20 minutos. Al día siguiente no suelen recordarlo. Puede presentarse en la primera infancia aunque lo más frecuente es entre 7-8 años.

2.2. Trastornos del control de esfínteres

Enuresis. Es la emisión involuntaria de la orina en niños mayores de 5 años (de día y de noche durante al menos dos veces mensuales), en niños mayores de 6 años se debe dar al menos una vez al mes. En el caso de que exista problema orgánico, se llama "incontinencia de la orina". La más frecuente es la enuresis nocturna. Se ha estudiado bastante el problema y siempre se ha encontrado una causa de tipo afectivo que la ocasiona: situaciones de tipo regresivo, como es el caso de la aparición de un hermano más pequeño que acapara la atención de la madre; situaciones de superprotección como por ejemplo, de hijos únicos que hacen del niño un permanente inmaduro, etc., son situaciones en las que ese síntoma puede presentarse. En la actualidad se cree que muchos de los niños diagnosticados de enuresis tienen un a causas orgánicas (1 y 10 % de la población).

Encopresis. Es la defecación involuntaria o voluntaria que no puede achacarse a causas físicas al menos una vez al mes y de forma repetitiva a partir de los 4 años. La incontinencia fecal ante de los tres es normal. Suele darse en niños dóciles, hiperactivos, baja tolerancia a la frustración.

2.3. Trastornos del comportamiento motor

Aunque son muchos los que se engloban nosotros vamos a referirnos a los que se producen en esta edad:

- **Hiperactividad**: es un síntoma del Trastorno por déficit de atención con hiperactividad.
- **Tics**: movimientos espasmódicos e involuntarios que suelen ser rápidos, súbitos, reiterados o episódicos, limitados a un grupo de músculos o músculo sin otra finalidad que provocar un gesto o mueca carente de sentido.

- **Enfermedad de Gilles de la Tourette**: comienza entere los 2 y 15 años y se caracteriza por acciones motoras que afectan a varios grupos musculares.
- **Movimientos estereotipados atípicos**: movimientos repetitivos rápidos y rítmicos (rotación de las manos, dedos) lesivos (golpearse la cabeza) se distinguen de los tics por ser movimientos voluntarios y no espasmódicos.
- **Succión del pulgar y onicofagia (morderse las uñas)**: en líneas generales no se consideran anormales cuando los niños son pequeños. Deben estar superados a los 7 años.

2.4. Otros trastornos comportamentales

- El **comportamiento apático**: en muchos casos es una simple situación de aburrimiento, en otras es un síntoma de inhibición psicológica y personal e incluso se puede esconder una leve reacción depresiva.
- **Aislamiento infantil**: puede depender de factores: timidez, vergüenza, rebeldía. Aunque hay una nota común; dificultad para establecer relaciones interpersonales. Dada las características evolutivas de los niños de estas edades es difícil detectar este trastorno.
- **Celos**: son la causa de muchos conflictos que se manifiestan en la infancia. Esta emoción trae consigo un descenso de la propia estimación. En los niños de 1 a 5 años son frecuentes pero puede convertirse en una emoción exagerada. La base de los celos suele ser el deseo del niño de monopolizar a la madre o a cualquier otra persona querida. La llegada de un nuevo hermano desata los celos, debido a la rivalidad fraterna que se produce.
- **Comportamiento agresivo**: en algunos niños se manifiesta desde edades muy tempranas rabietas, hostilidad, impulsos destructivos (esta conducta ha sido tratada en el tema 15 con más amplitud).

TEMA 5

La metodología del juego. El juego como recurso didáctico. Juegos y juguetes. Materiales y recursos necesarios para el juego. Creación de ambientes lúdicos

¿Sabes cómo retener más información en tu **memoria**? Con las Técnicas de Memoria 360 te explicamos todos los detalles.

Índice

1. El juego y su metodología en la etapa de 0 a 3 años

El juego es una actividad necesaria tanto para los adultos como para los niños. Prueba de ello es su carácter universal, en el sentido de que está presente en todas las culturas ya en todas las épocas. Sin embargo, su función y finalidad son diferentes en unos y en otros. En el adulto el juego supone un tiempo de descanso y distracción de las tareas y preocupaciones cotidianas. En el niño, el juego tiene un significado mucho más amplio. Es una función básica. A través del juego, ya sea solo o con otros niños, con juguetes o sin ellos, el niño aprende a conocer el mundo que le rodea.

Pero la actividad lúdica infantil, no sólo tiene como finalidad el aprendizaje, sino que además cumple una función que podríamos denominar terapéutica. A través del juego el niño exterioriza situaciones internas que no es capaz de expresar de otro modo, como necesidades, deseos, estados de ánimo, etc.

A pesar de su importancia cada vez se le dedica menos atención al juego infantil. Las condiciones socioeconómicas actuales no favorecen que el juego se desarrolle libremente. Por un lado, los niños, ocupados en un exceso de actividades extraescolares, cada vez tienen menos tiempo libre para dedicarlo a jugar. Por otro lado, también son escasos los espacios destinados a tal actividad. Las ciudades actuales no están pensadas para los niños y escasean los lugares donde puedan reunirse espontáneamente para jugar. Por último, también escasean los compañeros de juego, debido al descenso de la natalidad. Muchos niños tampoco tienen hermanos con los que compartir juegos, pues en nuestra sociedad se está imponiendo el modelo de familia con un solo hijo. Tampoco en las viviendas se dispone de espacio suficiente en el que los niños puedan jugar con sus amigos. Todos estos factores han contribuido a que los niños dediquen cada vez más tiempo a actividades sedentarias como ver la televisión y hacer un uso excesivo de videojuegos y del ordenador, olvidando de este modo actividades lúdicas que requieren más movimiento y los juegos compartidos con los compañeros.

Ante este panorama, la escuela se convierte en un espacio privilegiado para el juego infantil, especialmente el juego con iguales. Si además recordamos que entre los 0 y los 6 años el aprendizaje del niño se produce principalmente a través del juego, comprenderemos la importancia de este tema.

2. El juego. Principales características

El juego, en el ámbito de la educación infantil, es un recurso psicopedagógico de primer orden, que sirve de base a desarrollos posteriores.

Maite Garaibordobil Landazabal establece las siguientes **características del juego:**

1. El juego es una actividad fuente de placer. El juego es una actividad divertida que generalmente origina excitación y muestras de alegría. Aun cuando no va acompañada de signos de alegría, la persona que juega, valora positivamente su actividad lúdica.

2. El juego es una experiencia que proporciona libertad. El juego se produce sobre un fondo psíquico caracterizado por la libertad de elección. Mediante el juego el niño reproduce situaciones vividas o imaginadas, asume roles diferentes y actúa como si se tratara de otros personajes. Todo esto lo hace con una libertad que la realidad cotidiana no le permite.

Sin embargo, al mismo tiempo que proporciona libertad, también implica una serie de restricciones que el niño acepta de forma voluntaria. Al asumir el papel de otros personajes debe comportarse ajustándose a la forma en que se comportaría el personaje representado. Por ejemplo, si el niño juega a que es el profesor debe mostrarse amable y comprensivo con los niños que hacen de alumnos.

Esta restricción voluntaria de la libertad es más evidente en los juegos grupales en los que hay que cumplir determinadas reglas.

3. El juego es una actividad que implica acción y participación. El juego requiere siempre una participación activa de la persona que juega. Jugar es hacer, construir, correr, pensar, saltar, etc.

4. La ficción es un elemento constitutivo del juego. El juego se caracteriza más que por la actividad concreta, por la actitud que la persona tiene ante esa actividad. Una misma actividad, según la persona que la realice y su actitud frente a ella, puede ser considerada juego o "no juego".

   Cuanto más pequeño es el niño mayor es su tendencia a convertir cada actividad en juego. Un niño cepillando a su peluche está jugando, un adulto realizando la misma actividad, estaría limpiándolo.

5. El juego es una actividad seria. El juego del niño es el equivalente del trabajo del adulto. El niño pone el mismo empeño, concentración y atención jugando que un adulto trabajando.

   La diferencia estriba en que la seriedad del trabajo adulto está relacionada con la eficacia. La seriedad del juego infantil tiene su origen en la necesidad de afirmar su personalidad, elevar la autoestima y conquistar la máxima autonomía.

6. El juego implica esfuerzo por parte del niño. En muchas ocasiones el juego busca una dificultad, para superarla, el niño ha de esforzarse. La cantidad de energía requerida para muchos juegos, supera casi siempre a la necesaria para una tarea obligatoria.
7. El juego es un elemento de expresión y descubrimiento de sí mismo y del mundo. A través de la actividad lúdica el niño expresa su personalidad y descubre su entorno. En los primeros años de vida, el juego es el principal motor del desarrollo.
8. El juego favorece la interacción y la comunicación. El juego impulsa las relaciones de afecto y de comunicación entre los niños. Pero incluso el juego en solitario supone un diálogo del niño consigo mismo y con su entorno, lo que posibilita un adecuado desarrollo cognitivo.

3. El juego como recurso didáctico

La LOE, en el artículo 14 que se refiere a los ordenamientos y principios de la educación infantil, establece que "los métodos de trabajo en ambos ciclos se basarán en las experiencias, las actividades y el juego y se aplicarán en un ambiente de afecto y confianza, para potenciar su autoestima e integración social."

El juego favorece el desarrollo integral del individuo. Los psicólogos evolutivos sitúan el juego como una de las necesidades básicas de la infancia, y reconocen el importante papel que juega en el desarrollo psicomotor, cognitivo, afectivo y social.

El niño asimila mejor lo que aprende mediante la manipulación y exploración de su entorno, es decir, lo que aprende a través del juego. Por ello es un recurso metodológico fundamental en el ámbito escolar. Pero todavía cobra mayor relevancia en la etapa de educación infantil, en la que no debe existir la falsa dicotomía entre juego y trabajo escolar, ya que prácticamente toda su actividad es juego. Y el juego promueve aprendizajes significativos.

Por otro lado, ya sabemos que entre los principios metodológicos de la educación infantil se contemplan la globalización de contenidos y la importancia de proponer actividades que motiven al niño. Pues bien, en este sentido, el juego es un recurso idóneo. No hay actividad más motivadora para un niño que el hecho de jugar. Además el juego permite un acercamiento global a los contenidos del currículum de la etapa. Al jugar al supermercado, por ejemplo, unos niños asumen el papel de vendedores y otros de compradores. Este juego, entre otros aspectos, favorece el aprendizaje de contenidos de las tres áreas.

Otro aspecto fundamental del juego como elemento didáctico es el hecho de que favorece la interacción entre los niños. Al principio de la etapa el niño se relaciona fundamentalmente con el adulto, del cual recibe los cuidados y la estimulación que necesita. Pero poco a poco el niño debe ir adquiriendo independencia respecto al adulto, y se irá relacionando cada vez más con otros niños. El juego es el mejor instrumento para favorecer la interacción entre iguales.

Finalmente, el principal instrumento que utiliza el niño para desarrollar el juego es el juguete. La legislación educativa vigente potencia la búsqueda de nuevos recursos pedagógicos, como complemento al libro de texto. Entre estos nuevos recursos podemos incluir el juguete. Los profesionales de la educación destacan la importancia de introducir en el aula de educación infantil un amplio abanico de juguetes y objetos que den respuesta a las necesidades de juego y desarrollo del niño. La selección de materiales de juego y su disposición en el aula son puntos importantes, que no deben dejarse a la improvisación, pues aunque hay una gran variedad de juguetes en el mercado, no todos ellos son adecuados para favorecer el desarrollo y el aprendizaje en el sentido que deseamos. Además, según la edad de los niños, serán más adecuados unos juguetes que otros. A lo largo del tema ofreceremos algunas indicaciones para aprender a seleccionar juguetes adecuados y disponerlos dentro de la clase.

4. El juego como motor de desarrollo

En este apartado vamos a ver separadamente como influye el juego en las distintas áreas de desarrollo infantil:

- Desarrollo psicomotor.
- Desarrollo cognitivo.
- Desarrollo afectivo-emocional.
- Desarrollo social.

4.1. Juego y desarrollo psicomotor

1. A través del juego el niño puede descubrir sensaciones nuevas que de otro modo no tendría ocasión de experimentar.
2. Mediante el juego, el niño aprende también a coordinar los movimientos de su cuerpo.
3. Así mismo, la actividad lúdica favorece la adquisición del esquema corporal. Es decir, el niño aprende a identificar las distintas partes de su cuerpo, a tomar conciencia de su unidad corporal y a reconocerse a sí mismo como ser independiente de los otros.

4. Jugando, el niño explora sus posibilidades sensoriales y motoras. El conocimiento de sus propias posibilidades, permite ampliarlas a través del ejercicio repetido.
5. Otro aprendizaje que propicia el juego es el conocimiento de las relaciones causa-efecto. El niño aprende que su actividad origina modificaciones en el entorno, reconociéndose a sí mismo como causante de los cambios observados.
6. Las experiencias de éxito y de dominio del entorno en la actividad de juego favorece la autoconfianza y el desarrollo de la autoestima.

4.2. Juego y desarrollo cognitivo

1. La actividad manipulativa, y por lo tanto, los juegos de manipulación, favorecen el desarrollo del pensamiento. Siguiendo a Piaget, podemos decir que en los primeros años manipulación y desarrollo cognitivo están íntimamente relacionados.
2. El juego promueve la creación de zonas de desarrollo potencial, que como sabemos, es la zona por la que puede moverse el niño para construir aprendizajes significativos.
3. Mediante el juego se estimulan los procesos cognitivos básicos, como la memoria y la atención.
4. El juego simbólico, en el que el niño asume el papel de otra persona (médico, profesor, madre, etc.), favorece el descentramiento cognitivo. Es decir, ayuda al niño a ponerse en el papel del otro.
5. Otros procesos cognitivos que se desarrollan mediante el juego son la imaginación y la creatividad. Jugando el niño inventa personajes, historias y situaciones. Esto, además, hace que el niño comience a distinguir entre fantasía (lo que él inventa) y realidad (lo que le rodea).
6. El juego, ya sea en solitario o con los demás, es un proceso de comunicación, por lo que promueve el desarrollo del lenguaje oral. Incluso cuando el niño juega en solitario tiene lugar un diálogo consigo mismo.
7. Por último, el juego es una forma de descontextualizar el pensamiento y hacerlo más abstracto. La ficción que conlleva el juego permite hacer representaciones mentales de lo que no tenemos presente, es decir, de hacer abstracciones.

4.3. Juego y desarrollo afectivo-emocional

1. Como actividad placentera y motivante para el niño, produce satisfacción.
2. En situaciones de juego el niño controla más fácilmente la ansiedad que le producen determinadas situaciones y experiencias difíciles.
3. También mediante el juego, el niño puede exteriorizar simbólicamente su agresividad y su sexualidad. De otro modo, posiblemente estos sentimientos no tendrían otra vía de escape.

4. La actividad lúdica favorece el proceso de identificación sexual y de género, mediante el cual el individuo se reconoce a sí mismo como niño o niña y asume las características que la sociedad considera propias de su género.
5. Por último, la situación de juego, se revela como el mejor escenario para aprender y poner en práctica técnicas de resolución de conflictos.

4.4. Juego y desarrollo social

1. El juego entre iguales favorece la comunicación y cooperación entre ellos.
2. El juego simbólico, en el que el niño se comporta asumiendo otro papel, permite un mayor conocimiento del mundo social de los adultos, e incluso, un primer acercamiento al mundo laboral, pues los niños en sus juegos de representación suelen asumir el papel de diversos profesionales: bomberos, médicos, profesores, etc.
3. Por otro lado, al asumir el papel de otro en el juego simbólico, el niño se impone a sí mismo voluntariamente unas limitaciones y obligaciones, pues tiene que comportarse como si fuera el personaje que ha elegido. Así, el niño que juega a ser médico debe tratar cuidadosamente y con respeto al que juega a ser paciente. De esta forma se favorece el desarrollo moral, ya que se ponen en juego la capacidad de autocontrol, la voluntad y la asimilación de reglas.
4. El juego no solo facilita el conocimiento y la relación con los demás, sino que también permite el conocimiento de sí mismo. En las situaciones de juego el niño toma conciencia de lo que es capaz de hacer y de sus limitaciones.
5. El juego facilita el control de la agresividad, ya sea porque tienen que respetar unas reglas, ya sea porque al asumir el rol de otro personaje, tiene que comportarse como si fuese esa otra persona.
6. Especialmente importantes para el desarrollo social y la creación de un clima de clase positivo y favorable son los juegos cooperativos. Un juego cooperativo persigue una misma finalidad para un grupo de alumnos, pero sólo puede conseguirse cuando todos actúan de forma cooperativa y no competitiva.

5. Evolución del juego infantil

Durante los cuatro primeros meses, el juego del niño es principalmente espontáneo. Juega en solitario repitiendo acciones que le causan placer, (reacciones circulares primarias de Piaget). El interés se centra en el propio cuerpo, especialmente en las manos y antebrazos. Emmi Pikler, pediatra austriaca defensora del movimiento libre del niño para promover un desarrollo psicomotriz más natural, propone que en este periodo es importante dejar que explore sus manos antes distraerle con objetos de juego o sonajeros colgantes en la cuna. En este momento el principal material de juego es su propia mano.

Hasta los **ocho meses** el niño se sigue interesando por los propios elementos corporales. Sin embargo, su campo de preferencias se va abriendo y empieza a mostrar interés por la manipulación de objetos, que al principio serán grandes, y luego, más pequeños. Uno de los más utilizados en el Instituto Lóczy (Basado en el método de Emmi Pikler) es un pañuelo de tela de algodón de color vivo con contrastes que llame su atención (ejemplo negro o rojo con lunares blancos) y que le permita tomarlo con facilidad.

En esta etapa el niño juega principalmente con los adultos.

Entre los **8 y los 12 meses**, el niño empieza a descubrir las relaciones causa-efecto. Se da cuenta de que sus acciones tienen un efecto en el ambiente. Sus juegos se centran ahora en este aspecto: "Investiga" qué efectos producen sus actos. A esta edad también les divierten los juegos de aparecer y desaparecer.

En torno a los **diez meses**, el niño ya es capaz de jugar solo durante un rato, pero prefiere la compañía del adulto.

A partir del año, coincidiendo con la conquista de cierta autonomía en los desplazamientos, el juego deja de centrarse en sí mismo y se dirige hacia el exterior. Comienza entonces un juego de autoafirmación, que se desarrollará hasta los dos años. Es una etapa muy activa, que se caracteriza por un juego muy movido: el niño experimenta activamente con los objetos y juguetes. Pero para él también son juego actividades como andar, subir y bajar de una silla, correr sin una finalidad determinada, etc. El juego se hace cada vez más independiente, sin que sea necesaria la presencia del adulto. Sin embargo, cuando están jugando juntos, si el adulto abandona el juego, el niño se molestará.

Al principio el bebé puede compartir con otros el mismo espacio de juego, e incluso pueden compartir algún juguete, creando la falsa ilusión de que juegan juntos. Sin embargo, aunque compartan espacio y objetos su juego no es compartido, cada uno juega solo. Esto se conoce con el nombre de juego en paralelo.

Aproximadamente entre los **dos y los tres años aparece el juego simbólico**. El juego simbólico puede entenderse de dos formas. Por un lado, el juego en el que el niño asume el papel de un personaje conocido o inventado (por ejemplo, el niño que juega a ser cocinero). Pero también puede considerarse juego simbólico al hecho de representar un objeto por otro. Por ejemplo, el niño que coge una pequeña caja de cartón y la desplaza haciendo como si fuera un coche.

Entre **los tres y los cuatro** años aparece la diferenciación de sexos en cuanto a juego. En este momento los profesores deben estar alerta, para promover una educación, y, por lo tanto, un juego, no sexista y favorecer la igualdad de oportunidades para ambos sexos.

A partir de los tres años aproximadamente crece el interés por el juego con otros niños. No abandonan del todo el juego en paralelo, pero empiezan a jugar de modo cooperativo, aceptando reglas y respetando turnos. También a esta edad empiezan a compartir los juguetes sin protestar.

Aunque, como hemos dicho, el juego simbólico aparece hacia el segundo o tercer año, es a partir de los cuatro o cinco años cuando cobra más importancia. A esta edad gozan de una imaginación y fantasía sorprendentes, lo que les permite recrear situaciones de juego muy elaboradas.

A partir de los cinco o seis años predomina el juego compartido con otros niños, abandonando definitivamente el juego en paralelo. Cada vez gustan más de los juegos reglados, respetando las normas y reglas con naturalidad.

6. Clasificación del juego

Se pueden hacer innumerables clasificaciones del juego infantil, según el aspecto en el que nos basemos para establecer dicha clasificación. En este tema sólo vamos a exponer las que consideramos más relevantes.

6.1. Clasificación basada en la teoría de Piaget

La clasificación propuesta por Piaget se relaciona con su teoría de las etapas en la evolución del pensamiento. Este autor equipara el juego con el acto intelectual, ya que considera que tienen la misma estructura. La principal diferencia que establece entre ambos procesos es que el acto intelectual tiene una finalidad, es decir, persigue una meta. Mientras que el juego es una finalidad en sí misma.

A) Juego sensoriomotor

El niño al jugar repite acciones que le causan placer, bien por el resultado agradable, bien por descubrir que él mismo es la causa de lo que ocurre. (Reacciones circulares primarias o secundarias).

La imitación sistemática y la exploración de lo nuevo, también son consideradas por Piaget como juego sensoriomotor.

Este tipo de juego es propio desde el nacimiento a los dos años de edad.

B) Juego simbólico

El juego simbólico, según Piaget, aparece a los dos años de edad y se prolonga hasta los siete años. Se caracteriza porque el niño actúa como si fuese otra persona, o en otra situación diferente a la real.

Al principio el juego simbólico es muy simple, pero hacia los tres años de edad el niño puede recrear escenas verdaderamente complejas.

C) Juego de reglas

Se trata de juegos en los que hay que acatar una serie de normas impuestas por el grupo. Aunque los juegos de reglas aparecen antes, es a partir de los siete años, y hasta los doce, cuando tienen su mayor predominio.

6.2. Clasificación basada en el acatamiento de las reglas

Esta clasificación fue realizada por Jean Chateau. Pero antes de comenzar con la explicación, veamos por qué fases pasa la evolución del acatamiento de las reglas en el juego infantil:

1.ª Fase: no hay reglas, el juego se rige por el deseo momentáneo del niño.

2.ª Fase: no hay regla manifiesta, pero en los casos de conflicto, vence el deseo de actuar con el objeto.

3.ª Fase: existen reglas, pero aún no determinan totalmente la conducta.

4.ª Fase: existen reglas manifiestas que el niño asume libremente.

A) Juegos no reglados

Este autor sitúa el predominio de los juegos no reglados desde el nacimiento hasta los dos o tres años. Entre los juegos no reglados podemos citar:

- **Juegos funcionales**: movimientos espontáneos que se repiten instintivamente y que contribuyen al desarrollo de determinadas funciones humanas.
- **Juegos hedonísticos**: buscan el placer mediante actividades que estimulan los sentidos. Contribuyen al conocimiento del propio cuerpo.
- **Juegos con los nuevos**: implican la exploración y conocimiento de todo lo que rodea al niño, incluidos los compañeros y adultos que interactúan con él.
- **Juegos de destrucción**: se basan en el deseo de autoafirmación del niño y se caracterizan por el desorden y arrebato.

B) Juegos reglados

Son los juegos que se estructuran bajo una norma o regla.

- **Juegos de imitación**: al principio los modelos que imitan los niños en sus juegos son los padres, familiares y en general, el mundo adulto. Pero hacia los seis o siete años los modelos a imitar son seres imaginarios, lo cual reviste una mayor complejidad.
- **Juegos de construcción**: este tipo de juego es muy frecuente entre los dos y los cuatro años. Los niños tienen una tendencia instintiva al orden que lleva al gusto por la colocación sistemática de objetos.
- **Juegos de regla arbitraria**: los propios niños son los que establecen las reglas que derivan de las características de los objetos utilizados en el juego. Este tipo de juegos es común entre los cuatro y los seis años de edad.

6.3. Clasificación basada en las características psicomotrices

Esta clasificación, compartida por diversos autores, entre ellos Gutiérrez Delgado, se basa en la idoneidad del juego para cada una de las características psicomotrices.

A) Juegos de coordinación psicomotriz

Estos juegos se basan en la capacidad del niño para desplazarse gateando o andando, para correr, cambiar de dirección, adoptar posturas en equilibrio, relajar los músculos, etc.

Entre los juegos de coordinación psicomotriz podemos citar:

- **Juegos de motricidad gruesa**: coordinación global, equilibrio, relajación y respiración.
- **Juegos de motricidad fina**: coordinación óculo-manual.

- **Juegos donde intervienen otros aspectos motores**: fuerza muscular, velocidad, resistencia, reflejos, precisión, etc.

B) Juegos de estructuración perceptiva

- **Juegos que potencian el esquema corporal**: son aquellos juegos que favorecen el conocimiento de las partes del cuerpo.
- **Juegos de lateralidad**: son los que propician el conocimiento y la discriminación de derecha e izquierda, así como el refuerzo en el uso de su lado dominante (según sea el niño diestro o zurdo). Los juegos pueden estimular la lateralidad del niño pero nunca se debe imponer el uso de una mano concreta, siendo el niño el que debe descubrir su propia lateralidad.
- **Juegos de estructuración espacio-temporal**: juegos a través de los cuales el niño toma conciencia de conceptos como arriba-abajo, delante-detrás, dentro-fuera, ayer-hoy-mañana, antes-después, etc.
- **Juegos de percepción espacio-visual**: son aquellos que estimulan la identificación y el reconocimiento de figuras en el espacio.
- **Juegos de percepción rítmico-musical**: son aquellos juegos que tienen presente el sentido del ritmo, como sencillas estrofas, canciones, etc.
- **Juegos de percepción táctil, gustativa, olfativa, auditiva y visual**: se incluye en este apartado cualquier juego que favorezca el desarrollo de los sentidos.

6.4. Clasificación basada en el nivel de implicación del adulto

Podemos establecer una línea continua en cuyos extremos situaríamos el juego totalmente libre por parte del niño, en el que no interviene en ningún momento el adulto. Y en el extremo opuesto estaría el juego totalmente dirigido por el adulto. A lo largo de la línea habría juegos con diferente grado de implicación del adulto, es decir, aunque dirija el juego en parte, también deja libertad e iniciativa al niño en el desarrollo de los juegos.

En el ámbito educativo lo ideal es situarnos en los puntos intermedios, el juego espontáneo, siempre promueve aprendizajes, pero puede que no en la dirección que pretendemos. El juego excesivamente estructurado y dirigido resta pureza y libertad al niño. Veremos a continuación las ventajas e inconvenientes de cada uno de estos tipos de juego para poder establecer, según las circunstancias y objetivos fijados, una combinación adecuada entre el juego espontáneo y el juego dirigido.

A) El juego espontáneo

Se caracteriza por una ausencia de finalidad, ya que el niño juega libremente. Entre sus inconvenientes podemos citar: falta de variedad, falta de perseverancia, falta de dirección, falta de compañerismo y falta de medida. Sin embargo, presenta también grandes ventajas: proporciona un conocimiento profundo del niño, permite conocer las relaciones que se han establecido en el grupo, existe un perfecto ajuste a la edad e intereses del niño y proporciona un marco muy adecuado del que extraer ideas para el juego dirigido.

B) El juego dirigido

Se caracteriza por poseer objetivos marcados por el adulto. Entre sus principales inconvenientes citaremos la limitación de la libertad y autonomía del niño y la supresión de la espontaneidad del juego. Sin embargo, cuenta con muchas ventajas: variedad, corrección y eliminación de defectos, ecuanimidad en los resultados y efectos controlados y planificados.

C) El juego presenciado

El juego presenciado se sitúa en un punto intermedio entre el juego libre o espontaneo y el juego dirigido. El niño juega sólo, con su cuerpo o con los objetos, pero necesita que el educador esté presente dándole confianza y seguridad aunque no intervenga directamente en el juego.

7. Materiales y recursos

En Educación Infantil se usan recursos como el cesto de los tesoros, el juego heurístico, el juego simbólico, juego por rincones.

7.1. El cesto del tesoro

Es un tipo una propuesta dirigida a los niños y las niñas que se realizaría desde que son capaces de mantenerse sentados sin apoyos, es decir, por sí mismos, hasta que comienzan a desplazarse, aproximadamente en las edades comprendidas entre los 6/8 meses-10/12 meses.

El cesto debe estar hecho de mimbre, es necesario que sea estable y debe contener entre unos 40 a 50 objetos. Los objetos serán variados y cercanos al entorno. Con estos objetos el bebé debe desarrollar acciones como chupar, morder, manipular, etc. Es decir se deben estimular los cinco sentidos tacto, olfato, gusto, oído y vista.

En este sentido es importante que los materiales ofrezcan diferentes texturas, temperaturas, olores, etc.

Entre los materiales que puede contener el cesto, están:

- Objetos naturales: piedras medianas, conchas, una naranja, esponja,...
- De materiales naturales: ovillo de lana, pincel de pintar, cepillo de dientes, servilleteros,...
- De madera: cajas, cubos pequeños, huevo de zurcir, castañuelas, pinzas de ropa, anillas de cortina,...
- De metal: cucharas, moldes de pastelería, timbre de bicicleta, cascabeles,...
- De cartón: rollos de papel higiénico, cajas, etc.
- Objetos de cuero, tela, goma: monedero, pelotas, peluches, cintas,...

Durante el desarrollo del juego es importante que los niños y niñas estén concentrados en la exploración y manipulación durante largos periodos de tiempo. Durante este tiempo el educador o educadora estará cerca del niño. El hecho de que este cerca no significa que deba intervenir en el juego.

7.2. El juego heurístico

Durante el segundo año de vida se producen una serie de conquistas que van a propiciar la aparición de un nuevo juego, el juego heurístico. Este juego surge gracias a la adquisición de la movilidad.

El Juego Heurístico es una actividad lúdica en la que los niños/as de entre 12 y 24 meses manipulan libremente los objetos, explorando sus posibilidades, descubriendo cualidades, capacidades, equilibrios, cantidades, etc., y para terminar realizan su clasificación guardando cada objeto en su lugar correspondiente.

En este periodo, gracias a las nuevas posibilidades de aprendizaje, los niños se plantean tres preguntas ante los objetos:

- ¿Qué es esto?
- ¿Qué puedo hacer con ello?
- ¿Para qué sirve?

Este juego se divide por tanto en dos partes:

1. **La exploración**. Los niños/as actúan con plena libertad con los materiales, clasifican, comparan y experimentan, y lo hacen con su ritmo personal, empleando todo el tiempo que necesitan.
2. **La recogida**. La recogida del material es considerada una actividad en sí misma, para los niños/as es igual de divertida que la anterior y a través de ella realizan clasificaciones, ordenan y desarrollan hábitos de cooperación, autonomía y responsabilidad.

El juego heurístico es una actividad mental que permite a los niños/as ser agentes de su propio aprendizaje. Es un aprendizaje que parte del ensayo acierto/error por lo que no existe fracaso ya que los materiales que se utilizan no tienen un fin determinado.

En el Juego Heurístico es muy importe el papel del Educador/a. Su papel será el de observar, organizar y facilitar, conservando una actitud tranquila y atenta, pero apartada. En la fase de recogida su actitud será más participativa. En esta fase se invita a los niños/as a recoger los objetos en sus lugares correspondientes con comentarios como "¿puedes encontrar otro como este? ", "detrás de", "ahí delante", etc.

Analizadas las características del juego, comentaremos los requisitos y materiales.

A) Requisitos

- Es necesario contar con un mínimo de quince tipos de objetos.
- Cuando el material no se utilice se deberá guardar en bolsas (50 x 50 cm) con cierre de cinta. Tendremos una bolsa para cada tipo de objeto.
- Gran cantidad de objetos de cada tipo (50 o 60 unidades de cada objeto)

- Botes que estarán en el suelo durante la actividad.
- El educador/a colocará los objetos siendo los niños/as los que los elijan sin ninguna sugerencia.

B) Materiales

- Anillas de cortina, de cafetera.
- Bigudíes, bolillos.
- Cadenas de diferente longitud.
- Pinzas de tender.
- Pelotas de ping-pong.
- Rulos de peluquería.
- Cajas de metal, cartón, madera,...
- Cáscaras de coco.
- Cilindros de cartón.
- Cintas de seda, terciopelo,...
- Cordones de diferentes colores.
- Llaves.
- Piñas.
- Pompones de lana.
- Tapaderas metálicas de botes.
- Trozos de madera.
- Etc.

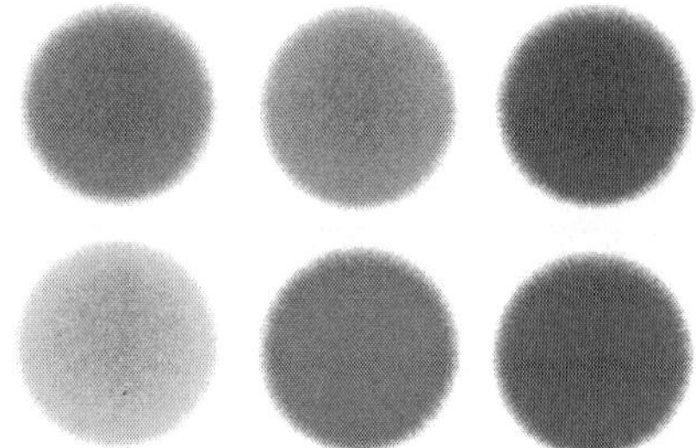

7.3. Juego simbólico

Como sabemos, el juego simbólico es una manifestación de la función simbólica. Esta aparece alrededor de los 2 años. La evolución es muy rápida en esta edad; basta comparar el juego de un niño de 2 años que simula beber en una taza vacía, con el de 4 o 5 que presenta roles sociales diversos y sutiles con sus muñecos.

Los juegos simbólicos o de ficción suelen aparecer hacia los 2 años y 6 meses como juegos de imitación, desarrollándose hasta los 7 años. En este periodo ira aumentando en complejidad, empezando por una simple transformación de los objetos, hasta convertirse en verdaderas interpretaciones que realizan en colaboración con otros compañeros y con los objetos que decidan.

La planificación de este juego es prácticamente imposible, ya que existe en el niño una fecundidad de ideas y acciones.

Predomina la acción sobre el lenguaje verbal. En estas edades el niño no distingue con claridad la realidad de la fantasía. Expresa un mundo imaginario y su única realidad es la que él produce.

Para el niño el tiempo como diferencia entre juego y no juego no existe. Todo es juego. Los objetos utilizados determinan la conducta y ellos realizan manipulación y transformación con dichos objetos. Los materiales deben ser poco estructurados (palos, cuerdas, cajas,..) para que ellos los transformen. También muñecas, casitas, cocinitas, disfraces, etc.

7.4. Juego por rincones

Para llevar a cabo el trabajo por rincones hay que cambiar la organización del espacio escolar y la estructura del grupo tradicional. En este contexto, trabajar por rincones quiere decir organizar la clase en pequeños grupos que efectúan simultáneamente actividades diferentes.

- Se permite que los niños escojan las actividades que quieren realizar, dentro de los límites que supone compartir. Conviene que el maestro tenga previstos los recursos que quiere utilizar y promueva la curiosidad y el interés necesarios para que las diferentes propuestas se aprovechen al máximo. Se puede trabajar en función de un proyecto individual o colectivo, y pueden estar orientados por una consigna establecida por el maestro.

- Se incorporan utensilios y materiales no específicamente escolares, pero que forman parte de la vida del niño.
- Se considera al niño como un ser activo que realiza sus aprendizajes a través de los sentidos y la manipulación. El material, las situaciones de juego y de descubrimiento y los resultados que se obtienen son el fruto del proceso de su intervención para captar la realidad y ajustarla a su medida.

Teniendo en cuenta las características del niño resulta artificial romper la simbiosis que existe entre jugar y aprender, en continua interacción con los otros niños y con los adultos.

Organizar el aula por rincones puede hacerse de dos formas:

a) Rincones o talleres, entendidos **como complemento de la actividad del curso**: se realizarían en los ratos libres, cuando cada niño acabe la labor que el maestro ha indicado. Esta manera de enfocar el trabajo no ayuda al niño, puesto que se trata de una opción destinada y que beneficia tan solo a los más rápidos, y que provoca ansiedad y decepción en los que llevan un ritmo de trabajo más lento. Además, suelen estar pensados para que el niño trabaje solo y son considerados como trabajos de "semientretenimiento" (no se les presta tanto interés como al trabajo del maestro).

b) Rincones o talleres, entendidos **como un contenido específico**: aquí adquieren la misma importancia que cualquier otra actividad. Supone un tiempo fijo en el horario escolar, así como el que todos los niños puedan acceder a ellos. El tiempo lo marca cada alumno.

Es muy importante que los niños se sientan a gusto en la escuela, que no sufran tensiones ni angustias, puesto que es un cambio muy brusco el que se produce al entrar por primera vez, ya que deben separarse de sus padres para quedarse con un adulto que en principio no conocen. Para que el niño se sienta bien hay que cuidar mucho la ambientación de la clase, ya que debe ser un sitio acogedor.

En el período de 0-3 años, las actividades por rincones se basan en el juego libre y espontáneo del niño.

Es muy importante el trabajo de observación que lleva a cabo el maestro. Por ello, resulta necesario que el docente establezca unas pautas de observación que le ayudarán a conocer al niño.

8. Juegos y juguetes. Materiales y recursos

En un centro de educación infantil el juguete es un medio didáctico, y como tal, debe utilizarse en la medida en que permita alcanzar los objetivos que se propone el educador en sus actividades pedagógicas.

Un juguete, aunque no sea de los conocidos como didácticos, es decir, concebidos para lograr objetivos educativos concretos, propicia el conocimiento del entorno por parte del niño. Lo que queremos decir es que un niño manipulando y jugando con un juguete está "aprendiendo", además de disfrutando con el placer que proporciona el juego.

Sin embargo, si queremos sacar el máximo partido a las posibilidades educativas de los juguetes, no debemos ponerlos al alcance de los niños sin más, aunque, repetimos, solamente con esto ya estaríamos propiciando algún tipo de aprendizaje y ayudando al desarrollo del alumno.

Por ello, **si queremos aprovechar todo el potencial didáctico que tiene el juguete es necesario que el educador tenga en cuenta ciertas consideraciones:**

- Un juguete no siempre refleja directamente su función, sino que requiere un aprendizaje progresivo, aprendizaje que se produce a través de la actividad conjunta de niños y adultos. Por ejemplo, un bebé de pocos meses es capaz de usar un teléfono de juguete para "hablar" acercándoselo al oído y la boca, imitando al adulto que juega con él y le muestra su utilidad. La necesidad de este aprendizaje progresivo es más evidente en juguetes más complejos y que tienen un objetivo educativo más concreto, por ello, el educador debe conocer tales objetivos y cómo se utiliza el juguete.
- A pesar de lo dicho anteriormente también es necesario que el niño pueda tener acceso a los juguetes y los manipule libremente realizando un esfuerzo por descubrir su función, sin embargo, en este proceso el educador debe estar pendiente y ofrecer su apoyo cuando sea necesario, bien para guiar u orientar al niño, bien para explicarle su uso y utilidad.
- Es importante que todos los niños jueguen con todos los juguetes, ya que con diferentes juguetes se pueden estimular distintas áreas de desarrollo. Y si todos los niños tienen acceso a todos los juguetes facilitamos el desarrollo de todas las áreas.
- Un aspecto fundamental en la escuela de educación infantil, es que los niños aprendan a compartir. Para ello es muy útil animarlos a jugar de manera conjunta con el mismo juguete o establecer turnos de juego para disfrutar de uno concreto.

- Por otro lado, debemos tener en cuenta que un mismo juguete puede utilizarse de forma diferente a medida que el niño va creciendo, madurando y adquiriendo nuevas destrezas. Por ejemplo, un mismo juego de construcciones puede ser utilizado por un bebé para golpear unas piezas con otras o para contemplar sus colores, un niño algo mayor puede hacer torres ensamblando varias piezas y un niño de cuatro o cinco años puede hacer construcciones más complejas que representen un objeto concreto.

- Otro aspecto a tener en cuenta es que un juguete puede ser utilizado para otras funciones diferentes para las que fue concebido. Con ello, además de lograr un juguete con más posibilidades, ayudamos a estimular la imaginación del niño. Nuevamente es el educador el que debe orientar y hacer ver a los niños que un mismo juguete puede tener múltiples posibilidades.
- Por último, una interesante e innovadora propuesta consiste en la creación de juguetes artesanales por parte del educador, para lo cual puede contar con la ayuda de los niños. Se puede utilizar cualquier técnica que permitan los recursos del centro, y en cuanto a los materiales pueden ser de lo más variados, incluyendo materiales de desecho y reciclables.

8.1. Tipos de juguetes

Son muchos los autores que han hecho una clasificación sobre los tipos de juguetes. A lo largo de este apartado vamos a exponer varias clasificaciones que atienden a distintos criterios, para finalmente detenernos en una clasificación que comparte aspectos de las anteriores y que de alguna forma las engloba a todas ellas.

Una de las primeras clasificaciones es la que realiza **Bühler**. Este autor distingue tres tipos de juguetes:

1. **Juguetes proyectados para el movimiento y la actividad motora**. Su principal finalidad es el desarrollo muscular.

2. **Juguetes adecuados para el juego constructivo y creador**. Su uso por parte del niño implica cierto dominio sobre el entorno.

3. **Juguetes que se prestan a la acción dramática, la ficción, y el juego imitativo**. Es el juego que otros autores denominan simbólico.

Otra clasificación es la que ofrece **Piaget**. Este autor establece una clasificación de los juguetes, que se basa a su vez en su clasificación sobre los distintos tipos de juegos. Así distingue entre:

1. Juguetes sensoriomotores.
2. Juguetes simbólicos.
3. Juguetes de reglas.

Otras clasificaciones de juguetes se basan en los procesos y cualidades en las que intervienen y ayudan a desarrollar. Un ejemplo de este tipo de clasificación es la que propone **H. Page**:

1. Juguetes para el desarrollo del vigor y la destreza motriz.
2. Juguetes para las acciones constructivas y creadoras.
3. Juguetes para la representación e imitación.
4. Juguetes para el desenvolvimiento social.
5. Juguetes para la habilidad artística: artes y manualidades.
6. Juguetes para la adquisición de conocimientos.
7. Juguetes de interés científico y de relaciones mecánicas.
8. Hobbies o intereses cognoscitivos especiales.

Michelet hace una clasificación atendiendo a los parámetros de la personalidad que se desarrollan a través del uso de los juguetes. Este autor identifica 5 parámetros:

1. **Afectividad**: entre los típicos juguetes que ayudan al desarrollo de la afectividad podemos citar peluches, muñecos, animales... pero también se incluyen aquellos juguetes que favorecen la imitación de la vida real adulta (lavarse, vestirse, peinarse...).

2. **Motricidad:** entre los juguetes que favorecen el desarrollo de la motricidad global, la destreza y el equilibrio podemos citar la pelota, los juegos de arrastre, de empuje, de montar y los deportivos en general. Entre los que favorecen el desarrollo de la motricidad fina, es decir, la precisión y habilidad manual, encontramos los sonajeros, juegos de apilar y encajar, construcciones, puzles, etc.

3. **Inteligencia:** el niño, cuando realiza operaciones de análisis y de síntesis desarrolla la inteligencia práctica e inicia el camino hacia la inteligencia abstracta. Son juguetes de este tipo los puzles, dominós, construcciones, juguetes mecánicos, piezas de estrategia y de reflexión en general.

4. **Creatividad:** los juguetes que más favorecen la creatividad son los materiales de bricolaje, marionetas, juegos por elementos, disfraces, instrumentos musicales, etc.
5. **Sociabilidad:** los juguetes estimulan la sociabilidad cuando tienen las siguientes características: posibilidad de intercambios, aplicación de reglas sociales, facilidad de comunicación entre los jugadores, posibilidad de juegos por equipos y reglas del juego que no den lugar a discusiones.

Una clasificación que engloba a las demás y que en algún modo incluye todos los tipos de juguetes antes mencionados es la que propone el proyecto "Juguete seguro".

A) Juguetes de ejercicio

Son juguetes basados en el movimiento corporal. Por lo tanto, ayudan a desarrollar las capacidades físicas, incluyendo las habilidades de manipulación y control del propio cuerpo.

Se corresponden con la primera categoría propuesta por Bühler y con los juguetes sensoriomotores de Piaget.

Piaget define este tipo de juego de la siguiente forma: el niño al jugar repite acciones que le causan placer, bien por el resultado agradable, bien por descubrir que él mismo es la causa de lo que ocurre (reacciones circulares primarias o secundarias).

La imitación sistemática y la exploración de lo nuevo, también son consideradas por Piaget como juego sensoriomotor, o como denominamos en esta clasificación, de ejercicio.

Este tipo de juego empieza en la primera infancia, y por lo tanto el uso de juguetes de ejercicio, pero se prolonga hasta la edad adulta.

Los juguetes de ejercicio, a su vez, pueden ser de tres tipos:

- **Juguetes sensoriales: sonoros, visuales, táctiles:**
  - Móviles con o sin música.
  - Lámparas que reflejan colores y formas en movimiento.
  - Espejos.
  - Juguetes con música: cajas, carruseles, pianos-alfombra, etc.
  - Centros de actividades hinchables.
  - Alfombras con tactos y sonidos.
  - Tentetiesos.
  - Objetos para palpar, tocar y acariciar.
  - Juguetes con sonidos.
  - Instrumentos musicales: tambores, flautas, xilófonos, etc.

* Peonzas visuales y sonoras.
* Calidoscopios.

- **Juguetes manipulativos:**
  * Sonajeros.
  * Mordedores.
  * Centros de actividades.
  * Trapecios para el cochecito o cuna.
  * Gimnasios.
  * Muñecos de trapo muy blanditos.
  * Juguetes para la bañera.
  * Juguetes para jugar con el agua.
  * Juguetes para la arena.
  * Juguetes de madera o plástico para golpear.
  * Juguetes de madera, plástico o tela para apilar o colocar en hilera.
  * Juguetes de madera o plástico para apilar y encajar unos dentro de otros.
  * Encajables de formas geométricas.
  * Juguetes para meter y sacar.
  * Encadenables y ensartables.
  * Pirámides.
  * Cajas para clasificar y ordenar.
  * Peonzas con cordel y bastón.
- **Juguetes de tipo motor:**
  * Balancines.
  * Animales grandes para subirse o estirarse encima.

* Cubos grandes de espuma.
* Objetos que rueden y se desplacen, como pelotas, cilindros, coches, etc.
* Pelotas.
* Tubo de gateo.
* Juguetes para arrastrar y empujar.
* Andador.
* Correpasillos.
* Triciclos con y sin pedales.
* Vehículos grandes para subirse.
* Bicicletas.
* Columpios y toboganes.
* Aros hula-hoops.
* Zancos.
* Cuerdas de saltar.
* Yoyos.
* Monopatines.
* Malabares: diábolo, platos chinos, mazas, etc.
* Patines.
* Patinetes.
* Cometas.

B) Juguetes simbólicos

Este tipo de juguetes se caracterizan por la posibilidad de representar objetos y reproducir situaciones de la vida real. A través de este tipo de juego el niño puede ir asimilando las características del entorno y poner en práctica las habilidades sociales.

El juego simbólico, según Piaget, se caracteriza porque el niño actúa como si fuese otra persona, o en otra situación diferente a la real.

Al principio el juego simbólico es muy simple, pero hacia los tres años de edad el niño puede recrear escenas verdaderamente complejas.

Los juegos y juguetes simbólicos favorecen la imaginación y la creatividad, así como la expresión de los sentimientos. A través del juego simbólico el niño además va interiorizando las normas y costumbres de la sociedad en la que vive al mismo tiempo que enriquece su vocabulario y desarrolla el lenguaje.

Este tipo de juguetes se corresponde con la tercera categoría identificada por Bühler, es decir. con los juguetes de acción dramática.

Existen 5 tipos de juguetes simbólicos:

- **Juguetes de representaciones:**
  * Lápices.
  * Pinceles.
  * Pinturas.
  * Rotuladores.
  * Pizarras.
  * Libros-juego.
- **Muñecos:**
  * Muñecos bebés.
  * Muñecos maniquíes.
  * Muñecos articulados.
  * Muñecos de trapo.
  * Muñecos de goma.
  * Cabezas de muñecos para peinar.
  * Accesorios: vestidos, biberones, etc.
  * Peluches.
- **Miniaturas y escenarios:**
  * Casas y mobiliario para muñecos.
  * Granjas, escuelas, barcos piratas, el fondo del mar, indios, circo, hospitales, castillos, naves espaciales, personajes de ficción, etc.
- **Vehículos:**
  * Vehículos de madera o plástico manuales, a pilas, de fricción, teledirigidos, etc.
  * Trenes de madera o plástico manuales, a pilas, etc.
  * Aviones.
  * Garajes y complementos.
  * Pistas looping.
  * Pistas de tipo Scalextric.
- **Juguetes de imitación y entorno:**
  * Disfraces y complementos.
  * Marionetas.

* Teatro de marionetas.
* Teléfono.
* Tiendas y complementos.
* Cunas, coches de paseo, etc.
* Tocadores.
* Imitación de oficios: peluquería, máquina de coser, jardinería, etc.
* Juegos de médicos.
* Magnetófonos.
* Karaokes, micrófonos e instrumentos musicales.
* Herramientas de bricolaje.
* Casas para meterse dentro.
* Cocinas y complementos.

C) Juguetes de construcción

Piaget no identifica este tipo de juguetes como una categoría aparte. Pero sí lo hace Bühler al hablar de juguetes adecuados para el juego constructivo y creador.

Estos juguetes se componen de una serie de elementos o piezas cuya combinación da lugar a una forma diferente, es decir, la combinación de las diferentes piezas se convierte en un nuevo objeto.

Este tipo de juguete es apto para un amplio abanico de edades, pero deben ir adaptándose a la capacidad de manipulación y representación que el niño va desarrollando a lo largo de las distintas etapas evolutivas. Por ejemplo, las piezas para los más pequeños son de gran tamaño, pues las cogen utilizando toda la mano y no haciendo la pinza índice-pulgar. Para los mayores, las piezas se reducen y toman formas más variadas.

Entre las habilidades que desarrolla este tipo de juguetes podemos citar: la precisión, la atención, la paciencia, la orientación espacial y la creatividad.

Podemos considerar **cuatro tipos de juguetes de construcción**:

- **Puzles y encajables:**
  * Encajables planos.
  * Rompecabezas.
  * Puzles planos y tridimensionales.
  * Mosaicos.
- **Decoración artística y manualidades:**
  * Juegos para moldear, hacer perfumes, flores, abalorios, etc.
  * Elaboración de alimentos, como chuches, pizzas, etc.
  * Papiroflexia
- **Construcciones y montajes mecánicos, eléctricos, químicos y científicos:**
  * Construcciones de plástico, madera, metal, ladrillos, etc., para apilar, encajar, atornillar, ensamblar, etc.
  * Piezas para juntar con imanes, corchetes, etc.
  * Montajes con movimiento a partir de mecanismos o circuitos electrónicos.
  * Montaje con movimiento a partir de sensores o asistido por ordenador.
  * Montaje de elementos que permiten reproducir experiencias de carácter científico.

- **Modelismo:**
  * Aeromodelismo.
  * Modelismo naval.
  * Maquetas de reproducción a escala.
  * Maquetas de trenes eléctricos.

D) Juguetes de reglas

Este tipo de juego no es considerado como una categoría independiente por Bühler, pero sí por Piaget.

Se trata de juegos en los que hay que acatar una serie de normas impuestas por el grupo. Aunque los juegos de reglas aparecen antes, es a partir de los siete años, y hasta los doce, cuando tienen su mayor predominio.

Normalmente para jugar a estos juegos se precisan varios jugadores, aunque hay algunas propuestas para jugar en solitario.

Este tipo de juego ayuda principalmente a desarrollar las habilidades sociales, como respetar los turnos, aceptar perder en el juego, etc. Pero también favorece el desarrollo de otras actividades como decidir, razonar, imaginar, cooperar o competir.

Podemos diferenciar dos tipos de juguetes de reglas:

- **Juegos de sociedad:**
  - Juegos de loto.
  - Juegos de lotería.
  - Juegos de dominó.
  - Juegos de circuito, como la oca, el parchís, etc.
  - Juegos de cartas.
  - Juegos de memoria.
  - Juegos de habilidad de tipo magia, palillos chinos, canicas, etc.
  - Juegos de estrategia de tipo ajedrez, cartas coleccionables, backgammon, damas, etc.
  - Juegos de azar.
  - Juegos de preguntas y respuestas.
  - Juegos de vocabulario y lenguaje.
  - Juegos matemáticos.
- **Juguetes deportivos:**
  - Bolos.
  - Petanca.
  - Anillas.
  - Bádminton.
  - Dianas infantiles.
  - Billares.
  - Futbolines.
  - Ping Pong.

8.2. La elección de juguetes adecuados

El mejor juguete es el que mejor se corresponde con el desarrollo psíquico y físico del niño y se adapta a sus necesidades y personalidad. Por lo tanto, no existen juguetes perfectos, sino que la adecuación del juguete depende del desarrollo y de las características personales de cada niño concreto.

Los juguetes deben estar en relación con el nivel de desarrollo del niño, sin embargo, es interesante también elegir algunos que se adelanten en parte a sus posibilidades, para que trabajando con la ayuda del adulto en la zona de desarrollo próximo, permitan alcanzar niveles superiores de desarrollo.

Es importante advertir que por muy adecuado que sea un juguete para un niño, el juguete por sí solo no enseña a jugar. Al principio, ante un nuevo juguete suele ser precisa la actividad conjunta entre niño y adulto, para que el pequeño sea capaz de asimilar las funciones y posibilidades del objeto. Por ejemplo, si damos al niño por primera vez un cubo con piezas para encajar, debemos jugar con él para que vea cuál es la finalidad del juguete, después, si le permitimos explorar libremente el objeto, probablemente encontrará otras posibilidades de juego inventadas por él.

A continuación ofrecemos una serie de **consejos a tener en cuenta a la hora de elegir los juguetes infantiles:**

1. Es mejor que el juguete sea deseado por el niño. Por ello, como veremos más adelante es importante colocar todos los juguetes a su alcance, con el fin de que pueda elegir libremente con qué objetos desea jugar.
2. Es imprescindible que el juguete sea seguro. Aunque este aspecto siempre debe estar presente a la hora de seleccionar un juguete, aún es más importante en el caso de niños menores de tres años. Además de comprobar que el juguete cumple con la normativa de seguridad de la unión europea, debemos asegurarnos de que no contenga piezas pequeñas que puedan provocar el ahogamiento del niño.
3. El juguete debe ser adecuado a la edad y nivel de desarrollo del niño. Si el juguete es para niños más pequeños, no le aportará nada nuevo y probablemente le aburrirá, si el juguete es para niveles de desarrollo superiores, no podrá utilizarlo de forma adecuada y tampoco propiciará el desarrollo.
4. El juguete debe tener en cuenta también la personalidad del niño. A los niños inquietos les vienen muy bien los juguetes que requieran prestar atención, de este modo aprenden poco a poco a controlar su excesiva actividad motriz. Por el contrario, un niño tímido se puede beneficiar de los juguetes que favorezcan la socialización.
5. Otro aspecto a tener en cuenta es que cuanto más simple sea el juguete, mayor esfuerza hace el niño para desarrollar su fantasía e imaginación. Si el juguete es excesivamente sofisticado, no deja margen al niño para inventar nuevos juegos, siempre tiene que usarlo de la misma forma, y acabará aburriéndose del juguete. Los juguetes excesivamente complejos pueden quedar inutilizados por la pérdida de una pieza, suelen necesitar recambios y muchos son difíciles de guardar.

6. En la medida de lo posible los juguetes no deben ser utilizados para premiar o castigar la conducta del niño. Debemos concienciarnos de que el juguete no es un bien de consumo, sino una poderosa herramienta de la que disponen los niños para promover su desarrollo integral. Por ello no es conveniente comprar juguetes de forma indiscriminada, ni concentrar la compra de estos artículos en fechas determinadas, como la Navidad.
7. El exceso de juguetes también dificulta el desarrollo de la fantasía y produce aburrimiento debido a la saciedad.
8. En el entorno educativo siempre debemos elegir juguetes que fomenten valores como el respeto, la solidaridad, etc. Debemos evitar aquellos juguetes que incitan directamente a la violencia, a la práctica de hábitos poco saludables, a la discriminación, etc.
9. Por último, indicaremos que el mejor juguete no es necesariamente el más caro, que suelen ser demasiado complicados para los niños. Pero debemos alertar así mismo sobre la compra de juguetes muy económicos que, aunque en ocasiones pueden ser adecuados, al ser baratos se suelen comprar como respuesta a un capricho momentáneo del niño o para premiar determinadas conductas, lo cual no es beneficioso para el pequeño.

A) Elección de juguetes de 0 a 6 meses

Esta etapa se caracteriza por el desarrollo de los sentidos. El niño empieza a distinguir diferentes texturas, formas y colores. A la hora de elegir los juguetes debemos tener en cuenta la escasa movilidad del bebé de estas edades, por lo que los objetos deben incitar a mirar, tocar y escuchar, de modo que sea posible la exploración del entorno inmediato.

Los juguetes para estos primeros meses deben tener colores vivos y brillantes, si además tienen sonido y movimiento, serán mucho más atractivos para el niño. Los juguetes y objetos con diferentes texturas favorecen el desarrollo de las sensaciones táctiles.

Durante los primeros seis meses cualquier objeto que cumpla estas características puede ser un juguete para el bebé, siempre que no supongan peligro de accidentes para el niño. No obstante, entre los juguetes que existen en el mercado, los más apropiados para este intervalo de edad son: Sonajeros, móviles de cuna, muñecos de goma, mordedores, alfombras de actividades, espejos irrompibles, juguetes musicales y gimnasios de bebé.

B) Elección de juguetes de 6 a 12 meses

Durante esta etapa la actividad preferida del bebé será la de manipular objetos. Pero además las destrezas físicas del niño progresan de forma asombrosa. De forma progresiva el niño aprende a sentarse, a gatear, a ponerse de pie, y en algunos casos, a caminar.

En este periodo los juguetes que estimulan los sentidos siguen siendo interesantes, pero el niño ya no sólo se conforma con mirar, disfruta manipulando los objetos, que deben ser de gran tamaño, ya que todavía no sabe usar la pinza (índice-pulgar) para coger objetos pequeños, sino que utiliza toda la mano. Son muy apropiados también, los juguetes rodantes, que estimulen el movimiento. Por otro lado, no podemos olvidarnos del desarrollo de la afectividad, que puede estimularse mediante peluches y muñequitos.

Los juguetes de la etapa anterior siguen siendo interesantes, aunque quizás, empiece a experimentar otros usos, a medida que avanza su desarrollo y mejoran sus capacidades. Otros juguetes nuevos apropiados para niños de seis a doce meses son: pelotas, muñecos de trapo, juguetes sonoros, balancines, objetos para jugar en el baño, juegos de construcción y apilables con piezas grandes, aros para encajar en un eje, tableros para encajar formas muy simples, centros de actividades.

C) Elección de juguetes de 12 a 18 meses

En este periodo se producen grandes avances en las capacidades del niño. Adquiere una mayor movilidad y dependencia lo que le permite la exploración de un entorno más amplio. Al mismo tiempo, se va perfeccionando la coordinación óculo-manual, con lo que la exploración de los objetos se hace más precisa. También a esta edad el niño empieza a imitar actividades que realizan los adultos y, por otro lado, el desarrollo del lenguaje experimenta grandes progresos, más en comprensión que en vocalizaciones.

En esta edad los juguetes deben invitar a recorrer el espacio, para perfeccionar las nuevas capacidades de movimiento. Es importante que los juguetes permitan relacionar hechos, de forma que el niño aprenda que con su actividad puede producir determinados cambios en los objetos y en su entorno (relaciones causa-efecto). Los juguetes que estimulen el lenguaje y la imitación de acciones simples van ganando protagonismo.

Entre los juguetes más apropiados podemos citar: bloques de plástico para apilar, juegos de formas, libros de páginas duras con imágenes, muñecos que representen el cuerpo humano, marionetas, títeres de todo tipo (incluidos los títere naturales que son muñecos y cualquier objeto que rodee al niño y que puedan usarse prestándoles voz y movimientos), teléfonos, juguetes de arrastre, pelotas, juguetes para montar, correpasillos, triciclos, cochecitos y mesas de actividades.

D) Elección de juguetes de 18 a 36 meses

En este periodo, tanto la movilidad como la independencia han experimentado notables avances, por lo que si hay algo que caracteriza este periodo es la actividad sin límites. Pero además el desarrollo del lenguaje está en todo su apogeo. Los juguetes más apropiados serán los que estimulen el desarrollo de estas capacidades.

En esta edad no podemos desestimar las ventajas de los materiales naturales como objetos de juego. El agua, la tierra, el barro, la arena, hojas, piedras, etc., son muchas veces más atractivos para el niño que el juguete más sofisticado del mercado.

El comportamiento de los líquidos es muy diferente al de los objetos sólidos, por ello si queremos que las experiencias del niño sean lo más amplias posibles, no podemos privarlos del placer de jugar y experimentar con el agua, metiéndolo dentro en la piscina, la playa, etc., llenando recipientes con distinta cantidad, poniendo colorantes, para que cambie de color,

haciendo que toquen agua a distinta temperatura, juegos con una manguera, experimentando con objetos que floten o se hundan, trasvasando agua de unos recipientes a otros, etc.

El juego con barro no solo es divertido para el niño, sino también instructivo. Tiene una consistencia diferente a los juguetes sólidos, pero tampoco es un líquido, puede darle la forma que desee y cambiar su consistencia añadiendo más o menos agua.

Otro elemento natural muy enriquecedor para el niño es la arena, este material es un sólido que se comporta como un líquido. Los areneros se están imponiendo en los parques infantiles. Su uso es muy apropiado también en el centro escolar, siempre que se disponga del sitio y espacio adecuado. Para jugar en el arenero son indispensables cubos, palas, rastrillos, moldes, tamices, etc.

Finalmente, hojas, piedras, y otros elementos que pueden encontrar en la calle, permiten al niño reconocer diversas formas y textura. Además pueden clasificar los objetos encontrados y realizar experimentos simples con ellos.

Volviendo a los juguetes comerciales, podemos citar como apropiados para este intervalo de edad los siguientes: correpasillos, triciclos y bicicletas, juguetes que faciliten la imitación (cocinitas, maletín de médico, supermercado, herramientas...), puzles con pocas piezas y de gran tamaño, juegos de construcción con piezas grandes, pero más complejos que los de etapas anteriores, muñecos, animales de plástico, juguetes musicales y con movimiento, instrumentos musicales, juguetes que permitan dibujar y pintar (pizarras, pupitres, etc.), coches, tableros de encajes, pelotas, libros que pueden contener ya historias simples, aunque seguirá predominando la imagen sobre la palabra.

Son importantes los juegos que pueden realizarse al aire libre, en parques infantiles, o en su caso, en el patio del centro escolar: toboganes, columpios, etc.

Antes de finalizar este apartado, es necesario indicar que aunque hemos establecido una serie de juguetes más idóneos según la edad del niño, esto no quiere decir que una vez superado cada intervalo de edad los juguetes de la etapa anterior ya no sean válidos. Como regla general podemos decir que un juguete será válido mientras siga interesando al niño y le aporte diversión y/o aprendizaje. Al hacer esta distinción por edades simplemente pretendemos dar una orientación a la hora de elegir el juguete, pero siempre debemos tener en cuenta el nivel de desarrollo real de cada niño, sus necesidades, sus gustos, su personalidad y sus preferencias. El juguete no es una imposición del adulto al niño para que aprenda determinados aspectos de la realidad, sino que es un instrumento que proporciona aprendizaje a la vez que divierte al niño, si pierde su sentido lúdico, por muy educativo, caro, o bonito que sea el juguete carece de interés para el niño y no se puede considerar apropiado.

8.3. La seguridad en los juguetes

Desde 1990 existe una normativa sobre seguridad de obligado cumplimiento para todos los juguetes que se comercializan en la Unión Europea.

Para ajustarlos a esta normativa los juguetes se someten a cinco tipos de prueba:

1. **Propiedades mecánicas y físicas**: los juguetes no deben contener puntas peligrosas ni bordes cortantes. Además deben estar construidos de modo que su rotura o deformación no causen heridas.
2. **Inflamabilidad**: un juguete que cumpla con la normativa de seguridad, si entrara en contacto con una llama, debería apagarse al retirar el objeto del foco del fuego. En el caso de que sus materiales salgan ardiendo, la velocidad de propagación de la llama será lenta.
3. **Propiedades químicas**: se examina la toxicidad de los materiales utilizados en la elaboración del juguete, como barnices, lacas, pinturas, plásticos, tejidos, colas, disolventes, pastas de modelado, maquillajes infantiles, etc.
4. **Condiciones de higiene y radioactividad**: se analiza la presencia de elementos o sustancias radioactivas que puedan ser perjudiciales para la salud.
5. **Marcado e instrucciones**: los juguetes deben llevar indicaciones claras y en lugar visible donde se especifiquen determinados aspectos a tener en cuenta para reducir los riesgos de uso. Por ejemplo, los flotadores y otros juegos acuáticos deben indicar que solo pueden ser utilizados en aguas donde el niño pueda permanecer de pie y siempre bajo la vigilancia de un adulto; los juguetes con piezas pequeñas, deben indicar que no son adecuados para niños menores de tres años, por riesgo de ahogamiento, etc.

9. Creación de ambientes lúdicos. La disposición de juguetes en el aula

Si las características de los juguetes son importantes, no lo son menos las características del espacio físico donde se desarrolla el juego.

Siguiendo a Vicente Martínez y Francisco Gregrori, podemos identificar tres condiciones básicas que debe reunir un buen espacio lúdico:

1. **Seguridad física**: el espacio de juego debe contar con las medidas de seguridad apropiadas para que el niño pueda moverse libremente y desenvolverse de acuerdo con sus posibilidades sin que sea necesaria la intervención del adulto.

2. **Seguridad psíquica**: el espacio debe estar organizado de tal modo que garantice un ambiente distendido, alegre y acogedor. Debe ser luminoso, decorado con colores alegres, etc.

3. **Libertad e independencia**: no deben existir barreras ni obstáculos. Los niños deben tener fácil acceso a los materiales y elementos de juego.

En cuanto a la disposición de los juguetes dentro del aula de educación infantil, como norma básica podemos decir que los juguetes deben estar al alcance de los niños. Con esto favorecemos la libertad de elección y acción de los pequeños, que como hemos dicho es una de las condiciones que debe tener un espacio lúdico apropiado.

Pero además, con esta medida favorecemos el desarrollo del sentido de responsabilidad. A partir de los doce meses (cuando el niño empieza a caminar, más o menos), podemos acostumbrar al niño a que asuma la responsabilidad de guarda y cuidado de los juguetes del grupo. Es recomendable que los padres hagan lo mismo en casa, en este sentido, volvemos a destacar la importancia de una fluida comunicación entre familia y centro escolar en esta etapa educativa.

Para guardar los materiales de juego, de forma que sean **accesibles a los niños** y les faciliten el trabajo de recoger y cuidar, debemos tener en cuenta los siguientes aspectos:

1. **Accesibilidad y visibilidad**: como norma general situaremos todos los juguetes a la vista y al alcance de los niños, excepto aquellos que revistan peligrosidad o sean frágiles. Para disponer los materiales podemos utilizar, tanto el suelo para los objetos más grandes, como estanterías o mesas bajas. Si se utiliza algún tipo de recipiente para los juguetes más pequeños, es interesante que sean transparentes, o que tengan una abertura que permita ver el interior sin necesidad de cogerlo o abrirlo.
2. **Clasificación y etiquet**aje: si ponemos una etiqueta con un código sencillo en el lugar donde se guarda el material, facilitamos al niño la tarea de recoger, pues no tendrá dudas a la hora de devolver el juguete a su lugar de origen.

   Con esta medida contribuimos a la creación de hábitos de orden, además obliga al niño a hacer ejercicios de clasificación, lo que correlaciona positivamente con el desarrollo cognitivo.
3. **Contenedores:** el contenedor utilizado, debe estar en función del material que va a contener, ya que debe resaltarlo y hacerlo visible. Se pueden utilizar cajas de distintos tamaños y materiales, bandejas, cestas, etc.
4. **Distribución:** para evitar aglomeraciones que dificultan el acceso a los materiales, podemos disponer los juguetes distribuidos en distintas zonas del aula.
5. **Conservación de los materiales:** los niños, a partir de los dos años aproximadamente, deben ser conscientes del estado de conservación de los juguetes del aula. Para ello los juguetes deteriorados se pueden retirar en presencia de los niños y explicar por qué se ha roto, y qué medidas podemos tomar para cuidar los materiales.

TEMA 6

La expresión y comunicación en los niños de 0 a 3 años. Recursos

Convierte tu **memoria** en súper memoria con nuestros consejos, recursos y Técnicas de Memoria 360.

Índice

1. El desarrollo del lenguaje. Lenguaje y pensamiento

Antes de realizar la exposición detallada del desarrollo lingüístico en el niño, vamos a definir dos conceptos, que consideramos importantes para una correcta comprensión del tema: comunicación y lenguaje.

Podemos definir el concepto de comunicación como el conjunto de actos que realiza la persona intencionadamente para afectar la conducta de los demás. Se espera que éstos reciban la información y actúen en consecuencia. La comunicación, por lo tanto engloba al lenguaje, pero también incluye los gestos, el llanto, el contacto físico, etc. Por otro lado, el carácter intencional de la comunicación es difícil establecerlo cuando trabajamos con bebés. Por ejemplo, cuando un niño de pocos meses llora, podemos pensar que lo hace para llamar nuestra atención porque tiene hambre y quiere que le demos su alimento. Pero también puede ser que el llanto sea sólo una manifestación del malestar y no exista ninguna una intención por su parte de llamar nuestra atención. En cualquiera de los casos, podemos decir que sí existe comunicación: en el primer caso, hemos atribuido la intencionalidad al bebé y está claro que existe comunicación. En el segundo caso, aunque no exista esa intención por parte del niño, el adulto interpreta el llanto y piensa que tiene hambre y actúa en consecuencia, es decir, el adulto desde fuera, le atribuye una intención a ese comportamiento. De esta forma, interpretando constantemente las expresiones de los niños, favorecemos la interacción con ellos y los ayudamos a que aprendan los significados de los comportamientos.

El término lenguaje no es sólo la capacidad de hablar y de entender lo que otros dicen. El lenguaje es un sistema de signos compartido por un grupo de personas, que permite comunicarnos con los demás y manipular mentalmente la realidad en ausencia de ella. Para poder utilizar el lenguaje, por lo tanto, necesitamos que la persona con la que deseamos comunicarnos comparta nuestro mismo sistema de signos. Por otro lado, al decir que podemos manipular la realidad mentalmente en ausencia de ella, queremos decir, que para referirnos a un objeto no necesitamos que esté presente, podemos hacer representaciones mentales.

Podemos distinguir también entre **lenguaje expresivo** y **lenguaje comprensivo**:

- El lenguaje expresivo es la capacidad para recordar las palabras oportunas y ordenarlas en una frase para exponer una idea, o dicho de otro modo, una emisión lingüística.
- El lenguaje comprensivo requiere la capacidad para interpretar adecuadamente los estímulos auditivos, extrayendo los significados, de tal modo que seamos capaces de entender el mensaje que escuchamos. Es decir, se refiere a la interpretación, asimilación y entendimiento de las emisiones verbales que realiza el hablante.

  Evolutivamente el lenguaje comprensivo aparece y se desarrolla antes que el expresivo, por lo que los niños pequeños son capaces de comprender mucho más de lo que pueden hablar.

1.1. Evolución del lenguaje

Durante el primer año de vida el lenguaje entendido como medio de comunicación y relación con el entorno pasa de ser un simple ejercicio articulatorio en los primeros meses a la emisión de las primeras palabras con sentido en torno al primer cumpleaños. Durante el segundo y tercer año el lenguaje experimenta un desarrollo espectacular. El vocabulario se va aumentando por días y se empiezan a dominar las reglas sintácticas y gramaticales, aunque de modo imperfecto todavía, sin tener conciencia de ellas.

El desarrollo del lenguaje pasa por dos etapas fundamentales: la etapa prelingüística o preverbal que abarca desde el nacimiento a los 18 o 24 meses de edad aproximadamente y la etapa lingüística o verbal a partir de los dos años.

Algunos autores sitúan el límite entre ambas etapas alrededor del año, ya que es la edad en la que aparecen las primeras palabras reconocibles. Sin embargo otro grupo de autores señalan que el inicio de la etapa lingüística se sitúa entre los 18-24 meses, que es el momento en que el niño comienza a construir frases de dos o más palabras.

1.1.1. Etapa prelingüística

En esta etapa el niño no es capaz de utilizar correctamente el lenguaje de su entorno, pero sí de emitir determinados sonidos y vocalizaciones.

Al nacer, la única forma de comunicación que tiene el bebé es el llanto, que en principio es un acto reflejo, pero al mes el niño ya es capaz de llorar deliberadamente cuando desea algo.

En estos primeros meses el desarrollo del lenguaje está muy ligado al proceso de socialización. El bebé no sólo se comunica con el adulto a través del llanto, sino que también lo hace con la mirada, los gestos, la sonrisa. De igual modo, responde al escuchar el habla de los adultos, gira la cabeza para buscar a la persona que habla, mantiene el contacto con la mirada, etc. Esta forma primaria de comunicación sienta las bases para la posterior comunicación verbal, pero, además contribuye al desarrollo de la figura de apego, que es fundamental en el desarrollo socio-afectivo del niño.

Entre uno y dos meses algunos bebés empiezan a hacer sonidos guturales para indicar un estado placentero. Alrededor de los 4 o 6 meses comienza lo que se conoce con el nombre de balbuceo que constituye una especie de juego para el niño, consiste en la emisión de sonidos con los cuales experimenta con sus órganos fonatorios y los va controlando, al mismo tiempo se divierten escuchando su propia voz. A los seis meses son capaces de responder a su nombre, y reconocen algunas palabras, como "papá", "mamá", "adiós", etc.

En los primeros seis meses, la lengua materna no ejerce ningún tipo de influencia sobre el lenguaje y las vocalizaciones que emite el niño. El bebé es capaz de emitir los sonidos propios de la lengua que escucha, pero también los sonidos característicos de otros idiomas diferentes. Esta capacidad ofrece la posibilidad de aprender cualquier lengua. A

través de la socialización y escuchando el lenguaje de la gente que tiene a su alrededor, el niño va realizando articulaciones más precisas y ajustadas a los sonidos de la lengua materna.

A partir del sexto mes los niños muestran un interés creciente por escuchar el habla de los adultos y les gusta repetir los sonidos que escuchan a su alrededor (ecolalia), aunque esta imitación de sonidos es todavía muy imperfecta.

El niño comienza a imitar la entonación, las inflexiones de la voz, el ritmo y demás características propias de una lengua específica. A partir de este momento podemos decir que la lengua materna empieza a ejercer su influencia en el desarrollo del lenguaje.

A partir del sexto mes a través del balbuceo y los juegos articulatorios el niño va dominando la emisión de distintos fonemas vocálicos y consonánticos, hasta que al final del primer año aproximadamente aparecen las primeras palabras reconocibles que suelen ser "papá", "mamá", "tata".

Hay autores que sitúan en este momento el inicio de la etapa lingüística, pero otros autores prefieren reservar este término para el momento en que el niño comienza a unir dos o más palabras, es decir, a utilizar frases.

Los primeros sonidos que el niño es capaz de emitir son: p, m, t, n, a, i, e. Por lo que las primeras palabras, entre los doce y quince meses aproximadamente serán una combinación de estos sonidos. Al principio las palabras estarán mal pronunciadas, pueden acortar las palabras demasiado largas y sustituir unos sonidos por otros. A esta edad el niño conoce entre 1 y 15 palabras y pasará largos ratos emitiendo largas secuencias de sonidos que son una mezcla de palabras y de balbuceo. Poco a poco va aprendiendo a nombrar cosas de su entorno y sigue dominando nuevos sonidos: ua, ia, k, l, g, d, b.

En cuanto al lenguaje comprensivo es capaz de entender órdenes sencillas.

A partir de los quince meses y hasta los dos años el niño utiliza las holofrases o palabras-frases. Es decir, con una sola palabra el niño quiere expresar una idea completa. Por ejemplo si el niño dice "agua", según el contexto puede estar expresando "dame agua" si tiene sed o "quiero bañarme" si está en la piscina.

En este periodo surgen las primeras combinaciones sustantivo-verbo y sustantivo-adjetivo. Estas combinaciones se conocen con el nombre de prefrase.

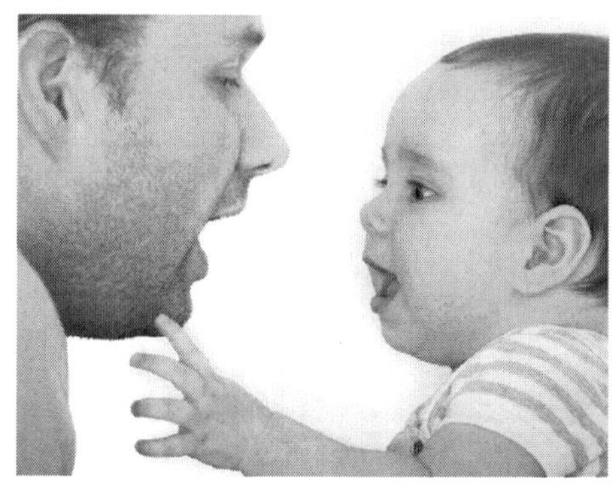

En este intervalo de edad (15-24 meses) el vocabulario se compone de entre 15 y 50 palabras. Al cumplir los dos años, muchos niños han logrado alcanzar un vocabulario de 300 palabras.

El lenguaje comprensivo evoluciona muy rápidamente, de modo que lo que el niño comprende es mucho más de lo que puede decir.

1.1.2. Etapa lingüística

A los dos años el niño puede unir perfectamente dos palabras. Muchos han comenzado antes de esta edad. Ahora el niño utiliza un lenguaje telegráfico, con un lenguaje muy simplificado expresa una idea completa, aunque ya no se puede considerar holofrase porque utiliza la combinación de palabras. Poco a poco se van incorporando nuevos fonemas al lenguaje: f, v, s.

Entre los dos años y dos años y medio el niño es capaz de describir objetos y sucesos, dar órdenes y hacer preguntas, aunque la elaboración y estructura de la frase es todavía muy simple. Ya es capaz de diferenciar las cinco vocales y su vocabulario se compone de 50-400 palabras. Ya utiliza bastantes adjetivos y comienza el uso de los adverbios.

A partir de los dos años y medio y hasta los tres años el vocabulario experimenta un rápido aumento. Se sitúa en torno a las 400-1000 palabras. Su lenguaje puede resultar ininteligible para las personas que no conviven con el niño debido a los fallos sintácticos y fonéticos.

Por otro lado, es capaz de unir sin problemas tres y cuatro palabras o incluso más al acercarse al tercer cumpleaños.

Empieza a utilizar algunas reglas lingüísticas: terminación del plural, terminación del gerundio, infinitivos, las preposiciones más usuales, los artículos y los verbos auxiliares. Todavía tiene dificultades para el uso de los verbos irregulares.

Domina nuevos sonidos: z, r.

A los tres años hace preguntas más complejas, utilizando términos como: Quién, cómo, qué está haciendo. También empieza a utilizar algunas oraciones compuestas incluyendo alguna subordinada.

Al final de este periodo el niño ha alcanzado un nivel de comprensión bastante bueno.

En esta etapa, entre los dos y los tres años, hay, como hemos dicho, un rápido aumento del vocabulario que conoce y domina el niño. Esto coincide con una etapa de maduración neurológica a nivel morfológico (aumento de peso del cerebro), a nivel estructural (crecimiento neuronal y mayor conexión entre neuronas), a nivel de composición química (mayor mielinización del cerebro) y a nivel electrofísico (cambios en la frecuencia y amplitud de las ondas cerebrales).

Esta maduración neurológica permite el desarrollo lingüístico, pero también tienen una enorme influencia la cultura y el contexto ambiental.

La aparición del lenguaje en el niño, así como su paso por las distintas etapas, no ocurre a la misma edad en todos los niños. Las diferencias individuales en estos aspectos son debidas tanto a retrasos madurativos, como a la influencia ambiental, pero sobre todo a la interacción de ambos factores.

1.2. Teorías sobre la adquisición del lenguaje

1.2.1. Teoría del condicionamiento operante de Skinner

Para este autor la adquisición del lenguaje tiene lugar a través de los mecanismos del condicionamiento operante. Al principio los niños imitan los sonidos que escuchan del lenguaje de los adultos, después van asociando determinadas palabras a los objetos o situaciones adecuadas.

La adquisición del léxico, o vocabulario, y de las normas gramaticales se realiza también por condicionamiento operante del siguiente modo: los adultos que interactúan con el niño premian (mediante su atención o elogios) los usos adecuados del lenguaje y la utilización de nuevas palabras. Sin embargo, castiga o desaprueba todo el lenguaje incorrecto del niño, como enunciados mal construidos, pronunciación incorrecta, etc.

Esta teoría presenta un problema: no explica por qué todos los niños siguen un desarrollo del lenguaje similar, si han tenido una historia de reforzamiento diferente: hay niños a los que se les corrigen sólo determinados aspectos, a otros ni siquiera se les corrige. Existen niños que no reciben elogios por su lenguaje adecuado, o los elogios se refieren a diferentes aspectos, etc.

1.2.2. La teoría psicolingüística de Chomsky

Según la teoría de este autor existe un factor que él denomina "dispositivo para la adquisición del lenguaje". Este factor es algo innato que existe en las estructuras biológicas y genéticas del individuo y determina la adquisición y el desarrollo del lenguaje. A partir de este dispositivo el niño es capaz de elaborar oraciones bien estructuradas y de comprender cómo deben usarse las reglas gramaticales.

Las corrientes de estudio actuales no comparten la teoría de Chomsky en su totalidad. Uno de los aspectos más discutidos es el hecho de que Chomsky cree que no existe relación alguna entre lenguaje y pensamiento, que ambos procesos son independientes. Sin embargo, sí existe cierta unanimidad en la idea de que el hombre tiene una tendencia innata para aprender el lenguaje, baste recordar la preferencia que tiene el bebé por la voz humana frente a cualquier otro estímulo auditivo.

1.2.3. La teoría de Bruner

Bruner reconoce la existencia de una capacidad innata para el lenguaje, pero pone el énfasis en las cogniciones y en el ambiente. Según este autor, el niño aprende el lenguaje para comunicarse.

Bruner dice que existe el dispositivo para la adquisición del lenguaje, aunque no cree que sea innato. Sin embargo, piensa que debe haber otro elemento que active ese dispositivo. Este elemento, en su teoría, recibe el nombre de Sistema de apoyo para la adquisición del lenguaje.

Dentro de este sistema de apoyo Bruner describe el *baby talk* o lenguaje infantil. Este lenguaje es el que utilizan los adultos para dirigirse al niño y supone una ayuda para que puedan extraer la estructura y las reglas del lenguaje. El *baby talk* se caracteriza por ser un lenguaje lento, breve, repetitivo, simple y que se centra en lo concreto (el aquí y ahora). Las investigaciones han demostrado que incluso niños de cuatro años utilizan este lenguaje para hablar con niños más pequeños.

1.2.4. La teoría de Piaget

Para Piaget lenguaje y pensamiento son dos procesos que están íntimamente relacionados. Los procesos y las estructuras cognitivas son previos a la aparición del lenguaje. El desarrollo adecuado de los procesos cognitivos permite la aparición y desarrollo del lenguaje. Pero una vez adquirido éste, el lenguaje sirve para un mayor desarrollo del pensamiento.

1.2.5. La teoría de Vigotsky

Para Vigotsky existe una interdependencia mutua entre lenguaje y pensamiento, de tal modo que no puede existir pensamiento si no hay lenguaje.

Cuando el niño adquiere el lenguaje, se produce una reorganización en sus procesos mentales, ya que la palabra permite un perfeccionamiento en la representación de la realidad y facilita la creación de nuevas formas de atención, memoria, imaginación y pensamiento.

A partir del momento en que el niño accede al sistema lingüístico, el lenguaje se convierte en un instrumento regulador de la conducta. Esta regulación primero se establece externamente, por parte de los adultos que le proporcionan las instrucciones adecuadas. Después este proceso de regulación es consciente y voluntario. El niño empieza regulando sus propios actos mediante autoinstrucciones y finalmente a través del pensamiento, que también se puede considerar lenguaje aunque sin que exista vocalización, sería un lenguaje interno.

A modo de resumen y tomando los puntos más aceptados de las diferentes teorías podemos decir que existe en el niño una capacidad innata que lo predispone para el aprendizaje del lenguaje, pero además, para que el lenguaje se desarrolle de forma correcta es necesario ofrecerle un entorno adecuado que le permita de modo activo la construcción del lenguaje y el pensamiento.

2. Evolución de la comprensión y de la expresión

Intentaremos plasmar ahora, y a modo de resumen, el desarrollo de la comprensión y la expresión conjuntamente, para facilitar una visión global de ambos procesos. Durante su primer año de vida el niño aprende del adulto los mecanismos básicos de la comunicación, pasando de una forma global de comunicación (llanto, vocalizaciones. movimientos...) a una forma altamente diferenciada que se basa, principalmente, en el uso de las palabras.

El niño deduce (entre los 7 y 12 meses) que las personas y objetos de su entorno están dotados de una cierta estabilidad (permanencia del objeto) y es cuando empieza a interesarse por las etiquetas verbales, los nombres que los adultos asignan a personas, objetos y acontecimientos.

Hacia el final del primer año el niño es capaz generalmente de comprender un cierto número de palabras mucho antes de poder producirlas, siendo elementos relevantes para la comprensión aspectos como la voz o la curva entonativa de una frase.

Un poco antes de este momento ya se observa un inicio de organización en las "conversaciones" entre la madre y el niño: intenta vocalizar en los intervalos dejados por la madre y espaciar y acortar las vocalizaciones para dejar lugar a la respuesta del adulto, intentando reproducir la entonación de las conversaciones del lenguaje que oye a su alrededor.

De la misma forma, el balbuceo gana en claridad y precisión produciendo sonidos y sílabas que repite a voluntad y que darán lugar a las primeras palabras hacia el primer año de vida.

Hacia los 18 meses el niño es capaz de comprender algunas órdenes formuladas en el contexto apropiado, señalar partes fundamentales del cuerpo y objetos muy familiares, comprender una veintena de palabras diferentes y producir alrededor de diez, siendo capaz de expresar con una sola palabra verdaderas frases.

De los 18 a los 30 meses la comprensión de enunciados se hace más estable, comprende algunos pronombres personales y posesivos, produce enunciados de dos y tres palabras y expresa su opinión negativa por medio del "no" aislado o al principio o final de un enunciado. Su pronunciación es poco clara todavía.

A partir de este momento se da un crecimiento muy importante del vocabulario, que cada vez se hace más preciso; las estructuras sintácticas se acercan poco a poco a las del adulto. Comienzan a surgir las preguntas, principalmente, la pregunta "por qué" y aumenta la capacidad para articular los diferentes sonidos de la lengua, resultando su habla más inteligible para el interlocutor, aunque es frecuente que tenga dificultades para pronunciar los sonidos y sílabas más difíciles.

2.1. Desarrollo de la comprensión

Para que se instaure la comprensión intervienen una serie de procesos:

a) **Proceso perceptual**: requiere del perfecto estado de los órganos sensoriales.

   Supone la identificación y discriminación de fonemas, así como la correcta segmentación de los mismos.

b) **Análisis de las estructuras lingüísticas**: el niño analiza las emisiones lingüísticas de los adultos y descubre los elementos y su orden y las consecuencias semánticas de los cambios de orden.

c) **Utilización de la percepción**: actuación coherente con el oído, cumplimiento de las órdenes verbales. Es decir, dar evidencias de la comprensión del lenguaje.

La comprensión siempre es anterior y más desarrollada que la expresión.

Podemos considerar el inicio de la comprensión con los primeros cefalogiros hacia la fuente sonora (**1er- 2º mes**). Muy pronto el pequeño atribuirá significado a los sonidos habituales.

Como consecuencia de la maduración, la acumulación de experiencias y las interacciones que tienen lugar con las personas que le rodean, podemos decir que hacia el sexto mes su comprensión ha evolucionado mucho, ya que comprende el tono emocional, reconoce las voces habituales y el significado de bastantes palabras.

Hacia el **noveno mes** actúa coherentemente ante palabras concretas, emite "pucheros" ante gestos de desaprobación.

Hacia **el año** entiende órdenes simples: "toma", "dame", entiende su nombre, percibe las emociones de los adultos, comprende conversaciones simples y sigue juegos de reglas sencillos.

Alrededor de los **dos años** entiende órdenes complejas, señala partes de su cara y en general se da un importante incremento de la comprensión.

Sobre los **tres años** comprende conceptos y enunciados largos, argumentos sencillos, la función de objetos. Al final de la Educación Infantil su incremento de léxico comprensivo le permite comprender sinónimos y enunciados largos y complejos.

2.2. La adquisición del léxico

Podríamos definir el léxico como el conjunto de palabras, con sus significados correspondientes, que forman parte de un idioma.

Las primeras vocalizaciones del niño están muy contextualizadas, esto quiere decir que se refieren a objetos de su entorno, al aquí y al ahora: comidas, personas conocidas, ropa, animales, juguetes y vehículos. Además, muchas veces, el significado que le dan los niños a estas primeras palabras no coincide con el que le dan los adultos.

El niño al comenzar a hablar utiliza tanto restricciones como sobreextensiones. Veamos qué quieren decir ambos términos.

Las restricciones suelen ocurrir en los primeros momentos de adquisición de una palabra, consiste en el uso de un vocablo muy general para referirse a un objeto muy específico, y sólo a ese. Aclarémoslo con un ejemplo. Al principio el niño usa la palabra "perro", o "guau guau" en su jerga, para referirse únicamente a su perro, como si fuera su nombre propio. Poco a poco aprenderán a utilizar este término para referirse también a los demás perros.

La sobreextensión es el fenómeno contrario. Consiste en utilizar una palabra para referirse a distintos objetos que comparten alguna característica. Ilustrémoslo también con un ejemplo: el niño utiliza "guau guau" para referirse al perro, pero también para referirse a un gato, a un pájaro, a una vaca, en definitiva, a cualquier otro objeto que pertenece a la misma categoría, en este caso, animales.

La sobreextensión es frecuente entre los trece meses y los dos años y medio de edad.

Los diferentes autores que han investigado estos aspectos dan explicaciones distintas sobre el fenómeno de la sobreextensión.

El primer autor que investigó de forma seria y contrastada la adquisición del léxico en el niño fue Clark. Éste llegó a la conclusión de que las sobreextensiones están basadas en atributos perceptivos: movimiento, forma, tamaño, sonido, sabor y textura. A medida que el niño va introduciendo nuevas palabras en su vocabulario, el término sobrextendido se va refiriendo cada vez a menos objetos, hasta que se quede con su significado real.

El niño, primero utiliza el término "guau guau" para referirse a perros, gatos, caballos y ovejas, por ejemplo, estos animales comparten una forma parecida. Después, puede aprender por ejemplo el término "oveja" distinguiéndolo por el sonido que hace, aunque tenga la misma forma. A continuación, puede que discrimine correctamente el caballo, que es de mayor tamaño. Y así, hasta que adquiera el vocabulario necesario para llamar a cada animal por su nombre.

Otro autor, Nelson, considera, desde una perspectiva piagetiana, que las sobreextensiones que hacen los niños no se basan sólo en atributos perceptivos, como proponía Clark, sino que están basadas en variables de tipo funcional, es decir, en el uso que hacemos de los objetos y las acciones que realizan. Esta explicación, sin embargo, no es tan diferente a la de Clark, ya que las cosas que comparten la misma función, suelen tener además atributos perceptivos parecidos. Por ejemplo, objetos que sirvan para beber (un vaso, una taza, una botella, un biberón), también son semejantes físicamente.

Otros autores, como Bowerman, opinan que la adquisición del léxico se produce a través de prototipos. Es decir, el niño usa una palabra aplicada a un objeto que es el mejor ejemplo de su categoría: un prototipo. Esta palabra la aplicará luego el niño a otros objetos de su misma categoría.

2.3. La adquisición de las normas gramaticales

Para hablar sobre la adquisición de las normas gramaticales en el niño vamos a basarnos en la teoría de Slobin. Para este autor, el desarrollo del lenguaje está determinado por dos aspectos fundamentales: el contenido y la forma. El contenido hace referencia a lo que el niño quiere expresar con su lenguaje y, evidentemente, esto depende en gran medida del desarrollo cognitivo que haya alcanzado. El segundo aspecto, la forma, se refiere a que el desarrollo lingüístico está influido también por las dificultades formales de la lengua en que se expresa el niño.

Por ejemplo, el concepto de pluralidad es relativamente sencillo para el niño, rápidamente aprende la diferencia entre uno y varios. Sin embargo el uso correcto del plural al hablar será mucho más fácil para un niño que se exprese en español, que para otro que lo haga en árabe. En nuestro idioma marcamos el plural añadiendo "s" o "es". En árabe es mucho más complicado pues existe una forma dual y multitud de excepciones.

El niño empieza a utilizar las reglas gramaticales desde el momento en que es capaz de combinar dos palabras en una emisión lingüística. El niño comienza por distinguir las categorías gramaticales (primero, sustantivos y verbos). Decimos que puede distinguirlas. Todavía no sabe lo que es un verbo, por ejemplo, pero sabe utilizarlo de forma adecuada y en el orden correcto dentro de una frase. También debe aprender cómo se usan los sufijos para marcar por ejemplo, el plural, el género, las conjugaciones verbales, etc.

Como hemos dicho anteriormente, estos aprendizajes se producen con mayor o menor facilidad dependiendo del idioma que hablemos. En todos los idiomas hay formas gramaticales que son fácilmente asimilables por el niño, sólo con escucharlas repetidamente a su alrededor. Sin embargo, otras no se asimilan tan fácilmente y el niño debe utilizar una serie de estrategias para lograr organizar de alguna manera la lengua que empieza a hablar.

A estas estrategias que utiliza el niño para construir "su gramática" las denomina Slobin **principios operacionales**. Entre los principios operacionales que utiliza el niño para organizar y dar sentido a la lengua podemos citar los siguientes:

- *Las formas fonológicas de las palabras se pueden modificar sistemáticamente*: el niño entiende que las palabras se pueden modificar. Así, por ejemplo, pueden decir: gato, gata, gatos o gatas. Al principio utiliza indistintamente una forma u otra, simplemente experimenta con los diferentes sonidos, sin querer indicar género ni número. Un poco más tarde comenzará a usarlas correctamente.
- *Prestar atención a los finales de las palabras*: el niño descubre, a través del uso del lenguaje que los elementos gramaticales aparecen con mayor frecuencia al final de la palabra que en cualquier otra posición. Por eso aprende antes la "s" de plural que los prefijos como "re- ", "in-", etc.
- *Prestar atención al orden de las palabras y morfemas*: en base a este principio el niño comprende antes y utiliza correctamente las oraciones activas que las pasivas. Esto se debe, entre otros motivos, al orden en que van colocadas las palabras en ambos tipos de oraciones.

- *El uso de marcadores gramaticales debe guardar sentido semántico*: este principio es el responsable de muchos de los errores que cometen los niños al hablar. En base a este principio el niño utiliza siempre una regla que ha aprendido, incluso en los casos en que no puede ser aplicada. Por ejemplo, en nuestro idioma, para indicar género femenino usamos el sufijo –a y para el masculino –o. Sin embargo, hay palabras que no tienen este marcador de género, como por ejemplo: "delfín". El niño, al aplicar la regla conocida para el masculino, puede decir "delfino". Por supuesto, todo esto lo hace el niño de modo intuitivo, él no sabe lo que es el masculino o el femenino, pero sí sabe que detrás de la palabra "un" la palabra siguiente suele acabar en –o; y que detrás de "una" va una palabra terminada en –a.
- *Evitar las excepciones*: está relacionado con el principio anterior. Consiste en no tener en cuenta las excepciones que se dan en el uso del lenguaje, y actuar como si todas las palabras fuesen regulares. Los niños aprenden antes las reglas que se aplican de modo más general, que las que se aplican sólo a casos particulares. El ejemplo más común de este principio es el uso de los verbos irregulares que es conjugado por los niños con las mismas terminaciones que un verbo regular. Así, es muy frecuente entre los niños pequeños decir "poní" en vez de puse, o "imos" en vez de "fuimos", etc.
- *Evitar la irrupción o reordenación de las unidades lingüísticas*: este principio se refiere al orden en las oraciones compuestas. El niño comprende mejor y utiliza antes las oraciones compuestas, cuando una oración va a continuación de la otra, y no cuando situamos una de las oraciones interrumpiendo la otra. Por ejemplo, es más fácil la oración compuesta: "En el parque hay un niño que está llorando", que esta otra: "el niño, que está en el parque, está llorando".

3. Factores condicionantes en el desarrollo del lenguaje

El desarrollo del lenguaje se produce a través de un aprendizaje natural que requiere de intercambios con el entorno social del individuo, especialmente el intercambio que se produce entre el adulto y el niño.

Monfort (1992) destaca la importancia de tres factores fundamentales que condicionan la adquisición del lenguaje: la maduración biológica, la capacidad de imitación y la interacción.

- **Maduración biológica**: para que se pueda desarrollar esta función es indispensable un mínimo desarrollo de ciertos factores biológicos: sistema nervioso central, oído, y aparato fonoarticulador, principalmente.
- **Capacidad de imitación**: es fundamental un desarrollo cognitivo que dote al niño de la capacidad de imitación, pero, además, es imprescindible la existencia de un modelo a imitar. Este modelo, normalmente, es el adulto que interactúa con el niño, principalmente, y en las primeras etapas, los padres. Pero, más adelante, familia extensa, otros cuidadores o educadores, etc.

  Es de gran importancia que el niño disponga de modelos lingüísticos adecuados para que el desarrollo del lenguaje sea óptimo.
- **Interacción**: es necesario el intercambio comunicativo niño-adulto para que se desarrolle adecuadamente el lenguaje infantil. El niño, de esta forma, va asimilando las reglas sintácticas, el significado de las palabras, la correcta pronunciación, etc. El adulto, por su parte, modifica su lenguaje espontáneamente adaptándose al niño para que pueda entenderlo, pero, además, proporciona feed-back que permite al niño corregir sus errores y así, mejorar su capacidad lingüística.

Los factores mencionados por Monfort son de carácter general e imprescindibles para que se produzca el desarrollo del lenguaje en el niño.

Pero es interesante destacar también la influencia de la deprivación sociocultural en el desarrollo del lenguaje.

Existen dos tipos de **códigos lingüísticos**: elaborado, que es más cercano a la escuela y propio de las clases más favorecidas, y el restringido que es más lejano a la escuela, y, por lo tanto, origen de ciertos problemas escolares o de aprendizaje.

Fue **Bernstein** quien introdujo los conceptos de restringido y elaborado para referirse a dos estilos de hablar que él encontró relacionados con dos tipos de contextos socioculturales. Concluyó que los niños de clases socioeconómicas bajas están empobrecidos culturalmente y oyen poco lenguaje correcto, lo que les dificulta el pensamiento abstracto necesario para un buen aprendizaje escolar. Estudios posteriores demostraron que más que de problemas de lenguaje, la diferencia radica en los usos que se hacen del mismo. No se trata de defectos, sino de diferencias. El código restringido utiliza un lenguaje muy ligado al contexto, a diferencia del elaborado que es el predominante en la escuela. Esto provoca en algunos niños una discontinuidad entre los usos del lenguaje aprendidos en el hogar y los utilizados en la escuela.

Bernstein, en 1971, estudió el uso que hacían del lenguaje familias pertenecientes a distintos niveles sociales. Concluyó que la forma en que se seleccionan y organizan los significados en una frase es diferente en función de la clase social a la que pertenece el

individuo, e identificó dos formas distintas de usar el lenguaje, a las que denominó códigos lingüísticos. El código lingüístico elaborado es propio de las clases medias y el código lingüístico restringido es característico de las clases sociales más desfavorecidas.

No se trata de que un código lingüístico sea más o menos correcto que el otro, son diferencias a nivel de uso. Lo que sucede es que la educación formal necesita y utiliza un código elaborado porque es más apropiado para el intercambio de información y para expresar ideas abstractas. Si el niño no utiliza este código en el momento de su escolarización, estará en desventaja con respecto a los demás alumnos para acceder a los contenidos del aprendizaje escolar. De ahí la importancia de la labor preventiva en la educación infantil y preescolar.

El código lingüístico elaborado se caracteriza por:

- Está orientado hacia significados relativamente independientes del contexto.
- Se puede centrar en realidades abstractas.
- Se utiliza el lenguaje como vehículo natural de transmisión de conocimientos y no en la imposición de normas. La forma de controlar la conducta no se basa en las órdenes, sino que los padres anticipan el error y advierten al niño sobre las consecuencias de sus acciones, de este modo aprenden a reflexionar y a anticipar consecuencias.
- Aproximadamente la mitad de las veces que el adulto inicia una interacción verbal con el niño lo hace en forma interrogativa. Este tipo de interacción favorece el aprendizaje.

Las principales características del código lingüístico restringido son:

- Está orientado hacia significados relativamente dependientes del contexto, en un universo restringido y poco estructurado.
- El lenguaje se orienta a la comunicación concreta e inmediata, debido a que la principal preocupación de las familias desfavorecidas es la supervivencia y la superación de las dificultades cotidianas.
- La interacción verbal entre los padres y los niños se centra en el control de su conducta y la imposición de normas. Es decir, son más frecuentes las órdenes, que la información sobre el mundo y la realidad.
- Los adultos se dirigen al niño en forma interrogativa solamente el 25 % de las veces.

Por otro lado, el uso de un código lingüístico elaborado favorece la utilización del lenguaje para fines muy relacionados con el ámbito educativo, como son:

- Proyectar el futuro, anticipar y predecir acciones.
- Comparar alternativas diferentes.
- Percibir la dependencia y causalidad de los hechos.
- Dar respuestas al cómo y al por qué.
- Plantearse problemas en la imaginación y pensar en posibles soluciones.

- Reflexionar sobre los propios sentimientos y los de los demás.

4. Recomendaciones para favorecer el desarrollo lingüístico del niño

Un grupo de logopedas de los Equipos de Orientación Psicopedagógica de la Consejería de Educación del Gobierno de Canarias han establecido una serie de objetivos para favorecer el desarrollo del lenguaje dentro del aula de Educación Infantil. Dichos objetivos están recogidos en el número 8 de junio de 2002 de "La Gaveta". En este trabajo nos basaremos principalmente para exponer el apartado que nos ocupa.

Lo primero que debemos tener en cuenta es que las medidas que tomemos dentro del aula deben tener su continuidad en el entorno familiar, por lo que resaltamos, una vez más, la importancia de la comunicación entre padres y educadores en las etapas de educación preescolar e infantil.

Los objetivos establecidos por el Equipo de Orientación Psicopedagógica son los siguientes:

1. Desarrollar aptitudes de observación

Es conveniente observar antes de intentar enseñar o corregir.

Hay que partir de lo que cada niño quiere, necesita o desea y en función de ello adecuar nuestra forma de actuar. Las posibilidades del niño marcan la pauta.

Sabiendo identificar tanto las conductas verbales como las no verbales del niño, el adulto puede introducir respuestas que favorezcan la comunicación.

2. Evitar la conducta directiva

Debemos ser flexibles y evitar imponer al niño en todo momento nuestro criterio.

Nuestra intervención en la actividad del niño debe enriquecerla, dándole ideas, sugiriéndole alternativas o como sujeto de sus iniciativas.

Haciendo que nuestros mensajes verbales sean lo menos directivos posibles, favorecemos el incremento de las intervenciones del niño.

3. Ajustar nuestro lenguaje

A la hora de comunicarnos con el niño debemos simplificar el lenguaje que vamos a utilizar, para ello sería conveniente:

- Hablar más despacio.
- Pronunciar correctamente sin exagerar ni gritar.
- Repetir si es necesario y/o intentar decir lo mismo de otra forma.
- Respetar el turno de palabra.
- Utilizar gestos naturales para facilitar la comprensión.
- Adecuar el tamaño y la dificultad de los mensajes al nivel del niño.
- Utilizar frases simples pero correctas.
- Evitar enunciados interrumpidos o desordenados.
- Favorecer la comprensión por parte del niño con preguntas alternativas.
- Atender y escuchar antes de hablar.
- No responder por él, dejar que se exprese libremente.
- Adoptar una actitud positiva frente al niño, alentándole y felicitándole ante sus progresos.

4. Crear situaciones comunicativas

Debemos buscar momentos para compartir experiencias, juegos y todo tipo de actividades que favorezcan la conducta comunicativa con el niño. Podemos utilizar objetos y situaciones de la vida cotidiana, juguetes del niño, juegos infantiles, canciones, retahílas, veo-veo, libros de imágenes y cuentos.

Disponer la colocación del aula de forma que se favorezca la comunicación, bien en gran círculo bien en pequeños grupos.

El niño necesita ver y oír a la persona que le habla, por ello debemos colocarnos a su altura y evitar ambientes ruidosos.

Respetar ciertos espacios de tiempo en el que el niño se exprese libremente.

Fomentar la interacción del alumno con el resto de la comunidad escolar (otros alumnos, educadores, cuidadores...).

Crear un espacio o "rincón" de escucha donde se podrían realizar actividades como la asamblea y la hora del cuento. La asamblea es aconsejable realizarla a diario, al empezar la jornada, compartiendo experiencias, planificando lo que vamos a hacer a lo largo de la jornada. Respecto al *cuento* debemos buscar el momento más adecuado, creando una actividad participativa, activa y lúdica. Proponemos el "cuento por entregas", "cuentos sin final", "inventar un cuento entre todos", "poner el nombre a los protagonistas"... Los cuentos deben ser cortos y adaptados a las edades de los alumnos.

5. Eliminar conductas negativas

Se debe intentar controlar todo tipo de actitud negativa ante el lenguaje del niño.

Es aconsejable controlar las manifestaciones de ansiedad ya que una situación relajada favorece una emisión más abundante y fluida.

Evitar las riñas, los comentarios despectivos o castigos relacionados con el lenguaje.

Eliminar las correcciones del tipo "eso no se dice así", en su lugar le repetiremos la frase o palabra de forma correcta, incluso ampliando la misma, por ejemplo, "la tasa es banca"/ "sí, la casa es blanca y grande".

Felicitar y premiar cada meta alcanzada.

5. Recursos

En Educación Infantil son muchas las técnicas y recursos que pueden utilizarse para favorecer la comunicación y la expresión oral. No obstante, cualquiera que se utilice deberá considerar:

- La amplitud de la comunicación; la comprensión y expresión oral abarca todas las áreas de la cultura.
- Los aspectos que comprende la comunicación; pronunciación y entonación, dominio del léxico, capacidad auditiva, de atención y concentración, de comprensión, de exposición y diálogo.
- Los peligros que interfieren en la comunicación, especialmente el bloqueo, que puede originarse por diversos motivos, tanto en la expresión como en la comprensión. Para evitar este peligro en el aula se ha de propiciar un clima relajado, sereno, de confianza y de cercanía.
- La comunicación es un proceso progresivo y, como tal, está en desarrollo continuo. En este proceso influyen diversos factores: las capacidades del niño, su situación personal y familiar, el ambiente sociocultural que le rodea, la metodología aplicada, etcétera.

Para organizar las técnicas y recursos, nosotros nos vamos a centrar en las siguientes **dimensiones del lenguaje**:

- Articulación.
- Vocabulario.

- Diálogo.
- Elocución.
- Creatividad.

Los primeros años son muy favorables para el aprendizaje de carácter imitativo, sobre todo en la asimilación de la pronunciación (por paralelismo con el aprendizaje de la lengua materna). El objetivo básico en este sentido consistirá en que los niños aprendan a articular correctamente los fonemas y sonidos combinados.

Para ello **podemos utilizar:**

- La imitación de sonidos naturales: lluvia, viento.
- Imitación de sonidos de animales.
- Imitación de sonidos de instrumentos.
- Repetir una frase con distintos estados de ánimo: contento, enfadado.
- Repetir palabras modificando el ritmo (deprisa, despacio).
- Canciones.
- Imágenes: el profesor puede preparar una colección de imágenes, con la condición de que cada una de las presentadas contenga los fonemas que pretenden trabajarse. Se hace una lectura oral de la imagen con los niños. Se conversa a partir de su significado, se hacen frases.
- Actividades y juegos de coordinación de los órganos fonadores.
- Imitar el movimiento de personas que hablan, tocarse con los dedos el borde de los labios. Abrir la boca y sacar los labios hacia afuera. Hacer muecas, masticar chicle, imitar bostezos. Pasar la lengua por la parte anterior y posterior de los dientes. Jugar ante el espejo con la lengua haciendo movimientos muy pronunciados con el fin de adaptarla luego a la pronunciación de fonemas difíciles.

Cuando el profesor deba corregir pronunciaciones defectuosas nunca lo hará con frases frustrantes del tipo: ¡Está mal!, ¡No sabes hablar!... El educador lo repetirá correctamente, proporcionando así *feedbacks* correctivos en los que están incorporados los modelos o patrones lingüísticos adecuados.

5.1. Técnicas de vocabulario

Teniendo en cuenta las estrategias que utiliza el niño para conocer y dominar los objetos, debemos presentarle situaciones de aprendizaje que permitan el paso desde una conducta menos evolucionada a otra más evolucionada:

1. **Relación entre el objeto y su localización en el espacio**. Para reconocer el objeto en situaciones espaciales diferentes, necesita una organización de todos los movimientos; por tanto, los ejercicios de traslación y búsqueda de objetos en el espacio facilitarán volver a reconocer y denominar el objeto trasladado.
2. Para diferenciar entre el medio y el objeto (pez-agua), se utilizarán **ejercicios de comparación y análisis de semejanzas y diferencias**.

La adquisición del vocabulario supone una regulación entre la denominación del objeto y su significado. A medida que el niño obtiene nuevos conocimientos del objeto, el significado del objeto se modifica.

5.2. Técnicas de diálogo

Con las técnicas de diálogo se trata de favorecer la socialización y desarrollar la convivencia. Tienden a fomentar el hábito de saber escuchar, control de las propias emociones y el empleo de tonos de voz adecuados. Con estas técnicas se trata de habituar al niño en el orden de las intervenciones, así como de enriquecer el vocabulario, perfeccionar la elocución y despertar su interés por temas de todo tipo, en general por la información.

Formas basadas en estas técnicas son:

a) **Conversación**: es el medio ideal para que el niño aprenda a expresarse. La conversación la podemos planificar de dos formas:

- *Libre*, dejarla a la iniciativa y espontaneidad de los niños.
- *Dirigida*, por el profesor sobre un tema determinado.

Para favorecer su desarrollo, conviene situar a los alumnos de forma que todos puedan verse. La función del profesor debe ser de escucha, guía y animador a la participación.

b) **Dramatización**: permite a los niños el uso espontáneo del lenguaje, los gestos y la mímica, así como la utilización de diferentes medios: guiñol, marionetas... Favorece la capacidad para actuar y expresarse individual y colectivamente. Podemos planificar diferentes formas de dramatización: sombras proyectadas, teatro de títeres, dramatización de cuentos.

5.3. Técnicas de creatividad

Entre los recursos que podemos utilizar para favorecer esta dimensión, P. David (1989) señala:

a) ***Brainstorming* (Torbellino de ideas)**. Recurso del mundo empresarial introducido en la escuela y consistente en un proceso individual o grupal de libre asociación de ideas, imágenes y expresiones en torno a un tema, intentando agotar todas las ocurrencias mentales sin eliminar ni reprimir ninguna.

   Es una técnica idónea para aplicarla en la Educación Infantil, porque permite al niño la libre expresión y fomenta la espontaneidad, el juego verbal, la participación abierta... y expresar, en definitiva, su mundo de imágenes y sensaciones.

   Es muy importante fomentar la desinhibición, evitando el miedo a hablar.

   Se puede utilizar un cuento o dibujo y pedirle al niño que diga todo lo que se le ocurre:

   - Un estímulo sencillo: un dibujo fácil y que los niños digan todo lo que podría hacerse con ese dibujo.
   - Ante un dibujo confuso han de decir qué es, qué ven allí, qué cosas hacen, de qué colores lo habrían pintado ellos...

b) **Solución creativa de problemas**. Es una técnica muy relacionada con la anterior. Consiste en explorar, en plan torbellino de ideas, los fallos, dificultades, peligros, consecuencias negativas... que puede tener un objeto o situación familiar para los niños, bien sea en casa, en el colegio, el parque...

   Por ejemplo, a través de un juego, enseñaremos a los niños los efectos nocivos de un enchufe: ¿qué podemos hacer con él?, ¿qué nos pasa si...?, etcétera.

   Intentaremos, así:

   - Crear un ambiente de precaución.
   - Animar un estímulo más allá de lo real y evidente.
   - Comprender la secuencia del problema, distinguiendo causa y efecto.
   - Reconocer lo real como cambiante y no como estático o simple.

c) **El cuento**. De entre todos los materiales que podemos utilizar como base para que los niños desarrollen el lenguaje (juguetes, dibujos, fotografías, murales, plantas, flores, animales, teatro...), sin duda, el mejor es el cuento.

   El cuento despierta gran interés en los niños, ya que les permite convertir lo fantástico en real.

   - Identificarse con los personajes.
   - Dar rienda suelta a su fantasía, imaginación, creatividad...

   Esto hace que el profesor posea una herramienta fundamental a través de la que se puede desarrollar una amplia gama de objetivos.

   - Aumentar la expresión oral con un vocabulario amplio, claro, conciso y sugestivo.
   - Fomentar la creatividad del niño.
   - Crear hábitos de sensibilidad artística mediante imágenes atrayentes para el niño.

d) **Fábula**. Es un recurso fácil de utilizar, tanto por su sencillez como por las pocas acciones (una o dos) que aparecen, o por el mínimo diálogo (*La cigarra y la hormiga*, *La zorra y las uvas*...).

   Es interesante ver que en cada fábula aparece un conflicto o problema que el protagonista no soluciona bien, y ello le acarrea dificultades.

   Se les puede proponer a los niños que den soluciones a esas dificultades o fallos, lo que les sensibilizará para la solución creativa de problemas y para afrontar su propia vida con sentido realista.

e) **Canción**. Se puede considerar como un procedimiento para desarrollar la expresión total; es decir, a nivel literario, plástico, dinámico y musical.

Hasta aquí hemos hallado, con carácter general, las técnicas y recursos que podemos utilizar, si bien variando el grado de complejidad. Con respecto a los más pequeños, es decir, aquellos que todavía no utilizan el lenguaje oral o están empezando a hacerlo, sería interesante tener en cuenta ciertas orientaciones al respecto de la utilización de estas técnicas. Para los niños de edades muy tempranas, cuyos instrumentos de comunicación son muy rudimentarios, pero que sin embargo saben comunicarse a través del gesto. Para que esta función comunicativa se cumpla, se requiere que los adultos que rodean al niño sientan deseos de entenderle, de dar sentido a su expresión. La intervención educativa deberá aprovechar todas las situaciones (ligadas a rutinas diarias, al juego, a todo tipo de tareas y actividades de Centro) para fomentar el intercambio lingüístico. Aunque el niño no pueda utilizar el lenguaje oral, el educador deberá hablarle a lo largo de estas situaciones. Por otra parte, deberá crear situaciones específicas que requieran el uso del lenguaje desde una perspectiva funcional (juegos, escenarios, actividades especialmente diseñadas para ello).

La función de modelo que ejerce el educador con respecto a los más pequeños tiene tanta importancia como con los más mayores, pues la presencia de modelos lingüísticos correctos en su entorno constituye una condición primordial para que el lenguaje que ellos construyan sea, a su vez, correcto en todos sus componentes.

TEMA 7

Estrategias y actividades favorecedoras del desarrollo de la expresión oral, plástica, gráfica, rítmico-musical, lógico-matemático y corporal

Rentabiliza tu **esfuerzo** con los recursos del Curso Online MAD360.

Índice

1. Estrategias y actividades favorecedoras del desarrollo de la expresión oral

1.1. Características generales de la intervención en la Educación Infantil

El medio escolar es un lugar maravilloso para la exploración y enriquecimiento del lenguaje. El primer paso es crear en el niño **el deseo de hablar.**

La riqueza del medio donde todo es objeto de descubrimiento es uno de los mejores estimulantes del lenguaje.

En el primer ciclo las prioridades educativas se articulan en torno a la comprensión y utilización progresiva del lenguaje oral; para que, por una parte, sea capaz de comprender los mensajes y regular su comportamiento; y por otra, pueda utilizar el lenguaje oral para comunicarse con los demás, adultos y compañeros para expresar sus sentimientos, emociones e ideas.

En este ciclo se pretende que el lenguaje oral se convierta en un instrumento útil en la relación y comunicación interpersonal.

Ello quiere decir que la intervención educativa debe aprovechar todas las situaciones para fomentar el intercambio lingüístico entre el niño y sus compañeros y con el educador, así como crear situaciones específicas que requieran el uso del lenguaje en una perspectiva funcional.

Los juegos servirán a menudo de tema para los ejercicios de lenguaje, siempre activos y llevados en pequeños grupos.

En esta etapa serán muy útiles los juegos colectivos con un pequeño número de objetos y acciones con la finalidad de establecer comparaciones entre ellos, hacer clasificaciones, aplicando posteriormente los conceptos aprendidos a objetos y acciones de la vida diaria.

En el segundo ciclo se **consolidan los aprendizajes lingüísticos**, se perfecciona la sintaxis, el vocabulario se incrementa espectacularmente, se refina la pronunciación y se introduce la aproximación al lenguaje escrito.

Por lo tanto es en esta etapa donde la estimulación, los buenos modelos, las oportunidades de expresarse, han de ser intensificadas.

El lenguaje se convertirá en un instrumento de comunicación, de satisfacción de necesidades, de regulación conductual, en el principal mecanismo de conocimiento e interacción cultural.... y por supuesto hay que destacar su contribución al pensamiento.

1.2. Estrategias y actividades

Prácticamente cualquier actividad que se plantee en el contexto del aula podrá ser considerada de forma directa o indirecta como de lenguaje, ya que dado su carácter instrumental, el lenguaje está presente en casi la totalidad de las actividades habituales.

Enunciamos algunas de ellas agrupadas por tipologías y el ámbito que desarrollan:

1.2.1. Técnicas de elocución

Con las técnicas de elocución pretendemos vencer la timidez y hablar con seguridad, fomentar el empleo de la buena entonación, desarrollar la memoria y el pensamiento, favorecer la autodisciplina y desarrollar las capacidades de observación, análisis y síntesis.

A) La narración

La narración consiste en el relato de acontecimientos reales o imaginarios utilizando el lenguaje oral o un soporte escrito. Es una modalidad textual que se caracteriza por la existencia de un hilo conductor o argumento, por lo que hay una secuencia espacio-temporal.

Es posible como técnica usarla convirtiendo al niño en narrador o en interlocutor; en ambas modalidades se participa de la expresión y comprensión de textos orales.

Comprensión y expresión forman parte del aprendizaje de la lengua.

La **expresión** se concreta a través del habla y supone la transformación de un pensamiento en una sucesión fonética con un significado y es una posibilidad que el niño desarrollará al crecer en una sociedad "parlante" y sobre todo, si los individuos que le rodean, le hablan y responden activamente y de forma apropiada, ofreciéndole así los elementos que pueda utilizar para aprender. Por lo tanto hablar es un hecho social.

La **comprensión** supone una actividad mental comparable a la de hablar, aunque no son producciones simétricas. Exige la movilización de "materiales disponibles", por ejemplo, la memoria, y de posibilidades de funcionamiento del lenguaje, permitiendo un proceso de previsión del discurso del emisor. Esta previsión no alcanza solo a las características sintácticas, léxicas, morfológicas y entonativas, sino de manera simultánea actúa sobre el significado del discurso percibido.

Comprender no es solo "escuchar ruidos" o elementos sonoros sucesivos, sino interpretar significados, lo cual supone una actividad igualmente productiva.

El niño debe aprender a hablar al tiempo que aprende a pensar y razonar, de ahí la importancia de una interacción estimulante, rica afectivamente, generadora de placer, provocadora de actitudes de razonamiento, que le lleven por su propia experiencia al mundo de la significación.

Es importante sumergir al niño en una atmósfera lingüística suficientemente rica que le lleve a la fijación de modelos de palabras interesantes por su significado, por su sonido, por su novedad; así como frases, textos que a través de la recitación o narración les llevan progresivamente a "sentir" el lenguaje.

Los cuentos y narraciones constituyen un recurso lingüístico de primer orden, ya que cumplen los requisitos para conseguir la atención, la carga emocional y la proximidad que el niño precisa sentir para implicarse en esa comunicación.

En la narración de cuentos, la escenificación, tono e implicación del narrador son aspectos esenciales para el resultado estético, motivador y educativo del cuento.

Es importante saber transmitir las características de los personajes con la mayor cantidad de detalles que sea posible.

Además se procurará:

- Utilizar un estilo directo, reproduciendo los diálogos, modulando y escenificando en la medida de lo posible.
- Utilizar onomatopeyas.
- Evitar la monotonía y la cadencia repetitiva en la narración.
- Fomentar la participación, invitándoles a intervenir.
- Utilizar las fórmulas tradiciones de inicio y cierre: "Érase una vez..." y "Colorín colorado...".
- Completar con gestos, movimientos del cuerpo, brazos, etc.
- Realizar la narración en un clima distendido, lúdico, que despierte motivación y entusiasmo.
- Mostrar las ilustraciones y dejar tocar el cuento.
- El cuento que vayamos a contar ha de gustarnos y entusiasmarnos.
- Posar la mirada sobre los distintos interlocutores.
- Establecer comparaciones positivas entre los personajes y los oyentes para implicarlos en el argumento del relato.
- Contestar brevemente a las preguntas que surgen entre los oyentes.
- Las fórmulas rimadas o canciones han de interpretarse.

Los cuentos, las narraciones, estimulan la fantasía y la imaginación. Por su variedad temática, de ambiente, de situaciones y de personajes abren al niño un amplio abanico de posibilidades que en su experiencia cotidiana no hubiera podido imaginar.

Narrar es una práctica que permite además encadenar ideas de una forma coherente para dar cohesión al relato. Por otro lado también ha de ejercitar el narrador su entonación y ritmo para que su texto sea atractivo al oyente, para ello intentará reproducir aquellos recursos que a él mismo le resulten atractivos.

Es importante repetir narraciones, que el niño las reproduzca inmediatamente o después de cierto tiempo también para ejercitar la memoria, narrar en episodios, en este caso se comenzará con un breve resumen de lo narrado anteriormente. En otros casos jugaremos a inventar cuentos de forma colectiva o encadenada, y desde luego, no ha de dejarse de lado la lectura, puesto que ello servirá como incentivo para el aprendizaje lector así como la familiarización con el libro como objeto. En esta última actividad es importante que colaboren también los padres.

Tras la narración de cuentos, el carácter educativo de la actividad prosigue, con actividades encaminadas a verificar la comprensión de la historia, descripción de personajes, actividades de creatividad oral (cambio de finales, de personajes...), actividades de expresión corporal, comparación de cuentos, descripción de las escenas de la historia...

B) Descripción

Tiene por objeto representar algo con palabras, dando una idea lo más fiel y completa posible. Exige una atenta observación y requiere precisión y brevedad. Hay abundancia de adjetivos y el interlocutor debe poder imaginarse el objeto, persona, etc., que le está siendo descrito.

El objeto de la descripción puede ser variado (animales, personajes, objetos), real o imaginario..., aunque es conveniente partir siempre de la observación, ya sea directa o indirecta (pensamiento concreto).

Estas actividades pueden realizarse con diversos agrupamientos:

- Todo el grupo de clase.
- Grupo pequeño.
- Individualmente.

Un factor importante que se debe tener en cuenta es la colocación de los niños durante la actividad, de manera que todos puedan ver bien aquello que van a descubrir.

En las sesiones dedicadas a la descripción es más importante atender a los procesos de atención, observación y pensamiento que al número total de términos o vocabulario empleado en ello.

Será necesario que el profesor guíe a los niños y les vaya ayudando a descubrir en qué cosas se pueden fijar para describir algo, por ejemplo, mediante preguntas del siguiente tipo: ¿cómo es? (color, forma, tamaño, peso...) ¿Qué es? ¿Para qué sirve?

Para ello es básico ayudarlos a analizar lo que describen tomando como diferencia los sentidos y las partes que tiene lo observado.

Más adelante se puede pasar a otro tipo de características más abstractas y simbólicas, así como características psíquicas en la descripción de personas.

C) Recitado

Es importante enseñar a hablar con propiedad y elegancia, con la debida entonación y sin perder la naturalidad, de forma armónica y con ritmo adecuado.

Las pausas, las inflexiones..., no solo matizan el habla sino que modifican el sentido del discurso.

El habla cobra vida y expresividad cuando se introducen los ritmos, las inflexiones y las modulaciones.

La poesía debe estar presente en la vida del niño desde pequeño: las breves canciones "de falda", los juegos rimados con que se distrae a los niños, son una iniciación al mundo de lo poético, en el que impera la cadencia, el ritmo, la imaginación e incluso el absurdo.

En esta poesía que gusta a los niños y con la que juegan aparecen formas poéticas primitivas que contribuyen a la memorización del texto. El folclore ofrece múltiples posibilidades para actividades de recitación.

1.2.2. Técnicas de articulación

El objetivo es que los niños aprenden a articular correctamente fonemas y sonidos combinados.

Las actividades planteadas tendrán los siguientes ejes de trabajo:

- **Juegos de discriminación auditiva**: permiten desarrolla la "finura" en la identificación de sonidos, parámetros sonoros y elementos lingüísticos (en silencio, hay que escuchar sonidos, ruidos de fuera de clase: Poco a poco se va agudizando la capacidad auditiva…).
- **Juegos de motricidad buco-facial**: se trabajarán movimientos de los órganos activos de la articulación (lengua, mejillas, labios) siempre desde un contexto muy lúdico. La motricidad buco facial mejora la habilidad para pronunciar.

  Se pueden hacer así mismo ejercicios respiratorios y de coordinación de órganos fonatorios, siempre en contexto de juego (tocar con la lengua la punta de la nariz, inflar los mofletes, soplar una vela).

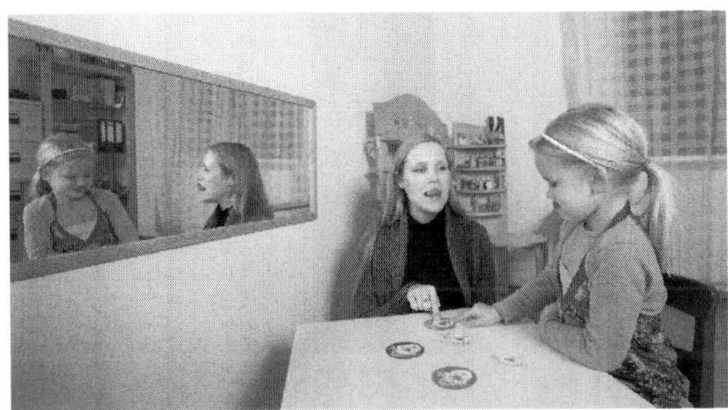

- **Juegos de imitación**: onomatopeyas (sonidos de animales, instrumentos, objetos cotidianos), sonidos naturales (lluvia, viento, etc.), repetir frases y palabras con distintos estados de ánimo, modificando el ritmo, la velocidad...
- **Juegos de estructuración temporal**: en realidad el habla es una sucesión de sonidos en el tiempo, por ello podemos desarrollar juegos en los que los niños perciban el orden temporal de elementos pronunciados.
- **Juegos de conciencia silábica y fonética**: tienen como objeto preparar a los niños para el lenguaje escrito ejercitando su capacidad de analizar fonéticamente las palabras, identificando en ellas fonemas, sílabas en el contexto de palabras, secuencia de elementos en la formación de frases... (por ejemplo, partiendo de "mariposa" deben decir: marapasa, merepese, miripisi…).

Las adivinanzas y trabalenguas son un buen recurso para la articulación, ambas añaden el aspecto lúdico. Pueden plantearse como juegos y son útiles para ejercitar la memoria.

Las adivinanzas permiten el trabajo con campos asociativos por asociaciones de contigüidad, forma, color, tamaño, función e incluso fónico, lo cual posibilita juegos del lenguaje. Por imitación se pueden inventar nuevas adivinanzas en las cuales el niño muestra su capacidad personal de asociación.

Los trabalenguas serán al principio aquellos basados en sonidos de menor dificultad para ir introduciendo luego otros de dificultad mayor.

1.2.3. Técnicas de vocabulario

Consisten en promover la ampliación del vocabulario tanto cuantitativa como cualitativamente.

Algunos criterios en torno a centros de interés pueden ser:

- **Agrupamientos morfológicos**: familias de palabras que poseen la misma raíz. (Ejemplos: pan - panadero - panadería - panecillo, colgar- descolgar).
- **Agrupamientos temáticos**: se trata de agrupar vocablos en torno a un tema (objetos del cuarto de baño, frutas, animales...).
- **Agrupamientos semánticos**: basados en sinónimos y antónimos (gordo-flaco, guapo-hermoso-bonito...).
- **Agrupamientos gramaticales**: se trata de e combinar categorías gramaticales básicas en frases breves, teniendo en cuenta que el niño de 4 a 6 años utiliza aproximadamente el 62 % de sustantivos, el 7 % de verbos y el 20 % de adjetivos, consiste en centrar la atención en las distintas categorías (¿Cómo puede ser un perrito? bonito, peludo, grande, juguetón...).

Se pueden hacer también juegos como el "veo-veo", "de la Habana ha venido un barco cargado de...", "tabú", etc.

Podemos usar todo lo que nos rodea para trabajar el léxico, en el aula, la calle, la casa... Todo lo que los niños traen a la escuela: ropa, merienda, juguetes...

Ejemplos:

- Enlazar palabras. Sentados en corro se dice una palabra y ellos deben coger la última sílaba y decir otra. Ejemplo: tela-lata-tarro...
- Juegos de opuestos. Buscar el contrario de grande, alto, frío...
- Juegos de asociación. Buscar cosas que pertenecen a una misma familia.
- Juegos de adivinanzas.

1.2.4. Técnicas de diálogo

Se trata de favorecer la socialización y desarrollar la convivencia en el contexto de actividades lingüísticas.

Tienden a fomentar el hábito de saber escuchar, control de las propias emociones y el empleo de tonos de voz adecuados. Se trata de habituar al niño en el orden de las intervenciones, así como de enriquecer su vocabulario, perfeccionar la elocución y despertar su interés por temas de todo tipo, en general por la información.

Las formas básicas son:

1. **Conversación**: es el medio ideal para que el niño aprenda a expresarse. Puede ser libre o dirigida. Requiere el dominio y puesta en práctica de las habilidades y actitudes básicas de la comunicación recíproca.

2. **Asambleas**: se llevan a cabo en el contexto habitual de todo el grupo. Son muy habituales en las aulas de Educación Infantil y permiten el desarrollo de rutinas, puestas en común, intercambios de información y experiencias... Deben favorecerse la participación de todos los niños y la escucha y reconocimiento de las aportaciones de los demás.

3. **Dramatización**: permite a los niños el uso espontáneo del lenguaje, los gestos y la mímica así como la utilización de diferentes medios. Favorece la capacidad de actuar y de expresarse de forma individual y colectiva.

Las dramatizaciones son una actividad muy recomendable para el desarrollo del lenguaje oral pues además de resultar muy atractivas para los niños, les permiten "descargar" sus emociones.

La dramatización admite muchas variantes, como son:

- Sesiones de títeres, guiñol y marionetas.
- Teatro de máscaras.
- Dramatización de cuentos conocidos.
- Dramatización de cuentos inventados por los niños.
- Sombras chinescas.
- Dramatización de situaciones conocidas.

Se debe procurar que en la dramatización participen todos los niños, ya sea actuando o describiendo lo que están viendo. Luego se turnarán los papeles.

1.2.5. Técnicas de creatividad

Pretenden el desarrollo del lenguaje tomando como criterio general la libre y creativa expresión del niño. Algunas de las más usuales son:

Enumeraremos algunas técnicas y programas para estimular la creatividad de los alumnos.

- **Proyecto de visión futura**: consiste en elaborar proyectos imaginarios que el grupo sabe que no podrá llevar a la práctica. Se establecen los siguientes casos:
    * Se explica al grupo el proyecto y las finalidades.
    * Se reparte el esquema del proyecto y se ponen a trabajar en subgrupos.
    * Puesta en común y elección del mejor proyecto de los subgrupos.
- **Resolución de problemas**: es la solución de problemas por parte del grupo. Se desarrolla en los siguientes pasos:
    * Situación exploratoria: condiciones, dificultades, causas. Se contribuye con experiencia personal, datos, opiniones, sentimientos.
    * Análisis de los problemas que hacen la situación indeseable y ordenación según su importancia.

  * Se toma el problema más importante y se conciben las ideas que pueden resolverlo, haciendo una lista de todas ellas.
  * Selección de la solución más adecuada.
  * Enfoque práctico de la solución.
- **Otros ejercicios**: otras formas prácticas de fomentar la creatividad pueden ser:
  * Completar cuentos.
  * Cuentos creativos psicomotores.
  * Usos divergentes de objetos.
  * Máquinas animales o vivientes.
  * Intentar nuevas palabras, etc.
- **Técnicas Freinet**
  * Dibujo libre.
  * Cálculo viviente.
  * Texto libre.
  * Libro de la vida.
- **Técnicas de Dinámica de Grupos**
  * Tormenta de ideas.
  * *Role Playing*.

Preguntas creativas de factores y test de creatividad

- Uso de objetos: se trata de enumerar todos los usos posibles que pueda tener un objeto.
- Significado de palabras: uso de palabras polisémicas: brazo, pico, planta...
- Enumeración: decir todas las cosas que cumplan una determinada condición.
- Semejanzas: decir en qué se parecen dos objetos.
- Significados de modelos y líneas: ante dibujos abstractos o líneas enumerar todas las cosas que sugieren.
- Consecuencias: se trata de especular con lo que pasaría si algo cambiara.

Técnicas de Rodari

- **Binomio fantástico**: unir dos palabras sin aparente relación y con ellas crear una historia.
- **Error creativo**: en lugar de corregir un error cometido por el niño se utiliza como punto de referencia una historia (el error se debe advertir, pero la corrección del mismo genera la historia).
- **Ensalada de fábulas**: una vez que los niños conocen de sobra un cuento les gusta jugar con él y se pueden mezclar varios cuentos.

- **Equivocar historias**: parecida al anterior. Se trata de cambiar algún elemento del cuento.
- **Fábulas al revés**: inversión de papeles y roles en los personajes del cuento.
- **Historias tabú**: construir historias con palabras que tradicionalmente le son prohibidas al niño o con las que el adulto muestra fastidio si se mencionan en público; contribuimos así a su desmitificación y ya no serán tan del agrado del niño.
- **Qué sucede después de colorín colorado**: inventar historias que sean la prolongación de un cuento acabado.
- **Matemáticas de las historias**: introducir conceptos matemáticos aprovechando las historias que conocen y deformándolas.
- **Juegos simbólicos**: libres o sugeridos.
- **Juegos tensión-relajación**: imaginar que somos un globo, un algodón, una marioneta.
- **Juegos expresivos**: andamos como un enanito, una serpiente, un borracho, un gigante.
  * Las manos hablan: expresamos con las manos mensajes.
  * Todos los sentidos actúan: nos comemos una manzana imaginaria, la pelamos, la olemos, la masticamos, la sentimos pasar por la garganta, etc.
- **Juego dramático creativo**: puede ser disfrazarse, escenificar situaciones, etc.

  No solo ofrece muchas posibilidades para el surgimiento de ideas divergentes, sino que, tiene muchos otros beneficios. Entre ellos, se ha comprobado que los niños que desarrollan juego imaginativo son mucho más felices, su verbalización es mucho más rica en metáforas, enunciados descriptivos, etc.

2. La expresión plástica y visual como deseo de expresar y de comunicar

La expresión plástica, como todo lenguaje, supone un proceso creador. Para llegar a representar, comunicar creativamente a través de la imagen, las percepciones, las vivencias, es necesario conseguir un equilibrio entre lo que se vive y lo que se expresa, entre acción y lenguaje, y es necesario además, encontrar una "forma de decir", en este caso, una forma plástica.

La expresión plástica, además de su valor como lenguaje expresivo, es el cauce para la expresión de contenidos mentales de índole estética y emocional y también para la expresión de contenidos cognitivos acerca de configuraciones visuales y espaciales, haciendo posible la materialización de las ideas junto con la formación y desarrollo de la propia motricidad, afectividad y cognición del niño.

Asimismo, la expresión plástica tiene un fuerte valor procedimental como recurso didáctico para la comprensión de los contenidos de otras áreas (Ej. manipular arena de un recipiente a otro Matemáticas/plástica; construir una maqueta con materiales naturales.

Con respecto a su valor actitudinal, la expresión plástica es el medio idóneo para propiciar actitudes como sentir percibiendo, ver interiorizando, comprendiendo, descubriendo... gracias al placer derivado de los estímulos visuales, táctiles, de experimentación, etcétera.

Todo ello nos obliga a darle un peso específico a la expresión plástica dentro del proceso de enseñanza-aprendizaje en la etapa de la Educación Infantil.

2.1. Evolución de la expresión plástica en los niños y niñas

Si bien es cierto que la primera utilidad y funcionalidad que la psicomotricidad tiene para el niño es exploratoria y de acción sobre el medio, pronto, después de su acceso al mundo simbólico durante el segundo año de vida, empieza a darse cuenta de que, al igual que el lenguaje, su acción manual sobre el medio puede tener también una finalidad comunicativa y expresiva. Esto es así porque advierte que el trazo que realiza, o la pintura esparcida sobre una superficie, tiene una repercusión inmediata y sorprendente ante sus ojos y ante su propia percepción en forma de colorido, y que también produce reacciones en los demás. Es decir, se produce una realimentación visual-motora, o visomotora. Los resultados de ello son notados por el niño, el cual, a partir de entonces y convenientemente estimulado, empezará a utilizar dicho lenguaje como vehículo para el propio disfrute y expresión personal, ante él y ante los otros.

Pero esta evolución no se realiza de modo diferencial, sin una secuencia o patrones generales. **Lowenfeld y Lambert** (1980), partiendo de sus investigaciones y observaciones, esquematizan sus resultados apuntando que la evolución de la expresión plástica en el niño se desarrolla según una serie de etapas evolutivas semejantes, aunque no idénticas, en todos: etapa de garabateo, etapa preesquemática, etapa esquemática, etapa de pseudo-realismo y etapa realista. Nos ocuparemos sólo de las dos primeras etapas, las cuales comprenden desde el primer año hasta los 6-7 años.

Veamos con más detenimiento las características de cada una de las etapas.

A) Etapa del garabateo

Cuando un niño muy pequeño coge por primera vez un lápiz, apenas es consciente de lo que tiene en la mano. Sus movimientos, todavía incontrolados, trazan líneas enrevesadas o puntean golpeando con mayor o menor brusquedad sobre el papel o sus alrededores, mientras sujeta el lápiz con el puño cerrado, que responde a los orígenes de lo que se denomina garabato. Todavía no tiene el control viso-grafo-motriz y lo que hace es explorar mientras repite los intentos para conseguir adecuar el gesto cada vez más.

El garabato no tiene intención representativa. Son estructuras lineales que muestran las variaciones de tensión muscular que está atravesando el niño y que no requiere control visual.

Esta etapa del garabateo abarca de los 2 a los 4 años aproximadamente y su evolución atraviesa los siguientes pasos:

- **Garabateo desordenado**. No tiene ninguna finalidad representativa. Son trazos largos, sin sentido ni orden, desarrollados a partir de movimientos kinestésicos, puramente gestuales, como de juego, que generalmente dan lugar a dos tipos de garabatos: longitudinales (movimientos torpes del brazo hacia adelante y hacia atrás, o hacia arriba y hacia abajo) y circulares. Aún no tiene el niño control visual.

- **Garabateo controlado**. Hacia los 6 meses de haber comenzado a garabatear existe ya en el niño una coordinación viso-motora y goza practicándola. El niño no pretende dibujar nada en concreto. Es capaz de copiar un círculo, pero no un cuadrado, y se interesa por el uso de los colores.
- **Garabato con nombre**. Si hasta ahora el niño realizaba el garabato por el simple placer de los movimientos que ejercitaba, hacia los 3 o 4 años empieza a conectar esos movimientos con el mundo que le rodea; le da nombre a los garabatos que dibuja, aunque en realidad la representación es irreconocible como tal. Esto supone que el niño transforma el pensamiento kinestésico anterior en un pensamiento de imágenes.

En líneas generales, la experiencia del garabato es fundamentalmente una actividad motriz. Al principio, la satisfacción deriva de la experiencia de movimiento; después, del control visual de esas líneas; y finalmente de la relación de esas líneas y el mundo exterior.

En esta etapa aumenta el tiempo que le dedica a sus dibujos y es cuando más disfruta de los colores.

Sus garabatos empiezan a evolucionar rápidamente. En poco tiempo los círculos y líneas comienzan a combinarse formando unos burdos pero reconocibles esquemas de figuras humanas.

Puede resultar perjudicial que los adultos interpreten los garabatos o impulsen al niño a que dé nombre o encuentre explicación a lo que ha dibujado; puesto que el garabato tiene más que ver con el desarrollo físico, motriz y psicológico del niño que con una motivación puramente artística. El educador debe inculcar confianza y entusiasmo en esta etapa y abstenerse de hacer interpretaciones o de intentar enseñar a dibujar o a copiar al niño. Es más importante la participación del adulto en la experiencia del garabato que el dibujo en sí.

B) Etapa preesquemática (4-6 años)

La frontera entre el garabato y el esquematismo es la aparición de la intencionalidad. Cuando se produce la fusión del dibujo y la intencionalidad, empieza a elaborarse lo que se denomina vocabulario gráfico del niño, constituido por una serie de esquemas, que son estructuras gráficas con valor representativo. Los esquemas, al principio, son muy simples: líneas, círculos, curvas, etc. Se repiten constantemente, introduciendo pequeñas modificaciones, que con frecuencia se incorporan al dibujo.

En esta etapa, los trazos y garabatos van perdiendo relación con los movimientos corporales. Se van haciendo controlados y se refieren a objetos visuales. El niño trata de establecer una relación entre el dibujo y lo que intenta representar.

- A los 4 años ejecuta formas reconocibles.
- A los 5 años pueden ser reconocibles personas.
- A los 6 años los dibujos se distinguen claramente.

La etapa preesquemática del dibujo es un reflejo a nivel gráfico de la etapa sincrética a nivel intelectual. Si el niño hace dibujos esquemáticos es porque tiene un pensamiento sincrético, preoperatorio. Esto se pone de manifiesto en algunos hechos:

- Al niño de esta edad le importa poco que su dibujo-representación sea copia fiel del modelo, no le interesa copiar el modelo. La apariencia objetiva del modelo no le preocupa, solo le interesa que su dibujo evoque, le recuerde algo.
- El niño hace sus dibujos con esquemas muy estereotipados y simples, que se repiten de un dibujo a otro.
- Dibuja lo significativo, las características que para él son importantes. Con frecuencia destaca en sus dibujos lo que más conoce.
- Son dibujos aditivos, el niño va añadiendo progresivamente esquemas nuevos a sus representaciones.

Las primeras representaciones del niño son de cosas aisladas. A los 4 años comienzan a aparecer de forma rudimentaria los primeros intentos de escena. Objetos y personas se empiezan a poner en combinación.

A partir de los 5-6 años empiezan a entrar en relación los elementos que componen las escenas. Aparecen juntos la casa y el árbol. También empiezan a aparecer las primeras figuras de perfil. Aparecen de forma clara las escenas que implican movimiento.

Las características del preesquematismo gráfico, que están relacionadas con el sincretismo del pensamiento preoperacional son:

- **Ejemplaridad:** utiliza el mismo esquema para representar cosas distintas.
- **Dificultad** para coordinar los distintos subconjuntos del dibujo.
- **Coexistencia d**e distintos puntos de vista (distintas perspectivas).
- **Transparencias**: dibujos en rayos x.
- **Desproporciones**: aumenta el tamaño del dibujo que para él es más llamativo.

Entre los 5-6 años aparece la línea de tierra o línea base, sobre la que va a situar los elementos del dibujo. Incorpora, asimismo, la línea del cielo. Aparece la estructuración temporal del dibujo. Cuando quiere representar cosas sucedidas en tiempos diferentes, las separa en escenas.

Con respecto a la evolución del dibujo de la figura humana, la primera representación que el niño hace es lo que se conoce por *renacuajo*. Esta representación consiste en un círculo por cabeza y dos líneas verticales que representan las piernas. Con 5 años existen una serie de aspectos a considerar en las representaciones humanas que hacen los niños:

	Básico	Comunes	Probables
Niñas	– Cabeza. – Ojos. – Nariz. – Boca. – Cuerpo. – Piernas. – Brazos.	– Pies. – Cabello. – Dedos. – Brazos bidimensionales. – Una o ninguna prenda de vestir.	– Piernas bidimensionales. – Cuello. – Manos. – Cejas. – Pupilas. – Brazos hacia abajo. – Orejas. – Número correcto de dedos. – Dos o tres prendas de vestir.
Niños	– Cabeza. – Ojos. – Nariz. – Boca. – Cuerpo. – Piernas.	– Brazos. – Pies. – Dedos. – Cabello.	– Piernas y brazos bidimensionales. – Brazos hacia abajo. – Cuello. – Manos. – Orejas. – Cejas.

A los 6 años ya es capaz de lograr un dibujo bastante elaborado de la figura humana. En esta etapa existe poca relación entre el color elegido por el niño para pintar un objeto y el objeto representado. De esta manera, un hombre puede estar totalmente coloreado de verde, por ejemplo. El niño utiliza el color a su gusto, normalmente en función de sus colores favoritos, no en función de la realidad física.

Siguiendo a Piaget, una vez finalizada la etapa del garabato, el niño pasa por los siguientes estadios en cuanto a expresión plástica se refiere:

1. **Imagen defectuosa:** el niño no dibuja el objeto mismo, sino la representación que de él se ha hecho (renacuajo).
2. **Imagen intelectual:** no dibuja el objeto como lo ve, sino que dibuja todo lo que sabe de él (huevo con pollito dentro).

El dibujo esquemático termina hacia los 6-7 años, cuando supera el tipo de pensamiento equivalente. Aparece entonces el realismo gráfico, como continuación del esquematismo.

2.2. Elementos básicos del lenguaje plástico

Los elementos básicos de las composiciones plásticas que realizan los niños y niñas de edades comprendidas entre los 4 y los 6 años son el color, la línea, la forma y el volumen.

A) El color

Antes de los 4 años, el color tiene claramente una importancia secundaria para el niño desde el punto de vista del dibujo. Los colores le atraen, pueden incluso distraerle en su trabajo, pero le atraen en cuanto estímulos visuales.

Las primeras elecciones de color parecen depender de intereses emocionales y no tienen por tanto relación objetiva con la realidad, aunque hay veces que utiliza el color para expresar objetos distintos, para diferenciar un monigote o un esquema de otro, aunque esto último en período posterior. Todavía no relaciona el objeto con el color.

Es alrededor de los 5 años cuando ya ha descubierto la línea base y está tratando de afianzar sus esquemas, cuando comienza a distinguir los colores de las cosas en cuanto tales. A partir de ahora, siempre que quiera representar un objeto determinado utilizará el mismo color, porque también en esto establecerá esquemas. Y así, todos los cielos serán azules, las hojas verdes, etcétera.

En este período suele utilizar colores "enteros", sin matices, que todavía no ve, por lo que conviene proveerle de una paleta bastante amplia.

El primer encuentro del niño con el color debe ser libre. Descubrir el mundo del color, su potencial expresivo, es un trabajo que debe realizar cada individuo, es aprender un lenguaje para poder expresarse.

Aprender a colorear es necesario desde un punto de vista técnico o de habilidad. Pero también lo es aprender a sentir el color afectivamente.

Es importante enseñarles la diferencia entre pintar y rellenar. Conviene que tomen conciencia de que, al rellenar, únicamente están haciendo un ejercicio, una especie de caligrafía. Están aprendiendo a controlar el movimiento, función viso-grafo-motora. Mientras que, al pintar, la línea apenas importa. Se va construyendo con los colores en una forma similar a como se construye al modelar. Están aprendiendo a expresarse, a sentir, a vivir el color.

La aproximación al mundo de los colores, desde el punto de vista didáctico, debe llevarse a cabo logrando una comunicación directa entre la viveza, la riqueza de la realidad interior personal y la capacidad (típica del color) de recogerla y de tratar de objetivarla, representándola.

Conviene, por ello, que el niño se aproxime al color como medio para conservar toda su fuerza expresiva y utilizarla plenamente.

No corresponde esto a una actividad de conocimiento del color en relación a una búsqueda del nombre de los colores; la mayor parte de las veces ello equivale a proporcionar rigidez a la función discriminativa del color, como si se pudiese extrapolar de su capacidad expresiva.

No se persigue, en definitiva, las convenciones realistas (el cielo debe ser azul) en el plano cognitivo.

Se debe mantener una actitud procedimental, no en base a la presentación de un color cada vez para continuar luego con asociaciones aditivas, sino mediante relaciones dinámicas.

B) La línea

La línea como lenguaje visual primario evoluciona en la representación gráfica de forma paralela al desarrollo cognitivo y motor del niño.

Para la adquisición de la coordinación motora y espacial se plantearán ejercicios que trabajen el músculo flexor y el pulgar para la destreza de aprehensión del elemento que sujeten. Las técnicas que se utilicen y la progresión de las actividades permitirán un desarrollo paralelo de la libertad de expresión.

Entre los ejercicios dirigidos a la adquisición de destrezas motoras podemos distinguir entre ejercicios direccionales y lineales:

- Los **ejercicios direccionales** son del tipo: reseguir formas tanto rectas, circulares, cuadradas, triangulares..., punzando y dibujando; o llenado de una superficie (primero libre y después siguiendo unas pautas), pegado de bolas de papel de seda, siguiendo una forma, o pegado de formas geométricas en mosaicos sencillos.
- Los **ejercicios lineales** se refieren a: impresión de elementos que solo marquen una línea o un contorno, observando así las formas reflejadas (rastro que deja una cuerda untada con pintura al arrastrarla sobre un papel, formas curvas que deja el estropajo metálico, un lápiz, la piel de una fruta...); esgrafiados sobre ceras, sobre arenas, aserrín...

El estudio de la línea nos lleva a verlo no solo como una destreza manual, sino como un mecanismo importante para la expresividad de la obra. La expresividad de la línea genera distintas sensaciones al observador. El trazo nos da idea de movimiento, fuerza, dramatismo, dolor, fantasía... Muchos pintores reflejan estas sensaciones a través de sus líneas (Van Gogh, Chagal, Picasso...) e incluso los períodos clave en la Historia del Arte se simbolizan con formas lineales, como son el Gótico, el Barroco, el Racionalismo...

Por tanto, el valor del trazo como forma de expresividad evoluciona paralelamente a la coordinación mental y motora. El reconocimiento por el niño de su gesto gráfico le lleva a investigar nuevas formas de expresión y a utilizar estereotipos.

Desde la primera etapa del garabateo, el niño utiliza la línea como primera forma de expresión.

El niño dibuja líneas:

- **Horizontales.** Generalmente no se usan solas sino formando parte de un rectángulo o cuadrado (a partir de los 2 años). Las más características son las llamadas "línea base" y "línea del cielo".
- **Verticales.** Corresponden a los objetos que están en posición vertical. Marcan las divisiones en el papel del espacio en "derecha" e "izquierda".

- **Diagonales.** Pueden crear un equilibrio de arriba/abajo y de derecha/izquierda. Se pueden utilizar solas o para crear diseños, formar tejados, velas, etcétera.
- **Presillas.** Se hacen más fácilmente que los círculos y los cuadrados, se trabaja el equilibrio derecha/izquierda. Con ellas se dibujan troncos, piernas, brazos...
- Otras líneas: curvas, zigzag, espirales...

El estudio del trazo es interesante para conocer al niño:

- La fuerza de los trazos manifiesta la intensidad con que el niño oprime el lápiz. Cuando el trazo es fuerte, expresa audacia, violencia, intuición. El trazo flojo refleja timidez, suavidad, inhibición.
- La amplitud de las líneas indican extraversión, expansión vital cuando los trazos son grandes, mientras que las líneas entrecortadas indican inhibición, tendencia a la introversión.

C) La forma

El niño pequeño no tiene al dibujar en cuenta las proporciones reales de las cosas, sino el valor que para él tienen. Por ejemplo, en el dibujo de la familia tiende a hacer a la madre más grande que al resto de los personajes. Esto es importante, porque no olvidemos que el niño se sirve de su obra para darnos su mundo, su visión.

Además del valor afectivo o de significación con que el niño utiliza la forma en sus dibujos, este elemento tiene otra dimensión, ya que, según la forma, el niño diferencia espacios gráficos y representa elementos (paso del garabateo al preesquematismo), paso del gesto motor incontrolado a la intencionalidad representativa. Con la forma intenta decir algo.

La conquista de la forma en el plano gráfico va ligada a la manifestación de competencias, que ya son más complejas en el plano cognitivo.

En particular, la conquista de la figura humana en el plano perceptivo no viene dada solo en el momento en que aparece la destreza grafo-motora; el niño piensa a través de la percepción, y cuando plasma algo en el papel no hace sino ampliar y materializar externamente el producto de su pensamiento.

Resulta contraproducente contribuir en Educación Plástica a la formación de estereotipos, sugiriendo formas convencionales de representación de algunos objetos. Tampoco debe intervenir metodológicamente el educador haciendo que los niños representen objetos recurriendo a configuraciones, comunes como por ejemplo la redondez del sol. El modo como el niño representa esa redondez, los colores que utiliza, su colocación en el espacio, etc., constituyen las interpretaciones personales, creativas, que deben ser potenciadas en la escuela.

No se trata de que el niño sea "realista" y "fiel" en la reproducción de un objeto, lo importante es asegurarse que este haya llevado a cabo muchas experiencias con los objetos, que haya podido observarlos desde diversos puntos de vista, que se haya cultivado intensamente la estimulación perceptiva, de manera que su pensamiento haya tenido manera de recibir muchas informaciones y de elaborarlas.

D) El volumen

La evolución del volumen tiene similitud a la que se produce con el dibujo. Comenzarán manipulando materiales para, a partir de que desarrollen cierta habilidad en su manejo, intentar formar bolas o churros (macarrones). Estos paulatinamente recibirán nombres y pasarán a convertirse en gusanos, serpientes.

Posteriormente, la unión de estas piezas dará lugar a formas que a medida que aumentan su experiencia los niños, serán más elaboradas y se les dotará de un mayor número de detalles. Más tarde agruparán los monigotes formando escenas.

Dentro de las representaciones tridimensionales deben incluirse juegos y construcciones en los que los niños delimitan un espacio de la habitación donde se desarrolla la actividad.

2.3. Elementos de la programación de la expresión plástica. Estrategias y actividades

En una programación, que definimos como globalizadora, tendremos que tener en cuenta que esta tiene que cumplir, entre otras, las siguientes **funciones**:

- Generar actitudes positivas hacia la expresión plástica, para lo cual debemos propiciar una ambientación adecuada del espacio físico para facilitar la receptividad del niño, que vendrá determinada por las sensaciones que el niño experimente en el lugar que debe permanecer.
- Adecuar los instrumentos, técnicas y materiales a los objetivos propuestos, teniendo en cuenta la progresión en cuanto a manejo y dificultad técnica que irá en función del desarrollo evolutivo general del niño.
- Descubrir y fomentar en el niño el uso del lenguaje plástico. La línea, la mancha, el dibujo, son los instrumentos que generarán la forma, en principio casual y después con intencionalidad representacional. La programación debe considerar el valor de la expresión gráfica como medio de interiorización de los "hechos" descubiertos por el niño a través de la experimentación con diferentes materiales y técnicas.
- Considerar la expresión plástica como el vehículo para expresar los estados emocionales y el carácter de los niños, así como su nivel de evolución y su interés de comunicación.

A) Objetivos

Partiendo del carácter globalizador y holístico, esto es, integrador, de la Educación Plástica se propone el siguiente gran objetivo: conseguir la educación integral del niño a través de la educación plástica.

El desarrollo de la coordinación óculo-manual y la progresiva precisión de las habilidades motoras correspondientes permitirán a los niños utilizar la expresión plástica para representar sus vivencias.

B) Contenidos

La expresión plástica les facilitará la representación de lo que van conociendo a través de su experiencia del entorno y de lo que pasa en su mundo interior. Ambos aspectos se entremezclan en las producciones plásticas. La realidad vivida aparece modificada por los sentimientos, afectos o deseos, que suscita y que encuentran así una forma de expresión que difícilmente podrían conseguir de otra manera. Así, la expresión plástica se convierte en un instrumento de conocimiento de sí mismo y contribuye a la construcción de la propia identidad.

Las primeras producciones responderán sobre todo al interés y al placer de la exploración de diversos materiales plásticos y a la curiosidad por los resultados de la acción ejercida sobre ellos. Poco a poco, a través del uso y el conocimiento de estos materiales, los niños irán imprimiendo intencionalidad representativa a su actividad.

Se les debe proporcionar situaciones y recursos para que puedan experimentar y conocer sus posibilidades expresivas: las sensaciones que producen, la textura, la ductilidad, la perdurabilidad, el color y sus tonos, las posibles transformaciones, la adecuación a lo que se quiere representar... También han de ser objeto de exploración los instrumentos y útiles necesarios para la expresión plástica para comprobar su adecuación a los resultados perseguidos y para aprender su forma de uso habitual.

Al mismo tiempo, desarrollarán actitudes de cuidado hacia ellos y aprenderán las normas socialmente establecidas acerca de su utilización y conservación.

Se les proporcionará la información y los recursos necesarios para que puedan ir conociendo poco a poco algunas técnicas sencillas como el dibujo, el modelado, la pintura, el collage o las construcciones y montajes, y de esta manera enriquecer sus posibilidades expresivas.

El uso de los distintos materiales, instrumentos y técnicas de expresión plástica en situaciones diversas y con diferentes intenciones representativas, permitirá que la expresión de los niños se haga cada vez más figurativa, que haga referencia a relaciones cada vez más complejas, se aproxime progresivamente a los modelos que le ofrecen las producciones de su entorno y asuma las peculiaridades artísticas de su cultura.

Se debe favorecer la abstracción progresiva de las producciones plásticas a través de la discusión y la reflexión acerca de ellas. También es conveniente el establecimiento de códigos gráficos comunes para expresarse. De esta forma, los niños podrán conocer cuál es el sentido de un código convencional, introducirse en las normas de uso de estos y comprender mejor los códigos gráficos de uso habitual, como las señales de tráfico, la escritura o los signos matemáticos convencionales.

Es preciso despertar, al mismo tiempo, la sensibilidad ante la diversidad de composiciones plásticas casuales que nos ofrecen los paisajes del medio y la curiosidad y el interés por la diversidad de producciones posibles, y desarrollar una actitud de respeto hacia las formas de expresión de los demás.

También es conveniente promover la participación de los niños en proyectos colectivos que respondan a manifestaciones o conmemoraciones sociales, para que aprendan a ajustar sus posibilidades expresivas a las de los demás y facilitar su contacto con las producciones artísticas de su tradición cultural, y así aprendan a valorarlas.

Aprenderán además a interpretar y a utilizar cada vez con más precisión y profundidad el lenguaje de la imagen propio de la sociedad en la que viven. Es conveniente potenciar la descripción e interpretación de las imágenes reproducidas en libros, carteles, anuncios, fotografías, periódicos, televisión..., para que aprendan cómo están configuradas y cuáles son sus intenciones comunicativas y su significado.

Se debe promover la utilización de distintos procedimientos gráficos en cuentos, cómics, carteles, periódicos..., para que se inicien en la expresión a través del lenguaje de la imagen de acuerdo con los modelos culturales habituales.

La contrastación entre las interpretaciones y las producciones de imágenes realizadas por cada uno de los niños les llevará a iniciarse en el sentido crítico y en la elaboración de criterios propios.

C) Materiales

Según el desarrollo del niño, el educador escogerá los materiales apropiados a su nivel. Con los más pequeños, el educador dirigirá más la selección del material. Con los mayores se dejará lugar a la experimentación, investigando qué tipo de material es el aconsejable para la obra que se ha propuesto. La experimentación con los materiales desarrollará en el niño no solo la capacidad creadora, sino sensibilidad y destrezas.

Los materiales más recomendados para la etapa del garabateo son: lápices, ceras, tizas, pizarra, papel y cartulina, así como arcilla y plastilina como materiales moldeables.

En la etapa preesquemática se añaden materiales como la témpera, pincel, papel absorbente, lápices de colores, papel maché y todo tipo de material de desecho, etcétera.

Entre los materiales moldeables: masa de pan, pasta de sal, arcilla y plastilina, para el primer contacto conviene seleccionar aquellos cuyas cualidades táctiles no provoquen rechazo (frialdad, dureza, adherencia...). La masa de pan, que además pueden preparar los niños, así como la pasta de sal son unos de los más idóneos. El modelado en arcilla y la plastilina, no presenta más dificultades motrices que la masa de pan, salvo su dureza y textura.

Jugar con el barro como material expresivo tiene múltiples posibilidades, pero conviene comenzar con la plastilina.

La plastilina es un material muy útil debido a su elasticidad, ya que su composición de aceite y glicerina evita el endurecimiento. Al no necesitar ningún tipo de herramienta ni técnica para su utilización, es muy indicado para las primeras edades.

El barro lleva parejo en su uso otros materiales, como son la espátula de madera y los debastadores (alambre curvo que sirve para quitar barro) y el hilo de nailon para dividir los bloques de barro. Para mantener la humedad debe guardarse en un recipiente impermeable (bolsa de plástico). El secado debe hacerse de modo natural, sin acelerarlo para evitar que se resquebraje.

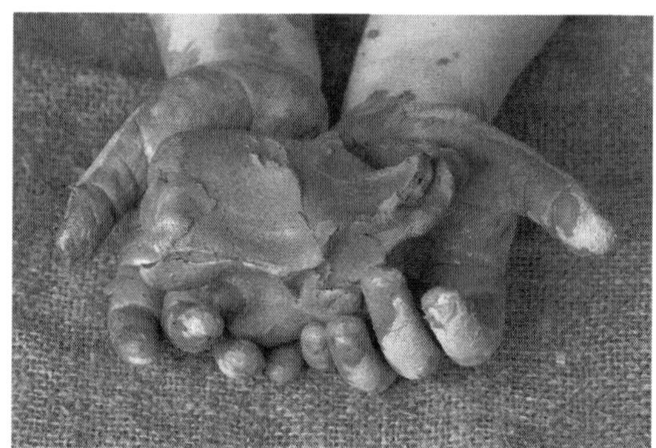

Tanto los materiales como las técnicas que se desarrollan con ellos los veremos más claramente en la descripción de los diferentes tipos de actividades plásticas que podemos realizar.

D) Actividades

En términos generales, y partiendo del concepto de educación plástica como lenguaje visual y, al igual que ocurre con el lenguaje verbal, en el que la primera actuación es enseñar a hablar, la primera función del lenguaje plástico es enseñar a ver. Esto supone que toda actividad que se plantee deberá responder a esta función. Así, quedamos condicionados a no realizar ninguna actividad que previamente no haya supuesto un proceso de observación, como por ejemplo la lectura de imágenes, tanto reales, como fotografías, dibujos... Esta observación debe ser activa, selectiva y significativa.

Entre la gran diversidad de **actividades** que se pueden realizar, podemos empezar por hacer una primera clasificación de tipos de actividades plásticas: pintura, modelado y papel, que a su vez podemos clasificar según los materiales y técnicas empleados.

1. **Pintura**.

a) **Actividades de agua**:

- *Impresión*: con los dedos (dactilopintura), con objetos (corcho, gomas...) o con otros objetos (patata, cebolla...).
- *Manchado*: humedecer primero el papel con agua o color muy aguado. Gotear después el pincel cargado de diferentes colores.
- *Soplado*: gotear un pincel cargado sobre papel seco y hacer correr las gotas en diferentes direcciones soplando con la boca.
- *Lavado*: se pinta primero con gruesas capas de color y una vez secas se lavan con el pincel o trapo limpio y humedecido, consiguiéndose transparencias en tonos ya existentes.
- *Esgrafiado*: sobre una capa de pintura ya seca se pinta otra igual de espesa y antes de que se seque se rayan los grafismos que queremos representar.
- *Clesografía*: se mancha con colores muy aguados el papel, y al doblarlo por la mitad, antes de que se seque, la superposición de manchas dará una solución simétrica del tema.

b) **Actividades con ceras**:

- *Caligrafía*: trazado fino con la punta de la cera.
- *Empaste*: trazo grueso con la cera tendiendo a cubrir toda la superficie del soporte (papel).
- *Granulado*: empastar por capas sucesivas en el papel unas veces en un sentido y otras en otro (perpendicular), hasta conseguir una textura uniforme.
- *Esgrafiado*: rellenar la superficie que se quiere pintar con colores luminosos (amarillo, naranja...) y luego cubrirlos con colores oscuros, para que al esgrafiar (rayar) encima aparezcan los colores claros que pusimos primero.
- *Frotado*: colocar debajo del papel objetos planos (monedas, medallas...), frotar sobre él con las ceras para que su huella aparezca en el dibujo del papel.

c) **Actividades mixtas**:

- *Mezclado*: una vez pintado el tema con ceras, pintar con óleo muy aguado que solo se adherirá al papel en las zonas en las que no hay cera.
- *Raspado*: después de pintar con ceras, pintamos una capa densa de óleo que al secarse y esgrafiarla dará los tonos de la cera que había debajo.

Existen otras actividades más complejas que requieren el uso de distintas técnicas plásticas, como:

- *Esparcido*: sobre una hoja de papel se colocan elementos de cierta consistencia (cartulina, tijeras...), después se pulveriza la hoja con tinta con un pulverizador. Al levantar los elementos, queda perfilada la forma que tuvieran.
- *Vidriera*: recortar en cartulina negra los espacios que simulen los cristale2s de una vidriera, se recorta papel celofán y se pega sobre las zonas huecas.

2. **Modelado.** Según los objetivos concretos que se pretendan, se pueden realizar distintas actividades:
   - Para el desarrollo de la coordinación motora y la percepción táctil del volumen:
     * Hacer bolas, churros, cilindros, siguiendo el método analítico hasta construir figuras.
   - Para la representación tridimensional del esquema corporal:
     * Representar, primero de forma plana y por partes, las figuras y, después, con el método sintético, un bloque.
   - Para el desarrollo de la expresión libre:
     * Modelar diferentes elementos, introduciendo el método sintético. Utilizar diferentes materiales.
     * Realizar composiciones combinadas con distintos útiles que fomenten su creatividad.

   Los objetos modelados se pueden decorar formando dibujos o cenefas con los dedos o con un útil punzante. También se pueden pintar una vez secos.

3. **Papel.** Aquí se incluyen actividades simples que inciden sobre objetivos muy concretos. Todas ellas constituyen un aprendizaje básico para el desarrollo motriz de la preescritura.
   - *Picado*: esta actividad trabaja el control de la presión, la dirección y la coordinación óculo-manual.
   - *Troceado*: desarrolla el tacto y el tono muscular. Se usa como actividad introductoria a los ejercicios de recortado.
   - *Recortado*: desarrolla un mayor control viso-motriz que el picado y troceado. Primero se realizará con las manos y después con las tijeras.
   - *Pegado*: perfecciona el dominio de la presión táctil.
   - *Arrugado*: se progresa en el concepto de volumen. Consiste en arrugar el papel formando bolitas.

   Por último podemos aludir a otras actividades plásticas más complejas como:

   - *Collage*: la realización de esta actividad requiere la combinación de varias actividades: cortar, componer y pegar. Se suele realizar con papeles de diferentes texturas y colores o con telas y materiales de desecho.

- *Mural*: diferenciamos entre mural y collage porque este último puede ser realizado de forma individual o en grupo, mientras que el mural, por ser de mayores dimensiones, requiere un trabajo colectivo.
- *Mosaico*: se recortan papeles del mismo tamaño y forma, clasificándolos por colores. Se pegan combinándolos sobre un dibujo realizado previamente. Debe cubrirse el papel base en su totalidad, sin que se superpongan los trozos de papel.

E) Estrategias metodológicas

La metodología se ha venido describiendo paralelamente a las actividades, pues en ella se ve cómo el método es fundamentalmente activo, en el que el niño aprende por descubrimiento, construyendo así su aprendizaje.

La metodología parte del principio de la observación del entorno, enriqueciéndose de esta forma el número de imágenes que el niño va reteniendo en su mente, de manera que se amplíen así sus posibilidades expresivas.

Esta metodología experimental enriquece su memoria y su capacidad de asimilación. El proceso gráfico, llevado a cabo como desarrollo de destrezas y estrategias de acción, potencia su capacidad creativa. Este es el primer paso para generar en los niños el pensamiento independiente, original y expresivo.

En cuanto a los procedimientos metodológicos se siguen fundamentalmente dos, que por opuestos son complementarios:

1. **Metodología sintética.** En este método se parte de lo general para llegar a lo particular. Por ejemplo, en el modelado se configura la forma de una figura a partir de un bloque de arcilla.
2. **Metodología analítica**. Consiste el proceso inverso a la síntesis; se parte de lo particular para llegar a lo general. Por ejemplo, en el modelado ir haciendo por partes los brazos, las piernas, la cabeza, etc., de una figura y después juntar todas las piezas para formar la figura humana.

F) Estrategias de evaluación

La evaluación se realizará teniendo en cuenta las consideraciones que debe tener en la etapa de Educación Infantil.

A modo de orientación proponemos evaluar los siguientes aspectos:

- **Análisis de la organización**. El educador debe tener una visión conjunta y progresiva de los objetivos a alcanzar en un período concreto, además de proyectar objetivos a largo plazo. Debe, por otra parte, coordinar las actividades y proponerlas con claridad y hacer una preparación conjunta en síntesis de cada bloque temático.
- **Análisis de la actitud.** Se debe reflexionar sobre la predisposición del educador para transmitir un clima estimulante. Si este realiza o no un seguimiento individualizado del alumno, evita la rutina, adecua las actividades a los objetivos educa-

tivos, aprovechando circunstancias temporales del calendario escolar que aumenten el interés (fiestas populares, estaciones...), procura que en las actividades sea más importante el proceso que el resultado...

- **Análisis del procedimiento:**
  * Según sea la actividad, habrá que valorar en función del número de alumnos si será operativa, ya que para la atención individualizada es fundamental esta consideración.
  * Conocer los recursos materiales de que se dispone, incluyendo el espacio físico.
  * Preparar con anterioridad los materiales necesarios.
  * Prever alternativas por si falla algún recurso didáctico.
  * Seguir un orden coherente con los progresos cognitivos y las destrezas motoras.
  * Que el proceso no sea asfixiante, sino dejar que el niño confíe en sus capacidades y experimente la satisfacción de haberlo conseguido o intentado.

En la evaluación de las actividades plásticas es difícil valorar cuantitativamente los aspectos expresivos sin caer en valores subjetivos. Como ejemplo se puede plantear la siguiente **ficha de evaluación:**

1. **Comprensión-percepción**:
   - Comprende.
   - No está interesado.
   - No está en condición de percibir.
2. **Interpretación**:
   a) *Lenguaje utilizado*:
      * El propuesto.
      * Inventado.
      * A medias.

   b) *Forma*:
      * Razonada.
      * Creativa.
      * Mecánica (sin aportación personal).
3. **Realización**:
   - Lo domina.
   - Lo conoce.
   - Lo desconoce.

4. **Desarrollo visual**:
   - Proporciones.
   - Estructura.
   - Composición.

3. La expresión gráfica. Estrategias y actividades

Según el Diccionario Español Moderno, *escribir* es: "representar ideas por medio de signos y más especialmente la lengua hablada por medio de letras"; "figurar el pensamiento por medio de signos convencionales"; "la escritura es la pintura de la voz".

A partir de estas definiciones deducimos la escritura como *una forma de expresión y representación prescrita por medio de signos y códigos que sirven para facilitar y mejorar la comunicación. Esta varía según al grupo social donde se practica, además va ligada juntamente con el lenguaje pertinente, por medio de la diversidad en cuanto al uso de los materiales naturales y artificiales.*

Muchos autores afirman que la lectura y escritura deben ir unidas, porque ambas se dan gradualmente e interactúan en el proceso de enseñanza-aprendizaje. A partir de esta experiencia personal, consideramos que la escritura es el resultado del aprendizaje de la lectura, o sea, el reconocimiento de las letras: signos, símbolos, representaciones, entre otros. Es decir, cuando el niño conoce y reconoce los signos y símbolos, procede a expresar en forma escrita. Plasmando con su mano de tinta a papel. Para escribir necesariamente, debe tener una coordinación de motricidad fina; sensorio-motora, en la coordinación de sus sentidos; visomotora, la coordinación específica entre su visión-táctil.

Para tal procedimiento se propone el siguiente método de aprendizaje de la escritura:

- **Paso 1**. Coordinación sensoriomotora.
- **Paso 2**. Ejercicios de manipulación de lápiz.
- **Paso 3**. Caligrafías.
- **Paso 4**. Ejercicios de copias de figuras, signos y códigos.

El proceso de aprendizaje de escritura es el siguiente:

1. Escribir no es lo mismo que dibujar: diferenciación entre dibujos y otros signos como letras, números y grafías diversas.
2. Grafismos primitivos: garabatos y pseudoletras: grafías que intentan parecerse a las letras.
3. Diferencias entre números y letras: al principio se pueden usar indistintamente, después aprenden a diferenciarlos.
4. Escrituras sin control de cantidad: escritura de signos más o menos conocidos de forma que ocupan toda la página.

5. Escrituras fijas: repeticiones de letras iguales.
6. Escrituras diferenciadas.
7. Escrituras silábicas: cada letra representa un sonido, dado que la unidad de sonido que se percibe es la sílaba.
8. Escrituras alfabéticas: con todas las letras que escribimos en una palabra.

Enunciamos para concluir el tema la **secuencia completa de actividades** para el correcto y completo entrenamiento de las habilidades necesarias para la escritura, señalando que algunas de ellas se inician en la etapa de Educación Infantil.

Los aspectos que vamos a trabajar se refieren a la coordinación visomotora aplicada a la realización de actividades manuales, y por lo tanto a la psicomotricidad fina.

Las actividades propuestas son:

1. **Coordinación manual**
   - Dominar los movimientos de las manos: actividad bimanual.

     Se realizarán actividades como amasar, prensar, anudar, trenzar, golpear, apuñar, girar las manos, abrochar/desabrochar...
   - Dominar la oposición digital: actividad bimanual incrementando la precisión y habilidad segmentaria de los dedos.

     Se realizarán actividades que impliquen el uso de la pinza, como usar cuentagotas, hacer bolitas de papel...
2. **Coordinación visomotora**
   - Perforados y picados: actividad unimanual.

     Se realizan actividades del tipo:
     * Perforar dentro de una hija de papel o dibujo.
     * Perforar entre dos líneas.
     * Perforar contornos de dibujos con líneas rectas y después curvas.
     * Perforar el ritmo de un metrónomo.
   - Rasgado y recortado:
     * Rasgar tiras de papel: simular los flecos de una bufanda de papel.
     * Rasgar grecas, rectas y curvas.
     * Rasgar dibujos con líneas rectas.
     * Rasgar dibujos con líneas curvas.
     * Hacer "mantelitos" a partir de papeles que se doblen y cuyos ángulos se perforan.

- Modelado: ejercita la pinza y mejora los movimientos digitales y la coordinación visomotriz.
  * Realización de bolas, tiras, cilindros…
  * Composiciones con plastilina, arcilla o pasta de papel.
- Ensartado: mejora la calidad de la coordinación visomotriz. Se puede incrementar la dificultad con piezas más pequeñas. Permite así mismo trabajar la atención y concentración y hacer series.

  Las actividades pueden ser:
  * Meter bolitas por hilos.
  * Hacer collares de macarrones.
  * Enroscar tornillos en tuercas.
  * Meter objetos en botes pequeños.
  * Coser en tablas con agujeros.
- Doblados y papiroflexia. Actividades como:
  * Hacer sombreritos.
  * Envolver paquetes.
  * Hacer abanicos.
  * Realizar pequeñas figuras como pajaritas, barcos, etc.

3. **Coordinación grafomotora**

   Implica a la mano y ojo dominante. Son habilidades necesarias y previas a la escritura.
   - *Trazos libres*:
     * Se pueden realizar sobre diferentes superficies como cajas de serrín o arena, barro, aire, cuerpo, plastilina, agua...
     * Proporcionan experiencias sensomotrices muy motivadoras y novedosas para los niños.
     * Posteriormente se realizarán trazos libres sobre el papel, con pintura de dedos, ceras y otros materiales plásticos.
   - *Trazos indicados. El orden será*:
     * El tipo de trazo (de lo más fácil a lo más complejo desde el punto de vista motor): rectos, curvos y mixtos.
     * El material (de lo menos preciso, más grueso y blando a lo más fino y duro): ceras, tizas, rotuladores, pincel, lápiz y bolígrafo.
     * Las superficies (de mayor a menor tamaño): aire, barro, suelo, papel continuo, pizarra, folios grandes y cuaderno.
     * Rellenado de espacios con formas y colores: formas grandes de contornos fáciles y después más angulosas y de menor tamaño.

* Realización de trazos precisos.
* Línea recta.
* Trazos horizontales de izquierda a derecha.
* Trazos verticales.
* Trazos con líneas quebradas:
  - Series iguales.
  - Series alternas.

  La misma progresión pero repasando (el repasado exige mayor precisión en el trazo que la copia, ya que hay que pasar por encima de un fino trazo punteado).

  La misma progresión sobre cuadrículas.
* Línea ondulada y curva.
  - Ejercicios de ondas (primero libres, después repasando y finalmente en cuadrícula).
  - Ejercicios de bucles:
    - ¤ Ascendentes.
    - ¤ Descendentes.
    - ¤ Alternos.
    - ¤ Entre dos líneas.
    - ¤ Con diferentes direcciones.
    - ¤ Series alternas.
  - Ejercicios de círculos:
    - ¤ Realización de círculos.
    - ¤ Realización de círculos dobles.
    - ¤ Grafías con muchos círculos.
    - ¤ Espirales.

Todas estas actividades mejorarán la competencia motriz y la precisión y finura de los movimientos, perfeccionando la coordinación óculo-manual.

Tras este entrenamiento grafomotor, se inicia el aprendizaje de las grafías propiamente dichas, abordándose entonces las siguientes habilidades:

- La direccionalidad del trazo.
- La prensión: forma de coger el lápiz.
- Presión: fuerza que se ejerce sobre la superficie.
- Postura.
- Inclinación del trazo.

- Tamaño de los trazos.
- Espaciamiento entre caracteres, líneas, márgenes.

Algunos ejemplos de materiales:

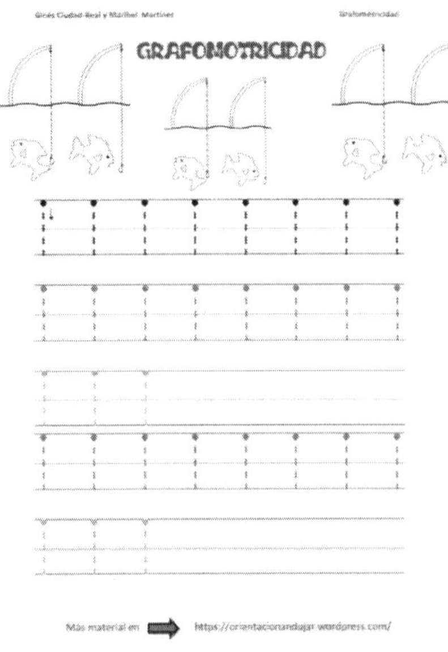

Trazos rectos verticales

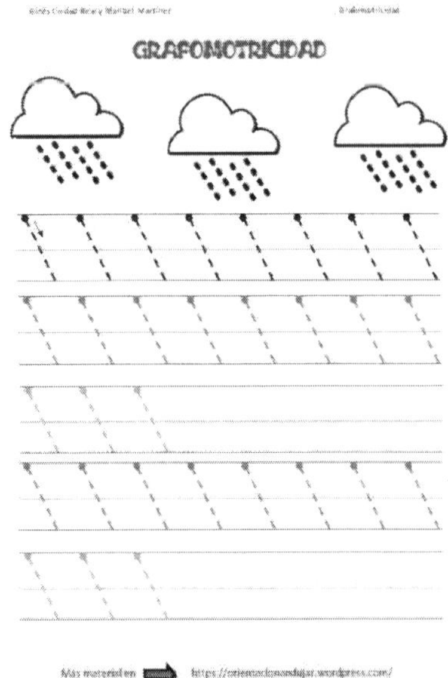

Trazos rectos oblicuos

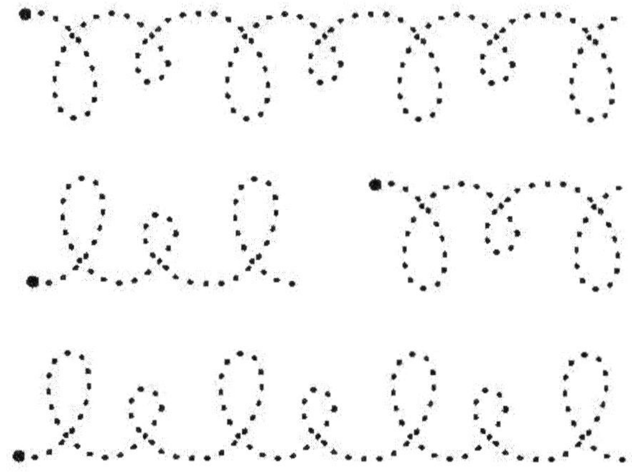

Bucles descendentes y ascendentes

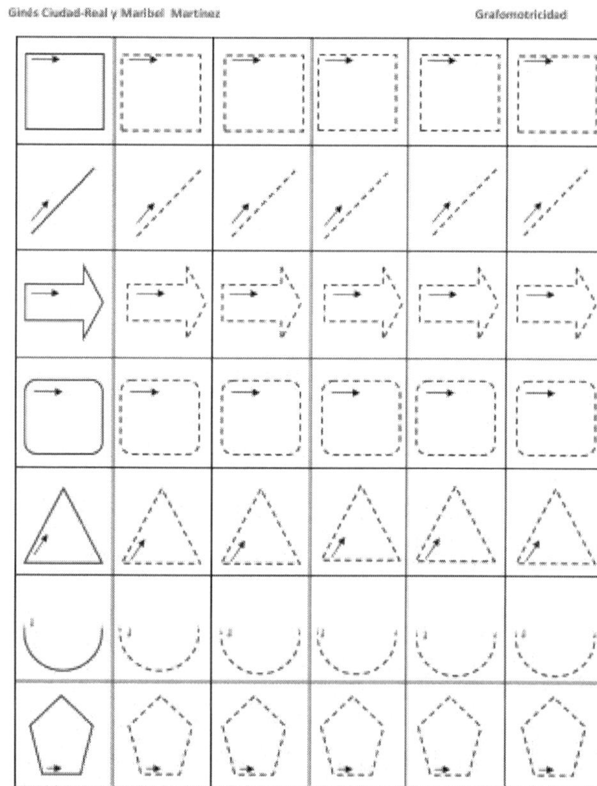

Formas geométricas planas

4. La expresión rítmico-musical

4.1. La educación musical

La Educación Musical, al menos en su dimensión receptiva está presente en nuestro medio familiar desde que nacemos. Para algunos especialistas, incluso antes de nacer, pues afirman que desde el vientre materno los niños pueden percibir los sonidos del exterior.

Sin embargo, esta educación musical no había tenido su continuidad en el ámbito escolar, aunque en las últimas décadas su presencia se haya incrementado como consecuencia del impulso de las investigaciones de carácter evolutivo que han reflejado la importancia de esta forma de expresión para el desarrollo del sujeto.

Para la etapa de Educación Infantil, la música se considera como una forma de expresión (además de otras formas como son: la corporal, el lenguaje oral, la plástica y la lógica-matemática).

La educación musical, en la escuela infantil, tiene como finalidad principalmente:

a) Educar la sensibilidad para, a través de ella, captar el mensaje musical (comprender la música).

b) Desarrollar las capacidades y cualidades musicales.

c) Educar el oído, la voz y el ritmo (los tres elementos imprescindibles de la educación en esta etapa).

Estos serán, por tanto, los objetivos generales a lo largo de la etapa.

En cuanto a los **contenidos** los podemos presentar en tres bloques:

- Audiopercepción.
- Expresión musical.
- Representación musical.

El primer bloque incluye los procesos de recepción de información sonora. Su principal objeto de estudio es el sonido y el silencio.

La Expresión musical abarca las tres grandes vías de expresión de la música como son la voz, la instrumental y el movimiento.

La voz es el más grande e importante instrumento del ser humano. En cuanto a los instrumentos además de los tradicionales no debemos olvidar el cuerpo como instrumento sobre el que inicialmente centraremos nuestra atención. Las posibilidades sonoras del cuerpo, además de la voz, pueden ser palmas, rodillas, pies y pitos. Además del cuerpo los niños producirán sonidos con los objetos del entorno, irán tomando contacto con instrumentos de pequeña percusión de sonido indeterminado (cajas chinas, triángulos, maracas). En los últimos años de la etapa podrán emplear instrumentos de percusión de sonido determinado, fundamentalmente los instrumentos de placa como xilófonos, metalófonos, carillones.

La expresión de movimiento constituye la tercera vía, a través de ella los niños descubrirán las posibilidades de movimiento de cada una de las partes del cuerpo.

La representación musical se centra en la utilización de diferentes recursos que permitan la representación gráfica de los parámetros del sonido, los elementos de la música y las sensaciones que una obra puede despertar en nosotros. La incorporación del código convencional debe plantearse progresivamente y a través de situaciones de juego.

Los principios metodológicos sobre los que se asienta la Educación Musical son:

- Utilizar el entorno sonoro como principal fuente de información.
- Aprovechar la música del momento.
- Relacionar la música con otras formas de expresión.
- Utilizar las diferentes metodologías musicales.
- Vivenciar e interiorizar los contenidos.
- La influencia del educador. A él le corresponde, además de transmitir un conocimiento, promover una actitud, el amor por la música. No es fácil transmitir algo si no se posee; por ello, el educador debe tener una cultura musical y, en el caso de no poseer cultura técnica, es conveniente que realice su actividad a nivel sensorial. Es decir, ha de ser capaz de intuir los deseos y necesidades de los niños, estableciendo, a través de la música, una relación afectiva y estimuladora.

La preparación técnica que ha de poseer puede resumirse en tener:

- Un oído musical: percibir cualidades del sonido: altura, timbre, intensidad y duración.
- Una voz clara: articulación y claridad en las expresiones.
- Un sentido rítmico: adaptarse al ritmo y cambios musicales y reconocer los ritmos básicos (redonda, blanca, negra...).
- Un sentido auditivo: ser capaz de entonar sonidos a diferentes alturas.
- Un repertorio de canciones, juegos musicales...

Esta preparación técnica debe ir acompañada, por supuesto, de imaginación y creatividad.

La evaluación se realizará teniendo presente las consideraciones que con carácter general se hacen para la evaluación en Educación Infantil. Algunos **criterios** que podemos tener presentes son:

- Utilizar las posibilidades expresivas.
- Utilizar las diferentes formas de representación.
- Utilizar materiales e instrumentos musicales.
- Disfrutar con las actividades

- Identificar elementos básicos de los mensajes musicales.
- Apreciar, respetar y valorar las manifestaciones musicales.
- Actitud positiva hacia las actividades grupales.

4.2. El descubrimiento del sonido y del silencio

Desde el momento del nacimiento, al principio de una forma indiscriminada, el niño es sensible a los sonidos; pero con el paso de las semanas y meses va perfilando sus posibilidades discriminatorias.

A) Sonido

El oído es el órgano principal del entendimiento auditivo. Es el encargado de transformar las vibraciones sonoras en impulsos nerviosos.

El oído está casi totalmente desarrollado al nacer; lo que aún no está desarrollado son las áreas que contienen los órganos sensoriales de la audición y esto hace que la audición se encuentre en el nivel más bajo de todas las sensibilidades.

El niño reacciona ante los sonidos con parpadeo, sacudida del cuerpo, llanto... Del año y medio a los 3 años se van desarrollando, progresivamente, la identificación y discriminación de los diferentes sonidos. Después de los 3 años, puede discriminar un elemento dentro de un determinado sonido (cama-casa; dedo-dado). Así reconocerá melodías y podrá seguir el compás de un ritmo fácil.

B) Cualidades del sonido

Los sonidos no solo se oyen o escuchan. Con su propio cuerpo o con los objetos que manipula, el niño también puede crear sonidos. Descubre esta capacidad a muy temprana edad y experimenta con todo aquello que suena: su voz, las modulaciones de los sonidos que surgen de su garganta y boca, sus manos que golpean alguna parte de su cuerpo o cualquiera de los objetos a su alcance.

Es útil que el niño disponga de todo tipo de materiales: madera, metal, caña, papel, corcho, hueso... pues cada uno de ellos produce sonidos muy diversos al ser golpeados, según la frecuencia de sus vibraciones. Estos constituyen los primeros instrumentos musicales al ser golpeados, agitados, frotados, contra el suelo o unos con otros, rascados con las uñas, etc. Pero también hay instrumentos sencillos, especialmente de percusión y viento (pandereta, triángulo, platillos, castañuelas, tambor, xilófono, armónica, silbato, trompeta, maracas...) que, a partir de los 12 meses, e incluso antes, se le pueden ofrecer a los niños no para su correcta utilización instrumental, sino para la iniciación en su manipulación y exploración.

En esta etapa, el niño aprende a distinguir una cosa de la otra, a la vez que adquiere un lenguaje que le permite definir las cualidades de cada una de estas cosas. Aprende a distinguir las distintas cualidades de un objeto y los atributos que lo definen y a nombrar cada uno de ellos. Igualmente, aprenden a diferenciar las cualidades de los sonidos.

Estas, con algunos de sus atributos, son las siguientes:

- **Altura**: sonidos graves y agudos.
- **Intensidad**: sonidos fuertes y flojos.
- **Duración**: sonidos largos y cortos.
- **Timbre**: sonidos producidos por diferentes materiales.

Cada sonido se diferencia por sus cualidades.

1. Altura (o entonación): sonidos graves y agudos

Depende de la rapidez con que se produzcan las vibraciones de los cuerpos sonoros. A más rapidez, más vibraciones, y, por lo tanto, mayor elevación del sonido.

Las vibraciones crean una gran variedad de sonidos con los que se componen las melodías, por lo que la altura es la cualidad más importante del sonido para el desarrollo de la educación auditiva del sonido.

Se deben manejar diferentes conceptos:

a) Según la entonación, el sonido puede ser grave o agudo.

b) Es una sucesión, los sonidos siguen una progresión:
   - Ascendente: de grave a agudo.
   - Descendente: de agudo a grave.

c) A la distancia entre dos sonidos se le denomina intervalo. Este puede ser ascendente o descendente.

d) Si en una sucesión vemos que los intervalos entre sonidos se repiten a la misma altura (unísono) hablaremos de intervalo de sonido unisónico o sucesión unísona. Es el caso de la canción: *Debajo un botón...*

e) A la sucesión de sonidos que suenan simultáneamente, percibiéndose como un solo sonido compuesto se le denomina armonía.

Con estas nociones el educador trabajará, a nivel práctico, todo lo referente a la altura del sonido:

- El movimiento ascendente y descendente de los sonidos se realizará con la voz, flauta o armónica; es decir, instrumentos simples en los que se ve muy bien el paso de lo grave a lo agudo.
- Los juegos con sonidos graves y agudos se trabajarán progresivamente, con una dificultad creciente, con el fin de fomentar en el niño la atención, ya que paulatinamente los sonidos estarán cada vez menos alejados entre sí. Desde pequeños, acostumbraremos a los niños a retener sonidos e imitar pequeñas melodías, con este mismo criterio de dificultad creciente.
- Compararemos las diferencias de agudo y grave: primero, en los materiales conocidos y, después, se buscarán otros nuevos que puedan clasificarse y ordenarse según la altura del sonido.

2. Intensidad (o fuerza): sonidos fuertes y débiles

Depende de la amplitud de las vibraciones, y esta depende, a su vez, de la fuerza con que se ha producido la vibración.

La intensidad puede ser fuerte o débil, depende de la distancia entre la fuente sonora y el oído receptor.

Con la intensidad se reflejan el énfasis y los sentimientos, y se demuestra la capacidad artística.

Para enseñar a los niños la diferente intensidad de los sonidos, se aprovecharán los momentos en que se produzcan dichos sonidos: un trueno, la lluvia, un frenazo de un coche, un portazo, el taconeo..., cualquier cosa nos sirve.

3. Duración (valor temporal de las notas): sonidos largos y cortos

Es el tiempo que un sonido perdura. El que perdure o no depende de que las vibraciones del cuerpo sonoro se mantenga o no.

En función de esto podrán ser:

- Largos: con objetos de metal, cristal o cuerdas.
- Cortos: instrumento de piel tensada, madera...

La duración es una cualidad manipulable, con ejercicios diversos: uno solo para el reconocimiento del instrumento y otros que alteren dicha cualidad.

Hay que trabajar los sonidos comenzando por las cualidades por separado, partiendo de sonidos que tengan atributos contrarios de una misma cualidad. Por ejemplo:

- Altura: el silbato de un tren agudo; la sirena de un buque grave.
- Intensidad: hacer palmadas con toda la mano (fuerte); hacer palmadas con un solo dedo (flojo).

Las cualidades del sonido y sus atributos constituyen un material lógico que puede utilizarse en Educación Infantil; para ello, se emplea el sentido del oído.

Los niños han de ver y sentir que lo que están realizando es música. A medida que vayan conociendo el sonido, el educador los motivará y ayudará a que vayan combinándolos, para obtener así distintos contrastes sonoros; por ejemplo, pequeñas composiciones musicales. Esta actividad nos permitirá seguir muy de cerca la evolución de cada uno hacia el buen gusto y la sensibilidad auditiva y musical.

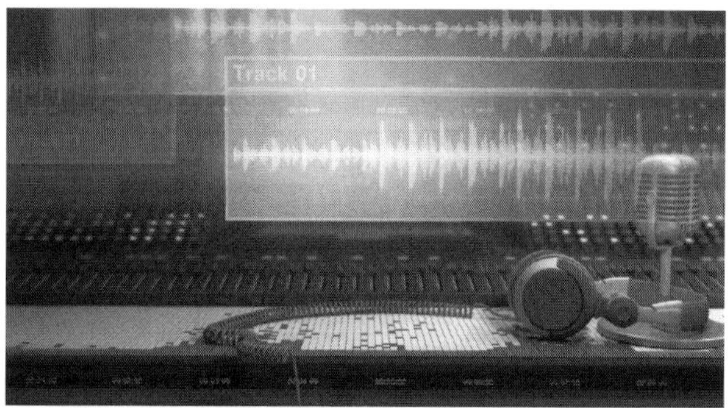

4. Timbre (o color): sonidos producidos por diferentes materiales

La diferente forma de vibración de cada cuerpo sonoro determina un tipo de onda sonora que da lugar a un determinado timbre de sonido.

Las diferencias tímbricas no solo dependen de las características del cuerpo en el que caigan sino también de la forma de tocarlo. Así, es diferente rasgar, golpear...; por eso, un mismo sonido (por ejemplo la nota "do"), suena diferente si la toca una flauta, una trompeta o cualquier otro instrumento.

Cada instrumento tiene, por tanto, un timbre que lo identifica y los diferencia de los demás. Según la manera de tocar un mismo instrumento puede tener diferencias tímbricas. Igual ocurre con la voz, por el ritmo distinguimos una voz ronca...; por el timbre identificamos objetos, personas, instrumentos...

Adecuar el oído a la discriminación tímbrica se consigue mediante la práctica de escuchar los diferentes sonidos de la vida diaria. Así, el oído se va acostumbrando a las diferencias de timbre y con su memorización o retención reconocerá objetos, instrumentos, etc.

C) Silencio

Vivimos en un mundo tan lleno de sonidos y ruidos, que prácticamente es imposible escucharlos todos, y si, en general, podemos afirmar que el mundo de hoy es poco sensible al mundo sonoro que le rodea, no es por falta de sonidos, sino por falta de silencios. Solo a partir del silencio puede iniciarse una educación del oído y, en definitiva, una educación musical.

El silencio desde el punto de vista real, constituye la ausencia total de sonido. El silencio absoluto no existe, pues continuamente se están produciendo sonidos.

Desde el punto de vista musical, **el silencio puede tener diversos significados**:

a) Interrupción, más o menos larga, del canto o discurso instrumental, que se indica con signos especiales en la música escrita.

b) Significación expresiva.

El silencio, en el discurso musical, tiene un rol expresivo igual que el del sonido.

La educación del silencio permite seguir una mayor agudeza del oído. La adquisición de esta noción y su automatismo es una consecuencia normal de la vivencia del sonido.

El objetivo principal es que los niños sean sensibles al silencio. Esta ejercitación contribuirá significativamente a la adquisición del sentido del orden y, sobre todo, a la disciplina del grupo.

El proceso de captación de los sonidos y silencios sigue varias fases:

1. El educador proporciona un ambiente adecuado al niño a través de actividades cotidianas.
2. El silencio se expresa a través de los sonidos y en el mismo silencio. Aquí, el educador hará que el niño tome consciencia de la discriminación, haciéndole sentir el silencio.
3. Ejercitación sistemática de esa discriminación en la que el niño tiene mayor consciencia y discrimina más claramente ambos conceptos. Los ejercicios irán dirigidos a obtener esa discriminación.
4. El niño hace música organizando los sonidos y los silencios. Es capaz de inventar una pequeña música en la que tienen en cuenta principios, silencios, cuándo se dan estos, compases...
5. Entre los 5-6 años, los niños aprenden a escoger el ambiente sonoro adecuado. El niño ha asimilado las diferencias y toma las decisiones a nivel personal.

4.3. Conocimiento de las propiedades sonoras del cuerpo, de los objetos y de algunos instrumentos musicales

A) El cuerpo como instrumento

- **Palmas.** La condición necesaria y previa para desarrollar esta actividad adecuadamente es mantener el cuerpo relajado, en postura correcta y favorecer la flexibilidad y elasticidad de los brazos. La posición más adecuada al principio es la de pie y los brazos ligeramente separados del cuerpo, para favorecer la elasticidad. Por otra parte, hay que evitar que las palmas permanezcan juntas después de haber batido, sino que deben realizarse con rebote, para que sus sonidos sean más brillantes. Cuando los niños y niñas hagan esta actividad sentados, hay que procurar que estén separados de sus mesas, lo suficiente como para que no les obstaculice la elasticidad de los brazos.

  Se suelen utilizar dos modalidades de batir las palmas: Primero, utilizando las manos en diagonal, con movimiento lento, la mano derecha sobre la izquierda inmóvil, y después a la inversa, a continuación se puede apresurar el aire. Segundo, batiendo la mano derecha sobre palma de la mano izquierda.

  Son varios los efectos y timbres que podemos obtener mediante palmas, los más destacados son los siguientes:

  * Sonido brillante percutiendo una mano contra otra.
  * Sonido opaco se percute con las manos ahuecándolas.
  * Intensidad fuerte percutiendo con 4 dedos sobre la palma contraria.
  * Intensidad medio-fuerte percutiendo con 3 dedos sobre la palma contraria.
  * Intensidad suave (piano) percutiendo con 2 dedos en la palma contraria.
  * Muy suave (pianísimo) percutiendo con un dedo en la mano contraria.

  Cada niño o niña debe experimentar estos efectos por separado. En lo que se refiere a la intensidad, es muy interesante la actividad de aumentar y disminuir el sonido mediante palmas.

- **Pies (golpes con los pies).** Esta actividad se puede realizar de pie o sentados, aunque al principio es preferible que estén de pie. Son distintas las intensidades de sonido que podemos obtener, dependiendo de la forma de ejecutar la percusión:

  * Con los pies juntos.
  * Con un solo pie.
  * Alternando los pies.
  * Con las puntas de los pies.
  * Con la punta de un solo pie.

* Alternando la punta de los pies.
* Con los talones juntos.
* Con el talón de un solo pie.
* Alternando los talones de los pies.
* Empleando alternativamente el talón y la punta del pie o de los pies.

- **Pitos (chasquido de dedos).** Consiste en chasquear los dedos pulgar y corazón. El sonido que se obtiene es seco. Esta actividad es de difícil consecución para los más pequeños, por eso hay que ser cautos y precavidos para no sembrar frustraciones; no obstante, aunque no lo consigan, sí es conveniente que imiten el gesto para no romper el sentido rítmico, sobre todo cuando se realizan actividades en las que intervienen varios elementos de percusión corporal.
- **Palmas en rodillas (muslos o rodillas).** Consiste en percutir las manos (la palma de las manos) sobre los muslos o rodillas. Esta actividad es más adecuada realizarla sentado, aunque también se puede hacer de pie. El sonido es mucho más apagado en comparación con el de las palmadas.

  Las diferentes formas de realizarlo son:

  * Percutiendo la palma de las manos sobre las rodillas, al mismo tiempo.
  * Alternando las manos.
  * Cruzando las manos y percutiendo al mismo tiempo.
  * Cruzando las manos y percutiendo en forma alternada.

Todo este conjunto de actividades de palmas en rodillas, son ejercicios preliminares óptimos para el posterior manejo, tanto de los instrumentos de placa, como de los timbales y bongoes.

Los instrumentos corporales se deben practicar de todas las formas posibles, y son sin lugar a dudas, magníficos ejercicios de desarrollo de la psicomotricidad. Aunque se utilizan principalmente para la formación rítmica y poseen una función pedagógica más que artística; no obstante todo lo aprendido, por ejemplo en cuanto a intensidad (matices), aire, etc., son plenamente válidos a la hora de la futura práctica instrumental y vocal.

Los timbres de los instrumentos de percusión corporal en paralelismo con las cuatro voces armónicas se pueden considerar de la siguiente forma: los pitos representan a las sopranos, las palmas, a los contraltos; palmas en las rodillas, a los tenores, y pies a los bajos.

La escritura se realiza en ejes rítmicos, una línea para cada uno de ellos. En el caso de que se percutan las rodillas por separado, se utilizarán igualmente dos ejes rítmicos, uno para la rodilla derecha (RD), colocando las plicas hacia arriba, y otro para la rodilla izquierda (RI), con las plicas hacia abajo.

B) Instrumentos de construcción propia

El alumno y la alumna, con el instrumento construido por ellos mismos, consiguen un estado emocional profundo, encariñándose mucho más de este que si fuese comprado, hecho que favorece la enseñanza musical. Además les permite descubrir cómo se produce el sonido y buscará todas sus posibilidades sonoras.

Presentamos una serie de instrumentos que pueden ser construidos fácilmente, solo a modo de ejemplos, puesto que la creatividad e inventiva, y contando con la posibilidad de elementos del entorno, posibilitarán la construcción de un buen número de ellos:

- **Palos o claves**. Cortar el palo de una escoba a 20 cm de largo, lijarlo y decorarlo. Los gruesos producen al percutirlo sonidos graves, y los delgados, agudos.
- **Tambores**. Con cajas de latón de tamaños diferentes, abiertas por las dos partes; en una de ellas, se pondrá un parche de piel, plástico o hule grueso, y se atará con una cinta elástica.
- **Cascabeles**. En cajas o botes pequeños de cartón o de metal, que se puedan abarcar con la mano, se introducirán semillas, garbanzos, chinitas, etc. y se cerrarán.
- **Sonajeros**. Se necesitan chapas de cerveza, clavos, martillo y alambre. Con el martillo aplanar las chapas. Con el clavo hacerle un agujero central. Pasar el alambre por el centro de varias chapas y atarlo dejando un trozo libre que servirá de mango.
- **Crótalos**. Se necesitan chapas de cerveza, martillo, clavo y cinta elástica. Con el martillo aplanar las chapas. Con el clavo hacer dos agujeros centrales. Finalmente, atar la cinta elástica que servirá de asidero.
- **Similar al triángulo**. Se necesitan dos clavos grandes y una cinta. Atar un clavo por la cabeza con la cinta. Sostener con una mano por el lazo, y percutir con la otra con el otro clavo.
- **Maracas**. Cualquier sonajero cerrado y con mango. Se pueden hacer con pequeñas latas de zumo o cerveza, o con cáscaras de nueces o de cocos, introduciéndoles pequeñas piedrecitas o semillas, y cerrándolas con cinta adhesiva.

Margrit Küntzel-Hansen (1981) presenta un amplio número de instrumentos sonoros "para hacer", agrupados de la siguiente manera:

- **Instrumentos para soplar**. Embudo, botellas, flauta de bambú, hoja de caña vibradora, doble hoja de caña y trombón.
- **Instrumentos para golpear**. Caja de clavos, juego de latas, cítara de alambres, juego de baldosas, madera con distintos elementos, juego de vasos, pianucho, colgante de latas, tambores de cartón, conjunto de tambores, juego de sonido de madera, colgante de metal, tambor de lata.
- **Instrumentos para puntear y matraquear**. Sonador de goma, violín para puntear, arpa para puntear, "demonio del bosque".
- **Instrumentos para frotar**. Lata ondulada, frotador de papel de lija, frotador de latón, tabla para frotar, gran frotador, madera para frotar.
- **Instrumentos para hacer chasquear o sacudir**. Espantajo con botón, chasqueador de tapa corona, chasqueador de lata, rodillo de ventosas, matraqueo, maracas de nuez, disco con botones, cinta con campanillas, bandas y formas de aluminio.

4.4. La música como recurso didáctico

Si al iniciarse la Educación Musical, los niños aprenden auditivamente sonidos muy sencillos para poderlos cantar y tocar, hay que cuidar mucho en esta primera etapa que lo que oigan sea percibido con claridad y justeza, y que puedan apreciar algunas de las cualidades de dichos sonidos o ritmos.

Diversos medios audiovisuales pueden utilizarse como recursos para el adiestramiento en la separación de sonidos, para la iniciación en una composición elemental y para perfeccionar el sentido del ritmo y la riqueza de repertorios sonoros. Así, pueden seleccionarse trozos musicales de especial significación o registrarse en cintas las propias creaciones infantiles para ser posteriormente analizadas, en un proceso de *feed-back* sencillo.

Las técnicas electrónicas ofrecen posibilidades para el futuro de la educación en el terreno de la creación musical y la instrumentación.

En cuanto a la infraestructura del aula, nos tendríamos que preguntar qué condiciones físicas y ambientales requiere, con qué medios contamos para cubrir esas exigencias, y así, de qué modo se podrían llevar a cabo las actividades musicales.

Puesto que la Educación Musical se considera parte integrante de la Educación Infantil, no será preciso cambiar de aula para realizar las actividades musicales, sino que estas deberán intercalarse e interrelacionarse con el resto de las actividades escolares.

Podemos situar en la misma clase un "minitaller" de música, colocándolo de tal manera que en él se puedan situar los materiales necesarios para la música, aunque todo tenga que ser reducido.

Su organización puede basarse en los siguientes elementos: biblioteca; mural para poner noticias musicales y trabajos de los niños; armario para guardar instrumentos (al

menos uno de cada familia: metal, triángulo; madera, una caja china; de parche, un pandero); un espacio para los instrumentos de artesanía; radiocasete, cintas; armario para guardar material didáctico, cartones de ritmo, láminas de instrumentos, cajas grande para guardar los materiales que traigan los niños para hacer sus instrumentos, herramientas (para los más mayores); flauta o guitarra, según sean los conocimientos del educador.

Es importante que el niño tenga en orden este rincón y maneje el material asequible a sus posibilidades.

En caso de que el Centro cuente con un espacio independiente exclusivamente dedicado a este tipo de actividades, podremos realizar allí los grandes ensayos, largas actividades, ejercicios especialmente ruidosos... Tal aula deberá ser un espacio amplio con mucha luz y a ser posible insonorizada; con suelo de madera y mobiliario flexible.

Podrían establecerse "zonas de trabajo" para: biblioteca musical; rincón para dejar colocados instrumentos de placa; espacios para la actuación del coro que tenga una tarima con gradas y una pizarra de música; rincón de exposiciones para colocar los trabajos de los niños, murales o instrumentos construidos por ellos; zonas para los medios audiovisuales ,espacio con armarios para guardar los materiales, instrumentos musicales, cartones de ritmos y melodías; un espacio para el piano u otros instrumentos.

Los recursos los podemos clasificar atendiendo a su naturaleza, en este sentido se pueden establecer dos grandes grupos: recursos didácticos musicales y extramusicales.

A) Recursos didácticos musicales

1. La canción

Sin duda la canción es el recurso didáctico más importante, de ahí que lo tratemos con más profundidad.

Las canciones, además de ser las herramientas de la Educación Musical, tienen sumo interés porque constituyen la aportación afectiva al desarrollo emocional y social.

El educador debe plantearse cuáles son las más apropiadas y, para ello, ha de analizarlas convenientemente:

- Un texto con vocabulario adecuado.
- Un ritmo sencillo, que lo pueda llevar el niño y le permita una buena articulación.
- Una melodía con pocos intervalos y fácil de seguir.
- Que tenga una actividad motórica, que se pueda seguir como un juego.

Las canciones y melodías, especialmente las del propio folclore, deben formar parte del entorno del niño desde su nacimiento. Al principio solo tienen la posibilidad de ser oídas. La voz del adulto, familiar al niño, interpretando una melodía sencilla, penetra en lo más hondo de la personalidad infantil. El ritmo permite imprimir al niño un suave movimiento, que lo introduce vitalmente en la esfera del tiempo. A medida que transcurren los meses, estas canciones irán impregnando la vida del niño.

En una segunda fase, el niño podrá "actuar" las canciones, es decir, entonarlas, gesticularlas, pronunciar sus palabras..., mediante el lenguaje, la melodía, el ritmo y la imitación.

En la etapa de los 4-6 años, es cuando la canción constituye verdaderamente la base de la Educación Musical, ya que, como pequeña obra de arte, es la primera manifestación de la música creada y escrita que llega a las manos del niño para que la goce y vuelva a recrearla.

Debe ser el vehículo mediante el cual, el niño irá modulando poco a poco, su sensibilidad, su buen gusto, su capacidad de improvisación y creación. Además irá adquiriendo un vocabulario más rico y un mayor conocimiento de las cosas que le rodean, vistas muchas veces desde un punto de vista mítico y fantástico.

Entre la música que el educador puede seleccionar señalamos:

- Canciones infantiles.
- Villancicos.
- Cuentos.
- Combinados de filminas o diapositivas.
- Discos de música clásica.

Las canciones pueden ser:

- Populares.
- Folclóricas.
- Infantiles.
- Didácticas.

Siempre serán breves, formadas por frases cuadradas y acompañadas de gestos y movimientos. Y deben reunir las siguientes condiciones:

- Texto: claro y corto; adecuado a su edad; motivador.
- Ritmo: sencillo; esquema en forma de pregunta-respuesta.
- Melodía: ámbito reducido.
- Forma: AA - AB - ABA.

2. Danzas

Una faceta importante de la educación rítmica es el movimiento global del cuerpo: danzar libremente al son de una melodía o desplazarse marcando, con los pies, el ritmo de una marcha. Estas actividades pueden llevarse a cabo solo cuando el niño domina ya su cuerpo, manteniendo correctamente el equilibrio. Tienen sus precedentes cuando, siendo un bebé y estando en el regazo de un adulto, sentía cómo este llevaba el ritmo de alguna melodía. Son actividades de verdadero placer para el niño, además de una fuente inagotable de posibilidades de expresión corporal.

En la danza, o movimiento global del cuerpo, la improvisación debe tener un amplio campo de acción, estimulada o sugerida por el adulto, en caso de que no surja espontáneamente.

Si el cuerpo responde al ritmo y al sonido y si es capaz de expresar el dolor y la emoción, importa conocer y trabajar, por sensibilizar al niño desde sus primeros años, a observar su propio cuerpo y el de los demás, en función del gesto.

Para iniciar al niño en el placer de danzar se puede empezar por actividades simples, del tipo:

- Pasos simples, pero bien acoplados, como:
  * Poner la punta del pie derecho delante y luego en el sitio. Después con el otro.
  * Flexiones de rodillas, etcétera.
  * Saltar con rebote mientras se mueven los brazos.
  * Hacia adelante, apoyar talón derecho y luego en el sitio; después el otro. Al apoyar el tacón, flexionar la otra rodilla.
  * Varias veces, apoyar punta o talón en la misma forma que antes.
  * Apoyar punta y luego talón.
- Pasos laterales:
  * Saltar con rebote hacia un lado cuantas veces lo pida el fraseo de la melodía.
  * Dar unos pasos y, con los pies juntos, flexionar las rodillas.
  * Dar un paso y cruzar un pie delante del otro, elevándolo.
  * Dar vueltas hacia un lado y hacia otro, caminando.
- Con desplazamiento:
  * Dar saltos caminando hacia adelante y hacia atrás.
  * Saltar con desplazamiento.
  * Tres pasos hacia adelante y elevar la pierna al cuarto impulso con elevación de brazos y pitos. Requerirlo hacia atrás para volver al sitio.

De este modo aprenderán los primeros pasos de danzas populares sin más interés que el de moverse acompasadamente al ritmo y expresivamente, según el carácter de la música. Acoplar sus movimientos a los de los otros niños, que también se expresan y tienen iniciativas. Es conveniente librarles de las "formas tipo" que la publicidad de unos pocos ponen de moda, para abrirles un camino de más libertad expresiva.

B) Recursos didácticos extramusicales

Con ellos nos referimos a diferentes contextos comunicativos que favorecen la realización de actividades musicales, podemos destacar:

- Representaciones plásticas.
- Cuentos.

- Dramatizaciones.
- Prensa, revistas.
- Poesías.
- Acciones y escenas de la vida cotidiana.

En principio cualquier objeto, contexto o situación pueden convertirse en un magnífico recurso didáctico. Así por ejemplo las cartulinas de colores, tamaño octavilla serán elementos indispensables en actividades de percepción sobre todo cuando los niños no saben leer y escribir. Podemos repartir a los niños cartulinas rojas y negras que levantarán según sea el sonido más o menos fuerte. El globo es otro maravilloso instrumento, pasando por él el dedo podemos obtener sonidos.

4.5. Características y criterios de selección de las actividades musicales

A) Características y criterios generales

A la hora de seleccionar y sistematizar las distintas actividades musicales el educador deberá tener en cuenta distintos criterios. El psicopedagógico es uno de los más importantes; según este deberán respetarse las edades, intereses y necesidades, características individuales, aptitudes de los niños proponiéndose en este sentido unos niveles de imitación o de abstracción según el desarrollo intelectual y motórico observado, nivel de concentración y fatiga. El cultural vendría marcado por las tradiciones, fiestas, folclore... El tipo de actividad que se vaya a desarrollar. El nivel social en el que se desenvuelve el grupo.

En cuanto a las características de las actividades, a continuación señalamos algunas de ellas:

- En las actividades es necesario que siempre haya variación y equilibrio entre las de poco movimiento corporal y las de gran excitación. Desde luego, los ejercicios de "calentamiento" y de "concentración" son básicos para iniciar cualquier actividad. Se sugiere realizar tres o cuatro actividades musicales diariamente.
- Cuando el educador observe en el curso del día poca atención o concentración en su grupo, es aconsejable aprovechar cualquier juego de educación musical, ya sea de lenguaje, ritmo, canto, etc. Esto servirá como una inyección de energía, entusiasmo y alegría, y al mismo tiempo evitará cansancio en los niños y en él mismo.
- Las unidades musicales que se programen deberán llevarse a cabo en forma progresiva y secuenciada. En cada unidad aumentará el grado de dificultad, siendo necesario combinar actividades ya dominadas con el nuevo conocimiento.
- Los educadores deben tener un repertorio de juegos y cantos amplio, que usarán en la oportunidad que juzguen conveniente. Las actividades deberán adecuarse al índice de madurez de los niños. Si el niño ha tenido una preparación gradual auditiva, rítmica y psicomotriz, podrá realizar la actividad musical que planee el educador, con toda facilidad, naturalidad y alegría propias de su edad.

- Las actividades musicales deberán coordinarse en tal forma que a ninguno de los aspectos se le dé más importancia que a los demás. El educador deberá planear estas actividades tan cuidadosamente, en tiempo y oportunidad, de modo que estén equilibradas, procurando lograr los objetivos que previamente se habrá fijado.
- Deben ser llamativas por el tema que tratan o la acción que realizan.
- Flexibles de cara a su realización.
- Potenciadoras de capacidades.
- Gratificantes.
- Sencillas en su organización y desarrollo.

B) Características y criterios por edades

La canción

1. La letra de la canción debe poseer contenidos acordes con los intereses de los niños. Lenguaje simple y comprensible, fácil de memorizar. Para los 3 años, una sola estrofa es lo más recomendable.
2. La melodía debe adaptarse a la extensión vocal de los niños. Se puede comenzar con canciones de tres sonidos (mi-sol-la), a los 3 años.

   Los de 4 años pueden ir ampliando el registro y algunos podrán llegar al do agudo.

   Los de 5 años podrán cubrir la extensión de la grave a do agudo.
3. El ritmo de las canciones no debe presentar dificultades en la combinación de valores. A los 3 años, el ritmo debe estar formado por blancas y negras. Los de 4 años pueden incluir alguna negra con puntillo y los de 5 años, el empleo de corcheas y semicorcheas.
4. La tonalidad debe ser tenida en cuenta. No son aconsejables los tonos con muchos sostenidos ni bemoles. El do mayor (que no tiene alteraciones), sol mayor, re mayor y fa mayor.

Audición de canciones y música grabada. De 0 a 3 años

Oír música significa escucharla, y escucharla exige una atención. La atención de los niños pequeños es muy dispersa, de corta duración y superficial. Hay que ir educándolos lentamente. Su progreso es paralelo al de la maduración nerviosa del niño. Además, en este caso, prestar atención requiere inmovilidad corporal y es evidente la dificultad que esto entraña en un niño pequeño, en el momento culminante de su desarrollo motriz.

El educador tiene un papel muy importante en la consecución de este objetivo. Además ha de resolver el problema que le plantea el hecho de que la educación y, por lo tanto, la atención, debe realizarla el grupo de niños y no un niño solo.

La audición abarca desde "escuchar" al educador que canta una canción o toca un instrumento (y esta actividad es fundamental para iniciar a los niños en la audición), hasta "escuchar" la grabación de algún autor clásico (Mozart, Vivaldi, Telemann), popular o moderno, buscando, por encima de todo, que no sea excitante, pues produciría un efecto contrario (movimiento y distracción) al que buscamos: atención.

El tiempo de audición debe ser muy breve –escasos minutos– y no hay que pretender que los niños estén atentos durante todo el fragmento; solamente atienden al comienzo de la grabación, y después su atención es intermitente, aunque mantengan una inmovilidad corporal.

A instancias del educador, el niño puede realizar un trabajo de análisis, muy elemental, del contenido musical: distinguir entre canto y orquesta o entre solista y coro; puede relacionar diferentes personas que cantan una misma melodía o reconocer el autor de una melodía, si previamente le ha sido enseñado.

5. La expresión lógico-matemática

El desarrollo del conocimiento lógico-matemático se introduce en el currículo de Educación Infantil, dentro del área de Descubrimiento y Exploración del Entorno.

5.1. Formación de capacidades relacionadas con el desarrollo lógico-matemático

Para entender el proceso de desarrollo de estas capacidades es necesario tener en cuenta cómo transcurre el desarrollo del pensamiento del niño a lo largo de la etapa. Esta es la razón para iniciar la pregunta, presentando muy esquemáticamente los conceptos fundamentales de la **Teoría de Piaget** al respecto.

A continuación, describiremos el proceso que se sigue en la formación de las capacidades lógico-matemáticas.

5.1.1. Desarrollo del pensamiento en el niño de 0 a 3 años

Los distintos estadios o momentos por los que pasa el desarrollo del pensamiento en la edad de 0 a 3 años, son, para Piaget:

- Sensoriomotor (0 a 2 años).
- Preoperacional (2 a 6-7 años).

A) Pensamiento sensoriomotor

Este periodo puede sintetizarse de la siguiente manera:

- Cuando el niño nace, P.G. Richmond (1984), no tiene conocimiento acerca de la existencia de los objetos. Posee una serie de conductas innatas (reflejos) que van ejercitándose, modificándose y coordinándose paralelamente a la actividad que desarrolla con los objetos. A su vez, y gracias a las acciones que realiza con los objetos, irá construyendo modelos de acción interna con los objetos que le rodean y a los que reconoce. Este modelo interno de sus acciones le permite llevar a cabo experimentos mentales con los objetos que puede manipular físicamente. El resultado de realizar tales acciones utilizando este modelo interno es el pensamiento sensoriomotriz, es decir, la acción interiorizada.
- Los logros de este estadio son impresionantes. Los objetos son permanentes y no meras prolongaciones del niño. Puede nacer pequeñas relaciones causa-efecto. Estos logros tienen sus limitaciones. La comprensión del mundo no va más allá de esas propiedades de los objetos ni del efecto que producen sus acciones sobre ellos. No dispone del porqué de sus conductas y su conocimiento es privado, es decir, no recibe influencia de las experiencias de los otros.

B) Pensamiento preoperacional

- Alrededor de los dos años aparece, a partir de la representación sensoriomotriz, la representación simbólica. La función simbólica nace porque la imitación interiorizada puede ser evocada en ausencia de las acciones que originariamente crearon las imitaciones.
- El uso del lenguaje llega a ser posible gracias a la función simbólica.
- Se desarrolla el preconcepto, que es el instrumento entre el símbolo-imagen y el concepto propiamente dicho. Los preconceptos son representaciones que no representan ni auténtica generalidad ni auténtica individualidad, están a caballo entre ambas.
- El pensamiento preconceptual tiene propiedades como la transducción, yuxtaposición, sincretismo, centración y representación estática y egocentrismo.
- El espacio como concepto invisible e intangible, no tiene propiamente existencia. No puede representar grupos de objetos más que cuando los ve en un momento dado. Reconoce un objeto desde una perspectiva distinta a la normal solo si tiene un registro de él sensoriomotriz completo.

- Su concepto de tiempo está ligado a sus experiencias (secuencias de comida, juego, sueño). A partir de los cuatro años, las propiedades antes apuntadas empiezan a presentar ciertos cambios.
- Fruto de la mayor interacción social y gracias al lenguaje, el niño descubre que sus pensamientos no son iguales a los de los demás. Gracias a esto se irá descentrando y aprenderá a coordinar relaciones que se derivan de puntos de vista diferentes.
- Los conceptos de espacio y tiempo, en su sentido abstracto, están todavía fuera de su alcance.

5.1.2. Capacidades que favorecen el desarrollo del pensamiento lógico-matemático

En este apartado desarrollamos el proceso que se sigue en la formación de las capacidades cognitivas básicas implicadas en la representación matemática. Así, siguiendo a M. Rodrigo, describiremos cómo organiza el niño sus conocimientos sobre el mundo, cómo construye categorías sobre la realidad y el modo en que resuelve problemas mediante el uso de principios o reglas.

Por otra parte, comentaremos el proceso que se sigue en la formación de nociones espacio-temporales y formas geométricas así como procesos relacionados con la capacidad metacognitiva.

A) Organización de los conocimientos sobre el mundo

El conocimiento acerca del mundo (objetos y personas) se organiza en esquemas. Un esquema es un tipo de representación mental que organiza conjuntos de conocimientos que poseen las personas acerca de la realidad. Estos contienen relaciones espaciales, temporales y causales.

Vamos a ver tres tipos de esquemas –escena, suceso e historia– que articulan la mayor parte del conocimiento infantil.

1. **Escena. Integra conocimientos de varios tipos**:
   - Sobre las relaciones físicas de los objetos: la manera en que se apoyan, su tamaño, material de que está hecho...
   - Relaciones entre los objetos y los espacios en que, normalmente, se encuentran: en el baño, en la calle...
   - Relaciones de los objetos entre sí: silla frente a mesa, cuadro en la pared.

Estos tipos de conocimiento guían lo que el niño espera percibir de una determinada escena.

Los esquemas de escenas se adquieren desde muy temprano y, así, niños de 2 años, son capaces de identificar objetos que se encuentran en sitios familiares, como la cocina, el baño..., y rechaza aquellos que no son frecuentes. Sin embargo, a los 5 años, es capaz de realizar esta tarea con escenas menos familiares (el ascensor, en un niño de pueblo).

Lo más notable es que la organización en esquema de los conocimientos es muy temprana, y aunque surgen nuevos cambios, el conocimiento adulto mantiene la misma estructura organizativa en esquemas, aunque más flexibles y ricos.

2. **Suceso**. Los niños son capaces de representar secuencias temporales entre los distintos sucesos, es decir en un conjunto secuencialmente ordenado de acciones y sucesos. Así, en sucesos como comer en casa, en el colegio o en un restaurante, existe una enorme coincidencia con los adultos, respecto a la relación u ordenación temporal. Entre adultos y niños, existe coincidencia al extraer elementos

3. **Historia**. Sus elementos están conectados por relaciones causales. Los niños utilizan su conocimiento del mundo cuando comprenden y recuerdan una historia. Para ello, las historias deben estar bien construidas y que sea fácil detectar las relaciones causales. Esto lo pueden hacer hasta niños de 4 años.

   Sin embargo, y una diferencia con respecto a los adultos, es que omite los estados motivacionales y las metas de los personajes. Ello se debe a que les falta el conocimiento apropiado de las intenciones de los personajes y las razones de su comportamiento. Sin embargo, cuando puede inferir fácilmente tales intenciones –por pasar similares motivaciones que los personajes– las recuerda.

   Lo más importante de lo dicho es que la organización en esquemas no varía mucho a lo largo de la vida. Algunos cambios mejoran sensiblemente su funcionamiento. Así, se hacen más flexibles, se articulan más unos a otros y se produce un mayor acceso consciente a la información que contienen. Este será el objetivo desde la lógica-matemática, enriquecer los esquemas, hacerlos más flexibles, y que el niño vaya siendo más consciente de sus propias capacidades (metacognición).

B) Desarrollo del conocimiento categorial

El conocimiento categorial es el que permite al niño asociar conjuntos de cosas aparentemente dispares, mediante relaciones de similitud o equivalencia, y formar sistemas clasificatorios.

Los bebés ya categorizan las expresiones faciales, colores, tonos de voz... Sin embargo, es evidente que tales categorías de objetos están basados en la apariencia y en el papel que desempeñan en su vida (en su actividad). Así, la mesa es distinta de la silla desde un punto de vista perceptivo y juega un papel funcional distinto en sus actividades. Pero, ¿cómo es posible que pocos años después el mismo niño agrupe varios objetos (mesa y silla) en una categoría supraordinaria que se denomina mueble, cuando mueble en sí no existe?

Según Piaget, la posibilidad de clasificar y establecer clases supraordinarias aparece a partir de los 6-7 años; es decir, basta que adquiera la lógica de clases (clasificar). Sin embargo, para otros autores, Rosh y Nelson, los niños, a partir de los 2 años y medio, son capaces de establecer categorías de objetos a un nivel básico: agrupa perro con perro, vaso con vaso... A los 5 años, resuelven tareas de clasificar en dos grupos y con un criterio perceptivo. Sin embargo, hasta los 10 años no podrán hacerlo con un criterio semántico (mueble) y en 5 grupos.

C) Resolución de problemas

Según las investigaciones piagetianas el niño de Educación Infantil no sabe contar, aunque desde luego muchos conocen de memoria los números. Gelman y Gallistel (1978) se propusieron investigar sobre la adquisición de las nociones de cuantificación y su aplicación aritmética. Para ello, se centraron en un modelo teórico que presuponía la existencia de una serie de principios que el niño debe conocer para saber contar. Estos son: el de correspondencia uno a uno, que supone conocer a cada objeto de una colección al que se le debe asignar un solo número; el principio de ordenación estable, que indica la conveniencia de expresar los nombres de los números en un orden constante; el principio cardinal, que establece que el último número de una secuencia numérica corresponde al valor cardinal del conjunto; el principio de abstracción, que define los objetos o fenómenos enumerables; y, por último, el principio de irrelevancia del orden, que establece el carácter arbitrario de la asociación entre un determinado objeto y un número, ya que puede contabilizarse en diferente lugar o posición con respecto al resto.

Con el fin de demostrar si los niños conocían estos principios, los sometieron a la ejecución de determinadas tareas de contar. Así, trataron de inferir estos principios a partir de determinadas características que aparecían al realizar las tareas. De esta forma, observaron que los niños de 2 años asignan un número a cada objeto, lo que indica que "conocen" el principio de correspondencia uno a uno. Sin embargo, son sistemáticos en su elección de las etiquetas numéricas, las aplican salteadas ("2, 6" cuando cuentan dos objetos; "2, 6, 10", cuando son tres), de modo que no siguen todavía el principio de ordenación estable. A los 3 años ya utilizan dicho principio y conocen además el de abstracción, ya que aplican el procedimiento de contar a sus juguetes, a caramelos, a sus pasos, etc. Entre 4 y 5 años aplican el principio de irrelevancia del orden y por último el cardinal. Todo ello indica que este tipo de nociones se puede ir trabajando en Educación Infantil, porque los niños de 2 a 4 años manifiestan cierto conocimiento implícito de los principios que rigen la cuantificación.

Ambos autores pensaban también que estos conocimientos permitirían al niño iniciarse en la comprensión de operaciones aritméticas como la adición y la sustracción. Para ello, realizaban el siguiente experimento: Familiarizaban a los niños con dos filas desiguales de objetos, colocados en una determinada forma. Luego las cubrían con una tela y sin que el niño lo supiera realizaban transformaciones: añadir o quitar elementos, desplazarlos o sustituirlos sin modificar el número. Pues bien, los niños saben que solo al añadir o eliminar objetos (adición o sustracción), varía el número, y que los desplazamientos y sustituciones son irrelevantes. Ahora bien, la aplicación de estas nociones aritméticas se ve limitada por el tamaño de las colecciones de objetos y la cantidad de elementos que se introducen o eliminan. Así, los niños de 2 y 3 años solo perciben cambios de número cuando se trata de añadir uno o dos elementos sobre una colección de uno o dos elementos (1 + 1; 1 + 2; 2 + 1); o bien, en algunas sustracciones (3 – 1; 3 – 2; 4 – 2). Los niños de 4 años saben que el número de la colección ha variado cuando se añaden o eliminan uno o dos elementos sobre una colección de uno a cuatro objetos (por ejemplo: 4 + 2; 3 + 1; 4 – 1). Por último, los de 5 años pueden hacerlo bien añadiendo, bien eliminando de uno a cuatro elementos en colecciones de uno a seis objetos (6 + 3; 5 + 2) y añadiendo o eliminando de uno a cuatro (6 – 3; 5 – 4). Todo ello indica que el niño de Educación Infantil posee una cierta aritmética que suele manifestarse en determinadas condiciones de las tareas (complejidad adecuada, operar con objetos...).

D) Formación de las nociones espacio-temporales y formas geométricas

El desarrollo de las nociones espacio-temporales se produce en general en el período que va desde el estadio sensoriomotriz hasta la culminación en las operaciones abstractas, consolidándose posteriormente en el estadio de las operaciones formales.

Respecto al espacio, centrándonos en el momento evolutivo que nos ocupa (0 a 6 años), los niños, a través de la exploración de su entorno, podrán ir representándose su cuerpo en el espacio circundante, reconocerán este y además comprenderán que los objetos también se encuentran en él. En este sentido, irán adquiriendo nociones espaciales como arriba-abajo, delante-detrás, dentro-fuera, cerca-lejos.

Con respecto al tiempo, en el período sensorio-motor el niño empieza a distinguir un ritmo temporal de acontecimientos en el cuál, los que tienen lugar diariamente se suceden en secuencia.

Sobre el primer año, no comprende el futuro, su versión sobre el pasado es muy vaga. Hacia los 3 años el tiempo se va objetivando, el pasado, el presente y el futuro equivalen a ayer, hoy y mañana.

En el período intuitivo el niño piensa que el tiempo se incorpora a los hechos y cada hecho tiene su propio tiempo. Como vemos, el niño en esta etapa está lejos de la comprensión del tiempo en su sentido abstracto y, al contrario, esta concepción está ligada a los acontecimientos. Por ello, la estimación y medida del tiempo se trabajará en relación con situaciones cotidianas (lo que se hace antes de comer o por la mañana, después de comer o por la tarde) con unidades naturales (tarde, mañana, día, semana).

El campo de las formas geométricas se ha incluido entre los contenidos matemáticos de la Educación Infantil.

La aproximación sensorial a los elementos geométricos se hará incluyendo en las actividades una serie de representaciones y alusiones que vayan introduciendo poco a poco el reconocimiento de determinadas formas y su identificación mediante una tecnología adecuada.

Las figuras planas que pueden trabajarse serían: círculo, rectángulo, triángulo. Igualmente, podrían trabajarse algunas formas del espacio en tres dimensiones (esfera, cubo).

E) Metacognición

La metacognición es una capacidad que tradicionalmente se ha asociado al conocimiento que las personas pueden tener de sus propios procesos de conocimiento o de los contenidos de estos. Algunos de los procesos que actualmente se incluyen dentro de esta capacidad serían:

- Conocimiento por parte del sujeto de sus propios procesos mentales.
- Regulación del conocimiento.

Con respecto al primer proceso ha sido estudiado desde el punto de vista evolutivo, en torno a las "teorías de la mente". Investigaciones recientes demuestran que a partir de los dos años comienza a desarrollarse en el niño una teoría de la mente y esta comienza a aproximarse a los patrones del adulto en torno a los nueve.

El segundo proceso incluye actividades de *planificación previas a acometer el problema, de control durante el aprendizaje y de revisión de los resultados*. Desde este punto de vista se nos dice que no son constatables, esto significa que es posible saber hacer algo sin que ello sea explícito al nivel de la conciencia para uno mismo o para los otros; son inestables, ya que no aparecen en un momento del desarrollo y se mantienen idénticas a través de este, en este sentido, no dependen necesariamente de la edad y son más dependientes de las características de la tarea (Brown 1983).

5.2. La intervención sobre los objetos, la relación causa-efecto

En este apartado incluimos algunos recursos muy utilizados en Educación Infantil.

5.2.1. Bloques lógicos

A este nivel, se debe trabajar a través de experiencias concretas, manipulando, comparando, relacionando objetos entre sí, formando conjuntos de objetos, descubriendo diferencias y similitudes entre ellos...

Es importante utilizar material estructurado (compuesto por piezas que combinen varias variables). Dentro del material estructurado, nos centraremos en los bloques lógicos, porque son los más asequibles y porque las guías para su utilización pueden ser válidas para cualquier material estructurado.

Los bloques lógicos son un material sensorial creado por el matemático Diógenes; constan de 48 piezas organizadas respecto a cuatro variables:

- **Color**: azul, amarillo y rojo.
- **Forma**: triángulo, rectángulo, cuadrado y círculo.
- **Tamaño**: grande y pequeño.
- **Grosor**: grueso y delgado.

A partir de los 4 años es aconsejable hacerse unas etiquetas en las que se exprese una de las variables mencionadas. Estas 11 etiquetas tendrán, a su vez, su correspondiente negación –el mismo dibujo, tachado–. Su utilidad radica en trabajar la función simbólica.

Actividades con bloques lógicos:

a) *Actividades de construcción libre.* El objetivo que se pretende conseguir con las actividades de construcción libre es familiarizar al niño con los bloques lógicos, que experimenten y vayan descubriendo los atributos.

b) *Actividades dirigidas y planificadas.* Cuando el niño se haya familiarizado y empiece las representaciones planas, podemos empezar con las actividades dirigidas y planificadas, introduciendo primero el nombre de las piezas.

   - Las sesiones serán de 15 minutos, diarios.

5.2.2. Materiales separados y continuos

Es el educador quien debe crear las condiciones necesarias para que el niño, mediante la experimentación, pueda ir estructurando su pensamiento.

Las actividades que se programen deben tener en cuenta los intereses y las posibilidades intelectuales.

A) Materiales separados

Podemos utilizar cualquier objeto de la vida diaria proporcionado por los niños o aportado por el educador.

El niño ha de reconocer y nombrar los materiales, al mismo tiempo que experimentará con ellos.

Las actividades pueden ser:

- Dictado de colores.
- Ensartar bolas siguiendo un orden.

- Pegar hojas secas en un papel.
- Llenar una caja de juguetes.
- Transportar objetos.
- Etcétera.

B) Materiales continuos

Con ellos se va a iniciar al niño en el campo de la medida. Son muy usuales: arena, agua, plastilina, arcilla...

La finalidad de trabajar con materiales continuos y separados es llevarle a la conservación de la cantidad.

Existen diversos juegos que podemos utilizar con valor predictivo, para ver si el niño ha adquirido la conservación de cantidad:

- Abrochar cada botón con su ojal.
- Colocar el mismo número de objetos en una fila, separados, en otra, muy juntos, y preguntar si hay el mismo número...

Hemos de tener en cuenta que hasta los 6-7 años no se adquiere la noción de cantidad en abstracto, y que el niño de este nivel tendrá una noción incipiente y muy ligada a los objetos.

Ya hemos visto que para iniciar la noción de tiempo utilizaremos actividades de la vida cotidiana: por la mañana, voy al colegio; cuando es de noche duermo...

Respecto a la adquisición de las medidas de capacidad realizaremos actividades consistentes en llenar y vaciar objetos, para las que emplearemos tanto materiales separados como continuos.

Las experiencias con materiales separados y continuos serán un apoyo indispensable para la introducción al cálculo.

Al trabajar con materiales separados, se introduce al niño en la diferenciación de los elementos de un conjunto.

El trabajar con materiales continuos supone una preparación a las actividades que se realizarán, más tarde, relacionadas con la medida.

5.3. Estrategias, actividades y recursos para desarrollar la expresión matemática

Educar el espíritu científico del niño significa dirigirlo hacia la superación de la absoluta dependencia de la percepción momentánea, a construir las primeras categorías lógicas; motivarle nuevos porqués.

La educación científica del preescolar ante todo deberá estimular la curiosidad infantil y el deseo de conocer, sugerir hipótesis simples con respecto a algunos fenómenos de la naturaleza, o en relación con experimentos en el ambiente escolar; la educación científica deberá favorecer la superación de la magia, el animismo, el artificialismo y abrir el camino hacia el espíritu crítico.

A los tres años se puede iniciar al niño en una primera observación de las plantas y animales, de ambientes y objetos que forman su mundo, para acostumbrarlo a reconocer la diferencia entre seres animados e inanimados.

Más tarde, a los cuatro, cinco y seis años se puede iniciar al niño en observaciones más sistemáticas sobre loa objetos y los aspectos de la realidad natural y humana, sobre problemas relacionados con la adquisición del concepto del tiempo, sobre modos de organizar y percibir el espacio, sobre fenómenos y su causa-efecto; todo ello a través de la observación y participación directa en experimentos sencillos, en los que se utilice el método de investigación.

Respecto a los objetos, se puede guiar a los niños en la observación y experimentación de las diferencias de peso, utilizando las manos o instrumentos de medida más refinados, sobre depósitos de agua, comprobando que algunos flotan y otros se hunden, etc.

Para la gradual adquisición del tiempo se puede enseñar al niño a construir murales sobre la sucesión de distintos momentos del día en la escuela y casa, etc.

Acerca de la educación del concepto de espacio trabajaremos sobre juegos topológicos.

En relación al concepto de causalidad resultan muy útiles las observaciones y experimentaciones hechas sobre animales y plantas.

5.3.1. Actividades

A continuación planteamos **actividades** agrupadas en torno al tipo de concepto que trabajan.

A) La serie numérica

Consiste en conocer y poder reproducir los números de forma ordenada.

En Educación Infantil se trabaja de forma oral a partir del conteo de elementos. Es un aprendizaje mecánico y memorístico que no implica la comprensión del número ni su escritura.

Se puede trabajar a partir de conteo de los que estamos, los que faltan...

B) El número

Los dígitos que se trabajan en Educación Infantil son los del 0 al 9.

Se trabajan a lo largo de los tres años del segundo ciclo, de uno en uno de manera independiente.

Podemos afirmar, que en esta etapa de Educación Infantil, se producirá una familiarización del niño con el mundo del número: será capaz de usar los números en situaciones cotidianas, podrá agrupar objetos de acuerdo a una determinada cantidad (hacer grupos de dos, tres...), incluso aprender a escribir y usar en contextos matemáticos de forma adecuada el número. Sin embargo, la comprensión plena del concepto de número no tendrá lugar hasta etapas posteriores.

En este proceso, hay que ser coherentes con el desarrollo evolutivo: en esta etapa el niño necesita experimentar y explorar con su propio cuerpo para adquirir un conocimiento del mundo de los objetos y de las relaciones entre ellos que le lleve a las primeras nociones matemáticas. Manipulando y experimentando con los objetos se puede llegar a captar las cualidades y aprender relaciones.

Para poder abordar la enseñanza de un número previamente se habrán trabajado habilidades matemáticas como:

- Noción de cantidad global.
- Correspondencia término a término.
- Diferenciación perceptiva de formas, colores, tamaños...
- Iniciación en las nociones de conservación.
- Iniciación en los rudimentos de la simbología matemática.

El aprendizaje de cada número se hará de forma independiente y aislada, de acuerdo con la cronología de los números (del 1 al 9 además del 0. No se aborda la decena por la complejidad de su comprensión) y se inicia desde el primer nivel de la Educación Infantil (en 3-4 años se trabajan 0-1-2-3; en 4-5 años 4-5-6-7 y en 5-6 años se completa la serie hasta el 9 y se introduce la resolución de pequeños problemas de "poner-quitar". Aunque es muy flexible, depende del criterio del profesor y del centro).

Seguirá la **progresión** siguiente:

1. **Nociones cuantitativas**: ¿cuántos son? Se trata de hacer agrupamientos con objetos de cantidad que se está trabajando. Todavía no hemos introducido la simbología del número. "Haz grupos de tres botones".
2. **Reconocimiento, escritura y comprensión de la grafía** de forma plurisensorial: presentación de la grafía del número prestando atención a la direccionalidad del trazo. Realización de múltiples actividades plurisensoriales para su correcta producción y discriminación (repasar, modelar, recorrer sobre el suelo, trazar en el aire, sobre arena, picar...).

3. **Asociación grafía-cantidad**: se trata de establecer la correspondencia entre la simbología del número y la cantidad de elementos que representa. Se puede hacer con objetos, teoría de conjuntos...
4. **Discriminación del número** recién aprendido de otros números conocidos.
5. **Uso correcto** del mismo en situaciones cotidianas, búsqueda de dicho número en el entorno...

Las **actividades** para el aprendizaje del número serán:

1. **Actividades previas**
   - Clasificaciones: con bloques lógicos u objetos del entorno de acuerdo a criterios diversos.
   - Separación e integración de las partes en el todo: puzles, encajables...
   - Seriación.
   - Ejercicios de pre-escritura: necesarios para el control del trazo y realización de formas concretas: bucles, espirales, palotes...
   - Nociones espaciales. Hay que tener en cuenta que estas nociones se aplican en la realización de trazos.
   - Ejercicios de simbolización: uso de símbolos, no solo matemáticos.
   - Ejercicios verbales.
   - Comprensión oral de pequeños problemas.
2. **Actividades para trabajar el número**
   - *Agrupamientos*
     * Agruparse ellos mismos: "Vamos a ponernos en grupos de tres".
     * Agrupar objetos: a partir de un montón de botones, cuentas o cualquier objeto; "hacer grupos de tres".
     * Seriaciones: "Collares con tres amarillas y tres rojas", sobre el papel "tres puntos y tres cruces".
     * En fichas: "dibuja dentro del círculo tres pelotas".
     * Recetas de cocina: "Macedonia de frutas: pondremos tres plátanos, tres peras, tres manzanas...".
     * Actividades de psicomotricidad: "tres pasos, tres altos y tres palmas".
   - *Actividades para el reconocimiento y comprensión de la grafía de forma plurisensorial*
     * Dibujar el número sobre diferentes superficies: arena, arcilla, aire, propio cuerpo...
     * Hacer el número con plastilina; rellenarlo con bolitas de papel de seda.

* Repasarlo, picarlo, colorearlo.
* Pasar un cochecito por el número dibujado en grande.
* "El dedo mágico": en la pizarra se dibuja el número con el dedo mojado (al secarse desaparece) o bien se dibuja con tiza y al pasar el dedo por encima se borra.
* Andar sobre el número dibujado en el suelo.
* Copiarlo.
* Dictados.

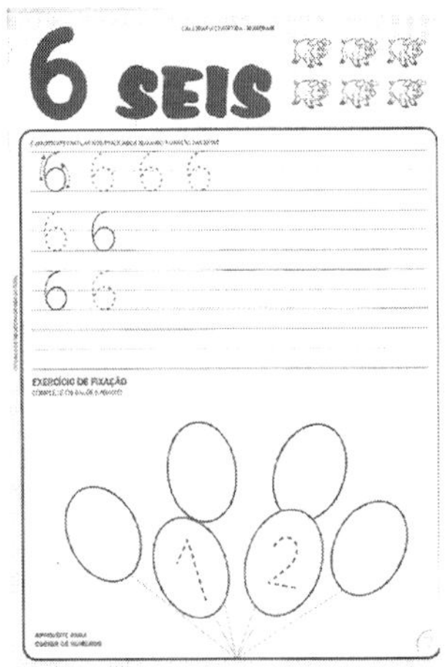

Repasa con pintura de dedos

– *Actividades para la asociación grafía cantidad*
  * *Completar en fichas y colorear:*

* ¿Cuántos cubos hay?

* Añade huevos hasta que haya 6

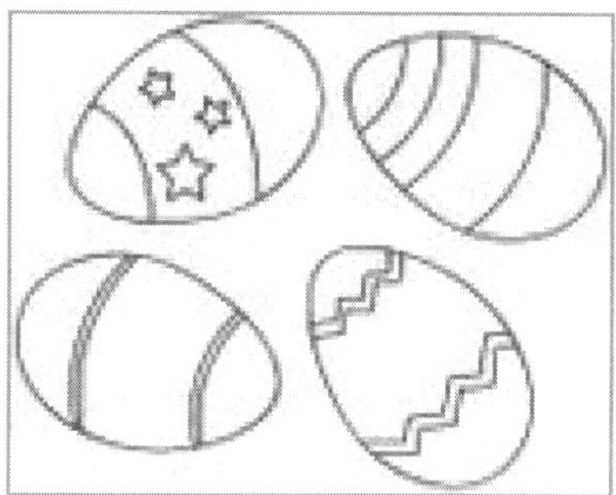

* Dibuja flores hasta que todos los árboles tengan las mismas.

* Emparejar tarjetas que llevan un número con otras que llevan la cantidad.
* El profesor muestra una cartulina con un número. Los niños han de agruparse ellos mismos en grupos con esa cantidad

– *Actividades para la discriminación de otros números y su uso correcto*
  * Rodear un número requerido entre otros.
  * Emparejar grafía-cantidad en fichas.
  * Bingos: del 0 al 9. Los niños irán tachando los números que tienen.

* Colorear un dibujo por fragmentos de acuerdo a un código de colores: los 1 de rojo, los 2 de verde...

* Unir puntos siguiendo números para obtener una figura.

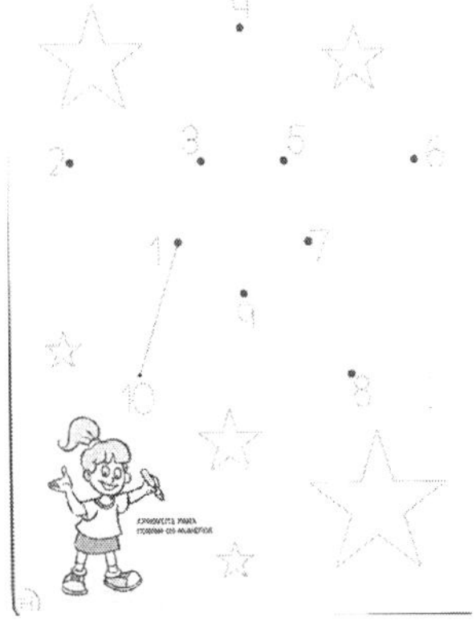

* Dominós: pueden ser piezas del juego real (solo van de 1 a 6) o realizadas por nosotros en cartulinas. Así mismo pueden contener diferentes modalidades de presentación: números, puntos, dibujos, escritura en letra de la palabra...

* Dictados:
  - Se pueden hacer dictando los números.
  - Se pueden hacer dictando las cantidades mostradas en cartulinas.

Y en diferentes soportes:

* Papel.
* Magnetogramas: con piezas imantadas en pizarra metálica.
* Franelogramas: con piezas adhesivas en panel forrado de fieltro.

– **Recursos informáticos**: se van a generalizar progresivamente en el marco de las aulas. Existen muchos recursos en las internet, por ejemplo: http://www.educacontic.es/ recopila un catálogo de aplicaciones educativas que abarca todos los niveles, incluido el de Educación infantil, patrocinado por el INTEF (Instituto Nacional de Tecnologías Educativas y Formación del Profesorado).

– **Aprendizaje de canciones y poemas**: son muy lúdicos y una ayuda importante para memorizar la serie numérica, además de permitir trabajar el lenguaje musical y corporal.

Algunos ejemplos:

"Soy uno cuando estoy solo
Y dos si tú estás conmigo.
Somos tres si somos dos y viene algún otro amigo.
Cuatro patas tiene un perro
Cinco dedos de mi mano
Seis los años que tengo
Y siete los de mi hermano
Ocho patas tiene la araña
Nueve son tres veces tres
Y si esto me lo aprendo, voy a sacar un diez".

"El uno es un soldado haciendo la instrucción
El dos es un patito que está tomando el sol
El tres una serpiente que gira sin cesar
El cuatro una sillita que invita a descansar
El cinco es un conejo con rabo y con pelito
El seis es una pera que tiene un rabito
El siete es un sereno con gorra y con bastón
El ocho son las gafas de Don Simón
El nueve es un globito tirado de un cordel".

"Primero basurero
Segundo campeón
Tercero pistolero
Cuarto lagarto
Quinto laberinto
Sexto baloncesto".

"Un elefante se balanceaba sobre la tela de una araña como veía que no se caía fue a avisar a otro elefante. Dos elefantes..."

Metodología

Manipulativa, experiencial y basada en la actividad.

Hay que tener en cuenta que los niños están en el último nivel, por ello se han trabajado globalmente conceptos que son fruto del trabajo de años y meses anteriores, pretendiendo reforzar el uso y desenvolvimiento con conceptos matemáticos.

Usamos las matemáticas con carácter funcional y significativo.

La metodología de talleres es especialmente adecuada para estos aprendizajes, ya que es muy activa, grupal y exploratoria.

El trabajo con niños de Educación Infantil estará basado en el juego y la actividad. A través de actividades lúdicas el niño irá alcanzando los aprendizajes y desarrollando sus capacidades.

C) La suma/resta

Los pasos serán:

1. **Introducir el concepto**.

   De forma manipulativa y a través de acciones como añadir, juntar, agrupar... para la suma y perder, quitar, romper... para la resta.

   Las actividades van referidas a hacer montones y expresar verbalmente estas acciones indicando el resultado. El juego simbólico es también una opción adecuada para iniciarlos en la suma/resta.

2. **Simbolismo escrito con conjuntos de elementos cotidianos.**

Tenía Me dan T engo

3. **Simbolismo escrito con conjuntos de elementos abstractos.**

Tenía Me regalan Tengo

4. **Simbolismo escrito con dígitos.**

3	2	5
Tenía	Me dan	Tengo

5. **Signos matemáticos e imágenes significativas.**

+ =

6. **Signos matemáticos con imágenes abstractas.**

+ =

7. **Signos matemáticos con dígitos.**

$$3 + 2 = 5$$

+ = 6

+ =

+ =

+ =

+ =

+ =

5 + 3 =

2 + 4 =

6 + 2 =

Hay que procurar que el resultado de las sumas no exceda de 9.

D) Nociones espaciales

La **progresión** que vamos a seguir con las nociones espaciales será:

1. Con el propio cuerpo: manos dentro del bolsillo, lengua dentro/fuera de la boca...
2. Aplicación de las nociones con objetos: pongo dentro/fuera de la caja.
3. Sobre el papel: (simbolización: pinta sobre la ficha lo que está dentro/fuera).

Al ser nociones abstractas es necesario abordarlas desde la práctica y con mucho material.

Usaremos muchas formas de expresión (lenguaje, gestos, plástica...).

Los conceptos básicos se trabajan de forma emparejada aquellos que posean contrarios. Ello permite abordar el aprendizaje simultáneo y el mejor contraste de los conceptos: dentro/fuera, alto/bajo, grande/pequeño...

Algunas **actividades** que podemos realizar son:

1. **Con el propio cuerpo**: el propio cuerpo es su realidad física más inmediata. Será por esta razón por la que comenzaremos ubicándolo dentro/fuera y experimentando estos conceptos en uno mismo.
   - Partes del cuerpo que se puedan ubicar dentro/fuera: lengua dentro/fuera de la boca, manos dentro/fuera del bolsillo; pies dentro/fuera del aro...
   - El propio cuerpo se ubica dentro/fuera del aro, dentro/fuera de una caja, dentro/fuera de la clase...
   - Órganos que están dentro (corazón, dientes, huesos...)/fuera (ojos, pelo orejas...).
2. **Con los objetos y otros niños**: se trata de usar los objetos y los propios compañeros para experimentar con estas nociones.
   - Ubicar objetos dentro/fuera de cajas, contenedores, cajones...
   - Encajables: torres apilables, muñecas rusas, barriles...
   - Juegos populares: encestar, chapas (meter en un círculo, meter dentro del agujero...), "sambori" (saltar con los pies dentro de los cuadros).

3. **Representación simbólica**: nos referimos a la aplicación de estos conceptos de forma más abstracta utilizando símbolos como el lenguaje, la plástica, la expresión corporal; en definitiva, sin el uso material de elementos que se ubican dentro/fuera.

Utilizando el lenguaje:

- Construcción de enunciados verbales por parte del niño: Fuera del colegio está el parque; dentro del colegio está el patio, mi clase…
- Adivinanzas: "Blanco por fuera, amarillo por dentro: huevo".
- Verdadero o falso: el profesor/a enuncia una frase que el niño determinará si es verdadera o falsa: "Dentro de la lavadora se ponen las frutas y verduras".

En cuanto a la **metodología** de trabajo:

- La formación lógica de los niños de tres a seis años se debe desarrollar en estrecha conexión con la curiosidad, la motivación y la experiencia infantiles.
- Partir de la curiosidad y de la necesidad de conocimiento del niño, significa, sobre todo, predisponer las condiciones y favorecer las experiencias que permiten el desarrollo de las motivaciones existentes.

Por tanto, es necesario permitir al niño ejercitar amplia y conscientemente los sentidos en contacto directo con la realidad: manipular, verter, pesar, medir, vivir con todo el cuerpo los diferentes aspectos de sus experiencias.

La percepción sensorial y la manipulación de objetos van a ayudar inicialmente al niño a captar cualidades y propiedades de los mismos, a observar semejanzas y diferencias entre ellos, es decir, a conocerlos. Según la acción del niño recaiga sobre objetos individuales o sobre colecciones de objetos, los actos que realice harán intervenir distintos procedimientos de tipo matemático, que se perfeccionarán al utilizarlos en situaciones diversificadas.

Diferenciando, nombrando, agrupando, comparando, seleccionando, ordenando, colocando, repartiendo, añadiendo, quitando, estableciendo correspondencia..., se irán captando las primeras nociones matemáticas con la ayuda del educador, que hace posible que los pequeños tomen conciencia de sus propósitos y de sus acciones, y que pueden contrastar y "matematizar" el resultado de las mismas.

El uso del lenguaje verbal y de los no verbales favorece una toma de conciencia articulada de los objetos y de los sucesos: Matemática y lengua son inseparables.

Considerar a la experiencia lógico-matemática como un lenguaje significa además atribuirle el valor de una experiencia social, y así debe ser, ya que la actividad social de los niños en el pequeño grupo favorece el desarrollo intelectual.

Las actividades de juego son la dimensión más importante por medio de la cual el niño desarrolla la capacidad lógica, utilizando el material estructurado y no estructurado.

E) Nociones temporales

La organización temporal está constituida por dos componentes esenciales: el orden y la duración. El orden o distribución cronológica de los cambios define la relación que existe entre los acontecimientos que se producen sucesivamente (uno a continuación de otro). La duración permite medir el intervalo que separa el principio y el fin de un acontecimiento.

La organización temporal incluye una dimensión lógica (orden, duración, intervalo), una dimensión convencional (sistemas de referencia: horas, días y años) y un aspecto vivencial que aparece antes de los otros dos (percepción y memoria de la duración y de la sucesión).

El desarrollo de las nociones espaciales y temporales se produce, en general, en el periodo que transcurre desde el nacimiento hasta la culminación de las operaciones concretas, para consolidarse posteriormente en el estadio de las operaciones formales.

En relación a la adquisición de las nociones temporales podemos decir que en el periodo sensoriomotor ciertas clases de experiencias presentan connotaciones temporales. Así reconoce su ritmo de vida diaria, situar su acción y rutinas en unos ciclos de sueño-vigilia, antes/después y claridad/oscuridad, siendo capaz de hacerlo en su actividad mucho antes que en la representación simbólica de estas nociones.

La construcción del tiempo alcanza un gran desarrollo en el periodo de las operaciones concretas, cuando el niño es capaz de situar hechos, objetos, situaciones, pensamientos, dentro de una serie sucesiva, o con relación a otros.

Piaget considera los siguientes periodos en la adquisición de las nociones temporales:

En primer lugar se encuentra el **tiempo sensoriomotor** con sus dos aspectos de orden (ejecución de un movimiento que sirva de medio para conseguir un objetivo) y de duración (impaciencia en caso de espera).

Ligado a este estaría el tiempo perceptivo, que en lo relativo al orden descansa sobre la percepción de acontecimientos sucesivos a partir de rutinas o ciclos (antes-después). La vivencia de la cotidianeidad conduce a la percepción de nociones de orden temporal. La percepción de la duración exige en primer lugar determinar el principio y el final, y posteriormente una apreciación cuantitativa del tiempo transcurrido entre dichos límites. La percepción de la duración es muy compleja.

El **tiempo estructurado**: el tiempo percibido y vivido acaba por estructurarse en función de unas operaciones como son las de seriación (orden de sucesión de los acontecimientos) y el encaramiento sucesivo de unas duraciones en otras. Esta estructuración temporal depende de las representaciones temporales que el niño ha ido construyendo y coordinando a partir de las percepciones de orden y duración. La estructuración temporal permite que el niño logre una adecuada noción de velocidad: el tiempo como magnitud directamente proporcional al espacio inversamente proporcional a la velocidad. En este momento el niño es capaz de ordenar temporalmente acontecimientos (ciclos de plantas...), así como de medir y comparar tiempos utilizando diversos instrumentos (reloj de arena, pared...). Sin embargo, el dominio de la cronometría no se alcanza hasta la adolescencia.

En la edad correspondiente a la Educación Infantil, y dadas las limitaciones en la conceptualización y abstracción del pensamiento infantil, un concepto tan "abstracto" como el tiempo es difícil de comprender y manejar. Por esta razón la metodología ha de ser:

- Especialmente experiencial.
- Basada en las rutinas como elementos fundamentales que se presentan con una secuencia y poseen intervalos estables. Las rutinas permiten al niño sentirse en un entorno seguro y previsible y le ayudan a estructurar en pequeños intervalos (patio, ficha, repartir, lista...) un espacio temporal amplio (mañana, día entero).

Las rutinas son por ello un elemento muy necesario en la organización del aula en Educación Infantil, que además contribuirá a la consecución de los hábitos básicos.

El tiempo es un concepto polisémico, que para abordarlo desde la Educación Infantil hay que tratarlo desde los siguientes puntos de vista:

- Perspectiva perceptivo-motriz (ritmos).
- El desarrollo de este aspecto se relaciona con la realización de actividades de coordinación dinámica, equilibrio y disociación de movimientos.
- El punto de partida serán actividades habituales para el niño (correr, saltar...), su ritmo y grado de desarrollo personal.
- Primero con el propio cuerpo, después con objetos y finalmente con instrumentos musicales.

Algunas ***actividades*** podrían ser:

- Variaciones de la velocidad de la marcha.
- Marchas codificadas a ritmos de instrumentos, palmas, animales...
- Discriminación de ritmos rápido-normal-lento.
- Discriminación de los golpes tónicos y ejecución de pasos "fuertes" en los mismos.
- Reproducción de estructuras rítmicas con el propio cuerpo, con objetos, con instrumentos...
- Dictados rítmicos.

  "Lectura" y reproducción de ritmos escritos en la pizarra:

  ■: Fuerte.

  ●: Suave.

  Interpretar: ●●●■●■●●■
- Danzas, coreografías.

Orientación temporal

A través de experiencias diarias, en especial aquellas que se repiten a menudo, el niño logra paulatinamente englobar la percepción de los fenómenos con una secuencia temporal, apreciarlos con propiedades de ordenación y duración y entender y expresar el significado de los términos que usan los adultos para referirse a los conceptos temporales.

Sobre los tres años emplea conceptos como hoy, mañana, ayer, antes, después, pero lo hace sin exactitud, siendo los cuatro años el momento en que los comienza a usar con cierta propiedad.

Esta capacidad de percibir y denominar el tiempo se relaciona con el mayor grado de memoria, la cual, le permite ordenar temporalmente las experiencias conservadas durante un lapso mayor de tiempo (Remplein, 1966).

Algunas de las **actividades** correspondientes a un par de nociones podrían ser:

1. ANTES-DESPUÉS

- Pedirle que realice acciones consecutivas: "Abre el cajón y coge un juguete", "¿Qué has hecho antes? ¿Qué has hecho después?".
- Reproducir escenas realizadas por el profesor y realizar las mismas preguntas.
- Realizar seriaciones de objetos.
- Análisis de escenas que contengan acontecimientos cronológicamente seriados. Reflexión de los mismos y verbalización de las acciones utilizando "antes-después".

2. DÍA-NOCHE

Se asociará día con luz, sol, vigilia y noche con oscuridad, sueño, luna...

Estas nociones se ilustrarán con láminas, dibujos...

3. HOY, MAÑANA, AYER

Se relacionan con el presente, pasado y futuro.

Nos centraremos en actividades diarias (hoy: presente) y a partir de ahí recordar lo que se ha hecho el día anterior (ayer) y describir algunas acciones o sucesos que vendrán mañana.

4. SEMANA

- Aprenderemos los días de la semana con poemas, canciones y asociándolos a acciones características de cada uno de ellos.
- Asociar los días de la semana con las experiencias personales: el lunes me recoge papá...
- Utilizar calendarios en las rutinas diarias a través de un franelograma, poniendo el día en la pizarra...
- Ordenar los días de la semana en tarjetas o puzles.
- Adivina: Si hoy es martes ¿Qué día fue ayer? ¿Qué día será mañana?

5. MES

Con un procedimiento semejante al seguido con los días de la semana.

- El nombre del mes se trabaja a diario con la fecha.
- Gran calendario en clase para poder visualizar la globalidad del año.
- Asociar los meses con acciones, climatología, fiestas... más características.
- Calendario: construcción de un calendario, reflexión de la fecha cada día, ubicación de fechas muy significativas.

6. ESTACIONES DEL AÑO

Es una noción que se trabaja a través de la estación presente y que se basa principalmente en la comprensión y descripción de las características significativas a nivel paisajístico y climático, de costumbres, indumentarias, fiestas.

Las estaciones suelen constituir con frecuencia ejes de proyectos o centros de interés por su significatividad para los pequeños.

7. DURACIÓN Y MEDIDA DEL TIEMPO

La estimación de las duraciones es compleja para los niños de Educación Infantil, pero no por ello inabordable. La medida en esta etapa siempre es con medidas naturales.

Los haremos a través de experiencias muy significativas como:

- Reflexión sobre ¿cómo tardamos más, yendo en coche o caminando?, ¿cuándo tardamos más en desayunar o en comer?, ¿qué duran más las clases o el patio?, ¿qué animal anda más rápido, el caballo o la tortuga?
- Análisis de imágenes, verbalización de las duraciones aproximadas y ordenación de las mismas.
- Uso de algunas medidas temporales y asociación a su duración: "cinco minutos es un rato pequeño y una hora es un rato grande".
- Construcción de relojes.
- Manejo y exploración con relojes de arena.

En cuanto a la ***metodología*** para abordar el aprendizaje de las nociones temporales podemos señalar algunas ideas convenientes:

El trabajo con niños de Educación Infantil estará basado en el juego y la actividad. A través de actividades lúdicas el niño irá alcanzando los aprendizajes y desarrollando sus capacidades.

Las actividades han de ser de corta duración, para evitar el cansancio y la desmotivación, debido a los cortos periodos de atención que tienen los niños.

Se trabajará sobre todo con el grupo clase, ya que en esta edad, los niños tienen muchas dificultades para el trabajo en grupo debido a importantes restos de egocentrismo. A pesar de ello, pueden formarse pequeños grupos para algunas actividades de colaboración.

Dada la abstracción y dificultad de los conceptos temporales, las actividades estarán graduadas en dificultad.

Utilizaremos la actividad corporal y el lenguaje como instrumentos de la intervención educativa, exploración.

Seguiremos orden, clasificación, sistematicidad y método en las actividades de clase.

En las sesiones de psicomotricidad se crearán situaciones lúdicas y significativas.

F) La clasificación

Clasificar es agrupar elementos de acuerdo a criterios dados. Antes de poder clasificar, el niño debe conocer y diferenciar los atributos perceptivos en torno a los cuales va a clasificar (colores, formas…).

En las actividades propuestas pueden facilitarse criterios o pedir al niño que los busque él mismo a partir de un conjunto de elementos.

Lo iniciaremos en la clasificación de forma manipulativa al principio y progresivamente con mayor grado de simbolismo.

El número de criterios en torno a los que clasificar inicialmente será de uno, pudiendo introducirse más en cuatro y cinco años.

Los objetos a clasificar pueden ser de lo más variados, así como sus atributos, pudiendo usarse también material estructurado como los bloques lógicos, colecciones de cuentas o regletas.

Color, forma o tamaño pueden ser criterios en 3 años.

Para 4-5 se pueden usar otros como temperatura (frío/caliente), textura (liso/rugoso), grosor (grueso/delgado), longitud (largo/corto), peso (ligero/pesado), dureza (duro/blando) sonidos (intensidad/tono/timbre/duración), sabores u olores.

Así mismo puede introducirse el tercer elemento (mediano) a partir de los 4 años.

G) La seriación

La noción de orden viene dada en las *seriaciones* (poner en orden creciente o decreciente en función de un atributo).

La seriación se introduce ordenando objetos según sus dimensiones de forma creciente o decreciente. Además el orden implica cronología, por tanto, es posible abordar la secuencia correcta de acciones.

La seriación puede partir de criterios diversos más o menos dirigidos, y tener como modalidades:

- **Atributos**: se ordenan elementos según el grado de posesión del atributo que se considera como criterio: de mayor a menor (tamaño); de fuerte a débil (sonido)...

- **Criterio aleatorio**: dado por el profesor o establecido por el niño. La lógica interna es la cadencia o repetición de una determinada estructura. Por ejemplo, cuando hacemos un collar y ponemos dos bolas rojas y una azul; o una serie de figuras, letras…

  Sigue la serie con gomets.

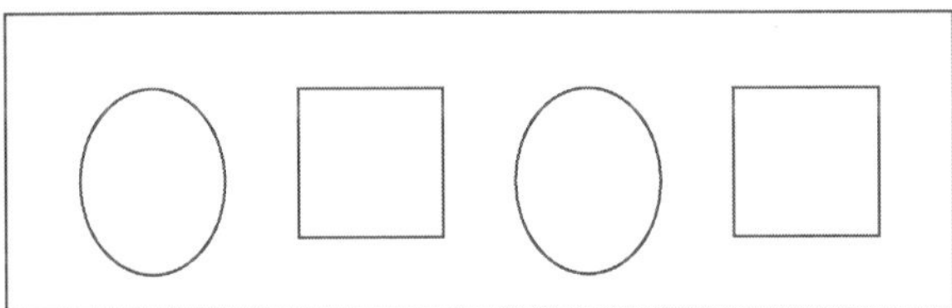

- **Cronológico o de causa/efecto**: se trata de ordenar diferentes escenas por causa/efecto o por antes/después.

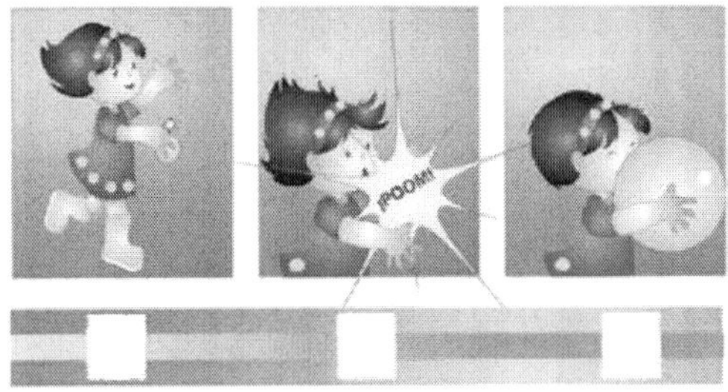

Se pueden trabajar con uno/múltiples criterios como:

1. *Tiempo*
   - Viñetas de acciones.
   - Acontecimientos del día.
   - Noche/día.
   - Días de la semana.
   - Estaciones del año.
   - Transformaciones de alimentos, objetos.
   - Personas y sus cambios con el paso del tiempo.
   - Ordenar según causa/consecuencia: lluvia-charco.
   - Seguimiento de órdenes encadenadas.
2. *Tamaño*
   - Grande.
   - Pequeño.
   - Mediano.

3. *Color*
   - Primarios.
   - Secundarios.
4. *Forma*
   - Formas geométricas.
   - Formas de objetos.
5. *Temperatura*
   - Frío.
   - Caliente.
   - Templado.
6. *Textura*
   - Liso/rugoso.
   - Suave/áspero.
7. *Sonido*
   - Grave/agudo.
   - Fuerte/débil.
   - Largo/corto.
8. *Altura*
   - Alto/bajo.
9. *Peso*
   - Pesado/ligero.

H) Geometría

Se puede comenzar por la localización de figuras geométricas en el entorno real, su observación y detección de los elementos que las conforman.

Los alumnos pueden establecer ordenaciones y clasificaciones, según criterios sencillos, aprendiendo los términos que designan las figuras, elementos y relaciones geométricas más comunes: vértices, caras, aristas, polígonos, circunferencia, cubo, esfera... Se trata de que los incorporen a su vocabulario, utilizándolos con propiedad en las descripciones de objetos y situaciones.

Para el conocimiento de figuras bidimensionales, un material didáctico especialmente valioso es el geoplano. Actividades potenciales con el geoplano son:

- Construir distintos tipos de polígonos y analizar sus características para la posterior clasificación, atendiendo a distintos criterios: número de lados, igualdad o no de los mismos.

También se puede utilizar el tangram. Como actividades:

- Componer polígonos con todas las piezas del tangram o con parte de ellas.
- Analizar los polígonos obtenidos de acuerdo con sus características.
- Clasificar polígonos.

Para estudiar las simetrías de las figuras se puede utilizar el plegado de papel (papiroflexia).

Representan un excelente modo de conectar geometría y arte.

En la Educación Infantil se introduce la geometría a partir de las formas planas, su reconocimiento y diferenciación, la localización de elementos en el entorno así como la reproducción de las mismas.

l) Cuantificadores y conceptos básicos

Como se ha indicado anteriormente, los cuantificadores y conceptos básicos constituyen unas nociones que ayudarán al niño a comprender y estructurar su entorno. Requieren un tratamiento sistemático y se suelen trabajar por contrarios (siempre que los haya como lleno/vacío, más/menos) y de forma independiente, es decir, hasta no considerar consolidado un par de términos no deben introducirse conceptos nuevos.

Son conceptos relacionados con la cantidad, la ubicación o el tamaño de los objetos.

Al final de este bloque de contenidos se ofrece un cuadro orientativo de nociones y conceptos matemáticos distribuidos por nivel.

Algunos ejemplos pueden ser:

NOMBRE:______________ FECHA:____________

Rodea y pinta el grupo que tiene MENOS

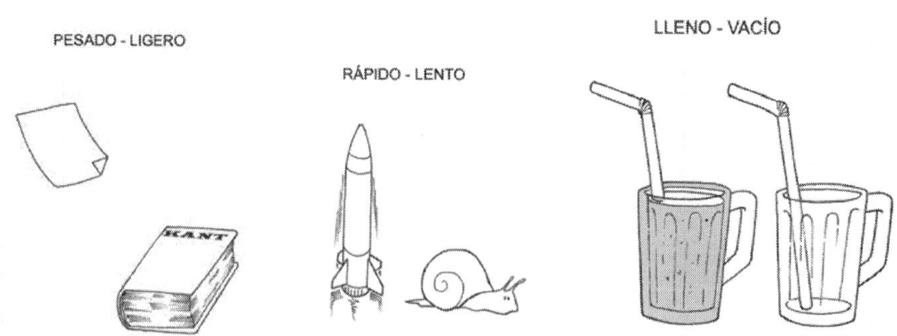

J) La medida

Podemos iniciar a los niños en la estimación de longitudes, pesos o volúmenes, siempre con actividades manipulativas, objetos reales y medidas naturales.

En las actividades se busca la estimación y cuantificación, la comparación, la correspondencia y equivalencia y progresivamente el trabajo de las nociones de conservación.

La longitud

Se utilizarán como unidades de medida el palmo, el pie, etc. (unidades naturales).

Algunas **actividades** podrán ser:

- Discriminar largo-corto.
- Medir longitudes y poner marcas en papel continuo.
- Medir con palmos/pies objetos.
- Comparar la longitud de diferentes palmos y pies y después la medida con los diferentes pasos (si son del profesor/a mide "menos pasos" y buscar una explicación).

- Medir con diferentes unidades.
- Programas informáticos: emparejar longitudes iguales.
- Sobre un mapa grande calcular qué ciudad está más cerca y cuál más lejos.
- Calcular el grueso de árboles rodeándolos con niños o cordeles.
- Comparar longitudes: estatura de personas mayores y niños.
- Ordenar longitudes de forma creciente/decreciente.
- Construir una torre con cubos igual a una dada.
- Trabajar la conservación de la longitud colocando una torre de cubos colocándola arriba de la mesa y en el suelo (parece "más alta" si la ponemos en la mesa, pero el número de cubos que la forman es el mismo).
- En el aula de psicomotricidad mediremos con palmos los bancos, las colchonetas..., y con pies los laterales de la clase.
- Compararemos verbalmente las medidas realizadas aplicando los cuantificadores "más, menos e igual de largo que."
- Mediremos un mismo objeto con diferentes unidades (mano, pie y cordel) y después reflexionaremos por qué miden más o menos según con qué se midan.
- Mostraremos dos cordeles iguales. Después trocearemos uno de ellos en varios fragmentos. Como los niños no poseen las nociones de conservación de la longitud, tienden a pensar que al ver más trozos hay más longitud. Posteriormente los volveremos a poner juntos para verificar que ambos cordeles siguen midiendo lo mismo. Pretendemos con esta actividad introducir a los niños en las nociones de conservación.

El peso

Las nociones de peso podemos trabajarlas con distintos objetos más o menos pesados. Apreciar el objeto que pesa más y el que es menos pesado e ir diferenciando progresivamente del volumen. Para que el niño acabe llegando a la conclusión de que el peso y el volumen no son necesariamente magnitudes directamente proporcionales.

Algunas actividades propuestas pueden ser:

- "Balanza humana": realizaremos una exploración de pesos con ambas manos, colocando en cada una de ellas objetos muy distintos en el peso (bola de hierro, bola de papel).
- Llevaremos una báscula para que se pesen. Aunque no hemos trabajado los números a partir de la decena, los niños sí conocen la serie numérica y saben contar muchos más números que los que escriben o comprenden. Verbalizaremos los pesos de cada uno de nosotros.
- Utilizaremos diferentes balanzas y por equipos exploraremos con los pesos de objetos, frutos secos (comparando nueces con avellanas, cuántas avellanas son una nuez...). Verbalizaremos "pesa más, menos o tanto como". Así mismo verbalizaremos las acciones que realizamos "pongo un puñado, quito un poco...".

- Pesaremos una bola de plastilina, después la fragmentaremos la bola y volveremos a pesar los fragmentos y comprobaremos que pesa lo mismo para trabajar las nociones de conservación.
- Comparar el peso del mismo número de diferentes elementos (3 manzanas y 3 avellanas).
- Igualar pesos poniendo elementos en cada brazo de la balanza.
- Comparar su peso con otros objetos en básculas.

El volumen

El concepto de volumen lo irá adquiriendo a través de diversas experiencias. Se inicia en él, cuando hace bolas de plastilina, cuando llena el cubo de arena, etc.

En estas actividades trabaja con las diversas dimensiones y poco a poco las va interiorizando.

Algunas actividades que podemos diseñar para esta magnitud son:

- Transvasar líquidos y otras sustancias a diferentes recipientes.
- Hinchar globos con aire mucho y poco. Experimentar el volumen.
- Hinchar un globo con aire y llenar otro de arroz. Experimentar que volumen y peso no siempre van unidos (el mismo volumen puede pesar mucho y poco).
- Hinchar el tórax y el abdomen mucho y poco.
- Ordenar volúmenes de mayor a menor y viceversa.

  Variar el volumen de objetos como hojas de papel sin arrugar, muy arrugadas o poco arrugadas, esponjas muy llevas de agua y secas...
- Contrastar volúmenes grandes con peso pequeño (una gran caja vacía con volumen pequeño y peso grande (una bola de hierro).
- Repartir el volumen de una botella en vasos, volver a llevar, volver a repartir.
- Realización de experiencias con lo que cabe en un vaso y en un vasito: ¿Cuántos vasitos caben en un vaso? ¿Cuántos vasos son necesarios para llenar una botella?
- Experimentar con otras unidades de capacidad: vaso de yogur.
- Experimentar con objetos que tienen un volumen parecido pero pesos muy diferentes: una bola grande de papel y una bola grande de hierro.
- Prepararemos dos recipientes (uno muy ancho y bajo y otro muy estrecho y alto). Pondremos líquido que después verteremos al otro recipiente. El nivel que ocupa el líquido variará y el niño pensará que hay menos cantidad. Realizaremos la experiencia en sentido contrario comprobando que la cantidad vuelve al mismo nivel. Con ello pretendemos trabajar las nociones de conservación.

6. La expresión y comunicación corporal

El objetivo de la comunicación no es solamente potenciar las capacidades del niño sino, y muy especialmente, el de favorecer las relaciones y la integración del individuo en su medio. La forma de comunicación más primaria es la que se establece a través del cuerpo; el niño, en interacción con el adulto, irá construyendo un sistema de señales que será compartido por ambos.

En este primer sistema de comunicación están comprometidas las futuras posibilidades de comunicación del niño. El uso satisfactorio de este lenguaje generará en el niño el deseo y el interés por otras formas de expresión.

La comunicación con los demás no es la única función de la expresión corporal, como veremos a lo largo del tema.

La construcción de la identidad personal, la integración de los propios movimientos, sensaciones y percepciones, permitirán a los niños reconocerse como sujetos de sus deseos, sentimientos y acciones, es decir, como seres distintos de los objetos y de las demás personas.

En primer lugar haremos una aproximación conceptual a la noción de expresión corporal. Resulta difícil ponerse de acuerdo en delimitar sus contenidos y dar una definición satisfactoria por las distintas corrientes. Aunque existen diferentes definiciones nosotros apuntamos las siguientes:

> "La expresión corporal es un conjunto de técnicas que utilizan el cuerpo humano como elemento de lenguaje y que permiten la revelación de un contenido de naturaleza psíquica" (Motos 1983).
>
> "Una forma original de expresión, que debe encontrar en sí misma sus propias justificaciones y sus propios métodos de trabajo" (Vous, 1986).

A modo de resumen podemos decir que es toda acción, gesto o palabra desarrollado por nuestro cuerpo, con el objetivo de comunicarse con los demás o con uno mismo.

La comunicación juega un papel fundamental en las personas. A través de ella es posible acceder a los demás estados internos personales y, también a través de ella, es posible captar contenidos expresados por otros. En consecuencia, hablar de comunicación es hacer referencia a las relaciones individuo-medio. Cuanto más rico y diversificado sean los procedimientos de comunicación, más fácil resultará a la persona expresarse con precisión y matices, y más posible le resultará acceder a los contenidos expresados por otras personas o por vehículos culturales.

La forma de representación incluye la expresión gestual y corporal, el lenguaje verbal, la expresión plástica en diversas modalidades (pintura, dibujo, modelado, etc.), la expresión dramática, la expresión musical, el lenguaje escrito y la forma de representación matemática.

La expresión dramática y la corporal tienen que ver con la utilización del cuerpo, sus gestos, actitudes y movimientos con una intencionalidad comunicativa y representativa. Mientras que a través de la expresión dramática los niños juegan sobre todo a representar a personas y situaciones, en el caso de la expresión corporal se trata de representar a través de su acción y movimiento determinadas actitudes, estados de ánimo, etc. Ambas hunden sus raíces en la comunicación gestual y se continúan posteriormente en distintas manifestaciones, entre las que destacan los juegos simbólicos en los que el niño se comporta "como si" fuera una persona distinta, o un animal o una cosa, o actúa como si estuviera haciendo cosas que en realidad solo está jugando a hacer. Se trata de un campo abierto a la imaginación, a la creatividad y a la espontaneidad de cada uno. A través de su expresión dramática y corporal muestra sus emociones y tensiones, y también su conocimiento del mundo y las personas, así como su percepción de la realidad, como se pondrá de manifiesto en los juegos de imitación de roles a los que se entregarán sobre todo los niños del Segundo Ciclo de la Educación Infantil. Son además un instrumento de relación interpersonal, de comunicación e intercambio.

Mucho es lo que la Educación Infantil puede hacer para estimular este tipo de expresión y para sacar de ella el máximo partido educativo. Puede hacerlo, en primer lugar, creando un ambiente de libertad en el que el niño pueda expresarse sin más restricciones que las impuestas por la exigencia del respeto a los demás y de la vida en común, y puede hacer mucho aceptando diversas formas de expresión, desde algunas más convencionales hasta otras más idiosincrásicas. También, alentando a los niños a que se expresen por esta vía, previendo espacios, momentos y proyectos dentro de los que sea relevante para el niño servirse de este modo de expresión. El educador puede estimular alentando, sugiriendo, enriqueciendo, así como haciendo él mismo de modelo.

La expresión dramática y, más en general, la expresión corporal, tienen la peculiaridad de reflejar con particular claridad los estados de ánimo del niño, sus tensiones y conflictos. Es por ello por lo que esta forma de representación puede ser utilizada por el educador no solo como un medio de expresión, sino también como un contexto propicio para la observación del niño y de las relaciones entre unos y otros, así como una vía a través de la cual procurar dar salida a (y si es posible resolver) algunas de las tensiones y conflictos de los pequeños.

Las principales **actividades corporales** que los niños desarrollan son variantes del juego simbólico y teatral.

6.1. El juego simbólico

El juego simbólico en sus formas más rudimentarias, se inicia hacia los 2 años de vida, cuando el niño posee la habilidad de retener las imágenes de los objetos. En este momento con cualquier objeto crea un símbolo (un lápiz, una flauta, etc.).

El juego simbólico se va desarrollando y perfeccionando hasta alcanzar su expresión máxima a través del juego sociodramático, llamado por muchos autores "juego dramático" o "juego de roles".

Piaget sitúa la cima de máxima representatividad y uso hacia los 4 años, en los que el niño representa papeles, asume personalidades y roles.

En estos juegos, el niño imita y vivencia todo lo que experimenta en su medio: actitudes, quehaceres, acontecimientos, etc.

Algunos autores consideran el juego de roles como un estadio intermedio entre el primer estadio lúdico (juegos de acción) y el último (juegos de reglas).

Las **características** de estos juegos simbólicos son:

- Son juegos que se realizan generalmente en interacción social entre iguales que tienen buena relación y experiencias comunes.
- Siempre existe una trama ficticia o "guión", que supone el hilo argumental de la escenificación.
- Se usan símbolos que representan determinados objetos, acciones o incluso personas que se ponen al servicio de la trama.
- Van acompañados de todo un sistema de gestos, acciones, verbalizaciones, convenciones, que acompañan el desarrollo del argumento y forman parte de él.
- Siempre hay un guión. Este constituye la meta del juego y orienta el transcurrir del mismo.
- En estos juegos se pueden representar roles profesionales o familiares cuyo referente principal es el adulto.

Son algunos de los más comunes: las profesiones, como las de médicos, compraventa, maestros, policías, etc. También se representan las jerarquías y escenas familiares: papás y mamás, comiditas, etc.

Puede ser con ellos mismos como personajes o con símbolos (muñecos, o cualquier otro juguete).

Piaget distingue distintos **tipos** de juego simbólico:

- **De imitación** (2-4 años): El niño imita en su juego las actividades del adulto que se relacionan con su vida cotidiana. Tienen un carácter primordialmente afectivo.

  Al niño le interesa sobre todo imitar la acción, sin importarle su lógica o coherencia.

- **De escenificación primaria** (4-7 años): es una etapa con fuerte carácter socioafectivo; es decir, las escenas que interpreta se refieren a jerarquías sociales primarias y modelos profesionales cercanos a su experiencia.
- **De escenificación secundaria o socializada** (7-11 años): este estadio se amplía y consolida el número de niños que intervienen en el juego, porque con el crecimiento se posibilita la coordinación y cooperación con vistas a lograr un fin.

Aparece el interés por la historia del juego, no solo por la acción, y se produce un acercamiento cada vez mayor a la realidad.

El juego **simbólico es muy importante** para la psicología del niño y la formación de la personalidad. Esto se puede afirmar por una serie de **razones** que se enumeran a continuación:

- Los estudios psicoanalíticos han demostrado que en el juego los niños resuelven sus conflictos internos, disminuyendo la presión del conflicto y de culpabilidad.
- Para Piaget, es la forma de pensamiento de los niños en esta edad, porque a falta de poder pensar sobre sus experiencias el niño debe representarlas.

  Es además la forma vital para el desarrollo mental y emocional en el niño.
- Le permite aceptar y descubrir la realidad, adaptarse a situaciones reales, aceptar experiencias desagradables, presentar acciones prohibidas o sentir la sensación de ser la persona más envidiada o admirada para aceptarse mejor a sí mismo.
- Aprenden a convertirse en seres socializados, a comunicarse y a considerar los sentimientos de los otros.
- Aprende a aceptar las restricciones sociales y por lo tanto alcanza el autodominio.
- Posibilita la ejercitación de niveles más altos de abstracción.

6.2. El Juego dramático

Se denomina **juego dramático** a una tipología de juego expresivo en el que el niño representa y "teatraliza" un personaje con un carácter e idiosincrasia propio.

Los elementos se mueven en un espacio determinado (escena) congruente con unas actividades y acciones que acontecen en su desarrollo (trama).

Pueden existir unos elementos que lo complementan y diferencian del simbólico como público, escenario o dirección por parte de un adulto.

Este tipo de juego comienza a aparecer al final de la educación Infantil en su forma más simple, llegando a formar parte importante del primer ciclo de Educación Primaria. Tendrá sus inicios en el juego simbólico realizado libre y espontáneamente, para pasar a algo más elaborado, regido por reglas y consenso.

A la hora de preparar una dramatización hay que tener en cuenta las características de los niños a los que va dirigida, su nivel de desarrollo, su dominio del lenguaje oral y corporal, su nivel de atención, su capacidad memorística, su grado de socialización…

Antes de pasar a "la acción" conviene presentar oralmente la propuesta y crear expectativas en torno a la actividad.

Contribuirá a la motivación la búsqueda de recursos expresivos como disfraces, elementos para el escenario...

El educador debe intervenir como planificador, coordinador y conductor del desarrollo de la actividad.

Antes de pasar a "la acción" conviene presentar oralmente la propuesta y crear expectativas en torno a la actividad.

Contribuirá a la motivación la búsqueda de recursos expresivos como disfraces, elementos para el escenario...

El educador debe intervenir como planificador, coordinador y conductor del desarrollo de la actividad.

Los **recursos expresivos que se utilizan en la dramatización** son:

- **Gestual o corporal**: basados en la espontaneidad de movimientos del niño, a través de los cuales se adquiere la conciencia del cuerpo, aunque también se ponen de manifiesto aspectos inconscientes que escapan al control y conciencia del niño.

- **Lingüístico**: basados en el lenguaje verbal a través de las palabras, tonalidad, modulación de la voz, que propiciarán el desarrollo del lenguaje en sus aspectos fonológico, semántico y morfosintáctico.

- **Plástico**: supone un recurso expresivo muy importante. Puede formar parte a través del vestuario o maquillaje, decorados, luces...

- **Rítmico-musical**: la incorporación de sonidos rítmicos realizados con el propio cuerpo (palmas, canto...). La utilización de instrumentos musicales sencillos, así como la introducción de algunas piezas musicales pueden aportar fuerza expresiva a la dramatización.

Los **elementos** constituyentes de la dramatización son:

- **Personales**: serán los responsables de actuar en la representación. Podrá haber protagonista y personajes secundarios, o bien elegirse papeles con un peso interpretativo proporcional. Los niños deberán desarrollar la caracterización, el escenario...
- **Conflicto**: este surgirá de la relación que se da entre los personajes. El conflicto se compone de tres fases: planteamiento, nudo y desenlace. El planteamiento implica la presentación de las partes que intervienen en el hecho. El nudo es el mismo hecho en desarrollo y el desenlace constituye la solución y final de la trama.
- **Espacio**: es el lugar o lugares en los que se desarrolla la acción. Es preciso crear y recrear los distintos espacios en los que se va a dramatizar.
- **Tiempo**: habrá que tener en cuenta aspectos como: cuánto tiempo dura la historia, en qué época discurre, cuánto durar la dramatización...
- **Argumento o tema**: es lo que se va a contar en la historia.

En la Educación Infantil **las actividades de la expresión corporal** deberán dirigirse a:

- Descubrir, experimentar y utilizar los recursos básicos de expresión de su cuerpo (gestos, movimiento...).
- Descubrir su cuerpo y las personas y objetos del entorno.
- Controlar sus movimientos.
- Expresar necesidades de bienestar, salud, juego y relación.

Las actividades pueden corresponder a ejes globalizados y estar relacionadas con los contenidos de los mismos, plantearse como experiencias independientes...

Algunas de las **actividades que** se pueden realizar son:

1. **Juegos a partir del propio cuerpo**. El primer instrumento de juego del niño es su propio cuerpo. Usando el cuerpo podemos hacer dos tipos de juegos:
   - Representaciones individuales, que desembocan en la expresión corporal.
   - Representaciones colectivas

   Las representaciones individuales adquieren animación y se desenvuelven como personajes que pueden ser:

   - Reales: policía...
   - Fantásticos: bruja...

- Legendarios: pirata...
- Genéricos: carpintero...
- Concretos: Cervantes...
- Extraídos de la Literatura: La bella durmiente...
- Inanimados: flores...

Las representaciones colectivas serán composiciones realizadas con las individuales.

En estas actividades se pueden incluir otros elementos del arte dramático como son:

- **La máscara**: elemento usado desde las representaciones de la antigua Grecia, poseen un gran valor expresivo. Puede ayudar a la desinhibición y permite interpretar una amplia gama de personajes y matices. Las máscaras pueden ser realizadas por los propios niños con cartulinas, materiales de desecho... contribuyendo así a la globalización, implicación y significatividad de la experiencia dramática.

- **El maquillaje**: tiene la función de ensalzar los elementos expresivos de los personajes y papeles.

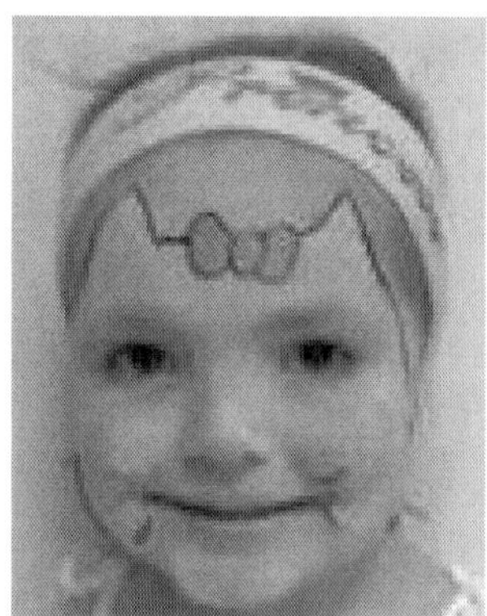

2. **Representación de cuentos**. Hay que ser fieles al texto original y realizar las adaptaciones necesarias que supone pasar de la narración al drama. Procuraremos conservar los diálogos y mantendremos la secuencia espacio-temporal. Así mismo, es conveniente mantener la figura del narrador, que será el hilo conductor y coordinará la acción y participación de los personajes.

3. **Dramatización de canciones**. Dramatizar canciones se convierte en una actividad próxima al juego, ya que gran parte de los juegos infantiles van acompañados de canciones.

   Los distintos tipos de juegos pueden ser:

   - *Canciones seriadas*, que tengan un esquema sencillo en el cual se van sucediendo situaciones encadenadas en serie, cada una con una propuesta distinta, nueva, pero parecida a la anterior. Así se incita sucesivamente las distintas partes del cuerpo o a acometer acciones diferentes como andar, saltar...Son un excelente ejercicio parta la psicomotricidad y la creatividad.
   - *Canciones totalmente narrativas*, que permiten la actuación de un coro que desarrolla toda la canción bajo la forma de danza, a la vez que sugieren una pantomima paralela.
   - *Canciones totalmente dialogadas*, la las que la caracterización de los personajes y la acción están sugeridas por el mismo diálogo. La acción descansa íntegramente sobre los personajes. Estas canciones, sin narrador, permiten un juego completo que se puede adornar con diversos ritmos y reiteraciones enriquecedoras.

4. **Dramatización de poemas**. La dramatización de poemas, guarda estrecha relación con la de las canciones., aunque hay que crear un ritmo y un marco que se derivarán del texto en vez de la música.

5. **Juegos dramáticos creados por los niños**. Los niños de forma espontánea y sin intervención del adulto. Representan juegos dramáticos cuando juegan a los toros, a médicos,

etc. Aunque estos juegos sean verdaderos juegos dramáticos con su reparto de papeles, la asunción de sus funciones correspondientes y la convencionalidad de la acción con sentido total del drama hay que reconocer que, por lo general, no son fruto de su creación.

El educador adoptará un papel estimulador, animador y coordinador de los intentos creativos colectivos.

6.3. Juegos con otros elementos

- **Marionetas y títeres**: son actividades que tienen su origen en el juego simbólico, y se trata de técnicas que utilizan los muñecos en sus diferentes formatos como medio de representación. El lugar en el que se representan suele ser u pequeño escenario llamado "guiñol". Los hay de muchos formatos como por ejemplo:
  * De hilos.
  * De guante o manopla.
  * De eje.
  * De dedo.
  * Confeccionados con materiales reciclados: envases, calcetines, guantes, recortables...

Marionetas de hilo

Marionetas de palo

Marionetas de manopla

Marionetas de dedo

En su utilización hay que moverlos conforme se habla, dando gran énfasis a los diálogos.

- **Teatro de sombras**: consiste en la manipulación de siluetas de objetos puestos detrás de una pantalla y sobre la que se proyecta un foco de luz. Encontramos por tanto tres elementos: el foco, la luz, la pantalla y la silueta. Las siluetas a su vez se pueden formar con diferentes elementos como muñecos, objetos de cartulina, objetos cotidianos, las propias manos (sombras chinescas).

TEMA 8

El desarrollo sensorial: procesos, objetivos, actividades y recursos

Este **manual** desarrolla tu programa de materias y en el Curso MAD360 encontrarás las **actualizaciones** y todo lo necesario para conseguir tu plaza.

Índice

1. Desarrollo sensorial

Los órganos de los sentidos son los canales que permiten que las experiencias sensoriales lleguen al cerebro. Su estado tiene una importancia vital para el desarrollo de los conocimientos, de tal forma que un niño con alguna discapacidad sensorial (ceguera, sordera...) tendrá dificultades para adquirir determinados aspectos de la realidad.

La educación sensorial se orienta a la correcta elaboración de representaciones y no al aumento de la capacidad sensorial.

La función de la educación es desarrollar al máximo todas las capacidades sensoriales existentes y, a la vez, detectar las posibles discapacidades para compensarlas con el tratamiento adecuado. Este desarrollo se logrará mediante el ejercicio de los órganos sensoriales en los procesos de identificación, asociación, clasificación y seriación, fundamentalmente.

La vista es el sentido más integrador de todos, por lo que su alteración cuantitativa o cualitativa tendrá importantes repercusiones en el desarrollo global del alumno así como en su rendimiento curricular.

El grado de autonomía y de logros educativos dependerá en gran medida de la gravedad de la pérdida, del momento de aparición así como de la estimulación recibida.

La intervención adecuada requerirá la colaboración de la familia, el aprovechamiento, entrenamiento del resto, así como la funcionalidad de los aprendizajes.

Por otra parte, la discapacidad auditiva es una disfunción cualitativa o cuantitativa en la percepción auditiva. Las variables fundamentales a tener en cuenta son el grado de pérdida, el momento de aparición, el tipo de deficiencia y la estimulación recibida.

La pérdida de un canal sensorial tan importante como la audición tiene repercusiones en todos los ámbitos de desarrollo, por lo que deberá ser abordado de forma precoz y multidisciplinar.

A) La sensación

La sensación (respuesta consciente a la estimulación de un órgano sensible) es la forma primera y más sencilla de la vida mental, ya que todos los demás estados se basan en ella.

En toda sensación hay:

- Un **componente físico**: estímulo que actúa sobre el órgano sensible.
- Un **componente fisiológico**: receptor, órgano sensible y neurona sensorial.
- Un **componente psicológico**: toma de conciencia del hecho que dio origen a la sensación.

Los órganos sensibles a través de los que se producen las sensaciones son: la vista, el oído, el tacto, el olfato y el gusto.

Las sensaciones son el punto de partida del conocimiento, nunca se producen como hechos aislados, sino interrelacionadas con otras sensaciones y elementos afectivos (el niño acepta el agua con que lo baña su madre, está templada; pero a la vez, une la temperatura del agua con los cuidados que su madre le presta; es una relación de elementos cognitivos y afectivos).

Cada sensación tiende a ser comparada y asociada con otras experiencias sensoriales pasadas; cuando la mente asocia y compara la nueva sensación, la interpreta dándole un significado y se produce la percepción: proceso mental que interpreta y da significado a la sensación de un objeto determinado.

A partir de las sensaciones y las percepciones se van formando los procesos superiores del conocimiento, la inteligencia y el lenguaje.

La inteligencia se desarrolla a partir de informaciones sensoriales y exploraciones motrices desde los primeros meses.

El educador deberá compensar las carencias socio-familiares de algunos niños proporcionándoles un ambiente rico en estímulos auditivos, visuales, táctiles... un espacio amplio para moverse y explorar, a fin de ayudarle a construir habilidades perceptivas, motrices, lingüísticas y socio-afectivas.

Bases psicológicas del desarrollo sensorial

Son los procesos por los cuales el niño va a desarrollarse en todos sus aspectos, creando la base para posteriores desarrollos.

El desarrollo sensorial va a constituir los canales por donde el niño recibe la información de su entorno (los colores, formas, olores, sabores, sonidos, etc.), y de su propio cuerpo (sensaciones de hambre, frío, posiciones del cuerpo en el espacio...).

A partir de estas informaciones el niño podrá dar respuestas adaptadas a las condiciones del medio, es decir, realizará acciones inteligentes.

Las capacidades sensoriales son las primeras funciones que se desarrollan en el niño, ya que son la base del desarrollo perceptivo y cognitivo (intelectual).

La sensación es una información, un estado básico de conocimiento, originado por la acción directa del estímulo sobre los órganos sensoriales.

La información que el niño tiene de su entorno procede de las aportaciones provenientes de los órganos sensoriales, que son los encargados de recoger la estimulación que nos manda el medio, y de transmitirla al cerebro para que la registre.

La sensación es por tanto el efecto producido en las áreas cerebrales por la excitación que se originó en el órgano sensorial a partir de un estímulo procedente del medio externo o interno.

Los estímulos actúan sobre los receptores de los órganos sensoriales, produciéndose una excitación, y originándose una activación nerviosa, que es transmitida a través de los canales como son los nervios (ópticos, auditivos, olfativos, táctiles y terminales gustativas) hasta el cerebro, órgano que regula la vida consciente.

Umbrales mínimos y superiores

Nuestros aparatos receptores se hallan especializados en destacar solo ciertos influjos, y quedan insensibles a la acción de los demás.

De esta manera hay un valor mínimo de estímulo que es capaz de motivar la sensación, denominado "umbral mínimo de sensación", y un valor máximo más allá del cual no se percibe, denominado "umbral superior de sensación".

Estos umbrales no permanecen constantes, sino que cambian dependiendo de diferentes factores, como la habituación al estímulo, características individuales, contexto sobre el que se produce, etc.

La medición de los umbrales inferior y superior de las sensaciones tiene gran valor práctico, pues permite diferenciar la mayor o menor sensibilidad que un individuo posee, y puede servir para diagnosticar lesiones.

Clasificación de las sensaciones

Sensaciones protopáticas o primitivas

Atendiendo a la etimología de la palabra en griego, *protos* significa primero, y *phatos* emoción. Las características de las sensaciones son las siguientes:

- Son subjetivas.
- Son inseparables de los estados emocionales y no reflejan con suficiente nitidez los objetos del mundo exterior.
- Son las primeras sensaciones que percibe el niño, relacionadas con los estados de placer o displacer.

Ej.: sensación de miedo.

Sensaciones epicríticas o complejas

No son de carácter subjetivo (son objetivas), están separadas de los estados emocionales y reflejan las cosas objetivas del mundo exterior.

Dentro de ellas distinguimos:

- **Sensaciones interoceptivas**: (cuerpo) son las señales que llegan del medio interno del organismo. Tienen gran importancia ya que son fundamentales en la regulación de los procesos metabólicos.

  Las sensaciones interoceptivas suscitan un comportamiento orientado a satisfacer o eliminar estados de tensión.

  Ej.: sensación de hambre, respiración....
- **Sensaciones propioceptivas**: son las que aportan información sobre la situación del cuerpo en el espacio. Los datos provienen de las terminaciones nerviosas: músculos, articulaciones y tendones. Están relacionadas con el movimiento y la postura.

  Ej.: sensación de contracción muscular al hacer ejercicio.

- **Sensaciones exteroceptivas**: son las que nos aportan información sobre el mundo exterior. Pueden ser por contacto (se requiere la aplicación directa del órgano receptor sobre la superficie del estímulo, es el caso del tacto y del gusto), o a distancia (los estímulos actúan sobre los órganos de los sentidos a través de un espacio, es el caso del olfato, del oído y de la vista).

Importante es considerar la interacción que se da entre las sensaciones, es decir, los órganos de los sentidos no funcionan aisladamente. Así ante la audición de un sonido fuerte, hay una búsqueda visual.

Las experiencias con los objetos implican varios sentidos (se observa, se toca, se huele...).

B) La percepción

A la capacidad de organizar los estímulos y sensaciones, y diferenciar unos objetos de otros se le denomina: percepción.

Las percepciones son las informaciones que se obtienen mediante los sentidos y se codifican en el sistema nervioso central.

En términos de conocimiento, lo más interesante son las percepciones. A las sensaciones se llega mediante el análisis del proceso perceptivo.

El primer punto de contacto con la realidad externa se establece por medio de los órganos sensoriales, y el primer paso en el proceso de aprender es la percepción.

Las **etapas de la percepción** se pueden sintetizar en:

- **Excitación**: es la alteración producida en nuestros sensorreceptores por virtud de un agente estimulador o químico.
- **Conducción**: es la comunicación de la alteración biológica producida en los receptores a través de los nervios, camino del cerebro.
- **Información-sensación**: las vías nerviosas llevan la información a las áreas corticales específicas de cada sensación, que decodifican los estímulos.
- **Percepción**: percepción y conciencia de la misma propiamente dichas.

En la **evolución** de la percepción según Deaño y Vidal (1993) podrían establecerse tres fases:

1. El niño conoce las propiedades de los objetos a través de una experimentación y manejo práctico.
2. Fase perceptiva combinada con el manejo práctico de los objetos (3 años).
3. Percepción suficiente para captar las propiedades sobresalientes y diferenciales de los objetos.

Las **dimensiones de la percepción** son:

1. *La cualidad o clase perceptiva*: se refiere a las distintas clases de percepciones que inciden en el ser humano, cada una de las cuales tiene un sustrato orgánico-funcional que incluye:
    - Receptores sensoriales especiales.
    - Vías de conducción nerviosa.
    - Zonas cerebrales con centros primarios y centros secundarios que dan a la sensación el rango de percepción.
2. *Intensidad perceptiva*: se trata del mayor o menor grado de potencia con que aparece la función perceptiva.
3. *Tono afectivo de la percepción*: no hay ninguna sensación que sea emocionalmente neutra, sino que a todas ellas le añadimos nuestras connotaciones y experiencias previas.
4. *Contenido sensoperceptivo*: las percepciones siempre nos informan de algo, que es la consecuencia de la integración de datos sensoriales.

Sensación y percepción son procesos interrelacionados, por un lado la sensación nos permite conocer el mundo exterior y la percepción, como conducta compleja relaciona la persona con el objeto percibido.

Cualquier objeto tiene características propias, pero el individuo lo capta según su subjetividad, modelado por su experiencia anterior y el medio en el que se desenvuelve.

La sensación nos produce informaciones a través de la excitación de los sentidos, pero la percepción es algo mucho más complejo; se trata de estructurar y poner orden a estas informaciones integrándolas en esquemas perceptivos que den unidad a dicha información.

El desarrollo y la educación de los sentidos es, por tanto, un punto fundamental para conocer el cuerpo, diferenciar sus partes y poder establecer relaciones con los objetos; y se hace imprescindible para poder desarrollar las posibilidades de percepción del propio cuerpo.

Por último, aclararemos que aunque vamos a analizar cada sentido por separado, lo hacemos únicamente para ganar claridad explicativa, ya que la realidad ofrece todas las sensaciones conjuntamente. Por lo tanto, debemos estimular al niño para que use todos los sentidos de forma conjunta y no por separado.

2. El sentido de la vista

2.1. Desarrollo de la visión

Dentro del vientre de la madre el bebé ya responde a la luz que le llega desde el exterior. Al nacer el sistema visual es bastante inmaduro, al principio su visión es todavía borrosa, pero la agudeza visual mejora tan rápidamente que entre los seis meses y el año de edad ya se iguala a la capacidad del adulto. El niño de pocos días es capaz de seguir con la mirada un objeto que se acerca a su rostro. Al principio se fija solo en los contornos, pero a partir de los dos meses observa también el interior de las figuras, que prefiere mirar si además tienen movimiento.

La atención visual aparece por periodos muy cortos y son las características de los objetos las que determinan dicha atención. Como ya hemos dicho prefiere mirar objetos en movimiento. También muestran preferencia por los estímulos simples y no por los complejos. Se produce asimismo una respuesta a la novedad, es decir, su atención se ve más cautivada por estímulos novedosos que por los familiares.

El rostro humano es el estímulo preferido por los bebés, tanto por su importancia social como por sus características (contraste, color, movimiento, etc.) que lo hacen muy atractivo para el niño. La capacidad para percibir el rostro humano sigue una evolución que podemos resumir de la siguiente forma: El niño de menos de seis semanas solo se fija en puntos o ángulos, no reconoce el rostro como tal. A las diez semanas enfoca su atención a la zona de los ojos. A las doce semanas empieza a fijarse también en la boca. A las 24 semanas se sigue fijando en la zona de la boca que le resulta más atractiva si tiene movimiento (hablando o emitiendo una sonrisa). A partir de las 30 semanas reconoce las expresiones faciales y comienza la diferenciación de rostros.

Combinando los datos de la "escala de visión de Brunet Lezine" y las tablas de desarrollo visual de L. Harrell N. Akeson, Mercedes Rodríguez ha elaborado un protocolo en el que se especifican, de forma esquemática, los avances que se van produciendo en el desarrollo del sentido de la vista. A continuación reproducimos dicho protocolo:

Del nacimiento a los 3 meses:

- Mira la cara de las personas.
- Respuesta visual a un objeto luminoso.
- Reflejo de ojos de muñeca.
- Reflejo fotomotor (orientación a la luz).
- Mira sus manos cuando coinciden en la línea media.
- Hacia la sexta semana, sonríe a la vista del rostro humano.

De 3 a 6 meses:

- Sigue visualmente el rostro.
- Sigue los objetos.
- Asocia la visión con el uso de sus manos.
- Tolera mal la oclusión de uno de sus ojos.

De 6 a 9 meses:

- Realiza seguimientos visuales en un arco de 180º.

- Desarrolla la coordinación ojo-mano (pinza).
- Se interesa por objetos pequeños.
- Los ojos guían los desplazamientos y cambios posturales.

De 9 a 12 meses:

- Explora visualmente los objetos.
- Se fija en las caras e imita.
- Sigue objetos en movimiento.
- Sigue personas u objetos con los ojos y no con la cabeza.

De 12 a 18 meses:

- La visión es binocular.
- Se interesa por las formas.
- Identifica semejanzas y diferencias.
- Reconoce personas de lejos.
- La agudeza visual es de 10/20 a los 12 meses.

De 18 a 24 meses:

- Desarrollo de orientación vertical.
- Usa objetos concretos con propósito definido mediante manipulación y exploración.
- Se interesa en mirar láminas y dibujos.
- Hace marcas en un papel.

Por otro lado, debemos resaltar la importancia de una buena visión para el desarrollo normal de las capacidades del niño. Cuando el niño no ve o ve muy poco, desde el primer momento recibe ayuda profesional. Pero hay veces en que los síntomas de mala visión no son tan evidentes y puede que no se detecten precozmente. Por ello, es importante estar alerta y vigilar algunos síntomas que nos indican que la visión no se está desarrollando adecuadamente. Ante la presencia de tales síntomas debemos informar a los padres, para que acudan a la consulta de un oftalmólogo.

Entre los síntomas que nos pueden indicar la existencia de algún problema en el desarrollo visual del bebé, podemos citar los siguientes:

- Falta de atención al rostro humano.
- Coloración anormal de las pupilas.
- Estrabismo continuo desde el momento del nacimiento o transitorio más allá de los tres meses.

- Ojos fijos que no siguen los objetos que se desplazan.
- Molestias ante cualquier fuente de luz, aunque sea poco intensa.
- Falta de respuesta (sonrisa) cuando nos acercamos al bebé.
- Falta de interés por coger los objetos situados a su alcance.
- Lagrimeo, inflamación de párpados o rojez y costras en el contorno de ojos.
- Escasa manipulación de objetos.
- El niño mira muy de cerca los objetos.

2.2. La percepción de la forma

Los niños recién nacidos no perciben todavía las formas completas, sino que se fijan más en los ángulos, bordes y zonas de contraste. Por eso centran su atención en los contornos y no en el centro de la figura. Aunque si el centro de la figura tiene movimiento sí puede captar su atención.

A partir de los dos meses el bebé explora ya el interior de las figuras. A partir de esta edad la percepción de la forma experimenta unos progresos considerables.

A los cuatro o cinco meses el niño percibe la figura como una totalidad, pero también es capaz de reconocer los elementos que la componen. A esta edad, además son ya capaces de reconocer una forma determinada a pesar de los cambios de orientación en el espacio.

A modo de conclusión, podemos decir que en los primeros seis meses de vida, el bebé experimenta notables avances en la habilidad para percibir formas, lo que le capacita para una visión de formas cada vez más completas y complejas de modo similar al que lo hace un adulto.

2.3. La percepción del color

Durante mucho tiempo se pensó que los bebés de pocos meses no perciben el color. Sin embargo, hoy día, a la luz de las investigaciones realizadas por autores como Oster, Schaller y Bornstein, sabemos que sí son capaces de percibirlo.

Los datos no son lo suficientemente concluyentes como para afirmar que su percepción del color sea igual a la del adulto, sin embargo, sí existen muchas semejanzas entre la visión del color de un bebé de solo diez semanas y la visión del color de un adulto.

A los tres o cuatro meses de edad el niño ya percibe el color enmarcado en categorías. Esto quiere decir que distingue diferentes tonalidades de un mismo color. Si habituamos al niño a responder ante un determinado tono de amarillo, por ejemplo, responderá igualmente si le presentamos otras tonalidades de amarillo, pero no lo hace al presentarle el verde por ejemplo.

2.4. La percepción del espacio y la profundidad

Los estudios que más datos han aportado para el conocimiento de cómo se desarrolla la percepción del espacio y la profundidad, son los referidos a la acomodación del cristalino y a la convergencia de los dos ojos sobre un mismo objeto.

Cuando miramos objetos que se encuentran a diferente distancia, el cristalino tiene que modificar su forma para enfocar bien ambos objetos. Por lo tanto, cuando miramos un objeto cercano y luego otro, que está a mayor distancia, debe producirse una acomodación del cristalino.

Hace unos años se pensaba que el recién nacido no tenía capacidad de acomodación y que operaba a una distancia de enfoque fija. De este modo el niño solo podría ver correctamente los objetos situados a una distancia concreta, ni más lejos, ni más cerca. Hoy día sabemos que la capacidad de acomodación no es tan perfecta como lo será luego, pero existe en el momento del nacimiento. Esta capacidad se irá desarrollando de modo que a los dos meses es prácticamente igual a la del adulto.

La otra línea de investigación es la referida a la convergencia de los dos ojos sobre el mismo objeto. Esta convergencia nos permite percibir la profundidad y las tres dimensiones de un objeto. En el recién nacido es rara la convergencia, pero va mejorando considerablemente durante los primeros meses, hasta que a los seis meses es casi perfecta.

2.5. La constancia perceptiva del objeto

La constancia perceptiva del objeto se define como la capacidad para reconocer un mismo objeto, con sus características de forma, color, tamaño, etc., a pesar de las aparentes modificaciones: distinta distancia, bajo una luz diferente, distintas posiciones, etc.

No existen datos al respecto, pero es improbable que la constancia del objeto se dé antes de los dos meses. A los tres meses sí existe ya, aunque de forma rudimentaria. A partir de esta edad va progresando esta capacidad.

De todas formas, se consigue antes la constancia perceptiva del objeto cuando las transformaciones son menos complicadas y cuando el objeto es menos complejo.

2.6. La memoria visual

La memoria visual es la capacidad para recordar estímulos visuales o imágenes. Podemos distinguir dos tipos de memoria: memoria de reconocimiento y memoria de evocación o recuerdo. La primera se refiere al reconocimiento de estímulos que ya han sido vistos con anterioridad, es decir, a la discriminación entre estímulos familiares y estímulos nuevos. La memoria de evocación o recuerdo se refiere a una representación mental del objeto en ausencia del estímulo.

Existen estudios que demuestran que los bebés recién nacidos tienen capacidad de memoria. Sin embargo otros autores sitúan esta capacidad algo más tarde. Lo que es un hecho suficientemente contrastado es que a los dos meses de edad ya está presente la memoria de reconocimiento.

Para que se produzca la memoria es necesario que ante la presencia prolongada ante un estímulo (un objeto) el niño elabore una representación mental de dicho estímulo. Esto se conoce con el nombre de codificación. Una vez realizada la codificación, tiene lugar la retención o almacenamiento en la memoria.

Las diferencias que se dan con la edad en la capacidad de memoria visual no se refieren tanto a la capacidad de retención, como a la de codificación. Es decir, cuando el estímulo es muy complejo se necesita más tiempo para codificarlo. Si el estímulo es demasiado complejo y el tiempo de presentación muy corto, no se retendrá en la memoria. Pero esto no se debe a incapacidad.

Si utilizamos estímulos menos complejos, adaptados a la edad del niño y tiempos más largos de presentación del estímulo, seguramente sí se produce la codificación y luego la retención.

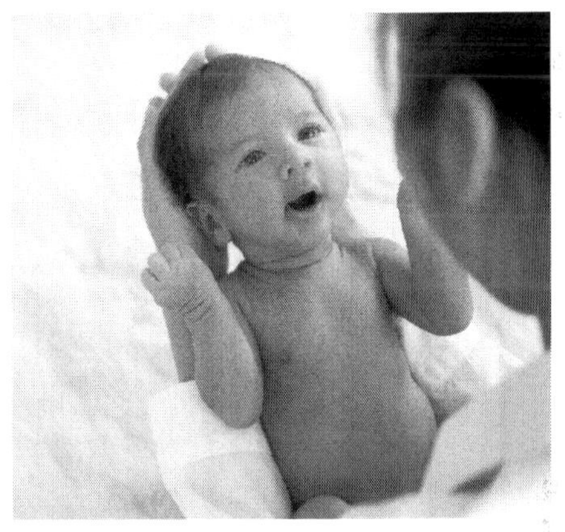

En cuanto a la memoria de recuerdo o evocación, no es posible antes de los 18 o 24 meses, ya que requiere imágenes mentales y lenguaje, cosa que no es posible antes de esta edad.

A partir de los dos años de edad podemos decir que, con toda seguridad, el niño tiene capacidad de memoria visual de reconocimiento y de evocación.

A modo de conclusión sobre el sentido de la visión, podemos decir que es fundamental estimular su desarrollo poniendo al alcance de la vista del niño objetos de diferentes formas, de variados colores, a distintas distancias, etc. Ya que sabemos que desde edades muy tempranas es capaz de percibir todos estos aspectos.

3. El sentido del oído

3.1. Desarrollo de la audición

Cuatro meses antes de nacer el bebé ya puede percibir sonidos en el útero de la madre. Se ha demostrado la preferencia por la voz y la comunicación humana entre otros sonidos. El bebé recién nacido puede distinguir entre distintas voces, reconociendo especialmente la de la madre.

Ya hemos dicho que el bebé prefiere los sonidos del lenguaje humano, pero dentro de éste también muestra sus preferencias. Para ellos es más atractivo escuchar canciones infantiles y lenguaje adaptado a ellos, que escuchar a dos adultos hablando entre ellos.

Por otro lado, los bebés perciben las vibraciones sonoras con más intensidad que el adulto, por eso es conveniente evitar las voces y ruidos fuertes.

Las respuestas de un bebé ante un sonido pueden ser: pataleo, giro de cabeza, llanto, pero lo más frecuente es la reacción de sorpresa o sobresalto.

Es necesario destacar la importancia del oído como principal vía que tienen los niños para aprender acerca del lenguaje.

También la música desempeña un papel fundamental en el desarrollo auditivo. Es deseable que el niño se acostumbre a ella desde los primeros meses.

A continuación veremos paso por paso la evolución que sigue el desarrollo auditivo del bebé desde el nacimiento a los 18 meses.

Del nacimiento a los 3 meses:

- El niño se muestra tranquilo ante una voz familiar y amistosa, mirando a la cara del adulto cuando le habla. Incluso podemos conseguir que cese en su llanto solo con hablarle. Siempre que el llanto no se deba a otras necesidades más fuertes como hambre o sueño.
- El bebé dormido también es capaz de percibir los sonidos. Si le hablamos o hacemos un ruido en algún sitio cercano, el niño se despertará.
- Disfruta escuchando sus propios sonidos y gorgoritos.

De 3 a 6 meses:

- Buscan el origen de los sonidos.
- Sonríe cuando se le habla, pero se asusta cuando la voz muestra enfado.
- Muestra una clara preferencia por los juguetes que emiten sonidos o son ruidosos, como los sonajeros.
- Cuando el adulto le habla, el niño responde intentando imitar sus sonidos, aunque todavía no lo consigue.

De 6 a 9 meses:

- Gira la cabeza para mirarnos cuando le hablamos en voz baja y tranquila.
- Se incorpora y se gira cuando nos despedimos de él.
- Se detiene momentáneamente al escuchar: "¡No!".
- Se interesa por los objetos y las imágenes cuando le hablamos de ellas.

De 9 a 12 meses:

- Señala objetos o personas conocidas al escuchar su nombre.
- Reconoce el tono de riña y se "entristece".

- Reconoce la música como distinta de otro tipo de sonidos. Cuando la escucha se pone a bailar.
- Percibe los cambios de tono, ritmo e intensidad que hacemos al hablar, pues intenta imitarlos utilizando su propia jerga.

De 12 a 18 meses:

- Señala diversas partes de su cuerpo al escuchar nombrarlas.
- Escucha e identifica los sonidos que se producen en otra habitación o en el exterior.

A partir de esta edad, los avances que se producen a nivel auditivo tienen más relación con la capacidad para comprender el lenguaje que con el desarrollo auditivo, que ya está totalmente completado a estas edades.

3.2. La percepción auditiva

No es lo mismo audición que percepción auditiva. Podemos decir que la percepción auditiva engloba a la audición, pero va más allá.

La percepción auditiva abarca tres procesos:

- Audición. Este proceso se refiere a la audición funcional. Es decir, recibir un sonido que se produce en el entorno sin pretender asociarlo a su causa u origen.
- Asociación. Este proceso hace referencia al hecho de asociar el sonido escuchado a su significado y origen.
- Integración. Es el último proceso que tiene lugar en el acto de la percepción auditiva. Se refiere a integrar el sonido en nuestras estructuras ya existentes y en la memoria auditiva.

La percepción auditiva es definida por Vidal y Ponce como "la capacidad que permite el reconocimiento, la discriminación y la interpretación de los estímulos auditivos asociándolos a las experiencias anteriores del mismo sujeto".

El correcto desarrollo de la percepción auditiva tiene gran importancia en los años preescolares, ya que tiene una enorme influencia en los aprendizajes que se van a realizar en el colegio. Una buena percepción auditiva es fundamental para el aprendizaje de la lectoescritura.

Al terminar la etapa de educación infantil el niño debería estar en condiciones de diferenciar y reconocer los distintos sonidos que se producen en el medio, así como de identificar de dónde procede el sonido y cuál es su causa. También debería diferenciar y reconocer los elementos que forman parte del lenguaje articulado. Es decir, debe reconocer auditivamente los fonemas, aunque todavía no sea capaz de relacionar el fonema con su signo gráfico correspondiente.

Para que se produzca un desarrollo adecuado de estos aspectos, es preciso proporcionar al niño desde el momento del nacimiento experiencias sonoras acordes con su edad. La música es fundamental desde el principio. Más tarde se pondrán a su alcance juguetes u otros objetos que produzcan sonidos diversos. Cuando son un poco mayores pueden seguir un ritmo determinado golpeando con un objeto. Al contarle un cuento podemos cambiar el tono, según sea el personaje. Cuando hablamos con los niños debemos intentar además vocalizar bien, aunque sin forzar el lenguaje. Otro instrumento importante para el desarrollo de la percepción auditiva son las rimas infantiles. Los versos para niños enfatizan el ritmo normal del lenguaje, lo que las hace muy atractivas para el bebé incluso antes de que domine el lenguaje. Además ayudan a la discriminación y reconocimiento de los elementos secundarios del discurso hablado: pausas, ritmo y tono.

Cuando el niño ha adquirido el lenguaje podemos enseñarle canciones y rimas sencillas, con ello no solo favorecemos el desarrollo lingüístico, sino también los progresos en la percepción auditiva.

4. El sentido del tacto

4.1. Desarrollo del sentido del tacto

La sensibilidad al tacto, presión, dolor y temperatura está bien desarrollada desde antes del nacimiento tanto desde el punto de vista funcional como estructural.

El niño necesita el contacto táctil para su desarrollo, les gusta tocar y ser tocados. Debemos saber que la caricia y el contacto corporal son la forma más primitiva y reconfortante de comunicación en la vida humana. Esta forma de comunicación debe prolongarse más allá de los primeros meses, preferiblemente durante toda la vida, pero especialmente desde el nacimiento a los tres años.

El sentido del tacto es una fuente inagotable de conocimiento para el bebé que mediante la manipulación de los objetos aprende a reconocer formas y texturas.

Reconocimiento de texturas

Evolutivamente el niño aprende primero a reconocer las texturas y más tarde reconocerá las formas mediante el sentido del tacto.

Existen cinco dimensiones básicas en las texturas:

- Duro / blando
- Rugoso / liso
- Áspero / suave
- Caliente / frío
- Húmedo / seco

El niño de forma natural está en contacto con distintas texturas: su propia ropa, la sábana de la cuna, los objetos que toca, etc. Pero podemos ampliar su experiencia si ponemos a su alcance intencionadamente objetos diferentes para tocar.

Cuando el bebé tiene pocos meses y pasa la mayor parte del tiempo acostado, cuando el tiempo lo permite, podemos ampliar su experiencia táctil si lo dejamos solamente con el pañal. De esta forma, la superficie de su piel que está en contacto con la sabanita es mayor. Así puede sentir la suavidad de la tela, lo blandito del colchón, la parte más fría de la cuna al cambiar de postura, la dureza de la barandilla, etc. Podemos acostarlo sobre distintas superficies para que perciba un abanico más amplio de sensaciones. Podemos usar el sofá, la colcha, el edredón...

Cuando es capaz de mantenerse sentado y de agarrar objetos, podemos poner al alcance del niño multitud de cosas diferentes al tacto: duras, blandas, firmes, esponjosas, suaves, ásperas, frías, calientes, lisas, rugosas, peludas, etc. Al mismo tiempo que le proporcionamos el objeto le indicamos su cualidad para que vaya asociando la palabra a la sensación.

Podemos aprovechar también el gateo del niño para que esté en contacto con distintas superficies. Debemos dejarle gatear libremente, bajo vigilancia, sobre el suelo, la arena, el césped, la orilla del mar, sobre una alfombra, y cuantas superficies diferentes haya en nuestro entorno.

Reconocimiento de formas

Al igual que sucedía con las texturas, el niño de forma natural manipula distintas formas que están a su alcance o que le ofrecemos los adultos. Pero en esta manipulación intervienen tanto el sentido del tacto, como el de la vista para reconocer el objeto. No obstante, estas experiencias le van proporcionando un cierto aprendizaje. Pero cuando el niño alcanza un nivel de lenguaje comprensivo aceptable, podemos jugar a que reconozca objetos con los ojos cerrados, utilizando únicamente el tacto.

4.2. El masaje infantil

Muy relacionado con el sentido del tacto está el masaje infantil. Aunque es una tradición muy antigua en otras culturas, en Occidente no se introduce hasta 1973, fecha en que Vimala Schneider elabora una técnica específica combinado los conocimientos de distintas culturas con la reflexoterapia y el yoga. Así, se funda, primero la Asociación Internacional de Masaje Infantil (AIMI), y más tarde, en 1994, se crea en nuestro país la Asociación Española de Masaje Infantil (AEMI).

Desde entonces son cada vez más los profesionales que se interesan por las técnicas de masaje infantil, ya que los estudios demuestran la importancia del contacto afectivo en los primeros años de vida para un desarrollo sano. Por otro lado, los efectos en el desarrollo y en la salud del niño que no ha recibido tales atenciones son muy negativos.

El masaje facilita la creación de vínculos afectivos porque incluye los elementos más favorecedores para establecer un clima de confianza adecuado que dé lugar al establecimiento de vínculos afectivos. Tales elementos son: mirada, contacto piel a piel, sonrisas, sonidos, abrazos, olor, emisiones de voz y respuestas.

El contacto piel a piel es fundamental para el bebé recién nacido, o de pocos días, pues es la única forma que tiene de percibir el cariño y la aceptación.

Los **beneficios del masaje infantil** se manifiestan a distintos niveles:

- Nivel fisiológico.
- Nivel sensorial.
- Nivel afectivo.

A **nivel fisiológico**, con los masajes se ven favorecidos todos los sistemas. Así, en el sistema nervioso el tacto favorece el proceso de mielinización. Por otro lado, el estado de relajación que produce el masaje contribuye a mantener el equilibrio del sistema inmunológico y mejora su funcionamiento, con lo que podemos prevenir la aparición de enfermedades. El masaje contribuye también a calmar el llamado cólico del lactante. En los primeros meses favorece la maduración del sistema gastro-intestinal, y posteriormente a regularlo. El sistema respiratorio también se ve favorecido cuando aplicamos el masaje en la zona pectoral, en la espalda y en los hombros. Los masajes influyen también en el sistema circulatorio, ya que mejoran la circulación sanguínea. También mejoran los patrones de sueño. Los niños, al recibir masajes duermen más tiempo y más profundamente. Por último, los efectos más evidentes a nivel fisiológico se producen en el sistema muscular, ya que se relaja y tonifica la musculatura, ayudando al niño a liberar las tensiones acumuladas durante el día.

A **nivel sensorial**, el masaje es un buen método para que el niño tome conciencia de su propio cuerpo en relación con el espacio y facilita la integración del esquema corporal.

A **nivel afectivo**, ayudan a crear un lazo de unión entre el bebé y la persona que da el masaje. Esto es fundamental para prevenir el maltrato infantil en determinados grupos donde la probabilidad de sufrir malos tratos es mayor. Cuanto mayor sea el vínculo afectivo entre los padres y el bebé, menos probabilidad existe de que haya abandono físico, psíquico o emocional, disminuyendo la posibilidad de maltrato.

Actualmente los **masajes** se están empezando a utilizar **en los centros de educación infantil**, especialmente en el primer ciclo. La utilización de los masajes en el ámbito escolar es un buen medio para mejorar la relación entre el niño y el profesor, o cuidador. Otras utilidades de los masajes infantiles en el centro escolar son:

- Puede mejorar el comportamiento de los niños con conductas agresivas.
- Al propiciar la creación de vínculos afectivos, puede ser de gran utilidad en los periodos de adaptación al centro.
- Estimula la expresividad y la expresión corporal.
- Es una herramienta útil para comenzar a trabajar los contenidos del currículo referidos al conocimiento de uno mismo.

5. El sentido del gusto

La sensibilidad al sabor está presente antes del nacimiento. Tanto los bebés prematuros como los nacidos a término reaccionan de forma positiva ante los estímulos dulces, y negativamente ante los estímulos salados o amargos. En los primeros meses de vida somos más sensitivos a los estímulos gustativos que durante cualquier otra etapa de la vida. No hay que olvidar que es en esta época en la que el niño se acostumbra a los nuevos sabores, en un año y medio aproximadamente pasa de tomar solo leche a poder comer cualquier alimento.

La estimulación del sentido del gusto no debe iniciarse antes del destete, aproximadamente a los cuatro o cinco meses. A esta edad el niño va probando progresivamente cereales sin gluten, fruta, verdura, carne, pescado, cereales con gluten, etc. No es conveniente anticiparnos a las recomendaciones del pediatra para introducir nuevos alimentos, pero, por ejemplo, una vez que puede comer fruta, podemos darle a probar frutas diferentes, y no limitarnos siempre a las mismas. Podemos alternar más tarde la carne de ternera y la de pollo, ofrecerle pescados diferentes, etc.

Una vez que el niño puede comer todo tipo de alimentos, debemos alentarlo a que pruebe nuevas comidas y sabores, ofreciéndole una dieta variada.

El sentido del gusto está muy ligado al sentido del olfato.

6. El sentido del olfato

El sistema olfativo se perfecciona rápidamente. El recién nacido puede detectar olores siempre que sean suficientemente fuertes. En pocos días son capaces de detectar olores de mucha menor intensidad. Desde el principio es capaz de distinguir olores agradables y desagradables.

Si un olor le resulta molesto, reacciona moviéndose, haciendo un gesto de disgusto, y respirando de forma algo agitada. Por el contrario, si el olor le resulta agradable, la cara se relaja, y su respiración se vuelve más suave.

El bebé de pocos días es capaz de reconocer a la madre por el olor, antes incluso de reconocer su voz o su rostro. Así, a través del olfato, busca el pezón de la madre cuando tiene hambre. Por otro lado, el olor corporal de la madre le inspira confianza y seguridad, pues es algo conocido en un mundo en el que todo es nuevo.

Para estimular el desarrollo de este sentido, debemos ofrecerle al niño aromas diferentes. El momento del cambio de pañal y del baño es muy adecuado. Puede distinguir tanto el olor desagradable del pañal, como el aroma agradable del jabón, el champú o la colonia. Le podemos ofrecer para que huela las diferentes colonias que tenemos en casa, para que aprenda a distinguir unas de otras por el olor.

El niño desde muy pequeño relaciona también el sentido del olfato con el del gusto. Por eso es posible que rechace probar algunos alimentos si su olor le resulta desagradable. Podemos aprovechar el momento de la comida para ofrecerle más variedad de aromas.

Cuando el niño es algo mayor, podemos jugar a que reconozca olores con los ojos tapados. Podemos aprovechar también la relación entre gusto y olfato y realizar el mismo juego dando a probar alimentos que debe reconocer por el gusto y el olfato.

7. Estimulación multisensorial

La estimulación sensorial es fundamental en todas las etapas del ciclo vital, pero cobra especial relevancia en la infancia. Durante los primeros meses y años de vida se produce un gran desarrollo sensorial y perceptivo en los niños como resultado de la interacción con el mundo que los rodea, el cual constituye la base para la posterior evolución de las habilidades motoras, intelectuales, lingüísticas, afectivas y sociales.

La sala snoezelen es un espacio adaptado con material que proporciona diferentes experiencias sensoriales. Ese espacio estimula los sentidos infantiles de manera divertida, mediante efectos sonoros, olfativos y luminosos, para animar a los niños a experimentar desde edades tempranas y activar nuevas conexiones en su cerebro. De hecho, en las salas snoezelen de algunos centros educativos no solo se trabajan los cinco sentidos, sino que también se estimula el desarrollo vestibular, vinculado al movimiento y el equilibrio.

En una sala multisensorial snoezelen se pueden encontrar diferentes elementos, desde lámparas y proyectores de luz de diferentes colores, formas e intensidades hasta espejos y distintas superficies reflectantes, objetos de diferentes formas, colores, materiales y texturas, columnas de burbujas, difusores de aromas, aceites esenciales, instrumentos musicales o reproductores de música, así como muebles súper cómodos que favorecen la relajación.

A continuación describimos algunos programas de estimulación multisensorial:

1. Programa de educación sensorial según Condemarin

Implica trabajar la *percepción háptica* (tacto y quinestesia=movimiento).

Hay tres tipos de ejercicios:

- **Experiencias táctiles y quinestésicas**.

  Ej.: describir tocando y mirando las cualidades de los objetos que dan sensaciones opuestas (agua caliente y fría).

  Palpar materiales suaves como pieles, terciopelos... y describir sensaciones.

  Caminar descalzo sobre serrín, arena, hojas... y describir sensaciones.

- **Reconocimiento de objetos familiares**.

  Ej.: identificar personas, objetos y dibujos (siluetas de cartón), explorándolos con el tacto sin verlos.

- **Reconocimiento de objetos complejos y formas geométricas**.

  Ej.: se pueden construir cuadrados, triángulos, letras, números, estrellas... en cartón o cartulina y hacer juegos para que el niño explore táctilmente y luego los identifique y los dibuje.

Implica trabajar la *percepción visual* (capacidad para reconocer, discriminar e interpretar estímulos visuales).

Existen varias clases de **ejercicios**:

- Direccionalidad: laberintos, unión de esquemas punteados, dibujos con trazos discontinuos...
- Motilidad ocular: el niño debe ser capaz de seguir un objeto que se desplace.

  Ej.: lanzar una pelota de goma en varias direcciones.

- Percepción de formas: discriminar figura y fondo, letras de forma semejante y diferente...
- Memoria visual.

  Ej.: mostrar tres objetos durante unos segundos, retirarlos y pedir a los niños que los nombren. Se pueden utilizar láminas con dibujos...

Implica trabajar la *percepción auditiva* que es muy importante para el desarrollo del lenguaje.

Hay tres tipos de **ejercicios**:

- Conciencia Auditiva: Ej.: discriminar sonidos naturales, de animales o de objetos que tenemos grabados.
- Memoria Auditiva: Ej.: jugar a los secretos, pasándolos de unos a otros en voz baja, o reproducir sonidos marcados por el educador.
- Discriminación Auditiva: para el desarrollo de la habilidad, establecer las diferencias para distinguir sonidos semejantes o diferentes.

  Ej: pote-bote; mesa-pesa.

2. Programa de educación sensorial según Jimeno y Rico

Características:

- Es importante una ejercitación multi-sensorial interactiva.
- El aprendizaje requiere de la actividad simultánea de más de un sentido.
- Es necesaria la cooperación de unos con otros a fin de que la información recibida sea más completa.

Se plantean los siguientes Grados, Fases o Niveles:

Nivel o Grado 0

Es el de iniciación-conocimiento. Consiste en identificar una o varias cualidades mediante la manipulación o el contacto físico con los objetos.

Los ejercicios estarían basados en tocar, oler, oír, ver y probar las cosas (a través de los sentidos). El niño actúa con varios sentidos. Cuanto más pequeño sea, más tiempo requiere esta fase.

Nivel o Grado 1

Es el del dominio o ejercitación. Los niños serán capaces de clasificar por el color, el sabor, o el tamaño. También serán capaces de distinguir sonidos. El pequeño va descubriendo a base de ejercitaciones y repeticiones las características de los objetos.

Nivel o Grado 2

Es la memorización de los aspectos trabajados. Hay que considerar actividades para potenciar la memoria a corto plazo y otras para desarrollarla a largo plazo.

Nivel o Grado 3

La agudeza. Se alcanza después de realizar varios ejercicios con éxito. Se exige más o menos agudeza en función de la edad y de la capacidad de cada niño. Este nivel supone rapidez en la ejecución y en la evocación, tanto en la memoria a corto plazo como en la memoria a largo plazo.

También supone confianza en sí mismo, capacidad para autocorregirse e iniciativa en la ejecución.

Nivel o Grado 4

Son las aplicaciones. El niño tiene que ser capaz de convertir todo lo aprendido en algo útil y práctico.

Son ejemplos de actividades que suponen haber alcanzado el 4.º nivel:

- Organizar y participar en una orquesta, puesto que ya se han experimentado los distintos sonidos.
- Organizar una tienda, clasificando las distintas telas.
- Preparar batidos de frutas.
- Preparar infusiones con hierbas aromáticas.
- Preparar un muestrario con sustancias de distintos olores.

3. Programas de atención temprana

Deriva de las concepciones tempranas de la educación, del concepto zona de desarrollo próximo (ZDP).

Para Villa Elizaga (1984) "la estimulación precoz es un tratamiento con bases científicas durante los primeros años de vida, encaminado a potenciar al máximo las posibilidades físicas e intelectuales del niño".

Para Zulueta (1991) "es una acción global que se aplica a niños, desde el nacimiento hasta los seis años, afectados de un retraso en su maduración o en riesgo de tenerlo por alguna circunstancia psico-socio-ambiental".

En definitiva, la atención temprana será una serie de estrategias de intervención para:

- Desarrollar al máximo sus capacidades.
- Corregir o paliar los efectos de un daño presente o probable.
- Evitar la aparición de problemas secundarios.
- Ayudar a los padres a manejarse con la máxima eficacia y autonomía en el cuidado y educación del niño.

Los grupos básicos de niños objeto de programas de atención temprana pueden ser:

1. Niños en situación de riesgo ambiental por pobreza, por nivel social y económico muy bajo, por ausencia de un progenitor, por madre adolescente, etc.
2. Niños en situación de riesgo biológico por prematuridad, por bajo peso para la edad gestacional, sufrimiento perinatal, hipoxia, etc.
3. Niños con riesgo establecido que produce retrasos, desviaciones o discapacidades de desarrollo.

Se incluyen niños con cromosomopatías, retrasos psicomotores, discapacidad visual, discapacidad auditiva, autismo, retrasos en lenguaje y comunicación, etc.

Pero no solo va dirigida a niños con riesgo potencial o constatado, sino a toda la población infantil.

Las edades óptimas para acceder a estos programas son de 0 a 3 años, aunque algunos autores la extienden hasta los cinco.

4. Programas de estimulación sensorial

Basados en su realización en el hogar

Exigen entrenamiento y cooperación de los padres. Un ejemplo de este tipo es el **proyecto PORTAGE**. Se basa en 450 conductas con secuencias de desarrollo clasificadas en aptitudes de autoayuda, cognoscitivas, de socialización, lingüísticas y motrices.

Los programas que se desarrollan en el hogar tienen muchas ventajas ya que es el ámbito natural del niño y los padres, sus primeros maestros. Se cuenta además con otros miembros de la familia, con lo que la estimulación es muy rica.

Basados en su realización en un Centro

Puede tratarse de un complejo hospitalario, una guardería especial o un centro ordinario.

La intervención consiste en un análisis riguroso de la conducta, señalamiento de conductas objetivo, planificación educativa precisa y evaluaciones diarias de los progresos.

Las áreas claves son: aptitudes motoras generales y específicas, comunicación, autoayuda, conducta social y preacadémica.

Basados en su realización en la combinación centro-hogar

Son el modelo más completo, los padres participan en todas las etapas de la intervención incluyendo la planificación del programa.

La tarea del centro no se reduce al trabajo con el niño, sino que se extiende a la formación y asesoramiento de los padres y proporcionarles materiales y pautas de actuación.

Un ejemplo es el **Proyecto de Educación Precoz**. Precisa de niños con discapacidad (PEECH) que es un programa creado para niños de 3 años o más con discapacidades leves o moderadas.

Existen además programas editados como los de Villa Elizaga y colaboradores (1992), el de Cabrera y Sánchez Palacios (1992).

Otros, siguiendo este mismo esquema se dirigen a una población concreta como el de Cande, Pelegrin y Motos (1987) y el de Finnie (1967).

El método de Zulueta y Mollá (1982) también contiene fichas explicativas, hojas de registro, etc., orientadas a niños de 0 a 2 años.

TEMA 9

El desarrollo motor: procesos, objetivos, actividades y recursos

Tú nos eliges, nosotros te **acompañamos** y tu Curso MAD360 te ayuda a organizar el estudio para no dejarte nada atrás.

Índice

1. Introducción

El desarrollo motor hace referencia a la evolución en la capacidad de movimiento. El desarrollo cognitivo se refiere a los progresos en la capacidad intelectual. En la etapa de cero a tres años ambos procesos van muy unidos, ya que el desarrollo de la inteligencia se produce fundamentalmente a través del movimiento y la exploración del entorno. Pongamos como ejemplo el momento en que la maduración le permite al niño coger objetos, a partir de este momento, la manipulación de objetos diversos abre nuevos horizontes en el conocimiento del mundo por parte del niño. De igual modo, cuando consigue mantenerse de pie y caminar, ve las cosas desde una nueva perspectiva y puede explorar el entorno libremente, dirigiéndose a aquello que más le interesa. De esta forma el niño va ampliando sus conocimientos sobre el medio y favoreciendo el desarrollo cognitivo.

2. Principales actos motores

A continuación desarrollaremos la evolución de los principales actos motores:

2.1. Los reflejos

El recién nacido dispone de conductas reflejas que se disparan automáticamente en respuesta a estímulos externos o internos adecuados.

La importancia diagnóstica de los reflejos es considerable. Su no presencia en el nacimiento, o su no desaparición o retraso en la misma, en el caso de los reflejos que no se mantienen, es síntoma de lesiones cerebrales o de algunas enfermedades genéticas, entre ellas el síndrome de Down.

Reflejos inalterables a lo largo de toda la vida	**Fisiológicos**: estornudos, tos, pupilar, rotuliano y de eliminación de sustancias de desecho (micción y defecación).
Reflejos arcaicos	**Babinski**: consiste en extender los dedos del pie como en abanico cuando se estimula la planta desde los dedos hasta el talón, quedando el dedo gordo del pie hacia fuera. **Moro**: cuando al perder el sustento o percibir un ruido fuerte, extiende y flexiona los brazos rápidamente para volverlos a poner sobre su pecho. **Hozamiento o puntos cardinales**: si excitamos las comisuras de la boca gira la cabeza para chupar el estímulo.
Reflejos que reaparecen como conductas aprendidas	**Marcha**: si colocamos al bebe en posición vertical sostenido por las axilas y sobre una superficie dura efectuará un movimiento similar a la marcha. **Subida de escalón**: sostenido al bebé por las axilas si estimulamos el empeine con una superficie dura y fría efectuará un movimiento como de subida de escalón. **Reptación**: si colocamos al bebé decúbito prono sobre una superficie dura y horizontal. **Natación**: si introducimos al bebe en un medio acuático realiza un movimiento rítmico y coordinado semejante al nado.

Reflejos que se transforman en conductas voluntarias	**Succión**. Este reflejo se presenta cuando se acaricia la mejilla del bebé. El bebé girará la cabeza hacia el lado acariciado y comenzará a hacer movimientos de succión con la boca. Después de un periodo de tiempo, este reflejo se transforma en un esquema de conducta voluntaria. **Prensión**: si estimulamos la palma del bebé con un objeto cerrará la mano, por el contrario si estimulamos el dorso la abrirá.

2.2. Los automatismos

Un automatismo es un acto intencionado, complejo y coordinado, sin intervención de la atención, que se automatiza a través de la ejercitación. Los dos automatismos básicos en el desarrollo, que se tratan a continuación son la prensión y la locomoción.

A) La prensión

La prensión es la capacidad para coger objetos con la mano y representa una de las actividades humanas más complejas. El papel que tiene la mano es de vital importancia para el desarrollo intelectual, ya que permite el acceso a experiencias manipulativas en las que el niño buscará soluciones a través de lo concreto para más adelante ser capaz de resolver tareas más complejas de tipo abstracto.

Aunque en un primer momento el bebé realiza la actividad exploratoria a través de la boca, no cabe duda de que pronto va a dejar paso a la mano como medio privilegiado para la exploración.

Desarrollo

- **1.ª etapa**: desde el nacimiento hasta el cuarto mes. Aparece primero la conducta refleja de prensión. El niño cierra el puño cuando se estimula la palma de la mano, y así coge los objetos: responde de esta forma sin verlos; esta conducta es involuntaria. Durante este período es normal verle llevándose las manos a la boca para explorarlas. En principio el bebé tiende a tener las manos cerradas, con el paso de

los meses conseguirá tenerlas abiertas como postura natural. Al final de la etapa el reflejo de Grasping se va relajando y comienzan a manifestarse los primeros signos de actividad voluntaria.

- **2.ª etapa**: del 4.º al 6.º mes. En este momento ya se da una coordinación entre lo visual y el espacio táctil, que había comenzado anteriormente de forma rudimentaria. Observa detenidamente sus manos y trata de coger los objetos que se le presentan. Hacia el sexto mes ya es capaz de alcanzar los objetos con mayor precisión.
- **3.ª etapa**: del 6.º al 10.º mes. El niño ya es capaz de coger el objeto deseado. Empieza el período de manipulación, propiamente dicho. La posición de sentado le permitirá el perfeccionamiento y distinguir dos actividades distintas:

  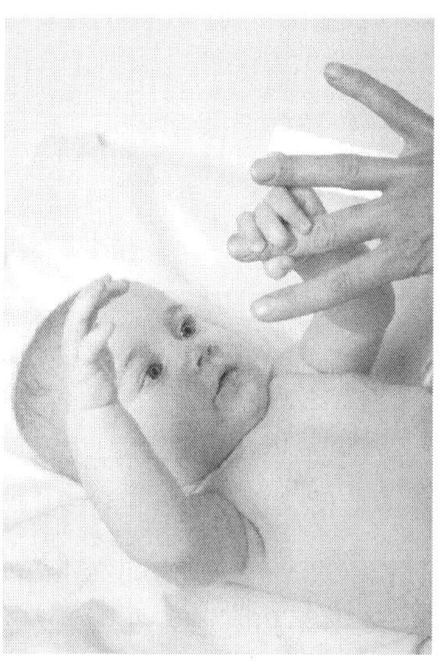

  * La aproximación de la mano al objeto.
  * La toma del objeto.

  Hacia el sexto mes se da una aproximación lateral y su presión es palmar; el objeto es cogido entre los últimos dedos y la palma.

  Hacia el séptimo u octavo mes el codo se hace más flexible y comienza el uso del pulgar. Ya es capaz también de pasarse un objeto de una mano a otra, con lo que la exploración se hace más perfecta.

  Hacia el noveno y décimo mes ya entran en juego las articulaciones del hombro, codo, muñeca, mano y dedos. La toma del objeto se caracteriza por la utilización de la pinza, es decir, índice y pulgar opositor.
- **4.ª etapa**: esta capacidad que ha adquirido el niño le servirá de base para aprender actos más complejos y destrezas. Se van a multiplicar las posibilidades de acción basadas, por un lado, en los deseos de exploración del niño y, por otro, en las necesidades de la vida social, como aprender a utilizar la cuchara, beber en taza, etc.

A modo de resumen, y como propone Landreth, en el desarrollo de la prensión se observa una evolución que va:

- Desde la localización visual del objeto a tratar de cogerlo (Coordinación básica óculo-manual).
- Desde unos movimientos amplios y globales a los movimientos que requieren menos esfuerzo.
- Desde la actividad de los músculos próximos al eje, a la actividad de los músculos más distantes.

- Desde los movimientos gruesos y poco hábiles al control de los movimientos de los dedos, que permiten realizar acciones con mayor precisión, como coger objetos pequeños y otras destrezas.
- Desde la utilización indistinta o simultánea de las dos manos, a la especialización de una de ellas.

B) La locomoción

La locomoción consiste en la posibilidad de desplazarse por el espacio en posición erguida; esta actividad supone el control del equilibrio y la coordinación de los movimientos alternos de los miembros inferiores, así como la adquisición del tono muscular que permite sostener el peso del cuerpo sobre las piernas.

La adquisición de la locomoción o marcha constituye un logro muy importante en el desarrollo del niño, ya que le permite la autonomía en los desplazamientos y el acceso a múltiples experiencias de descubrimiento del entorno.

Desarrollo

La locomoción evoluciona de forma ordenada, siguiendo la ley cefalocaudal del desarrollo, realizándose así un control progresivamente del tono del eje corporal desde la cabeza, nuca, espalda, pelvis, piernas. Según Shirley, en el desarrollo locomotor del niño se distinguen cinco grandes etapas:

- **1.ª etapa**: desde el nacimiento hasta el 5.º mes se va obteniendo un control postural de la parte superior del tronco que permite al niño pasar de la posición tumbada a elevar el pecho, estar sentado con ayuda en la espalda y agitar las piernas.
- **2.ª etapa**: desde el quinto mes adquiere un control postural del tronco y las piernas y ya es capaz de sentarse solo, ponerse de pie con ayuda y rodar sobre el costado.
- **3.ª etapa**: el niño lleva a cabo esfuerzos para desplazarse y avanzar reptando sobre el vientre.

- **4.ª etapa**: hacia los 10 meses el niño ya es capaz de ponerse de pie ayudándose de objetos que se encuentran en sus desplazamientos por reptación.

- **5.ª etapa**: en esta última etapa se da un control del equilibrio y coordinación de la marcha, primero con ayuda y posteriormente solo. Los primeros pasos son inseguros: piernas separadas, pies que se elevan mucho, el cuerpo inclinado hacia delante y los brazos extendidos. Parece que el niño está preparado para protegerse de posibles caídas, progresivamente irá adquiriendo más control, y puede decirse que la marcha está definitivamente automatizada alrededor de los 3 años; el ritmo, equilibrio, alternancia de brazos y velocidad serán casi perfectos al final de la etapa infantil.

C) El control postural

En este periodo evolutivo tienen lugar acontecimientos claves en el desarrollo motor, que además de ser importantes en sí mismos son la base para el posterior desarrollo de conductas motoras más evolucionadas y complejas.

Los más relevantes son:

- Control muscular de la cabeza y cuello: el RN puede girar la cabeza hacia ambos lados estando boca arriba. Con un mes eleva un poco el mentón y gira la cabeza para apoyarla sobre el otro lado de la cara. El levantar la cabeza entre 45 y 90º cuando está boca abajo lo conseguirá hacia los 3 meses.

  El sostén cefálico total cuando está sentado lo conseguirá hacia el 4.º mes, y el levantar la cabeza cuando está boca arriba hacia el 5.º.

- Girar el cuerpo sobre sí mismo: a los 5 meses boca arriba es capaz de ponerse boca abajo y el giro inverso será posterior.

- Mantenerse sentado solo: un buen tono muscular le permitirá sentarse sin apoyo al término del 7.º mes. Las pérdidas de equilibrio enriquecen los reflejos de caída.

D) El tono muscular

Se denomina tono muscular al grado de tensión o relajación de los músculos. Cualquier movimiento o acción supone un grupo de músculos que se tensan y otros que se relajan; esta es la base del control de los movimientos voluntarios. Todo organismo, para mantener una posición equilibrada, necesita tener un nivel de tono determinado (mínima tensión).

Se habla de hipertonía cuando hay una rigidez o exceso de tensión muscular y de hipotonía cuando falta tensión o fuerza muscular.

El niño al nacer presenta un grado de hipertensión en los miembros e hipotonía en el eje corporal. Por el tono axial que se manifiesta en el tronco y la cabeza se observa que la musculatura del cuello es insuficiente para mantener el peso de la cabeza, se observa también una ausencia de control en los músculos vertebrales y lumbares para tener erguida la espalda. En cuanto a los miembros, brazos y piernas, cuando el niño está sentado o tumbado no puede extender los miembros superiores e inferiores, y se da una rigidez en la flexión de los mismos. Esto da como resultado la posición característica del recién nacido, conocida como postura fetal.

A medida que va madurando el sistema nervioso, va llevando a cabo el control del tono muscular, y por tanto de la postura, el equilibrio y los movimientos. De esta forma, con arreglo a las leyes cefalocaudal y proximodistal el niño conseguirá alcanzar la posición erecta.

2.3. La motricidad gráfica

Una de las destrezas más importantes que el niño va a necesitar desarrollar para su adaptación al medio social en el que vive es la capacidad de escribir o de manipular determinados utensilios que dejan huella o trazos sobre un soporte. Estos trazos en un principio solo responden a un simple placer motor, posteriormente van a adquirir significado.

En la actividad gráfica intervienen los siguientes *factores*:

- **Motor**: determinado por el nivel de maduración. Hace referencia a la capacidad de control neuromuscular (presión del instrumento, postura del cuerpo, independencia funcional del brazo y mano, coordinación óculo-manual).
- **Perceptivo**: hace referencia a la forma y característica del trazo (posición, orientación, tamaño, proporción, etc.) el niño debe darse cuenta de las características del mismo para poder reproducirlo con eficacia. El aprendizaje de las nociones espacio-temporales con el tiempo le ayudará a comprender las diferencias entre b y p, d y q, etc.
- **Representativo**: hace referencia al significado del trazo. Este significado puede ser más o menos personal, como el dibujo libre, o codificado, como las palabras en la escritura.

Luquet (1927) estableció que el **dibujo infantil** es fundamentalmente realista y que esa es su característica más esencial. Pero pasa por una serie de fases en las que hay un tipo especial de realismo. Las etapas del dibujo infantil según Luquet son:

ETAPAS	CARACTERÍSTICAS
I. Garabato al realismo fortuito	El dibujo comienza siendo una prolongnación de la actividad motora que queda plasmada sobre un soporte. El niño traza rayas sin la intención de representar ningún objeto. Significado a posteriori de algunos trazos.
II. Realismo frustrado o fallido	El niño tiene intención de dibujar algo, ejecuta y lo interpreta. No llega a ser realista porque se superponen elementos o se omiten (incapacidad sintética).

III. Realismo intelectual (10-12 años)	Dibuja lo que sabe de la realidad. No hay perspectiva única.
IV. Realismo visual	Caracterizado por el uso de representaciones perspectivas. Sometimiento progresivo a única perspectiva. Convencionalización.

Evolución de la motricidad gráfica:

- Hacia el año y medio aparecen las primeras manifestaciones. El niño ya es capaz de coger un objeto, en este caso el lápiz o pintura, y realiza trazos en forma de garabatos; es un movimiento impulsivo y rápido, sin control, se mueve todo el brazo y no hay coordinación visual y manual. Hay un placer en la mera actividad, el movimiento de la mano es lo que mueve a realizar el acto gráfico. (Subetapa de garabateo sin control o desordenado).
- Hacia los veinte meses ya entra en juego la articulación del codo, y como resultado aparece un garabato de vaivén, denominado "barrido", el niño no observa lo que hace. Posteriormente el garabato se hace circular.
- A partir de los 2 años y medio, y con un mayor control de la muñeca y el movimiento de pinza, es capaz de hacer trazos independientes. Su mirada sigue los movimientos de la mano. El acto motor es independiente aún del acto visual. Interés sobre todo el placer que obtiene en el movimiento.
- Alrededor del tercer año se empieza a establecer la coordinación óculo-manual y entra en juego la percepción. El niño ya es consciente de las diferentes huellas que dejan sus movimientos, mira lo que dibuja y trata de controlar o dirigir el movimiento de la mano. Se observa en el niño un mayor interés y atención en sus producciones. Empieza a respetar los límites del espacio (no se sale del papel), trata de cerrar las líneas, etc. (Subetapa del garabateo controlado).

- A partir de los tres años se observa un salto significativo. Hay un momento en el que el niño, de forma espontánea, da nombre al dibujo que realiza. En principio no hay una relación de semejanza entre el dibujo y el nombre que le asigna, pero posteriormente sí se observará una ligera relación. (Subetapa de garabateo con nombre).
- Hacia el cuarto año, el niño dice antes lo que va a dibujar. Y hacia el quinto año el niño está en condiciones de iniciarse en las actividades de preescritura a través de la ejecución de grecas, cenefas, trazos de distintos sentidos y direcciones, etc.

Actividades para desarrollar la motricidad gráfica

En general, todas las actividades de manipulación de objetos favorecen la motricidad gráfica, así como las que desarrollan las capacidades perceptivas (de observación) y las de representación (juegos, dramatizaciones, observar cuentos, etc.).

De manera específica las actividades que nos interesan se pueden diferenciar atendiendo a:

- **Superficie**: o soporte donde se deja el trazo. Puede ser papel, cartón, pizarra, el suelo, la tierra, cristal, harina, etc. Y en general todo aquello que nos permita dejar huellas o trazos.
- La **posición** puede ser horizontal o vertical. Para los niños más pequeños la posición vertical es la más adecuada ya que les permite trabajar de pie y realizar trazos amplios. La posición horizontal puede ser sobre el suelo o sobre la mesa. Esta posición puede implicar una postura de sentado en la silla que será más conveniente para los más mayores.
- El **tamaño del soporte** estará en función de la tarea que se realice, pero también de la capacidad de control del niño. Cuanto más grande sea aquel, los trazos pueden ser más amplios y menor la dificultad de control fino. Alrededor de los 3 años podemos ayudar en la evolución del grafismo si trabajamos primero sobre papel continuo en el suelo.
- **Útil**: es el instrumento que permite dejar trazos en el soporte. En un principio, con los más pequeños se usarán las propias manos y los dedos en los distintos materiales (pintura, agua, etc.) para posteriormente pasar a utilizar un instrumento que tendrá mayor dificultad. En función del soporte se podrán utilizar: pinturas, rotuladores, esponjas, pinceles, tizas, palitos, etc.

La combinación de soportes y útiles dará lugar a una gran variedad de actividades. Estas pueden ser libres, o se puede sugerir que dejen trazos determinados, como anchos, puntos, rayas, círculos, cenefas, etc.

Conviene tener en cuenta la necesidad de adquirir unos hábitos motores correctos, como la postura del cuerpo y el modo de coger los útiles de trabajo, lo que puede ser iniciado a partir de los 3 años.

Otras actividades que pueden ayudar a la motricidad gráfica son: el rasgado (consiste en cortar el papel sin utilizar tijeras, es decir sacar tiras o trozos pequeños utilizando solamente las manos), troceado, modelado, picado (con un punzón se va pinchando en una silueta dibujada en un papel), ensartado (ensartar en un hilo o cuerda con la punta bien endurecida, diferentes materiales como: fideos, cuentas, sorbetes), coloreado, estarcido (estampar dibujos sobre una superficie con plantillas, colocada sobre un soporte, de modo que al levantarla quede la silueta sin cubrir), etc., y en general todas las técnicas de expresión plástica.

3. El desarrollo de las habilidades motrices

El desarrollo de las habilidades motrices depende de la maduración neurológica y pasa por las siguientes fases:

- **Fase de automatismo**: corresponde con los primeros meses. La mayoría de las acciones son reflejas.
- **Fase receptiva**: se extiende a lo largo del segundo trimestre de vida y coincide con el perfeccionamiento de los sentidos. Las acciones son ya voluntarias pero predomina la observación a través de los cinco sentidos de todo lo que rodea al niño.
- **Fase de experimentación y adquisición de conocimientos**: comienza en los primeros meses y se extiende a lo largo de toda la vida. Las habilidades motrices se utilizan como medio para adquirir conocimiento.

En la evolución y conquista del dominio motor podemos citar las siguientes **leyes**:

- **Ley céfalo-caudal**: se controlan antes las partes del cuerpo más cercanas a la cabeza y luego las más alejadas. Es decir, el orden en que se controlan las distintas partes del cuerpo es cuello, tronco, brazos y piernas.
- **Ley próximo-distal**: se controlan antes las partes más cercanas al eje corporal y después las más alejadas. Por lo tanto, en el caso del brazo por ejemplo se controlará antes el hombro, luego el codo y por último muñeca y dedos.
- **Ley de actividades en masa a las específicas**: supone la tendencia a pasar de la utilización de músculos grandes a los más pequeños. Los movimientos vastos van dando paso a los más precisos. La integración de grupos musculares permite que los movimientos sean más finos.

- **Ley de desarrollo de flexores y extensores**: poseen primacía los movimientos de los músculos flexores (Moraleda, 1992) (la capacidad de coger objetos –flexores– es anterior a la de soltarlos –extensores–).

Y los siguientes principios:

- **Principio de la direccionalidad**: consiste en explicar que la maduración dirige, de manera intrínseca, el proceso de desarrollo en contraposición a las fuerzas ambientales. Es decir, que el crecimiento se ve impulsado de manera interna por la propia configuración orgánica del ser humano.
- **Principio de la asimetría funcional**: por este principio se entiende que el organismo tiende a desarrollarse asimétricamente, es decir, que el ser humano posee un lado preferido y que junto con la simetría funcional se manifiesta una asimetría neurológica por la que la mitad del cerebro es dominante respecto a la otra mitad, como ocurre con la lateralidad.
- **Principio de fluctuación autorreguladora**: en este principio se determina que el desarrollo motor no se manifiesta al mismo ritmo en todos los sistemas orgá-nicos, sino que, a veces, este desarrollo sucede de manera simultánea o de forma sucesiva a otros ámbitos de desarrollo, esto ocurre con el desarrollo motor y el lenguaje.

Anatomía y fisiología del movimiento

La vía piramidal, también llamada vía córtico-espinal, es la vía motora encargada de los movimientos voluntarios. Se origina a partir de axones de neuronas (motoneurona superior) en la corteza cerebral (áreas motoras), que convergen en la corona radiada y descienden posteriormente, se cruzan un 90 % en la región inferior del bulbo raquídeo (pirámide bulbar), formando el haz córtico-espinal lateral, que desciende por la médula espinal hasta llegar a hacer sinapsis con el soma neuronal de la segunda motoneurona en el asta anterior de la médula espinal.

El **sistema extrapiramidal** regula los movimientos automáticos y permite que los movimientos voluntarios se realicen de forma ordenada, sin que se pierda el equilibrio. Son diversos los centros que forman parte de este sistema: las áreas corticales extrapiramidales, núcleos talámicos, sistema estriado, núcleo rojo, sustancia negra, cerebelo, etc.

El desarrollo psicomotor evoluciona desde los actos reflejos y los movimientos descoordinados y sin finalidad precisa hasta los movimientos coordinados y precisos del acto motor voluntario y los hábitos motores del acto motor automático. Así pues, encontramos diferentes tipos de movimientos:

a) *El acto reflejo*: es una respuesta de carácter automático e involuntario que se da ante una estimulación. Esta respuesta, que es innata, es decir, no aprendida constituye la base para los movimientos voluntarios. Estos reflejos deben des-aparecer para dejar paso a la acción controlada.

b) *El acto o movimiento voluntario*: es el que se lleva a cabo de una forma voluntaria e intencionada. Ante una estimulación determinada, esta se analiza, se interpreta y se decide la ejecución de la acción. Prácticamente, casi todos los actos realizados de forma voluntaria estarían dentro de esta categoría: coger una manzana y comerla, encender la radio, etc.

Cuando se combinan una serie de movimientos voluntarios y se coordinan siempre de la misma manera hablamos de Praxia. Son movimientos organizados que realizamos para llevar a cabo un plan o alcanzar un objetivo. Por ejemplo, el movimiento de coger la cuchara y llevarla a la boca o el movimiento que hacemos para lavarnos los dientes.

c) *El acto o movimiento automático*: cuando se lleva a cabo la repetición de los movimientos voluntarios se integran de una forma automática y pasan a ser hábitos; de esta forma se ahorra energía en el proceso de análisis e interpretación del acto. En este tipo se encuentran, por ejemplo, montar en bicicleta, andar, conducir un coche… es necesario un tiempo de aprendizaje de los movimientos voluntarios para que estos se automaticen. Más adelante se estudiarán los dos automatismos más relevantes en el desarrollo: la locomoción y la presión.

El movimiento natural es un tipo de respuesta motriz que no se ajusta a un patrón determinado, que está supeditado únicamente a las limitaciones de la estructura cor-poral.

A continuación vamos a explicar cuáles son los principales logros motrices que consigue el niño desde el nacimiento a los tres años de edad. Después ofrecemos de forma esquemática por periodos de edad la evolución de las habilidades motrices.

3.1. Principales logros motrices

El control voluntario de los movimientos

En la primera semana de vida del bebé los movimientos están controlados principalmente por reflejos, pero a los dos meses de edad aproximadamente la mayoría de las acciones son voluntarias.

El control del cuello y la cabeza

Obedeciendo a la ley céfalo-caudal, el control empieza por los músculos del cuello y la cabeza. Al mes de edad la cabeza todavía estará inestable cuando se le sostiene en brazos. A partir de los dos meses comienza a levantar la cabeza estando boca abajo y sosteniéndose en los brazos. A los cuatro meses pueden sostener la cabeza sin vacilar. De este modo el bebé empieza a ver las cosas desde otro ángulo de visión. Ya puede mirar al frente, y no solo hacia arriba como cuando está acostado. A los seis meses adquieren un control estable de cuello y cabeza cuando están sentados. En esta posición puede explorar visualmente en todas las direcciones. En este momento es fundamental proporcionar al niño una estimulación suficiente, cambiando su entorno con frecuencia: sentándolo en distintas habitaciones de la casa, sacándolo a pasear por recorridos diversos, etc.

La habilidad para rodar

La habilidad para rodar se inicia al mes aproximadamente, pero no es hasta los tres o cuatro meses cuando consiguen dar una vuelta completa. A partir de los seis meses la mayoría de los niños pueden torcerse y rodar en todas direcciones. Aunque bastante rudimentaria, podemos considerar que esta es la primera forma de desplazamiento autónomo que tiene el niño. En este periodo debemos tener la precaución de no dejarlos ni un momento solos sobre la cama, el sofá, el cambiador, etc. Por el contrario, para estimular esta nueva capacidad y el deseo de movimiento debemos permitir que el niño pase suficiente tiempo en el suelo para que practique y pueda rodar libremente.

El uso de las manos

La capacidad para agarrar objetos es al principio un acto reflejo. Pero a partir de los dos meses el reflejo comienza a desaparecer y a los tres meses permanecen generalmente con las manos abiertas pudiendo sostener objetos voluntariamente durante poco tiempo. Ahora también se entretienen jugando con sus manos. Entre los cuatro y los seis meses pueden sostener los objetos durante más tiempo, empiezan a tocarse las piernas y pies. Serán capaces de estirar la mano para alcanzar lo que les llama la atención y pueden cambiar las cosas de una mano a otra. Alrededor de los ocho meses la coordinación ojo-mano se perfecciona y puede agarrar objetos pequeños, aplaudir y agitar las manos. Entre los nueve y doce meses son capaces de utilizar la pinza (dedos índice y pulgar) para agarrar objetos. Al final de este periodo el niño puede meter cosas en un recipiente, destapar cajas, pasar páginas de un libro aunque no una por una. Entre los doce y los quince meses los niños comienzan a construir (por ejemplo torres con cubos). A partir de esta edad pueden empezar a usar la cuchara para comer y garabatear con un lápiz sobre un papel. A los dos años consiguen hojear un libro página por página. Poco a poco se vuelven más diestros en el uso de las manos. Si al principio cogen el lápiz con el puño cerrado, al aproximarse a los tres años ya lo hacen utilizando la pinza, y en vez de garabatos pueden empezar a hacer dibujos con una marcada intencionalidad. Otras habilidades que logra el niño al aproximarse a su tercer cumpleaños son el uso de las tijeras, ensartar cuentas en un hilo y quitarse la ropa.

La habilidad para sentarse

La capacidad para sentarse suele comenzar hacia el cuarto o quinto mes en que el bebé puede mantenerse sentado con apoyo. Esta habilidad se va perfeccionando poco a poco, de modo que a los seis meses ya puede sentarse sin apoyo durante pocos segundos, a los siete, pueden permanecer más tiempo y los ocho, la mayoría de los niños puede sentarse sin ayuda y voltearse solos estando sentados. A partir de los nueve meses pueden sentarse bien erguidos durante mucho tiempo.

La posición de sentado facilita la manipulación de objetos. El niño puede pasar mucho tiempo sentado en una silla, jugando con diferentes objetos situados delante de él. Pero además, esta posición permite al bebé observar el movimiento que se produce a su alrededor. Al estar acostado, puede escuchar los sonidos, pero no nos ve, a menos que nos acerquemos a su cuna.

El gateo

El desplazamiento real y autónomo del niño comienza con el gateo. A los cuatro meses el bebé estando boca abajo, puede levantar la cabeza y las piernas del suelo y hacer movimientos como si fuera a nadar. Este es el inicio del gateo. Al poco tiempo conseguirán arrastrarse sobre el estómago impulsándose con las manos o las piernas. El gateo propiamente dicho se iniciará cuando adquiera la habilidad de doblar las rodillas bajo el cuerpo. Entre los nueve y doce meses la capacidad para desplazarse mejora notablemente, ya sea arrastrándose o gateando. Muchas veces los niños que ya saben andar prefieren el gateo como medio de desplazamiento, especialmente si son buenos gateadores. La etapa del gateo dura aproximadamente unos tres meses. A medida que mejora la habilidad para caminar irán dejando el gateo.

Mediante el gateo, el niño descubre el mundo, no en vano es una etapa de exploración, se familiariza con su propio cuerpo y aprende a coordinar los movimientos y a afianzar el equilibrio. También le permite aprender conceptos espaciales (cerca / lejos, arriba / abajo), los límites físicos, la velocidad. Por otro lado, el niño empieza a confiar en sus posibilidades de movimiento, lo que supone el primer paso hacia la independencia.

A nivel físico, el gateo también reporta beneficios pues fortalece los músculos y articulaciones y favorece la disociación de movimientos del tronco, lo que prepara el camino para empezar a andar.

A pesar de todo, si un niño comienza a andar sin haber gateado, no debemos preocuparnos. Lo importante es que le hayamos proporcionado la ocasión de poder hacerlo. Es decir, es necesario permitir que el niño pase en el suelo el mayor tiempo posible y no tenerlo siempre sentado en su sillita. Permitámosles la posibilidad de explorar el entorno, ya sea rodando, tumbado sobre el suelo boca abajo, arrastrándose, gateando, o, si el niño lo prefiere, intentando ponerse de pie y andando agarrado a los muebles. De este modo, la exploración se verá limitada a los objetos más cercanos, pero cuando sea capaz de andar se ampliarán sus posibilidades.

La habilidad de ponerse de pie

A partir de los 8 o 9 meses la mayoría de los niños son capaces de ponerse en pie agarrándose a algo o a alguien y permanecer en esta posición durante unos momentos siempre que cuenten con apoyo. Al final del décimo mes muchos niños pueden hacerlo solos sin ayuda brevemente, y entre los 11 o 12 meses pueden permanecer erguidos bastante bien. Alrededor de los quince meses pueden levantarse para ponerse de pie sin necesidad de apoyarse en los muebles. A partir de esta edad irán adquiriendo progresivamente un mayor equilibrio y estabilidad. Este logro es fundamental para iniciar la marcha.

La conquista de la autonomía

Ya a los nueve meses si cogemos al bebé por debajo de los brazos efectúa movimientos de marcha. Un poco más adelante comenzará a dar pasos laterales apoyándose en los muebles. Luego podrá andar con ayuda sujetándolo por una o ambas manos. Muchos niños comienzan a caminar solos en torno a los doce meses, pero otros muchos no lo hacen hasta varios meses después, especialmente si gatean bien, ya que un gateador experto tiene cubiertas sus necesidades de exploración del medio y le interesa menos andar. A los 18 meses es normal que el niño ya sepa caminar, y los que han empezado a edades más tempranas estarán perfeccionando esta habilidad, de modo que a los dos años el niño ya es capaz de correr, subir y bajar escaleras de la mano o apoyándose en la barandilla y saltar con los pies juntos. Entre los dos y los tres años los niños son muy inquietos y no paran de moverse, les encanta subirse y bajarse de los muebles, saltar, meterse en objetos grandes como por ejemplo cajas de cartón. A los tres años empezarán a subir y bajar escaleras sin necesidad de apoyarse. Se puede decir que a esta edad la capacidad para caminar está plenamente establecida.

3.2. Evolución de las habilidades motrices

Son muchas las tablas y esquemas que se han publicado sobre la evolución del desarrollo psicomotor y las habilidades motrices. Desde publicaciones científicas hasta artículos de revistas femeninas, pasando por las publicaciones de conocidas marcas de nutrición infantil. Todas ellas son similares, si acaso difieren en las edades en que se consiguen los distintos logros, pero la evolución es la misma. También hay tablas que dan más énfasis a unos aspectos que a otros.

Nosotros, para exponer la evolución de las habilidades motrices vamos a basarnos en una escala de desarrollo que está suficientemente contrastada y que es muy utilizada para determinar el nivel de desarrollo por los profesionales que se dedican a la estimulación precoz, entre otros. Nos referimos a la escala para medir el desarrollo psicomotor de la primera infancia de Brunet-Lezine.

El niño de un mes:

- Sentado, levanta la cabeza de vez en cuando, aunque vacilando.
- Boca abajo también levanta la cabeza vacilando.
- Boca abajo mantiene las piernas flexionadas.
- Reacciona al sonido de una campanilla.
- Sigue momentáneamente el movimiento de un objeto con la vista, hasta los 90 grados.
- Fija su mirada en los rostros.
- Aprieta un dedo colocado en su mano.
- Deja de llorar cuando nos aproximamos a él y le hablamos.
- Reacciona con movimientos de succión antes de darle el pecho o el biberón.

El niño de 2 meses:

- Sentado mantiene la cabeza derecha durante un momento.
- Boca abajo levanta la cabeza y los hombros.
- Boca arriba, sostiene la cabeza cuando se le sienta, mediante tracción sobre los antebrazos.

- Sigue con la vista a una persona que se desplaza.
- Sigue con la vista el movimiento de un objeto describiendo un ángulo de 180 grados.
- Responde con algún gesto de su cara ante el rostro de otra persona.
- Si se acuesta de lado, puede voltearse a la posición boca arriba.
- Se queda inmóvil o mueve la cabeza hacia nosotros cuando le hablamos.
- Sonríe a los rostros conocidos.

El niño de 3 meses:

- Sentado, mantiene la cabeza derecha.
- Boca abajo se apoya en los antebrazos.
- Mira un objeto colocado sobre la mesa.
- Sostiene un sonajero con un movimiento involuntario.
- Vuelve la cabeza para seguir con la vista un objeto.
- Responde con una sonrisa cuando una persona, aunque sea desconocida, le sonríe.
- En la cuna, coge su sabanita y la atrae hacia sí.
- Se pone contento cuando ve el biberón o ve que le van a dar el pecho.
- Se mira las manos y juega con ellas.

El niño de 4 meses:

- Boca abajo mantiene las piernas extendidas.
- Boca arriba, levanta la cabeza y los hombros mediante tracción sobre los antebrazos.
- Sentado, toca el borde de la mesa.
- Mira un objeto pequeño colocado sobre la mesa.
- Boca arriba inicia un movimiento de prensión hacia un objeto.
- Mueve el sonajero que se le ha colocado en la mano mirándolo.
- Se tapa la cara con la sábana.
- Ríe a carcajadas.
- Cuando se le llama, vuelve la cara inmediatamente.

El niño de 5 meses:

- Se mantiene sentado con un ligero apoyo.
- Coge un objeto al ponerlo en contacto con su mano.
- Si le ofrecemos un segundo objeto, mantiene el primero en la mano, y mira el otro.
- Cuando se le ofrece un objeto, tiende su mano hacia él.

- Coge el sonajero si lo ponemos al alcance de su mano.
- Se destapa con movimientos de pataleo y se coge la pierna o la rodilla.
- Ríe y vocaliza al manipular sus juguetes.

El niño de 6 meses:

- Soporta parte de su peso cuando lo sostenemos de pie.
- Boca arriba, si le ponemos un pañuelo en la cabeza se lo quita.
- Coge los objetos colocados sobre la mesa a su vista.
- Golpea o frota la mesa con una cuchara.
- Puede coger dos objetos, uno en cada mano. Si le ofrecemos un tercero, se queda mirándolo.
- Puede permanecer sentado bastante tiempo con apoyo.
- Se coge los pies con las manos.

El niño de 7 meses:

- Se mantiene sentado sin apoyo durante un momento.
- Sentado con apoyo, se quita un pañuelo que le cubre la cabeza.
- Levanta por el asa una taza invertida.
- Es capaz de pasarse los juguetes de una mano a otra.
- Tiende la mano hacia el espejo, acariciando su imagen.
- Se mete los pies en la boca.
- Puede comer una papilla espesa con la cuchara.

El niño de 8 meses:

Se incorpora, hasta quedar sentados, haciendo una ligera tracción sobre los brazos.

- Boca abajo se quita el pañuelo que le cubre la cabeza.
- Al ofrecerle un tercer objeto, teniendo uno en cada mano, suelta uno de ellos y coge el tercero.
- Coge objetos pequeños utilizando ya el pulgar.
- Si se le cae un objeto, lo busca.
- Se voltea de la posición boca arriba a boca abajo.
- Juega a tirar sus juguetes al suelo.
- Golpea unos objetos contra otros.

El niño de 9 meses:

- Se sostiene de pie con apoyo.
- Sentado sin apoyo, se quita el pañuelo que le cubre la cabeza.
- Si situamos un objeto debajo de una taza colocada boca abajo, el niño levanta la taza y lo coge.

- Para coger objetos pequeños utiliza la pinza (pulgar e índice).
- Si le damos una campanilla la hace sonar.
- Sostenido por los brazos da algunos pasos.
- Hace algunos gestos: adiós, aplauso, etc.

El niño de 10 meses:

- De pie, estando apoyado, levanta y apoya un pie.
- Si le escondemos un objeto bajo un pañuelo, lo encuentra.
- Tras hacerle una demostración es capaz de meter un objeto en una taza y sacarlo después.
- En un tablero para encajar figuras, es capaz de sacar la pieza circular.
- Se pone de pie solo.
- Es capaz de beber en taza o vaso.

El niño de 12 meses:

- Anda sosteniéndolo de la mano.
- Puede coger un tercer objeto, sin soltar los dos primeros.
- Mete objetos dentro de un cubo u otro recipiente.
- En un tablero para encajar figuras, puede colocar la pieza circular tras una demostración.
- Puede hacer garabatos débiles después de una demostración.
- Estando de pie, se puede agachar para coger un juguete.
- Repite actos que han provocado risas.

El niño de 15 meses:

- Anda solo.
- Puede construir una torre con dos cubos.
- Puede meter objetos pequeños dentro de un recipiente.
- En el tablero de encajes, coloca la pieza circular sin necesidad de demostración, solo con pedírselo.
- Hace garabatos, también sin demostración previa.
- Puede subir escaleras a gatas.
- Señala con el dedo lo que quiere.
- Puede beber solo en taza o vaso.

El niño de 18 meses:

- Empuja la pelota con el pie.
- Puede construir torres con tres cubos.

- Sabe pasar las páginas de un libro.
- Puede sacar objetos pequeños de un recipiente.
- Sube la escalera de pie, aunque dándole la mano.
- Utiliza la cuchara.

El niño de 21 meses:

- Después de una demostración, da una patada a la pelota.
- Es capaz de construir torres de cinco cubos.
- Coloca los cubos en fila imitando un tren.
- Es capaz de encajar la pieza circular y la cuadrada.
- Baja la escalera cogido de la mano.
- Imita acciones sencillas de los adultos.

El niño de 24 meses:

- Puede darle una patada a la pelota, sin necesidad de demostración, solo con pedírselo.
- Construye torres de, al menos, seis cubos.
- Intenta doblar un papel en dos.
- Imita un trazo sin dirección determinada.
- En el tablero de encaje, puede colocar el círculo, el cuadrado y el triángulo.
- Es capaz de subir y bajar solo las escaleras.
- Ayuda a recoger sus juguetes.

El niño de 30 meses:

- Intenta sostenerse sobre un pie.
- Puede construir torres de ocho cubos.
- Construye un puente con tres cubos, si le hacemos antes una demostración.
- Imita trazos verticales y horizontales.
- Puede transportar un vaso de agua sin volcarlo, u otros objetos frágiles.
- Ayuda a vestirse y se puede poner solo sus zapatillas.

4. Objetivos relacionados con el desarrollo motor en la primera infancia

- Descubrir, conocer y controlar progresivamente su propio cuerpo, sus elementos básicos, sus características, valorando sus posibilidades y limitaciones para actuar de forma cada vez más autónoma en las actividades habituales.

- Observar y explorar activamente su entorno inmediato y los elementos que lo configuran y, con la ayuda del adulto, ir elaborando su percepción de ese entorno, y atribuyéndole alguna significación.

EDAD DEL GATEO		
Final del 12.º mes	Gateo firme y seguro	
Final del 11.º mes	Gatea sobre manos y rodillas con coordinación cruzada	
Final del 10.º mes	a) Se balancea sobre manos y rodillas b) Gatea incoordinadamente c) Consigue pasar de la posición de decúbito ventral a la de sentado a base de flexionar la cadera y torsionar el tronco	
Final del 9.º mes	«Marcha de boca»	
Final del 8.º mes	Fase de transición entre el 7.º y el 9.º mes	
Final del 7.º mes	a) Levanta un brazo de la base de sustentación por lo menos durante tres segundos b) Los brazos se colocan en postura de disposición al salto	
Final del 6.º mes	a) Con los brazos extendidos se apoya sobre la palma de la mano, más o menos abierta b) Si se levanta lateralmente la base de sustentación se abducen el brazo y la pierna del lado elevado (reacción de equilibrio)	
Final del 5.º mes	Interrumpe el apoyo en los antebrazos levantando los brazos y levantado un poco las piernas con las que hace repetidos movimientos de extensión («movimientos natatorios»)	
Final del 4.º mes	Apoyo firme sobre los antebrazos	
Final del 3.er mes	a) Levanta la cabeza entre 45 y 90.º b) Mantiene la cabeza levantada al menos un minuto c) Se apoya sobre ambos antebrazos d) Las caderas suelen estar discretamente extendidas	
Final del 2.º mes	a) Eleva la cabeza por los menos 45.º b) Mantiene la cabeza elevada al menos diez segundos	
Final del 1.er mes	Mantiene la cabeza levantada por lo menos 3 segundos	
Recién nacido	a) Gira la cabeza a un lado desde la línea media b) Extremidades totalmente flexionadas c) Movimientos reflejos de reptación	

EDAD DE LA SEDESTACIÓN		
Final del 11.º y 12.º meses	Mantenimiento firme del equilibrio en una sedestación permanente	
Final del 10.º mes	a) Se sienta desde la posición de decúbito dorsal, solo, apoyándose en los muebles b) Sedestación permanente: se sienta sin apoyo con la espalda recta y las piernas suavemente extendidas	
Final del 9.º mes	Se mantiene sentado sin apoyo por lo menos durante un minuto	
Final del 8.º mes	a) Desde la posición de decúbito dorsal tira con sus propias fuerzas hacia arriba cuando se le ofrecen los dedos b) Permanece sentado por lo menos durante cinco segundos con un único apoyo hacia delante	
Final del 7.º mes	a) Se da la vuelta activamente pasando del decúbito dorsal al ventral b) Juega con sus pies estando en decúbito dorsal (coordinación mano-pie)	
Final del 6.º mes	a) En la prueba de tracción flexiona ligeramente ambos brazos b) En sedestación mantiene un buen control de la cabeza al inclinar el cuerpo en todas direcciones	
Final del 5.º mes	a) En la prueba de tracción la cabeza se eleva manteniéndose en la prolongación de la columna vertebral b) En sedestación mantiene la cabeza erguida incluso cuando se inclina lateralmente el tronco	
Final del 4.º mes	Al hacer una tracción (levantando lentamente al niño hasta los 45.º) la cabeza y las piernas ligeramente flexionadas se elevan	
Final del 3.er mes	a) En posición sentada mantiene la cabeza erguida por lo menos durante medio minuto b) Al levantar al niño tomándolo horizontalmente en volandas la cabeza no cae hacia atrás	
Final del 2.º mes	En posición sentada mantiene la cabeza erguida por lo menos durante cinco segundos	
Final del 1.er mes	En decúbito dorsal mantiene la cabeza en la línea media por lo menos durante diez segundos	
Recién nacido	a) Posición lateral de la cabeza sin mostrar preferencia por uno u otro lado b) Patalea alternativamente, sin predominio de ningún lado c) Manteniendo al niño sentando levanta la cabeza repetidas veces durante un segundo	

EDAD DE LA PREHENSIÓN		
Final del 11.º y 12.º meses	Prehensión en tenaza: coge pequeños objetos con la yema del índice flexionado y el pulgar en oposición	
Final del 10.º mes	a) Prehensión en pinza, coge pequeños objetos con el índice extendido y el pulgar opuesto b) Hace chocar varias veces dos cubos entre sí	
Final del 9.º mes	Dejar caer objetos intencionadamente	
Final del 7.º y 8.º meses	a) Coge un dado en cada mano y los mantiene voluntariamente durante breve tiempo b) Es capaz de coger pequeñas fichas circulares con los dedos 2.º y 5.º y el pulgar extendidos, sin tocar la palma de la mano	
Final del 6.º mes	a) Coge con la mano sin titubear un juguete que se le ofrece b) Prehensión palmar: la hace con toda la palma de la mano y el pulgar extendido c) Se pasa un juguete de una mano a la otra	
Final del 5.º mes	Lleva la mano a un juguete y lo toca	
Final del 4.º mes	a) Manos predominantemente entreabiertas b) Las manos juegan mutuamente c) Se coloca juguetes en la boca (coordinación mano-boca)	
Final del 3.er mes	Mueve la mano entreabierta en dirección a un objeto que pende ante él	
Final del 1.er y 2.º meses	Fase de transición: las manos van abriéndose ligeramente cada vez con mayor frecuencia	
Recién nacido	a) Las manos permanencen predominantemente cerradas b) Evidente reflejo de prehensión palmar	

EDAD DE LA MARCHA		
Final del 12.º mes	a) Anda sujetándose a los muebles b) Da pasos hacia delante cogido de una mano	
Final del 11.º mes	a) Se coge de los muebles por sí solo para levantarse b) Movimientos alternantes de marcha sobre el propio terreno y hacia un lado c) Sostenido de las dos manos da pasos hacia delante	
Final del 10.º mes	Se mantiene en pie por sí solo, apoyándose en las manos	
Final del 9.º mes	Cogiéndose de las manos se mantiene de pie sosteniendo todo su peso por lo menos durante medio minuto	
Final del 8.º mes	Fase de transición, ver 7.º y 9.º meses	
Final del 7.º mes	Se mueve como un muelle hacia arriba y abajo cuando se le sujeta por el tronco y apoya sobre una base dura	
Final del 6.º mes	a) Extiende las piernas por las rodillas y un poco por las caderas con lo cual se mantiene el peso corporal por lo menos durante dos segundos b) Transitorio apoyo con toda la planta del pie	
Final del 5.º mes	Se apoya sobre las puntas de los pies	
Final del 4.º mes	Al tocar la base de sustentación desaparece la flexión de la pierna por presentarse una ligera extensión de la rodilla y de la articulación tibio-astragalina	
Final del 3.er mes	Toca la base de sustentación con las piernas flexionadas	
Final del 2.º mes	Fase de transición: desaparición progresiva de la reacción de apoyo y de la marcha automática	
Final del 1.er mes	Como en el recién nacido	
Recién nacido	a) Reacción primitiva de apoyo de las piernas: extensión de caderas y rodillas al colocar al niño de pie b) Al cambiar alternativamente el descanso del peso en una y otra pierna, movimientos de marcha automática	

5. La intervención educativa

La importancia y trascendencia que el desarrollo psicomotor tiene para el crecimiento integral de los niños justifica que los equipos educativos de las Escuelas Infantiles observen las conductas motoras de los niños y conozcan y pongan en prácticas estrategias específicas de actuación en los casos que lo requieran.

5.1. Estrategias y actividades

Las **estrategias de intervención** en el desarrollo motor infantil han de conjugar tres ámbitos de acción diferente pero a su vez, complementarios:

1. **Supervisión y diagnóstico médico del desarrollo de cada niño**: la primera responsabilidad por la protección de la salud del infante es del pediatra, que controlará la salud corporal y reclamará la colaboración del psicólogo en los casos en que la intervención de este último sea precisa.
2. **La educación de los padres o tutores**: la educación de los adultos que conviven con el niño pequeño es de importancia esencial en la regulación de su comportamiento social; los padres o tutores deben conocer los ritmos y etapas de desarrollo y estrategias elementales de intervención que en la Escuela Infantil han sido ajustadas a su hijo por los profesionales es determinante para que los niños puedan desarrollarse de manera satisfactoria.
3. **Los Maestros y el equipo educativo de las Escuelas de Educación Infantil**: han de conocer la problemática específica de cada niño que esté en el centro y establecer en el Proyecto Curricular de Centro qué medidas o estrategias de intervención se les va a facilitar a estos niños. En un nivel de concreción mayor, los maestros deberán realizar Programaciones con Adaptaciones Curriculares concretas y ajustadas a la problemática individual de cada niño y para ello deberán contar con la asesoría del Equipo de Orientación o Atención Temprana, que asimismo deberá buscar la colaboración con los padres para que la ayuda educativa sea lo más coherente y válida posible.

No obstante, el desarrollo motriz se incluye en el currículum ordinario y general de la educación infantil.

Algunos **juegos y actividades** podrían ser:

A) Movimientos básicos

- Locomotores: caminar, saltar, correr, trepar, deslizarse, galopar, jugar a volar, arrastrarse, dar pasos gigantes, pequeños, pies juntos...
- Movimientos no locomotores: estirarse, retorcerse, golpear, empujar, tirar hacia sí, balancearse, inclinarse...

- Movimientos manipulativos: actividades que favorezcan los movimientos de presión: desgarrar, modelar, retorcer papeles, abrochar, atar, plegar, doblar, desdoblar...
- Movimientos expresivos: posturas, gestos, expresiones faciales, actividades de imitación.
- Movimientos interpretativos: ejecutar acompañamientos musicales, movimientos rítmicos creativos combinando movimientos locomotores y no locomotores.

B) Actividades de relajación

Primero, globalmente, después, por segmentos.

- "Somos hombres de trapo" (relajación).
- "Somos hombre de hierro" (contracción).
- "Somos de hielo y nos derretimos".
- "Somos marionetas a las que nos cortan los hilos".
- "Somos una hoja que cae".

C) Actividades de respiración

- Inflar globos.
- Soplar pañuelos para que no caigan.
- Inspirar y expulsar por la nariz.
- Inspirar y expulsar por la boca.
- Dirigir pequeños objetos a soplidos.
- Hacer pompas de jabón.
- Soplar con distintas intensidades y direcciones.

D) Actividades para el equilibrio

- Subir o bajar por escaleras o planos inclinados.
- Servir vaso de agua.
- Transportar objetos.
- Caminar sobre una línea trazada en el suelo progresivamente más fina.
- Caminar sobre una cuerda, un pequeño banco...
- Saltar sobre un pie.

- Pollito inglés.
- Adoptar posturas variando el punto de apoyo.

E) Actividades de ubicación en el espacio

- Juegos de reconocimiento de posiciones con el cuerpo: ponte arriba, dentro...
- Caminar en diferentes direcciones.
- Interpretar canciones de posiciones.
- Juegos de reconocimiento de posiciones de objetos.

F) Ejercicios con ambas partes del cuerpo

- Reconocer la mitad derecha/izquierda.
- Tocarse el ojo derecho/izquierdo.
- Tocarse la oreja derecha/izquierda.

G) Educación manual

Esta comprende:

- Adiestramiento de ambas manos:
  * Apretar globos poco hinchados.
  * Rasgar y arrugar papeles.
  * Amasar.
  * Lavarse las manos.
  * Doblar papeles.
  * Abrir y cerrar cremalleras.
  * Abrochar.
  * Aplaudir.
  * Enroscar...
- Ejercicios con las partes que componen las manos:
  * Tocar teclados.
  * Movimientos con el pulgar.
  * Marionetas de dedos.

  * Ejercicios de rotación de muñecas: bailar sevillanas.
  * Extender y encoger los dedos.

- Ejercicios de coordinación óculo-manual: se trata de ejercicios en los que vamos a trabajar la habilidad de la mano dominante:
  * Juegos con raqueta.
  * Pescar objetos.
  * Tirar a dianas.
  * Tirar pelotas.

H) Ejercicios de ritmo

- Escuchar canciones y moverse al ritmo libremente.
- Parar y moverse ante ritmos dados.
- Reproducir ritmos iniciados por el profesor o un compañero.
- Explorar con instrumentos musicales o de percusión.

I) Intervención educativa para favorecer el desarrollo de la locomoción

Conviene recordar que nunca hay que forzar la sedestación y la marcha; se debe esperar a que el grado de madurez del niño lo permita. En primer lugar es preciso actuar sobre los reflejos tónicos de hipertensión de los miembros e hipotensión del tronco, y aprovechar los momentos en que el niño está despierto para:

- Frotar los brazos desde los hombros hasta las manos, y las piernas desde los muslos a los pies, varias veces, así como moverlos en dirección arriba-abajo, dentro-fuera, flexiones de codos y rodillas.
- Apoyar al niño sobre el vientre y llamar su atención hablando, o con algún objeto, para que levante la cabeza.
- Promocionarle juguetes de arrastre.
- Darle cajas grandes para entrar y salir.
- Pasar caminos que se van estrechando hasta llegar a la línea.

5.2. Recursos

El primer recurso son los espacios y elementos comunes de la vida diaria: el patio, dependencias escolares, el parque, el campo.

Otro recurso de carácter general de la máxima rentabilidad educativa es el juego.

Como **materiales más específicos** podemos citar:

- Terreno con montículos que determinen distintos niveles.
- Revestimiento de tierra o arena.
- Foso de arena.
- Zonas para columpios, balancines, estructuras de madera para trepar...
- Pistas para triciclos.
- Toboganes, balancines, columpios, trepas, anillas...
- Neumáticos.
- Carretillas, carritos.
- Túneles.
- Escaleras y rampas.

Requisitos que debe cumplir **el material**: es fundamental tener en cuenta el factor peligrosidad. Para ello hay que cuidar:

- La altura.
- Los materiales.
- El diseño.
- La seguridad de la instalación de elementos, en caso de que la necesiten.

También es importante que el material de exterior sea resistente a los cambios atmosféricos.

Material que puede utilizarse tanto en el interior como en el exterior del centro:

a) Grandes construcciones.

Son de plástico, de muy buena calidad, fáciles de construir, y presentan grandes posibilidades educativas en cuanto a desarrollo de la creatividad, la coordinación dinámica general y el trabajo en grupo.

b) Paracaídas.

Se trata de una tela ligera, circular, de 6,5 m de diámetro, de varios colores, que resulta muy útil para juegos colectivos.

c) Mecanos gigantes.

Con este tipo de construcción los niños pueden hacer montajes de juguetes y mobiliario de tamaño adecuado para poder ser utilizado por ellos mismos, como si se tratara de objetos reales.

Es un material muy resistente, que soporta perfectamente el peso de los niños. Las piezas son de plástico duro y de colorido muy atractivo.

d) Material para trabajar en la motricidad gruesa.

Respecto a este material existe mucha variedad, siendo el más recomendable el de plástico que tiene un colorido muy agradable. Este tipo de material permite ser combinado formando circuitos muy apropiados para desarrollo de la coordinación dinámica general. Los elementos de que se pueden componer son: ladrillos, aros, picas, tablas de equilibrio.

e) Toboganes y columpios.

Para los más pequeños se pueden encontrar toboganes para utilizar tanto en el exterior como en el interior e incluso en piscinas. Son de poliéster armado y están provistos de un reborde ancho para evitar el calentamiento de las manos.

f) Juegos modulares.

Permiten construir castillos donde los niños pueden escalar, refugiarse, arrastrarse, gatear, rodar...

TEMA 10

El desarrollo cognitivo: procesos, objetivos, actividades y recursos

Índice

1. Desarrollo cognitivo hasta los 3 años: teorías explicativas

Todas las grandes corrientes psicológicas tienen su visión del desarrollo y en particular del desarrollo cognitivo. A continuación exponemos aquellas más relevantes:

Los grandes enfoques en la explicación del desarrollo en general se centran en dos teorías explicativas, que inciden en la relevancia de los factores ambientales u orgánicos:

- Las **teorías ambientalistas** parten de las posiciones filosóficas del empirismo inglés representado por Locke (1632-1704) y Hume (1711-1776). Sus ideas sobre la mente humana se compendian en la conocida metáfora de Locke según la cual la mente humana, en el momento del nacimiento, se puede comparar a una pizarra en blanco, a una tábula rasa. Será la experiencia que el niño adquiere en contacto con el medio, la estimulación que recibe, lo que determinará en todo momento los contenidos del psiquismo. "Nada hay en la inteligencia que no haya pasado antes por los sentidos". Doscientos años después de la muerte de Locke se encontrarán en Psicología posiciones que defenderán que la historia psíquica del individuo no es otra cosa que la historia de sus experiencias, sus aprendizajes, como suelen sostener los psicólogos de orientación conductista.

  Estos enfoques han aportado poco a la explicación del desarrollo salvo posiciones muy evolucionadas que resaltan los moldeamientos y condicionamientos sociales, como Bandura.

- Las **teorías organicistas**. Desde el continente europeo las cosas se ven de modo distinto, como muy bien ilustran las posiciones de Rousseau (1712-1778) y Kant (1724-1804). Ambas defienden la existencia de determinadas características innatas del ser humano, ya se refieran a la bondad natural del niño (el naturalismo de Rousseau) ya a las categorías innatas del pensamiento (el idealismo de Kant).

  Aquí el énfasis se pone en procesos internos mucho más que en los estímulos externos (que, por lo demás, son considerados muy importantes). El desarrollo psicológico no ocurre de cualquier manera, no es un proceso indeterminado que cada sujeto recorra de manera completamente diferente a otro. Existe una cierta «necesidad evolutiva» que hace que el desarrollo pase en todas las personas por unos determinados estadios que constituyen auténticos universales evolutivos de nuestra especie. Por otro lado, quienes se mueven en esta óptica utilizan conceptos que como el de estructura, por ejemplo, implican la inferencia de realidades cuya existencia no puede ser desde luego cuantificada.

Analizaremos a continuación los principales postulados teóricos.

1.1. Teoría psicogenética de J. Piaget

Piaget se formó como biólogo y se interesó en los procesos de adaptación de un organismo al entorno. A través de la observación rigurosa, principalmente de sus tres hijos, elabora una teoría completa que da cuenta de las estructuras, contenidos, función, mecanismos y etapas del desarrollo cognitivo.

Para él, las etapas del desarrollo intelectual pueden explicarse basándose en los conceptos de desarrollo biológico y evolución que subyacen en sus teorías.

Para Piaget, el desarrollo infantil sigue una serie de etapas con un orden invariable. Considera que las edades pueden variar, pero el orden será inexorablemente el mismo.

Este autor se interesa fundamentalmente por el proceso de construcción de estructuras mentales. Para él, el proceso de construcción del conocimiento es interno e individual, y se produce de manera esencial mediante el diálogo sujeto-objeto, el cual obedece a una realidad interna de la mente.

Otro aspecto importante del pensamiento de Piaget es que los niños plantean una serie de "experimentos" activos sobre su entorno y como resultado elaboran un punto de vista personal sobre el mundo, aunque resta valor a la mediación social, que para él no es un factor determinante.

Los conceptos clave para la comprensión de la psicología piagetiana son los siguientes.

A) Estructuras

Las estructuras son propiedades organizativas de las acciones mentales inteligentes, reglas de pensamiento, no observables ni comunicables, deducidas a través de la observación del comportamiento. Piaget, aplicando la lógica, postuló la existencia de tres estructuras mentales, a las que se accede progresivamente y que explican la capacidad de adquirir determinadas nociones en cada momento evolutivo.

Las dos estructuras relacionadas con la etapa educativa de educación infantil son:

1. **Grupo de desplazamientos**: se consigue al final de la etapa sensoriomotora y se caracteriza por la capacidad incipiente de actividad sobre objetos que no están presentes, representados por otros, por gestos o por palabras, y que puede realizarse en dos direcciones (Reversibilidad de las acciones).

2. **Operatividad concreta**: se accede ya muy a finales de la etapa de infantil (6/7 años al término del periodo preoperatorio). La característica más notable es la reversibilidad mental. Las acciones se convierten en operaciones. Una **operación** es para Piaget una acción interiorizada y reversible. Ej.: Ante un proceso de transformación, como una bola de plastilina convertida en salchicha, el niño es capaz de realizar mentalmente la acción inversa, rehacer la bola, y darse cuenta de que la transformación ha variado la forma pero no la cantidad.

3. La tercera estructura, la de la **operatividad formal**, se caracterizará por la doble reversibilidad y queda ya muy lejos del alcance de nuestra etapa educativa (después de los 12 años).

Las unidades básicas de las estructuras son los esquemas. Un **esquema** es una estructura, un "todo" organizado. Constituye un conjunto de elementos mutuamente dependientes, que en contacto con el medio y a través de las experiencias va modificándose incorporando las variaciones fruto de las experiencias.

Los esquemas primitivos son simples (Ej.: succión) pero poco a poco se van haciendo más complejos (agarre de la succión, giros de cabeza, succión de pezón, tetina, chupete...).

Los esquemas, a su vez, se pueden combinar, dando lugar a otros más complejos (agarrar + empujar para abrir una puerta cerrada) y también se pueden generalizar (el esquema rodar se aplicará a todas las cosas redondas que pueden ser puestas en movimiento).

B) Mecanismos del desarrollo

Una noción preliminar importante es la de las **invariantes funcionales**. Piaget declara que existen características universales del cambio evolutivo, cambios cognitivos y mecanismos del cambio cognitivo comunes a todo ser humano normal. A partir de la observación de las diferencias individuales, y por encima de ellas, llegamos a obtener generalizaciones universales.

Adaptación, acomodación, asimilación

El desarrollo cognitivo es un aspecto más en el proceso de adaptación de los individuos y la especie al entorno. Tomado de las ciencias naturales, el concepto de adaptación se aplica tanto a procesos biológicos como mentales.

Esta adaptación es interactiva, no mecánica, ni pasiva, ni unidireccional; es dinámica, siempre en busca de restablecer el equilibrio (equilibración). Tiene dos caras: cambios que se producen en el individuo para adaptarse (acomodación) y cambios que el organismo produce sobre el medio (asimilación).

En palabras de Juan Delval, gran divulgador de Piaget:

- **Adaptación**: intercambio del organismo con su medio, con modificación de ambos para producir el equilibrio.
- **Asimilación**: acción del individuo sobre el medio, con incorporación real o simbólica de este y modificación del mismo para poder incorporarlo.
- **Acomodación**: modificación del organismo, desencadenada por efectos del medio, que tiene como fin incrementar la capacidad de asimilación del organismo y en definitiva de la adaptación.

El niño tiene una noción de padre como adulto que juega con él, le da caramelos, lleva pantalones y fuma *Ducados*. Un día el padre lleva al niño a la escuela infantil en coche (la madre lo llevaba andando). El niño incorpora (asimila) un nuevo concepto: padre conduce coche. Pero a su vez cambia su concepto de padre (se acomoda) para integrar el nuevo conocimiento. Tal vez no solo cambie el de padre, sino el de madre como exclusiva llevadora de niño a la escuela.

Son pues los desequilibrios con el medio los que llevan al niño a actuar. Cuando se produce una modificación en el medio, externo o interno, se inicia una desadaptación y el organismo tiene que actuar para contrarrestarla y restablecer el equilibrio.

El principio de discrepancia y de resistencia a la realidad. Conflictos cognitivos

Las situaciones más apropiadas para el aprendizaje son las que difieren algo de las conocidas, y no aprende en situaciones idénticas a las pasadas ni en las totalmente discrepantes.

Sabemos calcular el área de un rectángulo. Calcular la de otro será aplicar el esquema directamente, no enriquece nada. Calcular la de un paralelogramo puede ser enriquecedora a partir de lo anterior. No lo sería si no supiéramos calcular ningún tipo de área.

Todo desarrollo está constituido por sucesivas equilibraciones que van desde el conocimiento sensoriomotor hasta la inteligencia formal.

Piaget resume el desarrollo como un proceso continuo de organización y reorganización de estructuras, de forma que cada nueva organización integra dentro de ella las anteriores.

1.2. Perspectiva histórico-cultural: la teoría de Vigotsky

La noción básica inicial es que el hecho humano no está garantizado por nuestra herencia genética, sino que el origen del hombre, el paso del antropoide al hombre y el del niño al hombre, se produce gracias a la actividad conjunta y se perpetúa y garantiza mediante el proceso social de la educación (en sentido amplio, no reducida a la escolar).

Vigotsky explica la génesis de los procesos psicológicos superiores, superando dualismos y reduccionismos simplistas, como fruto de desarrollo cultural, no solo del biológico que sí es la base de partida. Aunque parte del modelo del funcionamiento psíquico propuesto por el conductismo (E-R), lo reconstruye introduciendo un papel activo del propio sujeto, formulando un modelo triangular, en el que el sujeto aprende a condicionarse a sí mismo.

El proceso de mediación:

- **Mediación instrumental**. Si para Marx la actividad de nuestra especie se distingue por el uso de instrumentos capaces de modificar la naturaleza, a **Vigotsky** le preocupan más los cambios que el hombre provoca en su propia mente.

  Son instrumentos psicológicos todos aquellos cuyo uso sirve para ordenar y reposicionar externamente la información, de modo que el sujeto pueda escapar de

la dictadura del aquí y ahora y utilizar su inteligencia, memoria y atención en una representación cultural de los estímulos que podemos operar cuando queremos en nuestra mente y no solo cuando la vida real nos los ofrece: nudo en el pañuelo, moneda, regla, semáforo, agenda, y sobre todo los sistemas de signos fonéticos y gráficos (**lenguaje**).

- **Mediación social**. La mediación instrumental converge en otro proceso de mediación que la hace posible y sin el que el hombre no habría desarrollado la representación externa con instrumentos. La mediación instrumental interpersonal, entre dos o más personas que cooperan en una actividad conjunta es lo que construye el proceso de mediación que el sujeto pasa a emplear más tarde como actividad individual.

  Esta ley de la doble formación (mediación instrumental y mediación social) explicaría tanto el desarrollo de las funciones psicológicas superiores en la historia del hombre, como el desarrollo de estas mismas funciones en el devenir de un niño concreto en una cultura determinada. Vigotsky analiza la actividad conjunta padre-hijo y la interacción entre ambos señalando que el adulto impone al niño el proceso de comunicación y representación aprovechando las acciones naturales de este.

  Este proceso de mediación gestionado por el adulto permite que el niño disfrute de una conciencia, una memoria, una atención, unas categorías, una inteligencia, prestadas por el adulto, que suplementan y conforman paulatinamente su visión del mundo y construyen poco a poco su mente, que será así, durante bastante tiempo, una mente social que funciona en el exterior y con apoyos instrumentales y sociales externos. A medida que esa mente externa y social va siendo dominada con maestría y se van construyendo los correlatos mentales de los operadores externos, esas funciones superiores se van interiorizando y conformando la mente del niño.

Así pues, para Vigotsky, en el proceso de construcción del desarrollo psicológico, construido por el niño en interacción con los adultos y compañeros, destacan dos principios:

1. La construcción del psiquismo, que va de lo social a lo individual, es un proceso que se desenvuelve desde fuera hacia dentro. Aprende a usar el lenguaje en la comunicación con los otros antes de ser capaz de utilizarlo para la reflexión.
2. Para este autor, no todo aprendizaje, ni cualquier tipo de interacción social dan lugar a aprendizaje, sino solo aquellos que se sitúan en los que él denomina la "**zona de desarrollo próximo**", que está constituida por "la distancia entre el nivel real de desarrollo, determinado por la capacidad de resolver independientemente un problema y el nivel de desarrollo potencial determinado a través de la resolución de un problema bajo la guía de un adulto o en colaboración con otro compañero más capaz" (Vigotsky, 1978).

El desarrollo del niño no transcurre de forma regular. Unos periodos son de cambio relativamente lento y gradual, mientras en otros, el cambio se produce a saltos: ciertos rasgos psíquicos desaparecen y surgen otros, que en ocasiones hacen el niño irreconocible hasta para sus familiares cercanos.

Estos periodos se llaman "**Crisis de desarrollo**".

Exceptuando la crisis del nacimiento, que tan bruscamente cambia las condiciones de existencia del recién nacido, las crisis de desarrollo son las siguientes.

A) **Desarrollo psíquico del niño en la primera infancia (primera crisis) 0-1 años**

Aparecen los reflejos incondicionados.

La particularidad principal del recién nacido es su capacidad ilimitada para asimilar nuevas experiencias y adquirir las formas de comportamiento que caracterizan al ser humano.

Cuando las necesidades físicas y orgánicas son satisfechas, el niño experimenta nuevas necesidades, que son la base del desarrollo psíquico.

Es muy importante la relación con el adulto, ya que este satisfará sus necesidades orgánicas. Además el contacto emocional repercutirá en su desarrollo. En las actividades realizadas conjuntamente se favorecerá la capacidad de imitar.

B) **Infancia temprana (segunda crisis) 1-3 años**

Las conquistas más importantes que marcan su desarrollo cognitivo son:

- Andar erguido: al finalizar el primer año, el niño da sus primeros pasos, lo que le confiere mayor libertad y cierta autonomía, ello le permitirá conocer mayor número de objetos y aprender a manejarlos.
- Desarrollo de la actividad objetal: realiza manipulaciones complejas con los objetos, aprende ciertas acciones que le enseña el adulto, puede trasladar a un nuevo objeto la acción aprendida.

  Ello conlleva una nueva actitud hacia el mundo de los objetos, que comienza a aparecer no como simples cosas sino como objetos con un destino determinado y una forma concreta. El niño asimila el significado permanente del objeto y el destino que la sociedad le ha conferido.

- Desarrollo del lenguaje: el desarrollo del lenguaje se produce porque el niño perfecciona su comprensión del mismo y a la vez desarrolla su propio lenguaje.

  Su desarrollo mental durante esta etapa se apoya en nuevos tipos de acciones perceptivas y mentales. Por medio de la comparación de las propiedades de los objetos y de acciones orientativas externas el niño pasa a la correlación visual de las propiedades de los objetos.

1.3. Teoría del procesamiento de la Información

Dentro de la impronta cognitiva, y siguiendo el símil del ordenador, estas teorías recuperan el estudio de los procesos cognitivos básicos por los que adquirimos, almacenamos, procesamos y utilizamos la información. Se propone pasar del concepto de aprendizaje como cambio conductual al aprendizaje como adquisición y organización del conocimiento.

Tópicos de trabajo son los esquemas, la representación y función de los esquemas en la memoria, aprendizaje mediante esquemas, etc.

En los últimos años observamos la aparición de aplicaciones de esta aproximación al desarrollo cognitivo infantil, con artículos con títulos como *Procesamiento de información en bebés.*

En este apartado podemos incluir el modelo de Gagne, y en España, M.ª José Rodrigo ha difundido e investigado ampliamente sobre este enfoque.

1.4. Teoría del modelo ecológico

El paradigma cognitivo explicaba el aprendizaje desde una perspectiva individual, pero no era suficiente para responder a los interrogantes sobre los procesos en el aula. El objeto de estudio para esta corriente es la influencia del contexto en la interacción del individuo con su medio, que es considerada la fase del aprendizaje, como forma de adaptación al mismo.

Sus métodos proceden de la Etnografía y los principales defensores de este modelo son Bronfenbrenner, Hamilton, Feuerstein y McMillan.

El paradigma contextual atiende a:

a) La interacción entre las personas y su medio como base de continuo proceso de aprendizaje.

b) Los distintos contextos de los que participa el sujeto y de sus relaciones entre ellos.

c) Las percepciones, creencias, pensamientos y actitudes, que, si bien no son directamente observables, son reveladoras de la naturaleza de los integrantes del aula.

El alumno no es considerado individualmente, sino como integrante de distintos subsistemas, influye y es influido por el resto de los agentes.

El papel del profesor es proporcionar unas condiciones en el contexto que potencien al máximo las interacciones, generar expectativas y favorecer un clima natural en el que todos se sientan confiados.

Para Bronfenbrenner todos los aspectos del entorno, tanto físicos como sociales, se configuran como un sistema global del cual forma parte el sujeto.

Introduce varios niveles de análisis:

- **Microsistema**: unidad de análisis más elemental que se refiere al entorno más inmediato del niño: hogar, escuela infantil, lugares donde interactúa.
- **Mesosistema**: unidad de análisis más amplia donde se consideran las interrelaciones de dos o más entornos en los que el sujeto participa activamente: escuela y familia.
- **Exosistema**: alude a entornos más amplios en los que el sujeto no participa directamente pero le afectan de formas más indirectas, como por ejemplo el mundo laboral de los padres.
- **Macrosistema**: es el entorno cultural que envuelve a todos los demás entornos. Comprende el conjunto de valores, creencias, traiciones, expectativas sociales...

2. Etapas en el desarrollo cognitivo: características y momentos más significativos

Planteadas las distintas posiciones teóricas educativas, entramos a continuación en la descripción y explicación del desarrollo cognitivo siguiendo básicamente la **teoría genético-epistemológica y constructivista de Jean Piaget** y la Escuela de Ginebra, que a pesar de críticas y limitaciones, sigue siendo referencia obligada en cualquier estudio del desarrollo cognitivo.

El desarrollo cognitivo se produce según la sucesión de las siguientes etapas.

- 0 a 18-24 meses: **etapa sensomotora**.
- 2 a 6/7 años: **estadio preoperacional**.
- 7 a 12 años: **operaciones concretas propiamente dichas**.
- 12 años en adelante: **operaciones formales**.

A continuación, abordamos las características generales más relevantes de las etapas incluidas en el periodo de la educación infantil (0-6).

2.1. Estadio sensoriomotor (0-2 años)

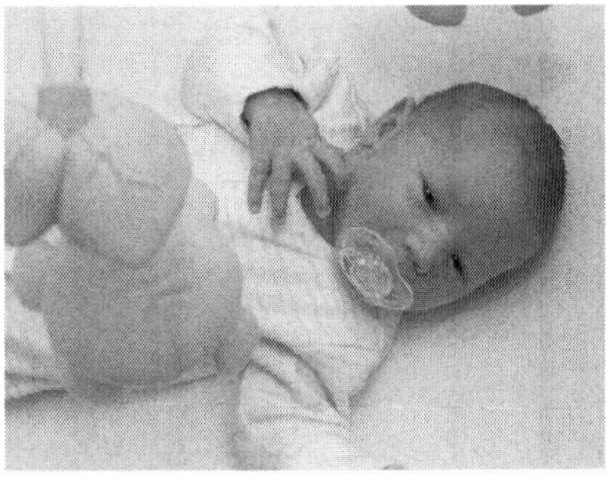

El periodo sensoriomotor comienza conectando con el mundo a través de los reflejos innatos.

Estos constituyen los primeros esquemas desde los que el niño irá progresando hacia conductas más evolucionadas a través de las continuas interacciones con el mundo físico y social.

Lo que utilizamos para describir la inteligencia en los dos primeros años es su actividad sensoriomotriz y su percepción de ella. Se divide en 6 estadios:

A) Estadio de los reflejos (1.er mes)

Es el estadio de los esquemas sensoriomotores predispuestos (succión, sueño, etc.). Se caracteriza por el uso de los reflejos. El recién nacido se comunica con su entorno a través de sus reflejos innatos.

B) Estadio de las reacciones circulares primarias (1.er- 4.º mes)

Se forman patrones de hábitos simples. Lo más importante son las reacciones que producen un efecto placentero y las repite (reacciones circulares). Están relacionadas con su propio cuerpo (primarias). Suponen el comienzo de la coordinación de un esquema con otros: visión-audición; succión-prensión, visión-prensión... (Ej. chuparse el dedo, balbucear).

C) Estadio de las reacciones circulares secundarias (4.º- 8.º mes)

Se habla de secundarias porque se hacen en relación con los objetos. Se incorporan esquemas ya existentes en el estadio anterior a objetos nuevos. Es el principio de la actividad intencional (Ej.: chupar chupete, apretar muñeco, mirar móvil de cuna, agitar el sonajero para escuchar el sonido,…).

Se dará, así mismo, la imitación de algunas conductas simples que ve en los modelos y la permanencia del objeto. En este momento evolutivo es capaz se saber si el objeto está y lo busca. Esta conquista implica que se empiezan a introducir las primeras relaciones medios-fines: Por ejemplo: *el niño levanta una servilleta (medio) para conseguir el objeto que hemos escondido debajo (fin).*

D) Estadio de coordinación de esquemas secundarios (8.º- 12.º mes)

El niño coordina las acciones de las reacciones circulares secundarias. Utiliza esquemas conocidos en situaciones nuevas y además combina esquemas para producir el resultado deseado.

Ej.: El niño posee el esquema de "agarrar" y el de "empujar" y ambos combinados (coge la mano de su madre y la empuja para tocar el timbre, que es el fin que desea).

Las conductas de este periodo son intencionales. Ejercita deliberadamente un esquema como medio para el ejercicio de otro. El juego y la imitación se convierten en actividades netamente diferenciadas de la inteligencia adaptada.

E) Estadio de las reacciones circulares terciarias (12.º- 18.º mes)

Se produce la búsqueda de medios nuevos por diferenciación de los esquemas conocidos. A estas reacciones se las ha llamado también "experimentos", el niño empieza a hacer experimentos con las cosas (Ej.: intenta encajar un cubo dentro de otro). No solo hay una permanencia del objeto, sino también una sucesión (Ej.: el niño sabe que detrás de una cosa va otra. Cómo después de ponerse el abrigo se sale a la calle). Estos procesos de experimentación son el preludio del pensamiento concreto.

Se producen gracias a una intensificación en las relaciones con el mundo exterior, gracias en parte a la marcha. Aprende por ensayo-error, buscando la forma más eficaz de alcanzar un objetivo.

F) Estadio de las combinaciones mentales (18.º- 24.º mes)

En este periodo todo lo sentido y percibido está ligado a la acción. Su cuerpo no se desliga del entorno. Al finalizar el primer año, el niño será capaz de acciones como: volverse para alcanzar un objeto, utilizar objetos como instrumentos o soporte para conseguir sus objetivos, etc.

Comienzan a representar objetos a través de imágenes mentales, y por lo tanto de objetos que no están presentes.

La aparición de la función simbólica se manifestará en: la imitación diferida, el juego simbólico, el uso del dibujo, las imágenes mentales y el lenguaje.

2.2. Estadio Preoperacional (2-6 años)

En este periodo se produce una importante transformación de la inteligencia, de sensorial o práctica se transforma en pensamiento propiamente dicho gracias al lenguaje, es decir, a la función de representación o función simbólica (también llamada semiótica).

Con el lenguaje adquiere la capacidad de reconstruir sus acciones pasadas en forma de relato y de anticipar sus acciones futuras mediante la representación verbal.

Las consecuencias inmediatas son tres:

- Intercambio entre individuos: socialización.
- Interiorización de la palabra: pensamiento.
- Interiorización de la acción: experiencias verbales.

Desde el punto de vista afectivo, estas transformaciones llevan consigo evoluciones sucesivas: desarrollo de sentimientos interindividuales (simpatías, antipatías, respeto...), y de forma más estable que durante los primeros estadios.

El pensamiento debe adaptarse paulatinamente a las realidades nuevas que descubre.

Las nuevas experiencias se insertan en los esquemas ya existentes transformando a su vez estos. Este mecanismo se repite en todos los estadios. Las asimilaciones y acomodaciones se van haciendo cada vez más complejas a medida que avanza su edad.

Características del pensamiento preoperacional

El pensamiento preoperacional se puede definir también como **pensamiento prelógico o preconceptual**, ya que en los inicios de la inteligencia representativa el niño está lejos de alcanzar los conceptos propiamente dichos. Está a medio camino entre la generalidad propia del concepto y la individualidad de los elementos particulares. No posee aún una idea de una clase general, pues no es capaz de articular "una clase entera" (todos los elementos) con una subclase (algunos elementos).

Piaget habla también de transducción. El **pensamiento transductivo** es un concepto acuñado por Stern y se trata de un razonamiento que va de lo particular a lo particular y procede con analogías inmediatas. No es lógico, ni inductivo ni deductivo. El niño se centra en un aspecto saliente de una situación (que le interesa) y saca una conclusión relativa a otra situación asimilando indebidamente ambas situaciones. Ej.: Si "A" es igual a "B" en un sentido, A es igual a B en todos los sentidos.

Los modos de **pensamiento son intuitivos**: a partir de los 4 años, una nueva estructura cognitiva se hace accesible por la posibilidad de entablar con el niño una conversación continuada y de proponerle breves experiencias en las que manipule objetos diversos, y es a través de ello como inicia la mayoría de las experiencias que intervienen en la estructuración de las diferentes categorías del conocimiento.

Los rasgos que caracterizan el pensamiento preoperacional se pueden sintetizar en:

A) Ausencia de equilibrio

Piaget caracteriza el desarrollo de la inteligencia como un equilibrio cada vez mayor entre la asimilación y la acomodación.

El pensamiento preoperatorio carece de equilibrio estable entre ambos mecanismos. Es un pensamiento inestable, discontinuo, mutable y que al mismo tiempo puede centrarse de manera extrema en los intereses subjetivos del momento.

B) Experiencia mental

Para Piaget, el pensamiento preoperatorio es como "una verdadera experiencia mental", es decir, una replicación paso a paso de las acciones concretas. Aunque representativo, es una manera de aprehender la realidad que tiende a estar más cerca de acciones y sus resultados que de construcciones más abstractas y esquemáticas.

C) Centración

Una de las características más pronunciadas es la tendencia a centrase en aspectos de alguna situación desechando otros y provocando con ello una deformación del juicio o razonamiento. Ej.: El niño centra su atención en la altura de dos vasos de agua, olvidando considerar la anchura de los recipientes, para afirmar que el vaso que tiene mayor altura es de mayor capacidad.

D) Irreversibilidad

El niño percibe los cambios en una sola dirección. No es capaz de volver mentalmente sobre la situación previa. Las cogniciones preoperatorias al estar próximas a las acciones y la realidad concreta, y al ser una serie de experiencias sucesivas con dificultad de una organización de conjunto, carecen de esta movilidad propia de los actos mentales reversibles.

No tiene reversibilidad porque carece de flexibilidad mental.

Ej.: En el ejemplo anterior, no podría imaginar que el líquido es el mismo, después de pasarlo a otro recipiente de distinta forma, por ello, cuando vuelva al recipiente originario, la altura será la misma.

E) Estatismo

El pensamiento preoperatorio tiende a fijarse en las configuraciones perceptivas, en los estados más que en las transformaciones. Esta imposibilidad de considerar los cambios y las transformaciones fue desarrollada por Piaget e Inhelder, a través de un estudio con niños de 4 a 6 años, en el que demostraron la dificultad de estos para representar las transformaciones. Ej.: las rotaciones, o los pasos del tiempo.

F) Concreción

Está vinculado a las cosas concretas y específicas que tiene delante. Le resulta imposible imaginarse un objeto que no conoce.

G) Yuxtaposición

El niño es incapaz de hacer de las explicaciones un todo coherente. Tiende a ofrecer afirmaciones fragmentadas e incoherentes entre las que no existen ni conexiones causales o temporales ni relaciones lógicas.

H) Egocentrismo

Es la tendencia a tomar el propio punto de vista como único referente. El niño percibe la realidad a través de su propia persona, sus vivencias, sus características, necesidades, intereses, propiedades, etc.

El egocentrismo además se manifiesta en la etapa de las operaciones formales (adolescencia). El tipo de egocentrismo es distinto en cada etapa.

El niño preoperacional no tiene claro la diferencia entre el "yo" y el "no-yo". Se da una ausencia del sentido interindividual. Este egocentrismo se manifiesta en el lenguaje: habla en primera persona, se nombra primero que los demás, no persigue comunicarse.

Su punto de vista es el único referente; su lógica "porque sí", "porque me gusta" es muestra clara de egocentrismo.

También le impide la introspección y la conciencia está dirigida hacia el exterior.

El término *egocentrismo* en la concepción piagetiana comprende muchas variedades y las principales manifestaciones se pueden sintetizar en:

- Confusión del pensamiento propio con el de los demás y con las cosas:
  * Dificultad para ser consciente del propio pensamiento.
  * Indiferenciación entre el yo y el mundo exterior.
- Tendencia a centrarse en el propio punto de vista:
  * Dificultad para distinguir el punto de vista de los demás (en el campo social y cognitivo).
  * Tendencia a asimilar los datos a los esquemas de actividad propia.

En general, antes de los 6-7 años los niños muestran una dificultad importante (que justifica en gran medida sus comportamientos egocéntricos), que es la de diferenciar con claridad el propio yo del mundo exterior.

Esta dificultad se concreta en las siguientes formas:

- **Fenomenismo**: tendencia a establecer un lazo causal entre fenómenos que son vistos como próximos por los niños. Ej.: creer que las ganas de dormir bastan para que llegue la noche.
- **Finalismo**: cada cosa tiene su función y una finalidad que justifica su existencia y sus características. Ej.: pensar que existen montañas grandes para dar grandes paseos y cortas para excursiones breves.
- **Artificialismo**: las cosas son consideradas como el producto de la fabricación o voluntad del hombre. Ej.: pensar que los ríos más largos los ha hecho el hombre.
- **Animismo**: tendencia a percibir como vivientes y conscientes cosas inertes.

  Pasa por 4 momentos:

  * Todo es consciente y tiene vida. Ej.: Un piedra está viva.
  * Solo son vivos los seres que se mueven. Ej.: bicicletas, viento, pero no las piedras.
  * Solo son vivos los cuerpos dotados de movimiento espontáneo: Ej.: Una bicicleta no está viva, pero sí el viento, las nubes.
  * Atribuye consciencia a los animales y personas solamente.

    Dentro de las concepciones animistas se incluyen variantes o matices que dan lugar a denominaciones diferenciales: el *intencionalismo* es una forma de animismo y consiste en dotar de intención a los objetos animados.
- **Realismo**: es la tendencia a atribuir existencia material y "objetiva" a fenómenos de carácter psicológico y subjetivo (sueños).

l) Sincretismo

Las representaciones del niño proceden de esquemas globales y subjetivos. No son fruto del análisis.

Las **manifestaciones** más específicas del pensamiento preconceptual son:

- *Imitación diferida y juego simbólico*. El niño empieza por imitar modelos en ausencia de estos, incluso días después de haberlo observado. El juego simbólico es un tipo especial de imitación diferida, en la que el niño reproduce algo ya observado adaptándolo a sus deseos.
- *Las imágenes mentales y el dibujo infantil*. Las imágenes mentales son las formas internas de representación que implican una verdadera reconstrucción de lo externo: el niño aporta a ellas su conocimiento previo, valores, etc.
- *Representación del mundo y comprensión de la causalidad*. El mundo y la causalidad son vistos por el niño de este período de manera que aún no se corresponde con la realidad objetiva.

Al final de esta etapa la inteligencia del niño es preoperatoria, que se diferencia de la sensoriomotriz en los siguientes aspectos:

- La inteligencia sensoriomotriz relaciona las acciones y percepciones de una en una, mientras que la inteligencia operatoria, gracias a la capacidad simbólica, es capaz de considerar simultáneamente diferentes acontecimientos y situaciones.
- La inteligencia sensoriomotora tiende a la satisfacción práctica, pero no al conocimiento de la acción, por la ausencia de reflexividad en el pensamiento.
- La inteligencia sensoriomotora actúa directamente sobre los objetos y situaciones (a través de acciones y percepciones), mientras que la inteligencia preoperatoria establece una mediación sobre la realidad (a través de símbolos) y puede liberarse tanto espacialmente (mediante la evocación de algo que no está presente) como temporalmente (evocando el pasado o anticipando el futuro inmediato).
- La inteligencia sensoriomotora es privada, no puede compartirse, mientras que la inteligencia preoperatoria, al trabajar con representaciones, puede volverse socializada y compartida (gracias al uso de signos lingüísticos).

Flavell (1984) rectificando la visión "negativa" de Piaget señala las características "positivas" de la inteligencia preoperacional como:

- *Desarrollo de la comunicación y la información*: la creciente capacidad comunicativa le permite mejorar la transmisión y comprensión de mensajes. Se sirve además para el incremento del control conductual.

  Estas nuevas habilidades le convierten en más educable, entrenable y evaluable.

- *Adquisición de algunas invariantes cualitativas*: identidades y funciones.
  * Identidades: el niño comprende que algunas cosas permanecen iguales aunque cambie su forma, tamaño o apariencia en general (Ej.: Mantienen la identidad genérica: saben que siguen siendo niños aunque se vistan de niñas).
  * Funciones: el niño/a de esta edad es capaz de apreciar la relación o covariación que hay entre dos sucesos; que una cosa sucede cuando le precede otra, aunque le falta la concepción cuantitativa de la relación (Ej.: es capaz de dar más bolitas de comida a un pez grande, menos a uno mediano y menos aún al pequeño, entendiendo la relación cantidad-tamaño a pesar de que la proporcionalidad del reparto no sea totalmente correcta).

3. El conocimiento de la realidad

El conocimiento que de la realidad circundante tiene el niño en cada momento evolutivo estará en función de los datos obtenidos a través de las percepciones, las experiencias vividas en su interacción con la propia realidad y de su capacidad cognitiva para interpretar y organizar, es decir, de la etapa evolutiva en que se encuentre y de la estructura cognitiva correspondiente.

Esto implica que este conocimiento será cambiante y dinámico, en continua reinterpretación a medida que se obtienen nuevos datos, se experimentan nuevas situaciones y, simultáneamente, se avanza en la capacidad de organizarlos.

El conocimiento de la realidad se lleva a cabo a través de diferentes formas:

- **Conocimiento a través de la atención**: se produce desde los primeros momentos de la vida, sin embargo, la atención es limitada, muy inconstante y solo cuando los estímulos resultan de su agrado.

  A medida que las actividades se hacen más complejas y aumenta su desarrollo intelectual, la atención se vuelve más centrada y estable, siendo capaces de orientarla y dirigirla conscientemente hacia unos objetos determinados y de mantenerla concentrada en ellos.

- **Conocimiento a través de la percepción**: es un proceso activo de diferenciación e identificación que implica el conocimiento de la realidad.

  Implica el uso de los diferentes sentidos como fuentes de percepción.

- **Conocimiento a través de la memoria**: interacciona con la atención y percepción. Se desarrolla de manera muy significativa en la edad preescolar, aunque se trata de formas no voluntarias.

  Será en la Educación Infantil cuando aparecerán las formas voluntarias de memorización y reproducción, lo que supondrá un cambio cualitativo, en cuanto al uso de estrategias de organización y estructurar la información. Las estrategias más importantes son: repetición, organización y elaboración.

- **Conocimiento espacio-temporal**: el conocimiento progresivo de los espacios habituales (casa, colegio, barrio) son modelos de ambientes específicos que reciben el nombre de mapas cognitivos y le proporcionan un conocimiento sistemático de la realidad en distintos entornos.
- **Conocimiento de la realidad a través de la resolución de problemas**: las estrategias de búsqueda de soluciones, de aplicación de habilidades previamente adquiridas, así como la resolución a través del ensayo-error constituyen formas muy constructivas de conocimiento de la realidad.

Abordaremos ahora el **análisis evolutivo del conocimiento de la realidad**.

A) Periodo sensoriomotor

En este periodo se adquieren los esquemas de conocimiento, que son bloques constructivos de conocimiento que contienen información concerniente a distintos aspectos de la realidad en distintos niveles de abstracción. Funcionan a modo de hipótesis que orientan la búsqueda y selección de los datos, la estructuración de la experiencia y la forma en que adecuamos e interpretamos la información recibida.

Es posible diferenciar tres clases de esquemas para representar el funcionamiento del mundo social:

- **Esquemas de persona**: que incluyen información sobre las características personales de los otros y de sí mismo.
- **Esquemas de roles**: que las personas o grupos pueden desempeñar.
- **Scripts o guiones**: que especifican una secuencia de acciones conectadas casual y temporalmente que se produce en un contexto social determinado.

En este periodo se adquiere también la identidad sexual, que es la noción que el niño va adquiriendo sobre las características que le definen como perteneciente a uno u otro sexo; la identidad de género, que incluye además el conocimiento de los roles y características que la sociedad le asigna como propias de su sexo.

Al final de la etapa sensomotora ha conseguido los siguientes logros en el conocimiento de la realidad:

- **La permanencia de los objetos**: el niño concede existencia propia a los objetos que ya no son una mera prolongación del niño y de sus propias percepciones.
- **El control del espacio circundante**: el niño, gracias a la capacidad de representar los objetos, logra un importante control del espacio circundante caracterizado por la capacidad de realizar conductas de retorno, desvío y evitación de obstáculos.
- **La ordenación temporal**: da un primer paso en la difícil ordenación temporal, que le permite secuenciar acciones en función de un objetivo final. Ya no intenta coger directamente un objeto alejado abriendo y cerrando la mano, sino que realiza previamente las acciones intermedias necesarias.

- **El principio de causalidad**: la relación que va estableciendo con acontecimientos y experiencias le permiten diferenciar progresivamente entre su actividad y los acontecimientos exteriores y darse cuenta de las relaciones causales entre determinadas acciones y efectos.

B) Periodo preoperacional

Las percepciones se van haciendo más precisas, la adquisición del lenguaje va a posibilitar una capacidad de simbolización y relación cada vez más compleja, y que a pesar de las limitaciones de su razonamiento, le llevará al autoconcepto o identidad categorial.

Durante la etapa preoperatoria, el desarrollo de la representación mental define la forma de conocer la realidad; los conocimientos adquiridos en el plano de la acción serán reconstruidos a nivel representativo. Al explicar el desarrollo de la etapa hemos anticipado ya gran parte de los modos de conocimiento de la realidad; ahora incidimos de nuevo en ello procurando evitar repeticiones.

Los mecanismos por los que los niños van conociendo e interpretando la realidad son:

- **La experimentación y la resolución de problemas prácticos**. La curiosidad y tendencia a explorar y experimentar con la realidad próxima continúa desarrollándose en esta etapa, en la que una característica relevante es el "yo solo" (autonomía e independencia). Normalmente interesan los resultados finales y los efectos perceptivos más que la curiosidad por los procesos que conducen a los resultados.

  Al contrario de las conductas exploratorias, la resolución de problemas son situaciones en las que la finalidad es explícita.

- **Las interpretaciones de la naturaleza**. La interpretación de la naturaleza está sujeta a las características de pensamiento antes citadas, especialmente artificialismo y animismo. Aquí solo advertiremos que no siempre las explicaciones de este tipo dadas por los niños responden a una convicción real, a veces se debe a la falta de diferenciación clara entre situaciones de juego y realidad.

  No obstante, es clara la tendencia a dar explicaciones causales de tipo animista y artificialista cuando se encuentra con dificultades para establecer y explicar verbalmente relaciones coherentes causa-efecto, sin embargo, esta dificultad es mucho menor a través de material no verbal o cuando se trata de fenómenos familiares, motivantes y significativos.

- **Fantasía y realidad. Compresión de cuentos**. Durante toda la infancia los niños pasan mucho tiempo hablando de personajes imaginarios y se interesan extraordinariamente por los cuentos. Preguntan por brujas y fantasmas aunque añadan después: no existen. En realidad lo que existe y lo que no existe no aparece tan nítido en los niños como en los adultos.

  En principio los adultos diferenciamos claramente la realidad objetiva, la de las cosas que existen, de la fantasía o de la imaginación que construimos apoyada en la realidad objetiva, pero sin sujetarnos a sus leyes.

Pero la verdad es que también construimos la realidad (y la reconstruimos continuamente), mediante la interacción de nuestros instrumentos intelectuales en formación con un realidad exterior que suponemos que existe, pero que solo conocemos a través de estos instrumentos.

Pero además, a través del lenguaje y otras formas expresivas, podemos crear otras realidades, fantásticas, que sabemos que no corresponden a la realidad objetiva exterior pero que pueden resultarnos agradables, excitantes o placenteras.

Para el niño esta distinción no está tan clara y le cuesta diferenciar entre lo objetivo y lo subjetivo.

Al confundir las dos esferas (realidad y fantasía), los deseos muy intensos los puede confundir con realidades.

- **El conocimiento del mundo social**. El niño aprende de la regularidad, de la sucesión de acontecimientos con elementos comunes o que se repiten de forma semejante. Lo que el niño construye sobre el mundo social está formado por dos elementos fundamentales: nociones y normas.

  A partir de la regularidad de las primeras interacciones empieza a establecer anticipaciones sobre lo que va a suceder, a reconocer situaciones y a responder a ellas de determinada manera. Lentamente va formando nuevos esquemas que constituyen reglas acerca de lo que hay que hacer, respecto a otros y respecto a sí mismo. Estas reglas, en principio inconscientes, pronto incluyen expectativas hacia la conducta de los otros, que son también anticipaciones de la conducta de los otros y que cuando no se cumplen plantean un conflicto al sujeto. El círculo de reglas y expectativas se va ampliando.

  Aparecen también un tipo de reglas sobre lo que se debe hacer o no respecto a los otros, en principio basadas en la presión adulta, y que serán de dos tipos: convencionales y morales.

  Del mismo modo, las reglas sociales acerca de la propia conducta y la de los otros permitirán la creación de los primeros papeles sociales: madre, padre, hermano, maestro... que ejercitará en el juego simbólico.

  Y también, mediante el ensanchamiento de su campo de experiencias y de su capacidad para representarlas, organizarlas e interpretarlas adquirirá nociones de otras parcelas y aspectos de la realidad social: la escuela, la tienda, la familia, la ciudad.

4. Génesis y formación de los principales conceptos

Los conceptos básicos son dominios conceptuales sobre la cantidad, espacio, número, tiempo... son considerados por Bohem (1972) con el término "Concepto básico". Se

pueden incluir así mismo, todos aquellos que derivan de la experiencia directa e inmediata del niño con el entorno (naturaleza, personas, organización social...).

La adquisición de los conceptos estructura la mente del niño para hacerle comprender la realidad exterior, para hacerle posible el dominio de la misma. Este proceso se basa fundamentalmente en la experiencia, usando dichos conceptos en juegos y actividades, a veces por opuestos (cerca-lejos).

Bohem los clasifica en:

- **Espacio**: arriba-abajo; encima-debajo; delante-detrás, derecha-izquierda, cerca-lejos. Dentro-fuera... entre otros muchos.
- **Tiempo**: antes-después, nunca-siempre, pronto-tarde, en seguida, empezando-acabando, durante...
- **Tamaño**: grande-mediano-pequeño, alto-bajo, largo-corto, grueso, delgado, ancho-estrecho...
- **Cantidad**: entero-partido, más-menos, nada-poco-mucho, ninguno-alguno, lleno-vacío...

Los alumnos de Educación Infantil que, como sabemos se encuentran en la etapa preoperacional; en este momento evolutivo se encuentran ligados al mundo concreto. El profesor, por tanto, proveerá la clase de educación infantil con gran cantidad de material para que los niños accedan al conocimiento del entorno con interés y facilidad.

Conducir a los niños hacia la manipulación de objetos supone ir formándolos en la capacidad de abstracción, a través de la intuición, observación, experimentación y creatividad.

Cuando los niños han alcanzado un dominio aceptable en la manipulación de objetos, el profesor los irá introduciendo en la representación, a través del dibujo de dichas operaciones.

Piaget e Inhelder (1959) caracterizan los conceptos en términos de **clases** y **jerarquías**. Van a constituir una red organizada de conocimientos, construida por el niño a través de sus acciones que posibilitará la construcción de nuevos conceptos más complejos.

Desde una perspectiva evolutiva señalan que su adquisición sigue el siguiente orden.

A) Génesis y formación de la noción de objeto

La noción de objeto se refiere a la creencia de que los objetos y nosotros mismos coexistimos como entidades físicas distintas e independientes en un espacio común. Se adquiere a través de la experiencia durante el periodo sensoriomotor mediante una secuencia fija y universal de estadios evolutivos.

La evolución es la siguiente:

- **0-4 meses:** no hay constancia de que el bebé perciba los objetos como algo diferente de su propia actividad, el bebé seguirá un objeto que se mueve hasta perderlo del campo visual, por tanto, no hay constancia de búsqueda visual, así como tampoco la hay de que el niño posea una representación mental de que el objeto percibido existe cuando deja de haber contacto visual.
- **4-8 meses:** hay evidencias de que puede anticipar la trayectoria de un objeto extrapolándola de la dirección que ha seguido en movimientos anteriores (pone los ojos sobre un túnel por el que sabe que va a salir un tren que hace un circuito que ya ha visto). Es capaz así mismo de reconocer objetos familiares aunque solo vea un parte de ellos.
- La permanencia del objeto que se logra hacia los **6-8 meses**; antes, el bebé no es consciente de que cuando un objeto desaparece de su campo visual sigue existiendo.
- **Entre los 8 y 12 meses**: será capaz de recuperar objetos que le han sido ocultados, de forma que puede realizar sus primeras conductas de mediación (levantar un trapo para coger un objeto que está debajo).
- **Entre los 12 y 18 meses**: buscará el objeto de forma activa en el último lugar en el que lo vio desaparecer, sin embargo todavía persiste una limitación importante, que es la incapacidad de representación mental de los cambios de localización de los objetos.
- **Entre los 18 y 24 meses**: se desarrolla la capacidad simbólica que le posibilitará la representación de objetos no presentes así como de itinerarios desconocidos. Puede decirse que ha alcanzado plenamente el concepto de conservación de objeto.

B) Estructuración del espacio

La conquista de las nociones espaciales se alcanza a través de la exploración, desenvolvimiento y dominio del mismo.

Siguen la cronología expuesta a continuación:

- **0-6 meses:** existen espacios inmediatos vinculados a la boca, la vista, las manos y el espacio kinestésico, que se percibe con el propio movimiento y cambios posturales.

- **7-12 meses:** se inicia en la coordinación buco-táctil y visión-prensión gracias a la mejora de la prensión.

  Las posiciones y desplazamientos son concebidas de forma relativa en función de él mismo.
- **12-18 meses**: dominio de la marcha, exploración activa de objetos. Percepción de desplazamientos.
- **18-24 meses**: inicio de la construcción de la noción de espacio gracias a la construcción del objeto permanente. El medio es un entorno ordenado en el que los objetos, y él mismo tienen una ubicación.
- **2-6 años**: el concepto espacio se perfecciona. Su dominio mejora, se adquieren muchos términos espaciales que le ayudan a la expresión y comprensión de las nociones topológicas. La representación mental todavía es deficitaria.

C) Estructuración del tiempo

El tiempo en el periodo sensoriomotor es muy egocéntrico y se percibe en torno a las necesidades básicas. A lo largo de él aparecerán los primeros referentes espaciales que le permitirán ir ubicando acontecimientos próximos de forma ordenada:

- **0-3 meses:** tiempo biológico: sueño, vigilia, alimentación, higiene...
- **7-8 meses**: percepción del orden de los acontecimientos gracias al establecimiento de sus primeras acciones en el medio causa-efecto (lo empujo - se cae. Primero empujo, después cae).
- **12 meses**: diferenciación antes-después.
- **24 meses en adelante**: se iniciará en el uso progresivo de las formas sociales del tiempo, usará los primeros adverbios temporales, ordenará secuencias dadas y tomará referentes temporales del entorno próximo (luz solar, acontecimientos cotidianos...).

D) Génesis del conocimiento lógico-matemático

Para Piaget (1966) el desarrollo de número va precedido por la adquisición de las nociones de clase y relación, que componen respectivamente el aspecto cardinal y ordinal del número. Hacia los dos años, el hecho de que el niño sea capaz de contar verbalmente no implica que haya logrado el concepto de número.

1. El número

Se construye en tres etapas:

1.º Confunde la cantidad de elementos con la longitud espacial:

En estos dos bloques habría los mismos elementos porque son igual de largos.

2.º Puede construir otra fila igual tomando como base la correspondencia uno a uno:

En realidad no los cuenta, pero sí reproduce a cada figura su correspondiente.

3.º Operaciones concretas: superadas las impresiones perceptivas se desarrolla a adecuada noción de número.

Los primeros conceptos matemáticos básicos que descubre, y a través de los cuales va formando su pensamiento son: medida, peso, orden, volumen, relación y movimiento.

2. La medida

En el primer momento tiene que ver con el tamaño de los objetos, al efectuar comparaciones entre los mismos se percata de las diferencias tempranamente.

En Educación Infantil la medida se refiere a realizar experiencias de "medir aunque sin expresar el resultado". Aprenderá por la vía de la experiencia a "quitar", "sacar", "aumentar", "disminuir".

Se utilizarán como unidades de medida el palmo, el pie, etc. (unidades naturales).

Algunas **actividades** podrán ser:

- Medir el ancho de la clase con pasos, sin expresar el n.º de pasos.
- Medir el largo de la clase con una barra de madera, sin exigir el n.º de veces que se coloca la barra.
- Llenar un recipiente con agua, ayudado de un vaso, sin exigir el n.º de vasos necesarios para llevar el recipiente.

En Educación Infantil se dará significado a la unidad de medida. Solo a partir de los 7 años empezará a utilizar medidas convencionales.

3. El orden

La noción de orden viene dada en las seriaciones y clasificaciones. La seriación se introduce ordenando objetos según sus dimensiones de forma creciente o decreciente.

Las relaciones que se pueden establecer entre elementos de diferentes conjuntos las descubrirá más tarde.

En cuanto a las clasificaciones que también introducen al niño en las nociones de orden, consisten en agrupar objetos según sus semejanzas y diferencias (colores, formas, etc.).

4. El volumen

El concepto de volumen lo irá adquiriendo a través de diversas experiencias. Se inicia en él, cuando hacer bolas de plastilina, cuando llena el cubo de arena, etc.

En estas actividades trabaja con las diversas dimensiones y poco a poco las va interiorizando.

5. El peso

Las nociones de peso podemos trabajarlas con ejercicios con distintos objetos más o menos pesados. Apreciar el objeto que pesa más y el que es menos pesado e ir diferenciando progresivamente del volumen. Para que el niño acabe llegando a la conclusión de que el peso y el volumen no son necesariamente magnitudes directamente proporcionales.

E) Conceptos de acercamiento a la naturaleza

Derivan directamente de la exploración y conocimiento del medio natural, y son elementos que suscitan un gran interés y curiosidad en los niños. Comprenden objetos, animales, plantas, fenómenos atmosféricos...

F) Conceptos de acercamiento a la cultura y del mundo social

Son parte integrante del medio natural. En la interacción con elementos y personas del mismo el niño ira adquiriendo nociones como: personas, profesiones, comercios, instrumentos, espacios, tareas cotidianas, servicios, transportes, instituciones, tradiciones, fiestas, gastronomía...

G) Noción de identidad personal

La noción de identidad personal es posterior a la simple identidad existencial. Se trata del conocimiento de uno mismo, no solo como existencia individual sino como entidad con características propias de naturaleza física, psicológica, social, sexual...

5. Actividades y recursos. La observación y exploración del mundo

5.1. La observación

La observación es una actividad cognitiva básica, ya que constituye el primer eslabón de aprehensión de la realidad. Está íntimamente relacionada con la capacidad sensoperceptiva en la que se implican todos los sentidos, ya que nos referimos a observar en el sentido más amplio (percibir impresiones visuales, táctiles, auditivas, cinestésicas...).

Podemos distinguir diferentes modalidades de observación:

- **Observación espontánea**: se trata de una observación no dirigida, es por tanto fruto de su participación libre en las actividades del entorno natural. Es muy conveniente favorecerla a través de materiales, lugares y personas de distintas cualidades para que el niño tenga una gran riqueza estimular en su contacto espontáneo con el mundo.
- **Observación sistemática**: se produce cuando los adultos plantean al niño determinadas observaciones, sugiriendo objetos, utensilios, situaciones. Así mismo esta observación debe ir más allá promoviendo el análisis, la comparación, la expresión verbal de atributos observados, la clasificación. Esta modalidad es muy conveniente en los centros educativos, y contribuye de forma muy significativa al desarrollo cognitivo del niño.

Para la observación sistemática se pueden planear actividades de observación directa y sistemática de la realidad (salidas, observación de animales, objetos...) y también actividades para la observación indirecta (revistas, láminas, fotos, murales...).

La observación es una actitud y una habilidad innata en el niño, pero esta observación inicial y espontánea está regida por el sincretismo infantil, por lo que no es rigurosa, ni científica ni objetiva.

La observación puede adoptar diversas modalidades, visual, auditiva, táctil, gustativa...

Es a través de la manipulación como se inicia a los niños en la observación sistemática, con todo lo que implica el conocimiento de cualidades y propiedades, de búsqueda de semejanzas y diferencias, de formas, usos...

El Centro de El debe contribuir a que, progresivamente, esos métodos de conocimiento de la realidad se hagan más sistemáticos y así, más útiles:

1. En los primeros tramos los objetivos se encaminarán a ayudarles a fijar la atención en los aspectos más relevantes, a retener datos, a establecer relaciones, a describir, a comunicar a través de distintos lenguajes.
2. Posteriormente, a partir de la observación, tanto de objetos presentes como la realizada a través de diversos medios (fotos, láminas, películas...) se pasará a la ordenación, clasificación, secuenciación, etc., de lo observado.

Entendida así la observación, es una actitud. No supone la mera contemplación, sino una actitud activa que se dirige a la actuación del niño sobre el medio y que se diferencia de la simple manipulación para ir convirtiéndose en una incipiente actividad exploratoria sistemática.

La planificación consiste en dirigir la observación enseñándoles a observar. Para ello hay que dirigir la observación hacia los aspectos relevantes y significativos, ayudando al niño a percibir con todos sus sentidos y extrayendo la máxima información de lo observado.

Principios de la observación:

- **Globalización**: el niño observa libremente, sin dirección previa. Se pretende una observación del objeto en su conjunto.

  Ej.: Vamos a observar las cosas que se ven a través de la ventana; vamos a escuchar los sonidos de la calle, etc.

- **Sistematización**: el niño tiene que ajustarse a una norma establecida, que le permita fijar su atención analíticamente.

  Ej.: - Utilidad: sirve para pintar, pegar, etc.

- **Posición**: Observar las cosas que están sobre la mesa, dentro del armario, etc.
- **Comparación**: supone establecer relaciones de semejanza y diferencia para guiar la observación.

  Ej.: Qué es más alto, qué es más bonito, etc.

- **Comunicación**: es importante la comunicación de las observaciones por lo que supone un incremento del vocabulario, desarrollo de la expresión oral, etc.

Para favorecer el proceso de observación se pueden tener en cuenta una serie de principios generales como:

- Escoger y organizar situaciones de aprendizaje relacionadas con sus intereses, motivaciones y deseos.
- Partir del nivel de desarrollo de los niños.
- La observación requiere de un proceso activo.
- Utilizar elementos variados, significativos y que susciten la curiosidad intelectual.
- La actitud de altas expectativas y refuerzos por parte de maestro será decisiva para incrementar la motivación.
- Verbalizar las experiencias y utilizar otros lenguajes para representarlas (plástico, musical, corporal, matemático...)
- Podemos emplear técnicas de observación indirecta, haciéndoles extraer información de materiales gráficos, impresos, murales, fotografías, láminas, diapositivas, vídeos.
- Se procurará crear las condiciones que facilitan el descubrimiento del entorno natural y sociocultural a través de la observación.
- Es necesario que conozcamos el nivel de desarrollo real de los alumnos para que podamos incidir en su desarrollo potencial. Su bagaje de experiencias, sus capacidades, sus habilidades y destrezas, deben constituirse en el punto de referencia del que debe partir la observación.
- En todo proceso de observación el niño debe implicarse activamente, ya sea a través de la actividad mental o física.
- Las observaciones de los elementos del entorno deberemos potenciarla a través de los distintos espacios: tanto el interno como el cuerno de la escuela.
- La cantidad y variedad de las observaciones planteadas no debe ir en detrimento de la calidad de las mismas.
- Las observaciones serán más ricas y estimulantes si se establecen a través de objetos y materiales variados que les estimulen a la actividad.

- La actitud de los educadores es fundamental en el proceso de descubrimiento del entorno: su entusiasmo en la promoción de experiencias, su sensibilidad por los aspectos relacionados con el entorno, su apertura a las aportaciones de los niños, sus sugerencias al hacerles captar aspectos que les habían pasado desapercibidos... son fundamentales en este proceso.

5.2. La experimentación

La experimentación completa el proceso senso-perceptivo iniciado con la observación. Consiste en utilizar las observaciones primarias para realizar observaciones más profundas y llegar así a un conocimiento más objetivo y práctico.

Mediante la experimentación se establecen relaciones, se plantean comprobaciones o puestas en práctica, que enriquecen y objetivan la percepción y el aprendizaje.

La experimentación supone la realización de experiencias y actividades, por lo que todos estos conceptos van íntimamente ligados.

La experimentación al principio tiene para el niño un carácter exploratorio, pero poco a poco con la ayuda del educador se va haciendo más sistemática.

Es importante que la experimentación no se quede en la mera manipulación, sino que a partir de ella se provoque la reflexión y la continuidad en el planteamiento de nuevos interrogantes. la escuela debe proporcionar el ambiente propicio, la estimulación de actitudes y los medios adecuados para que se dé ese tipo de experimentación.

Para ello, al plantear determinadas situaciones problemáticas intentaremos darles respuesta siguiendo los pasos que sigue el investigador, intentando considerar, en ocasiones, algunos de estos aspectos:

- **Planteamiento del problema**: presentamos el problema a tratar, planteándoles una situación problemática.
- **Aportación de posibles soluciones**: deberemos instar a los niños que formulen sus hipótesis acerca de cómo resolver el problema. Las propuestas de los niños deberán ser recogidas y canalizadas por el adulto.
- **Planificación de la experiencia**: una vez delimitada la experiencia y conocidas las fuentes de información a las que podemos recurrir, intentaremos marcarnos un plan de trabajo en el que preveamos, verbalizando, tanto los pasos a seguir como los materiales e instrumentos que precisemos para ello.
- **Realización de la experiencia**: efectuaremos la experiencia siguiendo el proceso marcado, intentando percatarnos de si es necesario efectuar alguna modificación, rectificando si es necesario los pasos a seguir y estando atentos a las transformaciones que se dan, a las causas de las mismas y a las interacciones que se producen.
- **Constatación de los resultados.**
- **Elaboración de conclusiones.**

5.3. Directrices de observación y experimentación en Educación Infantil

Algunas posibles líneas de trabajo muy adecuadas para el trabajo en Educación Infantil son:

- Identificación de las sensaciones y percepciones que se obtienen a partir del propio cuerpo y de la realidad exterior.
- Exploración e identificación del propio cuerpo, tanto global como segmentariamente, de sus características y cualidades y de las de los otros. Observación de diferencias y semejanzas.
- Utilización de los sentidos para la exploración e identificación de materiales diversos.
- Utilización correcta de pequeños aparatos y objetos.
- Planificación secuenciada de la acción, en función de la información recibida, para resolver una tarea o problema y constatación de sus efectos.
- Percepción de las modificaciones y alteraciones de objetos y personas en sus espacios habituales.
- Observación y atención a manifestaciones, sucesos y acontecimientos del entorno.
- Observación de cambios naturales (estaciones) que influyen en la forma de organizar la vida (vestidos).
- Exploración de objetos a través de diversas acciones propias y ajenas sobre los objetos.
- Utilización y manipulación de objetos de forma convencional y original.
- Observación de las características de algunas plantas y animales.
- Observación y posterior clasificación de animales y plantas.
- Observación directa del ciclo vital de alguna planta y animal.
- Observación guiada y sistemática de los elementos del entorno y las modificaciones que en él se producen.

La actividad es el principio metodológico por excelencia de la Educación Infantil. Ahora bien, para que la actividad nos conduzca a un aprendizaje no debe ser arbitraria o desorganizada, sino propositiva e intencional.

El principio de actividad en la educación no olvida la labor del profesor, que consistirá en facilitar actividades que propicien la observación y la experimentación del alumno, encargándose sobre todo de su orientación y resolviendo las dudas planteadas.

El educador debe disponer al alcance del niño diversos instrumentos de análisis de la realidad que le orienten y ayuden en sus investigaciones.

Tales instrumentos son los que el niño posee: lenguaje oral, dibujo, modelado, gestos, movimientos, etc.

La capacidad de abstracción y simbolización del niño crecerá con el uso de estos recursos expresivos. El niño revive lo observado, lo representa de diversas formas y al hacerlo interviene activamente sobre la realidad observada, elaborándola constructivamente.

5.4. Perspectiva evolutiva

La evolución en la observación y exploración sigue el siguiente orden o patrón:

1. **Periodo sensoriomotor**: el medio aparece al principio como un todo indiferenciado donde se entremezclan los espacios físicos y sociales. La oportunidad de intervenir e interaccionar activamente constituyen la base de la actividad pedagógica para que el niño construya sus conocimientos del mundo físico y social.

   Es fundamental estimular las actividades sensoriomotoras sobre su realidad más inmediata.

   La exploración de objetos del ambiente inmediato es requisito para la formación de las estructuras cognitivas, que se forman a partir de la exploración sensorial y motriz sobre lo que le rodea.

   Las actividades exploratorias en orden de complejidad son: observación visual de un objeto; alargar el brazo para tomar objetos, repetir acciones interesantes; mover unos objetos por medios de otros y finalmente la exploración activa e intencionada del medio.

   La exploración manual ayudará al niño al descubrimiento de las propiedades de los objetos.

   Las nociones de movimiento en el espacio se irán adquiriendo primero en relación con el propio cuerpo (ejercicios de parar, andar, moverse deprisa, despacio...).

   Una vez experimentado en el propio cuerpo, se inicia la percepción del movimiento a objetos conocidos, coches, aviones, etc.

   Después se acerca a los objetos, los cambia de posición e irá captando las dimensiones del espacio respecto al movimiento (estrechura, etc.).

2. **Periodo preoperacional**: El conocimiento de las propiedades de los objetos se va consolidando mediante la experiencia con ellos, la intervención del adulto y el uso del lenguaje.

   Respecto al conocimiento lógico-matemático las investigaciones hablan cómo este progresa apoyándose en actividades prácticas como la de contar objetos, juntarlos, distribuirlos, compararlos, etc.

   La capacidad de generalización implícita en la formación de conceptos se desarrolló extrayendo aquellos aspectos que se derivan del uso de los mismos. A través del uso el niño aprende qué objetos sirven para cada actividad.

   El desarrollo del conocimiento social está estrechamente ligado a la participación del niño en juegos simbólicos. El juego es una conducta exploratoria enormemente útil para la construcción del conocimiento.

5.5. Lo cognitivo y el desarrollo integral del niño

En esta etapa el desarrollo cognitivo es inseparable del motor o del sensorial.

Respecto a la relación con lo sensorial recordamos que la sensación y la percepción son las primeras fuentes de conocimiento y por lo tanto base de partida de los aprendizajes y del desarrollo cognitivo. No se puede separar sensación y percepción de cognición. Desde este punto de vista la educación sensorial es fundamento, especialmente en los primeros años, del desarrollo cognitivo. Recordemos que el propio Piaget llama sensomotor al primer estadio del desarrollo cognitivo.

Lo mismo podríamos decir del desarrollo motor. Piaget describe a través de la noción de esquema la relación entre lo motor y lo cognitivo (no hay nada en la estructura cognitiva que no haya sido antes conducta motora).

Y en cuanto a lo social, Vigotsky pone especialmente de manifiesto el origen social de los procesos psíquicos superiores así como el papel mediador de los otros: adultos y coetáneos.

Esta relación también podrá analizarse en sentido inverso, y así se ha hecho en muchas ocasiones. El desarrollo cognitivo influye en otros ámbitos como el social o el del lenguaje.

Un autor que describe el desarrollo cognitivo del niño como una parte del integral es **Henri Wallon**.

Desde una perspectiva sociogenética, el psicólogo francés H. Wallon afirma que el desarrollo no es lineal sino rítmico y distingue tres leyes:

- **Ley de la alternancia**: se alternan periodos de predominio de factores cognitivos con otros de predominio emotivo.
- **Ley de la preponderancia**: en cada estadio predominan unas capacidades sobre otras.
- **Ley de la mediación** (síntesis de las anteriores): hay mediación mutua entre funciones cualitativamente distintas (esta relación fue también expuesta por Piaget y seguidores (Kolberg) sobre todo en la influencia del desarrollo cognitivo en el desarrollo moral.

Hasta los tres años se suceden el estadio de **impulsividad motriz** (en el que aparecen los reflejos como el respiratorio, succión o deglución), **impulsivo-emocional** (con las primeras manifestaciones emotivas) y el **sensorio-motor** (con predominio de aspectos cognitivos).

De los tres a los seis años se desarrolla el estadio del **personalismo**, que frente a la orientación intelectualista de los estadios contiguos, se caracteriza por un predominio de la vertiente afectiva.

El estadio se inicia de manera conflictiva, pues el niño se va a esforzar por afirmar el yo recién descubierto a base de imponer sus deseos y oponerse a los de los demás. Conlleva, entre los dos y tres años, crisis de oposición o cabezonería.

Cumplido su papel, reforzar el yo, la fase de oposición, deja paso a otra en la que el objetivo es ganarse al otro, de conseguir su afecto y aprobación. Para ello hará uso de todas sus habilidades y destrezas (**periodo de la gracia**) (3-4 años).

Para tratar de garantizar el afecto, a los 4-5 años, los niños introducen un nuevo elemento: la **imitación de modelos adultos**, especialmente de los más semejantes (los niños imitan y se identifican con padres o adultos masculinos, las niñas con modelos femeninos).

Así la fase de oposición pasa otra que se caracteriza por la **identificación**.

Ahora bien, la integralidad del desarrollo es un enfoque que trasciende la interdependencia arriba descrita, hace alusión a que el desarrollo, consecuencia de la interacción entre factores internos y externos del niño, como proceso humano de adaptación al medio, está integrado por diferentes desarrollos interdependientes entre sí, como son el motor, el afectivo, el sensorial, etc. La separación de los distintos desarrollos obedece a una comodidad en el estudio pero nos distrae del proceso que verdaderamente opera en el niño o en el ser humano, en general. La división en el estudio del desarrollo es consecuencia de la concepción del mismo, por parte de los pensadores, y no del desarrollo mismo.

5.6. Recursos

El niño adquiere los conceptos a través de la acción y las experiencias directas con los objetos. Los conocimientos que se adquieren de forma verbal y pasivamente tienden a borrarse rápidamente.

En las experiencias que programemos hay que tener en cuenta los intereses del niño y sus posibilidades intelectuales.

Piaget sostiene que el pensamiento surge de la acción e igualmente los conceptos matemáticos surgen del trato directo con los objetos.

Los materiales educativos servirán de apoyo en el proceso de E-A y deberán posibilitar en el niño todo tipo de aprendizajes y experiencias.

Los materiales pueden ser:

- **Continuos**: barro, plastilina, agua, arena, etc.

  El uso de este tipo de materiales, sobre los 2 o 3 años ejercita la psicomotricidad, después favorece la iniciación a la medida.

  Actividades:

  * Llenar de agua un recipiente grande, ayudado de otro más pequeño.
  * Juegos en arena.
  * Modelado.

- **Discontinuos**: piedras, flores, hojas, cuentos, etc. El tamaño será mayor cuanto menor sea el niño. Se usan para trabajar los elementos de un conjunto, así como la cuantificación de elementos.

  Actividades:

  * Hacer dictados de colores con bolas, etc.
  * Insertar bolas siguiendo un orden.
  * Llenar recipientes con judías, arroz, etc.

- **Didácticos**: además de los elementos propios del entorno existen multitud de juegos y juguetes en el mercado para promover la actividad y el juego infantil.

Entre los muchos posibles destacamos:

A) Materiales de juego

Han de responder a las necesidades de los niños. El niño ha de poder satisfacer sus necesidades de desarrollo, que se efectúan a través del juego. Los juegos tienen una gran contribución en el desarrollo cognitivo, ya sea a través del simbolismo, del lenguaje, de la manipulación o experimentación e incluso por su contribución al conocimiento y relación con los demás.

Comprenden juegos de mesa, juegos simbólicos, juegos reglados…

B) Materiales de psicomotricidad

A lo largo del tema ha quedado clara la relación entre psicomotricidad y desarrollo cognitivo. Han de favorecer el descubrimiento del esquema corporal, han de potenciar la autonomía, la orientación espacial y la mejora de todas las destrezas físicas gruesas y finas.

Comprenden sacos de arena, colchonetas, aros, rampas, toboganes, balones, barras, bastones, tacos, etc.

C) Materiales de lenguaje

El lenguaje es el soporte en el que se apoya el pensamiento, por lo que su contribución a la abstracción y al desarrollo cognitivo en general es clara. Deben favorecer las estructuras lingüísticas y estar preparados teniendo en cuenta el nivel de lenguaje en que se encuentra el niño. Todos buscan potenciar las capacidades expresivas de los niños.

D) Materiales de educación sensorial

Las capacidades sensoriales desempeñan un papel esencial durante todo el periodo de la infancia y contribuyen (especialmente en el periodo sensoriomotor) al desarrollo cognitivo.

Algunas posibilidades serán: tablas cromáticas, frascos de olores, texturas, cajas de sonidos.

Estos materiales han de favorecer:

- La capacidad de percibir diferentes propiedades de objetos.
- La capacidad de percibir íntegramente un objeto con todas sus propiedades.
- La capacidad de percibir la forma, tamaño, figura, color y textura.

E) Materiales de matemáticas

Pueden ser materiales no específicos (botones, chapas, cordones, cajas...) o bien materiales específicos: material Montessori, bloques lógicos, regletas de Cousinet, dominós, ábacos...

Todos ellos se usan para trabajar las adiciones, sustracciones, la numeración, etc.

F) Materiales de observación y experimentación

La observación pone en contacto directa al niño con el mundo que le rodea. El deseo de manipular y experimentar exige al educador ofrecer un material susceptible de ser transformado: estos materiales deben responder al sentido de la curiosidad del niño, deben motivarle en la experimentación.

Podemos utilizar todo tipo de materiales, y tienen especial interés materiales de desecho como: frascos, tapaderas, cartones, bandejas de alimentos, cajas, tambores, chapas, retales, botones, anillas, papeles de distintos tipos, legumbres, frutos secos, pelotas, conchas, menaje, revistas, periódicos, objetos insólitos (lupas, imanes, balanzas...).

G) Material vivo

Incluye: plantas resistentes, flores, animales sencillos de cuidar (caracoles, lombrices de tierra, peces, gusanos de seda, tortugas) y otros animales que pueden tenerse algunos días (pollitos, hámsters, etc.) a partir de los cuales los niños comprenden la secuencia, las transformaciones (gusanos de seda)...

H) Materiales para la educación artística

Es preciso dotar a los niños de materiales que favorezcan la educación plástica, musical y corporal. Todas las formas de expresión artística son modalidades de representación, por lo que son consideradas como formas de abstracción y simbolismo.

Los materiales serán específicos para cada forma de expresión: papeles, arcillas, plastilina, pinturas de todo tipo, etc., para la plástica, instrumentos de percusión para la musical; disfraces, maquillajes, etc. para la corporal...

l) Nuevas tecnologías

La escuela como institución social debe transmitir valores y aprendizajes que sean socialmente relevantes. Las nuevas tecnologías de la información deben pasar a formar parte de la realidad educativa, tanto como medio (recuso, herramienta...), como un fin en sí misma (aprender habilidades relacionadas con el manejo de ordenadores y otras tecnologías).

En la actual legislación las NNTT se abordan como medio (herramienta para otros aprendizajes) y como fin (la finalidad es el aprendizaje de destrezas de manejo y uso de los diferentes sistemas), a través de todas las etapas educativas y con un planteamiento semejante a la transversalidad curricular (de forma recurrente, todas las áreas, todas las etapas...).

Suponen un nuevo lenguaje y en ocasiones una visión de la realidad novedosa y singular, por lo que contribuyen de forma notable al desarrollo cognitivo.

TEMA 11

La psicomotricidad: valoración de la función globalizadora de la psicomotricidad y su desarrollo cognitivo, afectivo y motriz

¿Y si pruebas las nuevas Técnicas de Memoria 360 que te proponemos? **De esta forma potenciarás** tu estudio.

Índice

1. La psicomotricidad. Función globalizadora

El concepto de Psicomotricidad apareció a comienzos del siglo XX con los descubrimientos básicos de neuropsiquiatría. Autores como Wernicke, Dupré, Sherrington demostraron la estrecha relación que existía entre los trastornos motores y mentales. A partir de aquí se realizaron valiosas aportaciones desde la psicología evolutiva y la pedagogía.

Sin embargo, en España el interés por la psicomotricidad, así como su estudio y desarrollo, se introduce a partir de las ideas de Wallon y Ajuriaguerra en los años setenta. En 1980, se celebra en Madrid el Congreso Internacional de Psicomotricidad, desde entonces el desarrollo ha sido continuo y su importancia es reconocida desde ámbitos diferentes como son los campos educativo, social y sanitario.

En el campo educativo las técnicas de psicomotricidad se emplean tanto en la educación ordinaria como en Educación Especial, ya que estas técnicas tienen un valor preventivo a la vez que terapéutico. Por este motivo, también se utiliza en el campo sanitario, principalmente en las Unidades de Estimulación Precoz.

Por último, también en el ámbito social están presentes las técnicas de psicomotricidad. El nuevo concepto de "acción social" favorece el uso de estas técnicas, ya que este nuevo concepto pretende orientar los Servicios Sociales hacia toda la población, promoviendo la participación y la búsqueda de estrategias para lograr unas condiciones de vida lo más favorables posibles para todos los ciudadanos. En este campo empiezan a cobrar auge los programas de animación sociocultural y las ludotecas. En ambos entornos se utilizan las técnicas de Psicomotricidad, tanto en niños como en ancianos.

Añadiremos que las manifestaciones psicomotrices, ya sean normales o patológicas, están muy ligadas al mundo afectivo de la persona. Es decir, existe una estrecha relación entre psiquismo y motricidad. El movimiento, al ser una de las primeras formas de conocimiento que tenemos, hace que vayamos madurando psíquicamente. Pero a su vez, a medida que nuestro psiquismo se va haciendo más maduro y equilibrado, el movimiento se va haciendo más perfecto y adecuado a nuestros fines.

A medida que alcanzamos un mayor grado de madurez, ambos procesos, psiquismo y motricidad, se van haciendo independientes, aunque sin llegar a separarse totalmente, ya que siempre pueden influirse mutuamente. Podemos poner como ejemplo de esta influencia en la edad adulta el caso de la depresión, que lleva aparejada la pasividad y pérdida de interés por todo movimiento.

En el campo de la discapacidad, este hecho es de gran importancia, porque nos lleva a contemplar al individuo como globalidad, buscando siempre que el niño consiga un mayor dominio sobre su cuerpo y de este modo logre más autonomía. Este es uno de los principales objetivos al trabajar con los alumnos con discapacidad: buscar siempre el mayor grado de autonomía posible teniendo en cuenta las limitaciones asociadas a la discapacidad, ya sea de tipo físico, intelectual o sensorial.

Cuando la discapacidad está asociada a una deficiencia física o sensorial, las limitaciones vendrán impuestas por sus posibilidades reales de movimiento y coordinación.

Los límites que imponen la discapacidad intelectual, se salvan mediante una adecuación temporal. Esto quiere decir que en principio el desarrollo de un alumno con discapacidad intelectual puede seguir los mismos pasos que el desarrollo de un niño normal, pero necesita más tiempo para lograr los mismos objetivos.

No obstante, el nivel de desarrollo y competencias en un niño con discapacidad intelectual siempre estará por debajo del desarrollo de niños normales de su misma edad. En estos niños, la edad cronológica no se corresponde con la edad mental. La distancia o diferencia entre ambas edades será mayor cuanto mayor sea el grado de discapacidad.

Por otro lado, las experiencias vividas a partir del propio cuerpo, al haber sido vivenciadas, dejan una huella más profunda y por lo tanto son más difíciles de olvidar. Por ello, las actividades sobre psicomotricidad se pueden utilizar en las personas con discapacidad para adquirir conocimientos y aprendizajes de cualquier tipo.

A través del movimiento, se pueden aprender conceptos abstractos que de otro modo los niños serían incapaces de aprender. Podemos citar entre otros, conceptos como arriba-abajo, delante-detrás, izquierda-derecha, captación de volúmenes, formas, distancias, alturas, direcciones, etc.

2. Psicomotricidad y desarrollo cognitivo

El área cognitiva comprende: la percepción del cuerpo, el espacio y los objetos, el tiempo y la capacidad de representación.

2.1. Percepción del cuerpo

Uno de los principales integrantes del desarrollo psicomotor es la integración del esquema corporal y los aprendizajes relacionados con él.

El **esquema corporal** es la conciencia que tenemos de nuestro propio cuerpo, tanto en reposo como en movimiento. La conciencia del esquema corporal está influenciada también por el concepto que la persona tiene de sí misma (autoconcepto) y por sus características físicas.

La adquisición del esquema corporal de basa en los datos sensoriales y en los desplazamientos del propio cuerpo.

Ajuriaguerra establece **tres niveles de integración del esquema corporal**:

- **Nivel del cuerpo vivenciado**: del nacimiento hasta los tres años. Se fundamenta en una noción sensoriomotora. No existe diferencia entre lo afectivo y lo cognitivo. Se caracteriza por un comportamiento motor global con repercusiones emocionales fuertes y mal controladas.
- **Nivel de discriminación perceptiva**: entre los tres y los siete años. Se caracteriza por el perfeccionamiento de la motricidad gruesa, el desarrollo progresivo de la orientación del esquema corporal y la afirmación de la lateralidad. Al final de este periodo el niño ya es capaz de dirigir su atención sobre la totalidad de su cuerpo y sobre cada uno de los segmentos corporales.
- **Nivel de la representación mental del propio cuerpo**: Abarca de los siete a los doce años. Se corresponde con el estadio de las operaciones concretas de Piaget. El niño se hace más consciente de su motricidad gracias a la imagen anticipatoria que supone el "esquema de acción", que es el aspecto dinámico del esquema corporal.

Siguiendo a **Wallon** podemos establecer **cuatro fases en la integración del esquema corporal:**

1. **Fase objetal**. Delimitación entre el propio cuerpo y los objetos que existen en el entorno. Suele ocurrir durante los dos primeros años.
2. **Fase motórica**. Predominio de las sensaciones motoras. Dura aproximadamente hasta los cuatro años. En esta fase se establece la dominancia lateral, es decir, si el niño es diestro o zurdo.
3. **Fase representativa**. Dura hasta los siete años. Ocurre una rápida integración del esquema corporal a través de la simbolización del mismo. Este rápido proceso se ve favorecido al combinar las sensaciones motoras con las visuales.

   En el caso de niños con discapacidad visual, al estar privado de las sensaciones visuales, esta fase es crítica y puede durar más allá de los siete años, necesitando ayuda para superarlo.
4. **Fase de concienciación y control**. Hasta los once o doce años, además de afianzar los conocimientos adquiridos en fases anteriores, los niños interiorizan nuevos conceptos que presentan mayor dificultad, como pueden ser el reconocimiento de izquierda-derecha en otra persona o el dominio de posturas poco habituales.

Las principales dificultades que suelen presentar los niños en la integración del esquema corporal son: el reconocimiento de partes o detalles del cuerpo, el establecimiento de la dominancia lateral, el reconocimiento de izquierda-derecha en sí mismo, en el espacio o en los demás y la interiorización de la propia imagen corporal.

Por lo tanto, es en estas áreas donde hay que prestar mayor atención durante una sesión de psicomotricidad.

Con respecto al conocimiento y control del cuerpo, el objetivo fundamental es que el niño sea capaz de diferenciar, reconocer y nombrar los **distintos elementos corporales**.

La localización de las distintas partes, debe hacerse en primer lugar sobre el propio cuerpo, a continuación, sobre el cuerpo del compañero. Posteriormente se pueden utilizar también muñecos tridimensionales (muñecos de goma, peluches, etc.), muñecos en dos dimensiones (de cartón, sobre papel, puzles), fotografías del cuerpo humano, dibujos figurativos del cuerpo humano (con muchos detalles), y por último, dibujos esquemáticos (con pocos detalles).

Entre las actividades que se pueden realizar para llegar al conocimiento de las distintas partes del cuerpo, tenemos: movimiento de determinadas partes imitando al cuidador, a la vez que se nombra cada parte, tocar con una mano distintas partes del cuerpo y nombrarlas, completar dibujos de figuras humanas, puzles, colorear en un dibujo la parte del cuerpo que se nombre, etc.

El orden a seguir en la discriminación y dominación de las distintas partes del cuerpo atendiendo a los principios próximo-distal y céfalo-caudal será el siguiente:

1. Partes esenciales del cuerpo: cabeza, tronco, piernas, brazos, manos, pies, ojos, boca, nariz...
2. Detalles del cuerpo: cuello, cejas, pestañas, labios, uñas, dedos...
3. Órganos sensoriales y articulaciones: lengua, codo, rodilla, tobillo, hombros, etc.

Además de las actividades destinadas a reconocer las diferentes partes del cuerpo, también se pueden realizar otras en las que el niño tenga que decir o reconocer para qué sirven los diversos elementos y órganos corporales. Después de explicar para qué sirve cada parte se pueden hacer preguntas del tipo: ¿para qué sirve...? ¿qué utilizamos para...?

Por otro lado, la **imagen corporal** se refiere a la representación mental o interiorización que tiene el niño de su esquema corporal. Podemos definirla como la suma de sensaciones y sentimientos que conciernen al propio cuerpo, le influyen las experiencias vitales y los procesos mentales en los que el sujeto se reconoce a sí mismo. Es decir, la imagen corporal es la vivencia de su propio cuerpo que tiene cada persona.

Existen niños que aunque saben reconocer las partes del cuerpo, no tienen una imagen corporal adecuada. Esto es normal en niños menores de seis años, pues primero se aprenden las partes y luego se interioriza el esquema sensorial. También es frecuente en algunos tipos de discapacidad.

Las actividades que se realicen para reforzar o establecer una adecuada imagen corporal deben incluir contenidos como:

- Relajación.
- Percepción de partes y detalles corporales.
- Percepción del cuerpo como globalidad.
- Posiciones y aptitudes corporales.
- Izquierda- derecha.
- Aceptación del propio cuerpo.

Este último punto es especialmente importante en el caso de los niños con discapacidad física o sensorial, pues sin tener alterada sus facultades metales, perciben su propio cuerpo como diferente al resto de los niños, y además, estas alteraciones de su cuerpo o de sus funciones corporales están limitando sus posibilidades de movimiento y desenvolvimiento en su vida diaria.

2.2. El espacio y los objetos

En la **toma de conciencia del espacio** debemos distinguir entre espacio parcial y espacio total.

- El **espacio parcial** es el que rodea al cuerpo y tiene sus límites en los puntos a los que podemos llegar mediante el movimiento corporal sin que exista desplazamiento. El conocimiento de este espacio es fundamental en la orientación del propio cuerpo en el espacio.

  Un ejercicio típico para trabajar este espacio parcial es simular que el niño es una marioneta y que alguien lo mueve desde fuera. Las posturas y movimientos que debe realizar lo obligan a tomar conciencia de su propio cuerpo en el espacio cercano.

- El **espacio total** puede definirse como el espacio sobre el que se desplaza el individuo. La vivencia del espacio total no solo es importante a nivel individual, sino también a nivel colectivo. Trabajar dentro del espacio en conjunto con el otro supone el establecimiento de una relación de aceptación mutua, saliendo cada uno de su propia esfera para abrir el camino de la comunicación.

Wallon diferencia los siguientes tipos de espacio:

- Espacio ambiente o circundante: Es el espacio donde se ubican las cosas y a nosotros mismos. Es el espacio en el que desplegamos nuestros actos.

- Espacio postural: Es el espacio que ocupa el cuerpo del niño o la niña que se corresponde con el resultado de las percepciones y sensibilidades referidas a su cuerpo. Es el espacio de nuestro propio cuerpo y nuestros gestos.

Ambos espacios están relacionados y son inseparables. El espacio postural se desarrolla en el espacio circundante.

2.3. El tiempo

Fisiológicamente un movimiento ocurre por el trabajo secuenciado de distintos músculos. Aquí ya vemos una primera aproximación al concepto de ritmo con relación al cuerpo. Podemos llamarlo "ritmo fisiológico".

En cada individuo existe además un ritmo interior que depende de las características psicosomáticas de cada uno y de factores circunstanciales y ambientales. A este ritmo interior se le denomina también "tempo", y se refiere a la lentitud o rapidez con que se manifiesta una secuencia rítmica o musical.

El "tempo" o ritmo interior de cada niño puede variar mucho de unos a otros, pudiendo oscilar desde muy lento a muy acelerado.

Un buen ejercicio para desarrollar la percepción temporal es trabajar en grupo con los niños para que vayan siguiendo todos juntos una misma secuencia rítmica (con la voz, palmadas, etc.). Así los niños deben establecer un control de su propio tempo para poder adaptarse y acompañar al resto. Este ejercicio supone un primer contacto con la medida ordenada.

Ya hemos hablado de un ritmo fisiológico y un ritmo interior o tempo; pero también existe un ritmo exterior, que podemos definir como armonía de sonidos y pausas. Este ritmo exterior nos permite ordenar el cuerpo en el tiempo y el espacio simultáneamente. Es decir, la unión del elemento rítmico y el movimiento en el espacio es fundamental para el desarrollo de la percepción temporal y espacial.

Pic y Vayer proponen tres **etapas en la organización de las relaciones temporales**:

1. Adquisición de los elementos básicos:
   - Noción de velocidad.
   - Noción de duración.
   - Noción de continuidad e irreversibilidad.
2. Toma de consciencia de las relaciones en el tiempo:
   - Crear la espera tranquila contra la ansiedad, inestabilidad…
   - Aprender los distintos momentos del tiempo y sus relaciones para llegar así a las nociones de simultaneidad y sucesión.

3. Alcance del nivel simbólico:

   - Coordinación de los diferentes elementos.
   - Separación del movimiento y el espacio para llegar exclusivamente a la audición.
   - Trasposición y asociación a los ejercicios de coordinación dinámica.

Para concluir este apartado insistiremos en la importancia de la interrelación de las funciones temporales y espaciales. Ambas deben desarrollarse paralelamente y en plena correspondencia.

Un buen modo de desarrollar el ritmo en relación con el tiempo y el espacio es a través del baile y la danza.

Esta actividad ha tenido muy buenos resultados en niños con discapacidad, especialmente en niños con Síndrome de Down. Incluso se han creado ballets integrados en su totalidad por niños con esta discapacidad.

Lapierre y Aucouturier proponen educar las nociones espacio-temporales mediante **contrastes**. Las nociones a que hacen referencia son: intensidad, grandeza, velocidad, dirección y relación. La elaboración y el descubrimiento de dichas nociones se llevan a cabo a través de la vivencia motriz y es muy importante realizarlo de una manera óptima, pues al mismo tiempo que se organiza la percepción se desarrolla la necesidad de comunicarla.

Lapierre y Aucouturier proponen un método para que el aprendizaje de los contrastes sea óptimo. Consiste en que el docente debe hacer vivir al niño dos situaciones sucesivas similares, donde ha sido reemplazado un solo elemento por su contrario. Esa es la mejor manera de hacerle descubrir espontáneamente la noción precisa, dicha diferencia es denominada como contraste.

- **Noción de Intensidad**: Ligadas a la potencia de los estímulos percibidos. Abarca las nociones de Nada, peso, lleno-vacío, ruido-silencio, luz-oscuridad, movimiento-inmovilidad (globales y diferenciadas), Fuerte-débil, duro-blando, pesado-ligero, claro-oscuro, grave-agudo, caliente-frío, rugoso-liso, seco-mojado y bueno-malo.
- **Noción de Grandeza**: Ligadas a la dimensión espacial o temporal. Abarca las nociones de Grande-pequeño, largo-corto, lejos-cerca, alto-bajo, ancho-estrecho, grueso-delgado, gordo-pequeño.
- **Noción de Velocidad**: Asocia a la par espacio y tiempo, pero es percibida de manera global como una intensidad. Abarca las nociones de Rápido-lento.
- **Noción de Dirección**: Relacionadas con la orientación en el espacio y el tiempo. Abarca las nociones de Elección de referencias en las situaciones espacio-temporales, nociones de dirección, de situación, de orientación y descubrimiento de las posibilidades motrices de los distintos elementos corporales en las diversas Direcciones.

- **Noción de Relación**: Todas aquellas nociones que expresan las relaciones humanas (con uno mismo y con los demás). Abarca las nociones de Relación alumno-maestro y relación Entre el alumnado. Por ejemplo: gozo-cólera, calma-agitación, dar-recibir, entre otras.

2.4. La capacidad de representación

La capacidad de representación es la capacidad de utilizar medios simbólicos para referirse a las cosas o a las situaciones, sin necesidad de actuar sobre ellas materialmente. Esta capacidad empieza a manifestarse cada vez más claramente hacia el final del periodo sensoriomotor descrito por Piaget. El dominio de esta nueva capacidad es precisamente la que marca el final de este periodo y el inicio del siguiente. La capacidad de representación abre inmensas posibilidades al pensamiento y a la capacidad de actuar sobre la realidad. La manifestación más evidente que testimonian la aparición de esta capacidad es la capacidad para comunicarse con los demás, tanto mediante gestos intencionales como mediante palabras, pues está comenzando a hablar. Pero también se manifiesta en otras actividades que se inician ahora, como son la imitación diferida (imitar situaciones que percibió antes pero que ya no están presentes), el juego simbólico (por ejemplo, comportarse como si estuviera durmiendo, o hacer que come algo inexistente), las imágenes mentales o el dibujo.

Se trata de que se vayan desarrollando y utilizando distintas formas de representación que sean adecuadas a su edad.

3. Psicomotricidad y desarrollo afectivo

El área socioafectiva y comunicativa engloba: la relación de apego y seguridad, la relación entre iguales, el autoconcepto y la autoestima, la expresión y reconocimiento de emociones y la aceptación y el respeto de normas.

3.1. Relación de apego y seguridad

El apego es un vínculo afectivo que se establece desde los primeros momentos de vida entre la madre y el recién nacido o la persona encargada de su cuidado. Su función es asegurar el cuidado, el desarrollo psicológico y la formación de la personalidad.

Durante el primer año de vida del bebé, se establece un vínculo de apego con la persona con quien tiene más contacto y aparece el miedo ante los desconocidos.

El apego proporciona seguridad al niño en situaciones de amenaza. El establecimiento de un apego seguro permite al niño explorar, conocer el mundo y relacionarse con otros; con la tranquilidad de sentir que la persona con quien ha establecido el vínculo va a estar allí para protegerlo y no va a fallarle. Cuando no se ha establecido un apego seguro, los miedos e inseguridades influyen en el modo de interpretar el mundo y de relacionarse.

En una sesión de psicomotricidad el educador representa la figura del adulto. El objetivo es establecer un buen vínculo de apego, así que se trata de que el niño:

- Acepte al educador y busque su apoyo.
- Sea capaz de esperar.
- Sea capaz de compartirlo con el resto de sus compañeros.
- Desarrolle su propia autonomía e independencia.

3.2. La relación entre iguales

El primer tipo de relación social que establece el niño es con el adulto que, como hemos dicho, a través del establecimiento del vínculo de apego le proporciona seguridad, o inseguridad en ausencia de dicho vínculo.

Tan importante como la relación con los adultos es la relación con los compañeros o iguales, de modo que ambos tipos de interacción deben estar presentes sin que ninguna de ellas pueda sustituir a la otra, pues cumplen funciones diferentes.

La relación con los iguales va a estimular la adquisición de la independencia y el desarrollo de habilidades sociales más sofisticadas.

Siguiendo a Mueller y Silverman (1989), las **etapas evolutivas en la interacción con los iguales** en los dos primeros años de vida son las siguientes:

1. Estadio I, ausencia de relaciones: durante los cinco primeros meses no hay relación con otros niños.
2. Estadio II, atención visual conjunta y estimulación de respuestas simples: esta etapa va de los seis a los nueve meses. Se dan unos primeros indicios de comunicación entre iguales; la primera forma de contacto entre los niños de esta edad es la mirada. Las primeras acciones coordinadas consisten en que uno de ellos emite una conducta social al otro niño, que responde de forma positiva.

3. Estadio III, compartir el espacio y compartir la actividad sobre los objetos: esta etapa va de los diez a los quince meses. Aparece una mayor intencionalidad en el contacto con otros niños que se centra principalmente en los juguetes. Hay disputas por los objetos. Aunque compartan espacio y jueguen con los mismos juguetes no hay una interacción de juego entre ellos, aunque sí son conscientes de la presencia del otro. Se trata de un juego en paralelo.
4. Estadio IV, compartir el significado o tema: esta etapa va de los dieciocho meses a los tres años. Hay un mayor desarrollo del juego en paralelo y aunque apenas hay comunicación entre ellos, desarrollan la capacidad de compartir el significado que dan a los objetos en el juego paralelo, y su actividad se hace más parecida. Esto se refleja en las disputas por los objetos, la imitación motora y los intercambios de objetos.

Sobre el desarrollo de la amistad podemos decir que el niño selecciona a sus amigos desde la etapa preescolar. Pero el número de amigos, intensidad de la relación y los principios que rigen la elección van variando a lo largo del tiempo.

Bernaldo de Quirós Aragón propone que en relación con los iguales se trata de fomentar:

- El establecimiento de relaciones con sus compañeros desde su propio deseo: iniciar interacciones, mantenerlas y finalizarlas de forma adecuada.
- El respeto por los demás, la aceptación y apreciación de las diferencias individuales y grupales, valorando el derecho de todas las personas.
- La cooperación, como capacidad para aguardar turno y compartir en situaciones diádicas o de grupo.
- La búsqueda de ayuda en los iguales ante la necesidad de apoyo.
- La capacidad de iniciativa, de ofrecer propuestas.
- La aceptación de las propuestas de otros.
- La asertividad, como capacidad de oponerse y defender su propia opinión.
- La respuesta adecuada a las provocaciones o agresiones por parte de los demás.
- La negociación y resolución de los posibles conflictos que se puedan presentar en la convivencia del grupo, considerando la perspectiva de los demás.

3.3. El autoconcepto y la autoestima

Es necesario distinguir entre autoconcepto, autoimagen y autoestima.

El **autoconcepto** puede definirse como el conocimiento que tenemos de nosotros mismos. Se forma con las creencias y las ideas que la persona tiene de sí misma. El autoconcepto se va creando a través de las experiencias vividas, tomando en cuenta también la imagen que los demás perciben de nosotros mismos. Por ello puede variar y verse modificado de manera parcial a causa de nuevas experiencias, juicios externos y otros factores.

Según el psicólogo Carl Rogers, el autoconcepto se compone de tres elementos: autoimagen, autoestima y yo ideal.

La **autoimagen** es el componente cognoscitivo o cómo se ve la persona a sí misma. La autoimagen no tiene por qué coincidir con la realidad. Hay personas que se ven mejores de lo que realmente son y, en cambio, otras, perciben más los defectos o debilidades de sí mismas. La autoimagen se ve afectada por diversos factores, como la influencia de los padres, los amigos y compañeros, los medios de comunicación, los grupos de pertenencia..., y se conforma en base a una combinación de estos factores.

La **autoestima** es el componente afectivo del autoconcepto o cómo se valora la persona a sí misma. La autoestima siempre implica un grado de evaluación y por tanto puede resultar en una visión positiva o negativa de nosotros mismos.

Los principales factores que influyen en el desarrollo de la autoestima son:

- La reacción de los otros: tendemos a valorarnos más positivamente cuando los demás nos admiran, nos respetan, nos buscan, nos escuchan con atención y se manifiestan de acuerdo con nosotros.
- La comparación con los demás: Al compararnos con personas de nuestro grupo de referencia, nuestra autoestima puede verse reforzada si concluimos que nuestras características y circunstancias son mejores. En caso contrario, nuestra autovaloración será negativa y la autoestima se resiente.
- Los roles sociales: determinados roles sociales se caracterizan por aportar prestigio a la persona que lo desempeña (médicos, deportistas, cantantes...). Estos roles favorecen una autoestima elevada. Otros roles se acompañan de estigmatización social como las personas desempleadas, con enfermedad mental, discapacidad...En este caso dicha situación tendrá una repercusión negativa en la autoestima de la persona.
- Identificación: esta variable se relaciona con la anterior, pues las personas tendemos a interiorizar el rol que desempeñamos hasta el punto de identificarnos con él y hacerlos parte de nuestra personalidad, nos identificamos con las posiciones que ocupamos, los papeles que desempeñamos y los grupos a los que pertenecemos.

El **yo ideal** se refiere a cómo nos gustaría ser. Muchas veces la forma en que nos vemos y cómo nos gustaría vernos no coincide. Es decir, el autoconcepto no siempre está perfectamente alineado con la realidad. El grado en que el autoconcepto de la persona coincide con la realidad determina el grado de congruencia o incongruencia. Rogers cree que esta incongruencia aparece en la infancia cuando, por ejemplo, los padres ponen condiciones al afecto que ofrecen sus hijos. (Éstos reciben amor cuando "se lo ganan" según los gustos y placeres de los padres). En este momento, los niños distorsionan los recuerdos de experiencias en los que se han sentido indignos. En cambio, el amor incondicional fomenta la congruencia. Los niños no sienten necesidad de falsear sus recuerdos para creer que otras personas los aceptan como son realmente.

Durante la intervención psicomotriz se trata de que la persona vaya reconociendo sus propias capacidades y limitaciones, buscando que cada vez vaya siendo más independiente.

3.4. La expresión y el reconocimiento de emociones

La emoción es un proceso psicológico adaptativo, que tiene la finalidad de reclutar y coordinar al resto de los procesos psicológicos, cuando determinadas condiciones de la situación exigen una respuesta rápida y efectiva para ajustarse a los cambios producidos en el medio ambiente. Las emociones cumplen unas funciones; las principales son: adaptativa (la emoción sirve para facilitar la conducta apropiada), social (con nuestra expresión verbal y no verbal de la emoción, las demás personas pueden predecir así qué comportamiento vamos a desarrollar) y motivacional.

Las emociones primarias o básicas son universales (el miedo, la ira, el asco, la tristeza, la alegría y la sorpresa) y las emociones secundarias son más individuales (la ansiedad, la hostilidad, el amor/cariño, etc.).

En relación a estos aspectos, durante la intervención psicomotriz se trata de que el niño:

- Reconozca las propias emociones y sentimientos.
- Identifique las distintas emociones y sentimientos en los otros.
- Exprese las distintas emociones y sentimientos de forma adecuada.
- Afronte y supere los posibles miedos.

3.5. Aceptación y respeto de normas

En todos los ámbitos de la sociedad hay normas que organizan las relaciones entre las personas. Estas normas nos permiten convivir y organizan las relaciones entre las personas en cualquier ámbito de la vida cotidiana. El respeto a las normas es esencial y para ello, se debe enseñar a los niños a respetarlas y a respetar a los demás.

Piaget considera que el desarrollo moral consiste en un sistema de reglas y que la moralidad implica el respeto de éstas por parte del individuo. Propone que hay tres factores

que influyen sobre el desarrollo moral: el desarrollo de la inteligencia, las relaciones entre iguales y la progresiva independencia de la coacción de las normas de los adultos. La teoría de Piaget sobre el desarrollo moral propone también la existencia de estadios en el mismo. Estos corresponderían a los del desarrollo intelectual a partir de los dos años de edad, ya que antes, según este autor, no podemos hablar de moral propiamente dicha.

A partir de los dos años, coincidiendo con la etapa egocéntrica, el niño comienza a percatarse que hay reglas que suponen obligatoriedad, que son transcendentes y que vienen del adulto, del exterior. En las sesiones de psicomotricidad a partir de los dos años, por lo tanto, se comienzan a establecer normas. Estas normas no se imponen de forma arbitraria sino haciendo comprender al niño su necesidad. Se procura que el niño las comprenda y las respete.

Entre los 7 y los 11 años el niño entra en una etapa de cooperación, lo que supone que los juegos tienen un contenido social observándose un intento por controlar y unificar reglas a partir del mutuo acuerdo. Sin embargo, la aplicación de estas normas y de los conceptos y sentimientos morales es poco flexible. En las sesiones de psicomotricidad a partir de los siete años se intenta llegar a un consenso entre todos los participantes sobre cuáles son las normas básicas para poder garantizar la convivencia, el respeto y el orden. Se trata de que el niño participe en la elaboración de las normas y las respete.

A partir de los once años comienza la etapa de la codificación de las reglas. En esta etapa las reglas se consideran necesarias y todos las conocen. Pero la regla puede modificarse a través de la aprobación general. En esta etapa surgen sentimientos morales personalizados, como la compasión o el altruismo, que exigen la consideración de la situación concreta del otro como un caso particular de la aplicación de las normas.

4. Psicomotricidad y desarrollo motriz

El área motora incluye: el tono muscular (control postural y relajación), la coordinación dinámica general, el equilibrio, la coordinación visomotriz, la lateralidad y la disociación de movimientos.

Las conductas motrices de base incluyen aquellas conductas motrices que son básicas para garantizar la adaptación personal. El desarrollo motor y el dominio de los movimientos son necesarios para la satisfacción de las propias necesidades y para la realización de cualquier trabajo o actividad. Por otro lado, un buen aprendizaje motor facilita siempre otros aprendizajes posteriores.

Las principales dificultades que puede presentar el niño respecto a sus conductas motrices de base son las siguientes:

- Problema de equilibrio dinámico y estático.
- Dificultades en la respiración.
- Falta de coordinación general y/o visomotora.
- Problemas en el control tónico-postural.

4.1. Tono muscular

El tono muscular es la contracción parcial, pasiva y continua de los músculos en su estado de reposo. Este fenómeno es el que mantiene la postura del cuerpo.

En el recién nacido predomina el tono aumentado de los músculos flexores sobre los extensores, por eso su postura natural es estar encogido. Durante los primeros meses de vida el tono de músculos flexores y extensores se irá igualando al mismo tiempo que maduran las estructuras cerebrales, medulares y nerviosas que intervienen en la motricidad, permitiendo que progresivamente se adquiera el control sobre la postura y el movimiento.

Cuando el tono muscular está afectado puede haber **hipotonía**, que es la disminución del tono muscular y que conlleva que el desarrollo motor del bebé se vea retrasado; **hipertonía**, que es el tono muscular elevado. Este trastorno también genera una alteración en la manera del bebé de percibir su entorno. Son niños muy activos pero que se irritan con facilidad y realizan movimientos más bruscos y fuertes.

Relacionados con el tono muscular están los conceptos de control postural y relajación.

El **control postural** se relaciona con el equilibrio estático, que veremos más adelante.

Siguiendo a Bucher (1976), podemos decir que "la **relajación** se define como la distensión voluntaria del tono muscular que va acompañada de una sensación de reposo. La relajación permite mejorar la postura mediante la supresión de tensiones musculares superfluas, al tiempo que contribuye a la elaboración de la imagen corporal."

Para trabajar la relajación con niños el objetivo será distinto en función de la edad y madurez. Podemos distinguir entre:

- Relajación global, que implica la relajación del cuerpo en su conjunto. Se puede empezar a trabajar a partir de los cuatro años.

- Relajación segmentaria, que consiste en la relajación de las distintas partes del cuerpo por segmentos. Se puede trabajar a partir de los seis años.
- Relajación diferencial, que consiste en la ejecución de un movimiento segmentario y el mantenimiento simultáneo de la relajación en el resto del cuerpo. Se trabaja a partir de los diez años.

4.2. Coordinación dinámica general

La coordinación consiste en la integración de las diferentes partes del cuerpo en un movimiento ordenado y con el menor gasto de energía posible.

Existen dos tipos de coordinación: la coordinación general y la visomotora (Esta última la veremos más adelante).

La **coordinación dinámica general** se refiere a grandes grupos de músculos. Se conoce también como Psicomotricidad gruesa, y se manifiesta en actividades como saltar, correr, caminar, bailar, subir escaleras, etc.

Para trabajar la psicomotricidad gruesa podemos realizar actividades de marcha, carreras, andar a cuatro patas, gatear, etc. Pero también tenemos a nuestra disposición multitud de juegos tradicionales que desarrollan la coordinación dinámica general, como pueden ser la comba, el pañuelo, el juego de la rueda, juegos con pelotas, la imitación de movimientos de animales, etc.

4.3. Equilibrio

El equilibrio consiste en mantener relativamente estable el centro de gravedad del cuerpo, en reposo o en movimiento. Su funcionamiento depende del sistema vestibular y del cerebelo.

Dentro del equilibrio, podemos distinguir dos tipos:

- El **equilibrio dinámico** consiste en desplazarse en una postura determinada (por ejemplo, en patinaje). Pero también nos referimos con este concepto a la capacidad de saber parar tras la realización de una actividad dinámica.
- El **equilibrio estático** se relaciona con el control postural, ya que consiste en mantener la inmovilidad en una postura determinada.

La secuencia de actividades psicomotrices relacionada con el equilibrio estático debe ser la siguiente:

1. Posiciones y posturas habituales y familiares: Estar de pie, sentado, tendido...
2. Posiciones y posturas habituales mantenidas en situaciones de menos equilibrio, como estar de pie sobre una silla.
3. Posiciones y posturas no habituales: Estar de puntillas, sobre un solo pie...

Si los niños no son capaces de adoptar una determinada postura el educador debe proporcionarle toda la ayuda necesaria, para ir retirándola poco a poco a medida que sea capaz de mantener el equilibrio.

Las actividades de equilibrio se pueden realizar desde diferentes posiciones: de pie, de rodillas, en cuclillas o acostados.

4.4. Coordinación visomotriz

La **coordinación visomotora** es una actividad conjunta de la percepción con las extremidades (principalmente los brazos) que implica además una cierta precisión en la actividad que se realiza. También se conoce como Psicomotricidad fina o coordinación óculo-manual.

La coordinación visomotora incluye actividades como escribir, dibujar, hacer gestos faciales, etc.

Además de las distintas actividades tradicionales para desarrollar la coordinación visomotora (lanzar y recoger objetos, dar palmadas, encajar objetos, manipularlos, etc.) tenemos también una serie de juegos que favorecen el desarrollo de la psicomotricidad fina:

- **Juegos con pelotas**: botar, encestar, lanzar y recoger la pelota, pasarla de una mano a otra, etc.
- **Juegos con canicas**: dar con la canica propia a la del compañero, meter las canicas en un hoyo desde cierta distancia, etc.
- **Juegos con cartas**: barajarlas, repartirlas, situar las cartas una al lado de otra, hacer solitarios...
- **Juegos de construcción**: con cubos, trozos de madera o piezas encajables realizar torres, puentes, caminos, casas...
- **Otros juegos que desarrollan la psicomotricidad fina son**; la petanca, los bolos, el "yo-yo", el ping-pong y el tenis. Otros recursos de estimulación sensorial que,

además favorecen el desarrollo de la motricidad fina son las actividades simples con papel, como:

* Arrugado: Se puede utilizar antes del primer año de vida. Más tarde se puede progresar en el concepto de volumen, arrugando el papel formando bolitas.
* Rasgado: actividad recomendada para niños entre 1 y 2 años. Consiste en dar al niño una hoja de papel para que la rasgue en pequeños trozos. Desarrolla el tacto y el tono muscular. Se usa como actividad introductoria a los ejercicios de recortado.
* Picado: esta actividad trabaja el control de la presión, la dirección y la coordinación óculo-manual. Consiste en perforar el papel con un punzón de forma espontánea al principio y, finalmente, siguiendo una figura.

4.5. Lateralidad

La lateralidad o dominancia lateral se define como el predominio funcional de un hemicuerpo (una mitad del cuerpo) sobre el otro, que se manifiesta principalmente en ojo, mano y pie.

Lo habitual es que hacia los tres años el niño comience a utilizar más una parte del cuerpo que otra. Lo más común es que el predominio sea de la parte derecha (en el 70 % de los casos).

Como resultado del establecimiento de la dominancia lateral el niño puede ser diestro (predominio del lado derecho), zurdo (predominio del izquierdo) o ambidextro (uso indistinto de los dos lados). Lo importante no es en qué dirección se establece el dominio sino que esa preferencia por una parte corporal esté bien asentada. De no ocurrir así, pueden darse algunos trastornos de la lateralidad que a su vez, son la causa de alteraciones en la estructuración espacial.

Los principales **trastornos de la lateralidad** son:

- La **zurdería contrariada**. Se da en niños en los que a pesar de ser el izquierdo su lado dominante por naturaleza, se les enseña a usar el lado derecho, creando una falsa dominancia diestra. Por eso es necesario que el niño zurdo tenga bien asentada su lateralidad desde muy pequeño, sin imponerle el uso del lado derecho.
- **Ambidextrismo**. Aunque no es un trastorno propiamente dicho, cabe considerar que hay una posibilidad muy reducida de que una persona sea realmente ambidextra. Siempre existe un grado, aunque sea mínimo, de preferencia que se debe consolidar convirtiéndolo en dominante. Con esto queremos decir que la mayoría de los casos de ambidextrismo son en realidad una falta de dominancia lateral, con las consecuencias negativas que esto puede tener de cara a la orientación espacial.
- **Lateralidad cruzada**. Existe un dominio del lado derecho o izquierdo, según la parte del cuerpo. Por ejemplo, el niño con lateralidad cruzada puede presentar un dominio del ojo derecho y de la mano izquierda.

No solo los niños con algún trastorno de los explicados se van a beneficiar de las técnicas psicomotrices que trabajan la lateralidad, sino que los niños con una lateralidad claramente definida también se van a beneficiar asentando ese dominio.

Los objetivos principales en las técnicas de psicomotricidad que trabajan la dominancia lateral son:

1. El uso de manera continuada de una parte del cuerpo concreta.
2. Diferenciación de las dos partes del cuerpo (izquierda- derecha)
3. Establecimiento del dominio de una parte del cuerpo sobre la otra.
4. Reconocimiento de la parte del cuerpo con que realiza la mayoría de las actividades.
5. Identificación de derecha- izquierda en el propio cuerpo, posteriormente en otros y último, en el espejo.

4.6. Disociación de movimientos

La disociación de movimientos se define como una actividad voluntaria del individuo cuyo objetivo es el movimiento de grupos musculares independientemente unos de otros, realizando simultáneamente movimientos que no tienen el mismo objetivo dentro de una conducta.

Se trabaja añadiendo de forma progresiva y acumulativa los distintos elementos siguiendo el siguiente orden:

- Coordinación de miembros superiores.
- Coordinación de miembros superiores e inferiores.
- Coordinación dinámica y postural.
- Movilización de otros segmentos y del conjunto del cuerpo.

TEMA 12

La psicomotricidad (II). Los controles tónico, postural, respiratorio y la relajación. Objetivos de la práctica psicomotriz

Empieza **subrayando** solo las ideas principales en la lectura comprensiva. Elige tu código de color según su importancia. Si quieres saber más, te lo explicamos en tu Curso MAD360.

Índice

1. Los controles tónico, postural, respiratorio y la relajación

1.1. El control tónico

La función tónica es la base de la construcción corporal y está regulada por el sistema nervioso. Siguiendo a Stamback: "La actividad tónica consiste en un estado permanente de ligera contracción en el cual se encuentran los músculos estriados. La finalidad de esta situación es la de servir de telón de fondo a las actividades motrices y posturales".

Para realizar cualquier movimiento o acción corporal, es necesaria la participación de los músculos del cuerpo, unos se tienen que activar o aumentar su tensión y otros se inhiben o relajan su tensión. Cualquier acto motor voluntario sería imposible si no se tiene control sobre la tensión de los músculos que intervienen en los movimientos.

Ya sabemos de la importante relación entre actividad y desarrollo cognitivo. La actividad del niño sobre el entorno y la manipulación de los objetos hacen posible el desarrollo psíquico y la aparición de los procesos mentales superiores.

Para desarrollar el control de la tonicidad se pueden realizar actividades que tiendan a proporcionar al niño o a la niña el máximo de sensaciones posibles de su propio cuerpo, en diversas posiciones (de pie, sentado, reptando, a gatas), en actitudes estáticas o dinámicas (desplazamientos) y con diversos grados de dificultad que le exijan adoptar diversos niveles de tensión muscular.

Según Castañer y Camerino podemos distinguir **tres tipos de tono muscular**:

- **Tono de acción**: es el estado que acompaña a la actividad muscular durante la acción y está asociada a la fuerza muscular.
- **Tono muscular de base o de reposo**: es el estado de contracción mínima del musculo cuando está en reposo.
- **Tono de actitud o postural**: permite mantener la posición. Implica una lucha contra la gravedad. Se considera un estado de preacción.

Basándonos en el grado de extensibilidad podemos distinguir también entre:

- **Hipotonía**: gran extensibilidad y poca movilidad.
- **Hipertonía**: poca extensibilidad y gran movilidad.
- **Eutonía**: Este termino se lo debemos a Gerda Alexander, quien en 1957 se refería a este término para designar el tono justo y armonioso.

- **Distonía**: trastorno de la función tónica que causa contracciones involuntarias de los músculos.

- **Paratonía**: se define como la imposibilidad de alcanzar la relajación muscular voluntaria.

La función tónica tiene gran **importancia en la psicomotricidad** e influye en varios aspectos:

1. Uno de los elementos que componen el **esquema corporal** es el tono: la función tónica nos informa de cómo están nuestros músculos y cómo es nuestra postura. Es decir, hace posible que tengamos conciencia de nuestro cuerpo. por otro lado, el control tónico nos permite adaptar el esfuerzo al objetivo. Según el movimiento que queramos realizar necesitaremos un grado de tensión muscular u otro, gracias a la regulación del tono empleamos el grado de tensión muscular necesario para cada movimiento, ni más, ni menos.

2. El tono se relaciona también con la **postura**: en gran medida el tono es responsable de la postura. El control tónico permite canalizar la energía tónica necesaria para realizar los gestos o para prolongar una acción o una posición del cuerpo.

3. El tono se relaciona con las **actitudes y emociones**: fue Wallon quien dirigió la atención en primer lugar hacia el papel que tiene el tono muscular en la génesis y en la expresión de las emociones, así como en la toma de conciencia de sí mismo y en la construcción del conocimiento del mundo y de los demás, por la reciprocidad de las actitudes, de la sensibilidad, y de la acomodación perceptiva y mental. Este autor habla diálogo tónico como el "conjunto de intercambios mediatizados por el modo en que el niño es sostenido por el progenitor y la manera en que el bebé responde a ello, produciéndose una interacción entre las posturas de ambos y el tono muscular resultante". Durante el primer año de vida, el niño transmite su estado de ánimo o su placer hacia algo a través de su tono muscular, es decir, con su hipertonía (contracción del músculo), mediante la cual expresará una carencia o necesidad, o con su hipotonía (relajación), que mostrará su satisfacción y seguridad.

4. El tono muscular se relaciona con los **procesos de atención y percepción**: la actividad tónica muscular y la actividad tónica cerebral están interrelacionadas hasta el punto de que cuando intervenimos sobre la tonicidad muscular, estamos interviniendo también sobre los procesos de atención, lo que resulta imprescindible para cualquier aprendizaje.

En el abordaje psicomotor sobre el tono merece una atención especial el tema de la relajación que abordaremos más adelante en este mismo tema.

Por otro lado, se debe tener en cuenta que el desarrollo del control tónico está íntimamente ligado al desarrollo del control postural, por lo que ambos aspectos se deben trabajar paralelamente.

1.2. El control postural

Las bases de la actividad motriz son la postura y el equilibrio, sin las cuales no serían posibles la mayor parte de los movimientos que realizamos a lo largo de nuestra vida diaria.

Quirós y Schrager definen la postura como la actividad refleja del cuerpo en relación con el espacio, que se basa en el tono muscular. La postura es determinada por el acuerdo constante entre el tono y el equilibrio y es requisito previo para todas las habilidades motrices básicas. Todas las coordinaciones tanto finas como gruesas, implican adaptaciones posturales.

El desarrollo del control postural conlleva la maduración e interacción de los sistemas nerviosos, musculoesquelético y sensorial, además de la interacción con el entorno y la capacidad de organizar dicha información para poder desarrollar mecanismos de adaptación y anticipación que permiten modificar y controlar la postura y el movimiento.

La postura y el equilibrio dependen de tres sistemas: El sistema sensorial, el sistema motor y el sistema cognitivo.

1. **El sistema sensorial**: este sistema se compone de sistema visual, sistema vestibular y sistema propioceptivo.
    - **El sistema visual**: lleva la información captada por nuestros ojos. Las referencias visuales nos ayudan a mantener la verticalidad de nuestra postura.
    - **El sistema vestibular**: Las aferencias laberínticas provienen del laberinto vestibular que se encuentra en el oído interno y cuya finalidad es el mantenimiento del equilibrio. El sistema vestibular funciona junto con el visual para mantener enfocados los objetos cuando la cabeza se mueve. El cerebro procesa esa información para controlar el equilibrio.
    - **El sistema propioceptivo**: La propiocepción es la capacidad que tiene nuestro cerebro de saber la posición exacta de todas las partes de nuestro cuerpo en cada momento. Dicho de otra manera, a nuestro cerebro le llegan diferentes ordenes desde las articulaciones y los músculos de la posición exacta de los mismos. Sus funciones principales son la regulación del equilibrio y la coordinación de movimientos.
2. **El sistema motor**: el sistema motor es el que se encarga de generar el control anticipatorio. Las estrategias anticipatorias o ajustes posturales anticipatorios consisten en una serie de movimientos voluntarios que preparan al cuerpo antes de un desequilibrio esperado, mediante la activación de la vía córtico-retículo espinal. Estos ajustes pueden preceder al movimiento o acompañar al movimiento. Por ejemplo, cuando vamos en el autobús y frena de repente, para mantener el equilibrio realizamos una serie de movimientos. Estos movimientos se hacen para activar la musculatura antes del desequilibrio y reducir el riesgo de perder este.

3. **El sistema cognitivo**: Las tareas cognitivas y que conllevan una atención, están implicados también en nuestro control postural. Si realizamos una tarea simple, nuestro control postural es más automático, sin embargo, en tareas más complejas solicitamos más nuestra atención y disminuye el rendimiento del control postural.

Para lograr el control postural en las sesiones de psicomotricidad se trabaja para lograr los siguientes **objetivos**:

- Tomar conciencia de las diferentes posturas corporales.
- Tomar conciencia de la movilidad del eje corporal.
- Ser capaces de disociar segmentos.
- Favorecer el desarrollo equilibrado de la musculatura.
- Mantener y mejorar la movilidad articular.
- Tomar mejor conciencia de las partes del cuerpo.
- Evitar posibles lesiones relacionadas con malos hábitos posturales.
- Mejorar el equilibrio.

1.3. El control respiratorio

La respiración es una de las constantes vitales que tiene mayor relación con la psicomotricidad. Cualquier actividad que exija un mínimo esfuerzo está influenciada por el ritmo respiratorio. Existe una clara relación entre las dificultades psicomotrices y la mala respiración.

La respiración puede estar sujeta a un control voluntario o involuntario, ya que también se relaciona con la atención y con las emociones. Un control voluntario implica darse cuenta de cómo se respira, para conseguir regular el ritmo respiratorio, y adecuar la respiración a las actividades diarias.

Los problemas respiratorios se suelen manifestar provocando ansiedad, cansancio y falta de concentración. Por ello consideramos importante la reeducación del control respiratorio, evitaremos fatigas indebidas y las actividades cotidianas serán realizadas con mayor facilidad.

El ciclo respiratorio se compone de tres fases:

1. Fase inicial: inspiración, siempre a través de la nariz.
2. Fase intermedia: parada del movimiento respiratorio.
3. Fase final: espiración. La salida del aire puede ser nasal o bucal.

Para que los niños comprendan el ciclo respiratorio, en un principio se pueden exagerar cada una de las fases, pero después se irán ajustando a un ritmo normal.

Para que el niño sea consciente de las tres fases se deben practicar ejercicios respiratorios de muy diversas formas: con espiración pausada, espiración silbante, en forma de soplo, de forma continua o entrecortada, etc.).

Para conseguir regular el ritmo respiratorio y adecuarlo a las actividades que se realicen, se pueden hacer ejercicios de respiración pausada con movimientos de miembros superiores o inferiores, y juegos que requieran un control de la respiración, como carreras, saltos, etc.

1.4. La relajación

El nacimiento formal de las principales técnicas de relajación: el entrenamiento autógeno y la relajación progresiva se sitúan entre 1925 y 1935. Se considera como tal cualquier procedimiento que trata de enseñar a una persona a controlar su propio nivel de activación sin ayuda de recursos externos.

1.4.1. Relajación progresiva o diferencial

Desarrollada por Jacobson, enseña a la persona a relajarse tensando y relajando alternativamente distintos grupos musculares. El objetivo es que la persona aprenda a discriminar cuándo sus músculos están en tensión y cuándo relajados. Consta de 6 sesiones de 1 hora de duración (aunque según el procedimiento original de Jacobson eran necesarias 56 sesiones de relajación).

La relajación progresiva también se puede aplicar en **niños**. Para poder aplicar la técnica de relajación progresiva, Cautela y Groden (1989) señalan **unas habilidades mínimas para realizar los ejercicios de relajación**:

a) **Habilidades básicas:**

   1. Permanecer sentado en una silla durante 5 segundos, los pies quietos, la espalda recta, sin moverse ni vocalizar.
   2. Mantener la mirada durante 5 segundos. (Debe responder en un plazo máximo de 5 segundos).

b) **Habilidades de imitación:**

1. Imitar el gesto de levantar la mano por encima de la cabeza en un plazo máximo de 5 segundos.
2. Imitar el gesto de tocar la mesa.
3. Imitar el gesto de tocarse el pecho.

c) **Órdenes sencillas:**

1. Levantarse de la silla en un plazo máximo de 5 segundos cuando se le pide.
2. Sentarse en la silla en un plazo máximo de 5 segundos cuando se le pide.
3. Cuando el terapeuta le pide "ven aquí", el niño deberá levantarse y caminar hacia él sin hacer movimientos ni verbalizaciones inadecuadas.

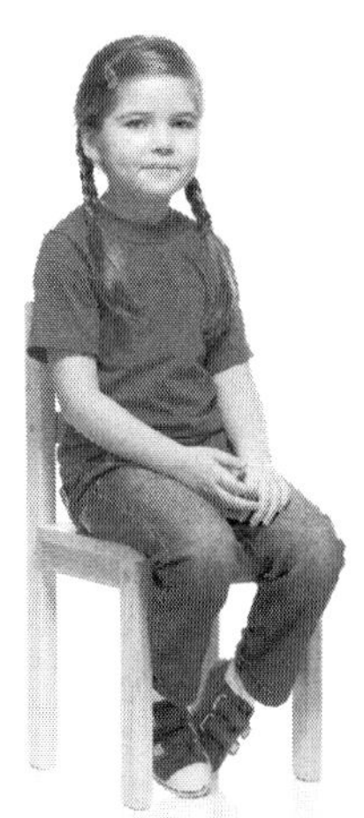

La **técnica de Koeppen** es uno de los métodos de relajación más utilizados y efectivos en los niños más pequeños, desde que son capaces de seguir órdenes hasta aproximadamente 10-11 años. Se basa en la tensión y distensión de los distintos grupos de músculos a través de ejercicios de visualizaciones. A cada grupo de músculos se le asigna una visualización:

- **Manos y brazos**: *exprimiendo el limón*: "Imaginad que tenemos un limón en la mano. Queremos sacarle todo el jugo para hacernos una buena limonada y lo intentamos exprimir con toda nuestra fuerza. Vamos a concentrarnos en como nuestra mano y nuestro brazo se aprietan y se tensan. ¿Lo notáis? Ahora vamos a dejar caer suavemente el limón, y notamos como nuestra mano y nuestro brazo se relajan, y poco a poco van perdiendo la fuerza."
- **Brazos y hombros**: *el gato perezoso*: "Nos vamos a imaginar que somos un gato muy perezoso y queremos estirarnos porque nos hemos echado un siestón. Vamos a estirar nuestras patas delanteras todo lo que podamos delante de nosotros. Ahora las levantamos por encima de nuestra cabeza y las llevamos hacia atrás. Mirad que estirón pegan nuestros hombros. Ahora las dejamos caer para que descansen."
- **Hombros y cuello**: *la tortuga escondida*: "Ahora vamos a ser tortugas. Estamos tumbadas al sol muy a gustito. Hace mucho calor y estamos relajándonos en una playa muy felices y contentos. Estamos muy cómodos, pero… de repente escuchamos un ruido cerca de nosotros. Sentimos miedo… ¡tenemos que escondernos! Para hacerlo, escondemos la cabeza dentro del caparazón. Lo hacemos llevando los hombros hacia las orejas. Ahora estamos escondidos y no hay peligro. Poco a poco notamos que el ruido se aleja y volvemos a sacar la cabeza. Bajamos los hombros poco a poco, estirando el cuello hacia arriba y volvemos a sentir el sol en nuestra cara y a disfrutar del paisaje. Sentimos cómo nuestro cuello y hombros también se han relajado."

- **Mandíbula**: *mascando un chicle gigante*: "Tenemos un chicle gigante y enorme en nuestro poder. Nos los metemos en la boca y queremos morderlo y masticarlo... ¡Pero es muy grande! Vamos a morderlo con todos los músculos de nuestro cuello y nuestra mandíbula bien fuerte. Sentimos como se mete entre nuestros dientes porque estamos apretando mucho. Ahora soltamos poco a poco nuestra mandíbula. El chicle ha desaparecido y sentimos como los músculos de alrededor de nuestra boca y del cuello están más relajados."

- **Cara y nariz**: *una mosca sumamente pesada*: "Estamos sentados en un banco plácidamente y despreocupados. De repente, viene una mosca muy molesta. Parece decidida totalmente a molestarnos a nosotros y se posa en nuestra nariz. Tratamos de espantarla, pero no podemos usar nuestras manos. Umm... ¿Cómo podemos espantarla? Intentamos arrugar la nariz todo lo que podamos. Muy fuerte para que se vaya. ¡Vamos, podemos echarla! Fijaos en que también se arrugan nuestra boca, las mejillas y la frente. Hasta nuestros ojos se tensan. Por fin la mosca se ha ido y nos sentimos tranquilos y relajados. Nuestros músculos también se relajan."

- **Estómago**: *el Elefante despistado*: "Ahora vamos a imaginarnos que estamos en el campo, tumbados sobre la hierba boca arriba y tomando el sol. Estamos muy muy relajados, pero de repente escuchamos un ruido muy fuerte, como de pisadas. Es un elefante que avanza muy deprisa hacia nosotros sin mirar por dónde va. ¡Va a pisarnos! La única solución es que tensemos nuestro estómago. Lo apretamos muy muy fuerte, como si fuera una roca, y así estaremos protegidos cuando el elefante pase por encima nuestra. Pero... ¿Qué pasa? ¡El elefante ha cambiado de dirección! Ya podemos relajarnos poco a poco y notar como nuestro estómago se vuelve más blandito. ¿A que ahora estamos mucho mejor? Ya podemos volver a descansar tranquilos."

  "Ahora nos imaginamos que vamos caminando por un bosque y nos encontramos con una valla blanca. Detrás de ella hay un precioso paisaje con hierba muy verde, flores de todos los colores y un gran manantial de agua muy clara. Queremos ir allí, pero antes debemos atravesar la valla. Es tan estrecha que es difícil que quepamos, así que metemos mucho el estómago, todo lo que podamos para hacernos lo más delgados posibles. Tratamos de meter el estómago todo lo que podamos. ¡Vamos, un poco más de esfuerzo! Por fin hemos conseguido atravesarla. Ya podemos relajar nuestro estómago. Notamos como está mucho más blandito y relajado."

- **Pies y piernas**: *caminamos por el barro*: "Ahora nos encontramos en una jungla muy peligrosa. Tiene mucha vegetación y es oscura, pero nosotros somos buenos exploradores y vamos a conseguir avanzar y encontrar la salida. Vamos caminando cuando ¡cuidado! Nos encontramos con una charca llena de barro. Nos llega hasta las rodillas, pero intentamos salir con todas nuestras fuerzas. Para ello pisamos el barro muy fuerte, metiendo en él los pies y las piernas. Sentimos como el barro se mete en nuestras botas. Ahora salimos fuera y relajamos los pies. Dejamos que se queden flojos y nos fijamos en lo bien que se está así. Nos sentimos bien cuando estamos relajados."

1.4.2. Entrenamiento autógeno (EA)

Esta técnica de relajación fue desarrolla por Schultz. Persigue que el propio sujeto se autogenere la relajación por medio de autosugestión. Los ejercicios se centran en el control de las funciones mentales. Consiste en la repetición mental de fórmulas verbales (frases elaboradas) sobre sensaciones psicofisiológicas durante breves periodos de tiempo, además de una concentración pasiva en dichas sensaciones. Tiene sus antecedentes en la hipnosis, aunque no es tan profunda como esta. La relajación se consigue por concentración interna de determinadas representaciones preestablecidas. Se trata de generar las sensaciones corporales típicas: pesadez de miembros, sensación de calor...

El entrenamiento autógeno consta de dos ciclos, el inferior o básico y el superior:

- El **ciclo básico** sirve para alcanzar la relajación y consta de seis ejercicios:
    1. Relajación muscular (peso).
    2. Relajación vascular (calor).
    3. Regulación cardíaca (latido del corazón).
    4. Control de la respiración.
    5. Regulación de órganos abdominales.
    6. Regulación de la región cefálica.
- El **ciclo superior** está concebido para lograr determinados estados psíquicos y debe ser practicado por personas que ya dominen el ciclo inferior. Este ciclo consta de siete ejercicios de imaginación:
    1. **Imaginación de colores**: dirigir los globos oculares al centro de la frente y hacer surgir un color en la imaginación.
    2. **Imaginación de movimientos**: imaginarse figuras moviéndose y transformándose (rotaciones, aproximaciones, alejamientos, etc.).
    3. **Imaginación de objetos específicos**: imaginar objetos específicos con sus detalles.

4. **Imaginación de objetos abstractos**: contemplar representaciones abstractas (paz, amor, vigor, etc.).
5. **Imaginación de sentimientos**: buscar la representación tridimensional de sentimientos propios.
6. **Imaginación de personas**: concentrarse en la representación de una persona actuando en su vida cotidiana.
7. **Imaginación de vivencias íntimas**: observación de sí mismo y exposición a vivencias íntimas, mediante cuestionamientos de la propia existencia.

2. La práctica psicomotriz. Objetivos

2.1. La psicomotricidad en el currículo de la Educación Infantil

La educación psicomotriz abarca a la totalidad del individuo así pues, su finalidad será contribuir al desarrollo físico, intelectual, afectivo, social y moral del niño. A continuación señalamos aquellos elementos y partes del currículo más relacionados con el tema.

2.1.1. Objetivos

Los objetivos se entienden como las intenciones que orientan el diseño y la realización de las actividades necesarias para la consecución de las grandes finalidades educativas.

En Educación Infantil, **la intencionalidad general de la acción educativa ha de orientarse hacia**:

- La creación de un ambiente y un marco de relaciones que posibiliten y potencien el crecimiento sano de los niños menores de seis años.
- La cooperación con las familias y con la comunidad en general en la promoción del desarrollo armónico en sus distintas dimensiones, físico, cognitivo, afectivo y social.
- La adquisición por parte de los niños de aprendizajes significativos y adaptados a sus necesidades y motivaciones.
- La colaboración en la compensación de las desigualdades de origen social y económico.

Los objetivos han de entenderse como metas que guían el proceso de enseñanza-aprendizaje. Constituyen un marco de referencia para decidir las direcciones que se deben seguir durante su transcurso, desempeñando un papel fundamental como referencia para revisar y regular el currículo.

Precisamente por su carácter procesual, deben contemplarse diferentes niveles de concreción que posibiliten la transición de los fines generales a la práctica educativa. Al Equipo Educativo de cada Centro le corresponde adecuar los objetivos a cada realidad escolar y a las condiciones propias de cada persona. En función de estas realidades y condiciones, podrán establecerse criterios de prioridad entre los objetivos propuestos.

Durante la etapa de Educación Infantil, la intervención educativa estará orientada a procurar que todos los niños y niñas adquieran experiencias significativas y placenteras –adaptadas a sus necesidades de conocimiento y de relación– y a crear las condiciones que potencien el **desarrollo de las capacidades siguientes**:

- Desarrollar una autonomía progresiva en la realización de las actividades habituales, por medio del conocimiento y dominio creciente del propio cuerpo, de la capacidad de asumir iniciativas y de la adquisición de los hábitos básicos de cuidado de la salud y el bienestar.

  Hay que ayudar a los niños y niñas, a través del establecimiento de vínculos afectivos adecuados, a conseguir seguridad y confianza en sí mismos, a sentirse comprendidos y atendidos en sus necesidades y demandas y a que sus iniciativas encuentren los cauces adecuados, para que puedan ir adquiriendo una autonomía creciente en su vida cotidiana. También es necesario ofrecerles los modelos de referencia y la información necesaria para satisfacer las propias necesidades y cuidar de uno mismo de forma adecuada, así como desarrollar en ellos actitudes de aprecio y respeto por la salud y el bienestar propio y de los demás.

- Ir formándose una imagen positiva de sí mismo y construir su propia identidad a través del conocimiento y la valoración de las características personales y de las propias posibilidades y límites.

  Es necesario ofrecer a los niños y las niñas un clima de relaciones personales que favorezca el conocimiento de sí mismos y el desarrollo de su autoestima. Necesitan sentirse personas aceptadas, que la expectativa acerca de ellos sea positiva y que se les reconozcan sus deseos, sus peculiaridades y sus posibilidades de expresión y actuación. De esta manera, podrán ir diferenciándose de los objetos y de las demás personas, afirmándose frente a los otros y asumiendo formas particulares de sentir, de pensar y de construir su propia identidad sexual y personal, sin discriminación.

2.1.2. Contenidos

Sin olvidar su carácter global, los contenidos deben contemplar los siguientes aspectos (Ramírez del Hoyo, 1989):

- Conocimiento del cuerpo.
- Percepción y orientación espacial.
- Percepción y orientación temporal.
- Expresión corporal libre.

A continuación, los desarrollaremos uno a uno.

- **Conocimiento del cuerpo**. Los contenidos, en este sentido, se refieren tanto a la percepción del cuerpo en sentido global como a cada una de sus partes.

  Los aspectos que trabajaremos serán:

  * **Esquema corporal**. Es la idea que tenemos del cuerpo tanto en reposo como en movimiento; así, abordaremos en estas edades la percepción de los segmentos, el control y la maduración tónica, el control respiratorio, la funcionalidad de los miembros, la percepción del cuerpo en relación con los objetos, el espacio...

  * **Lateralidad.** Es un aspecto muy relacionado con el esquema corporal. Se refiere al predominio de una de las dos mitades simétricas del cuerpo. Cada elemento del cuerpo tiene su propia lateralidad, hecho que puede dar lugar a una lateralidad cruzada, por ejemplo lateralidad derecha para la mano e izquierda para el pie.

  * **Coordinación motriz**. Se entiende esta como la acción conjunta de varios músculos o grupos de músculos para realizar un movimiento complejo y voluntario. Como aspectos de la coordinación motriz, podemos señalar los siguientes:

    • *Coordinación dinámica general*. De todo el cuerpo en movimiento. Tiene una gran influencia en procesos de equilibrio, en la postura y en la marcha. En este sentido, debemos trabajar el control de movimientos, la eliminación de sincinesias (movimientos involuntarios evocados en un grupo muscular distante por la actividad voluntaria de otro grupo muscular).

    • *Coordinación ojo-mano.* Constituye el trabajo coordinado de la actividad manual y visual. Estará presente en las actividades manipulativas y en las distintas formas de expresión plástica y gráfica.

    • *Coordinación ojo-pie.* Aquí la coordinación se produce, evidentemente, entre el ojo y el pie. Aunque tiene una gran importancia, no es tan vital como la anterior.

- **Percepción y orientación espacial**. Se entiende como tal la estructuración del mundo externo a partir de los receptores visuales y táctil-cinestésicos el primero informa sobre superficies, formas y tamaños, etc., y se localiza exclusivamente en la retina ocular, mientras que el segundo lo hace sobre presiones, posturas, desplazamientos, etc., dando como resultado final una imagen determinada de la situación ocupada por:

  * Los objetos con respecto al cuerpo.

  * Del cuerpo con respecto a los objetos.

  * Los objetos con referencia cruzada entre ellos.

Como anteriormente indicábamos, existen dos tipos de espacio: el práctico y el figurativo. Ambos tipos y sus expresiones son objeto de trabajo en la Educación Infantil y en el mismo orden propuesto, acorde con el desarrollo madurativo del niño.

- **Percepción y orientación temporal**. La estructuración temporal le servirá al niño para aprender y organizar la información proveniente del mundo exterior. Esta orientación se entiende como la adquisición de las nociones elementales del tiempo físico, es decir duración, sucesión, simultaneidad, cadencia regular, velocidad y actividad rítmica.
- **Expresión corporal libre**. Se refiere a aquella forma de expresión que utiliza el cuerpo como medio. Esta forma de expresión, como su nombre indica, debe ser libre y se convierte en una importante vía para manifestar sentimientos o estados anímicos. Los elementos, con relación al cuerpo, más implicados son los gestos, el rostro y la posición del cuerpo, así como de sus distintos miembros.

  La expresión gestual-corporal se relaciona con la expresión de sentimientos:

- **Postura abierta**: Todos los miembros del cuerpo, se abren y extienden hacia arriba y hacia fuera. La cabeza está erguida. Comunican sentimientos de alegría, entusiasmo, dominio.
- **Postura cerrada**: Los miembros del cuerpo, se contraen, se cierran y tienden hacia abajo con la cabeza agachada. Comunican sentimientos de tristeza, dolor, actitud de reflexión, inseguridad...
- **Postura hacia atrás**: Los miembros del cuerpo se dirigen hacia atrás y se ponen en tensión. Comunican sentimientos de temor, rechazo...
- **Postura hacia delante**: Los miembros del cuerpo se dirigen hacia delante con cierta tensión. Comunican sentimientos de agresividad, cólera, ira...

2.1.3. Metodología

A continuación presentamos las siguientes sugerencias metodológicas (sería interesante que el opositor elaborara sus propuestas).

Con respecto al **esquema corporal**, este no debe centrarse en una simple ejercitación muscular, sino que debe favorecer un conocimiento adecuado del cuerpo y un control psicológico del mismo.

Algunas de las **actividades** que podemos realizar son:

- De conocimiento de las diferentes partes del cuerpo, siguiendo para ello las leyes céfalo-caudal y próximo-distal.
- De equilibrio estático y dinámico.
- De desplazamiento.

- De respiración y relajación.
- De situación del cuerpo en el espacio.

Para la **coordinación motriz** realizaríamos:

- Actividades que le permitan dominar los distintos tipos de desplazamientos, como andar, correr, saltar, reptar de rodillas, reptar a gatas, etcétera.
- Actividades de equilibrio con o sin objetos.

Para la **organización espacial** podríamos realizar los siguientes ejercicios:

- Ejercicios sobre distancias.
- Ejercicios sobre situación en relación con los objetos.
- Ejercicios de orientación y reconocimiento espacial.

En relación al **espacio**, es interesante resaltar la importancia que tiene la organización del espacio escolar. Este debe reunir una serie de requisitos, como son:

- Facilidad para manipular objetos y organización estable de estos, para que los puntos de referencia no varíen.
- Posibilidad de manipular libremente los objetos, teniendo cuidado de que el tamaño de estos guarde un equilibrio con el físico de los niños.
- Adecuación entre la diversidad de actividades y los espacios, fijando áreas o rincones orientados hacia el juego dramático, las construcciones, la expresión plástica, etcétera.

Para la adquisición de la **orientación temporal** es interesante resaltar que el trabajo con nociones no se hará de forma sistemática hasta los 7 años; no obstante, los niños desarrollarán el sentido temporal a esta edad a partir de actividades como ritmos, seriaciones, observación de acontecimientos, recuerdo de sucesos pasados, etcétera.

Como ocurría con el espacio, el tiempo es un elemento que debe cuidarse mucho en la organización del aula. La jornada escolar se planificará en función de las necesidades y peculiaridades de los niños, y deberá mantener una organización lo más natural posible, sin forzar el ritmo de la actividad y manteniendo determinadas constantes temporales o rutinas.

Es importante que el equipo educativo prevea las siguientes fases: toma de contacto con el Centro, preparación de las actividades, tiempo para el recuerdo-simbolización, recogida y ordenación de los materiales empleados y tiempo de la despedida.

2.1.4. Evaluación psicomotriz

Ramírez del Hoyo señala al respecto que esta debe ser continua e individualizada y se realizará mediante:

- Observaciones puntuales directas sobre actividades.
- Observaciones a través de cuestionarios.
- Observaciones a través de escalas psicomotoras.
- Pautas y patrones de desarrollo.
- Actividades de control de procesos.

Los resultados obtenidos en la evaluación deben servir posteriormente para la estructuración del programa, y debemos tener en cuenta que esta evaluación también deberá abarcar al resto de los elementos implicados en el proceso de enseñanza-aprendizaje.

2.2. Los materiales en el trabajo psicomotriz

En relación a los materiales debemos tener en cuenta una serie de factores:

2.2.1. Factores espaciales

El acondicionamiento del espacio debe permitir tanto los juegos motores como los imaginativos. Se preverán zonas para un desarrollo más amplio de la motricidad, así como para actividades motrices finas o instrumentales.

Debe tenerse en cuenta:

- Que haya elementos naturales: agua, tierra, hierba, etc.
- Las propiedades del suelo, su naturaleza (arena, grava, cemento, etc.), ya que su adherencia induce a respuestas motrices distintas.

Debe dedicarse especial atención al acondicionamiento del patio de recreo, ya que es un lugar privilegiado para el trabajo de la psicomotricidad. En él debe haber espacios apropiados para que el niño pueda: correr, aislarse, construir, etc. Debe reunir las siguientes propiedades: ser espacioso, con sombra, disponer de partes asfaltadas, con arena y con hierba.

2.2.2. Factores temporales

Como nos indica García Núñez (1994), con el fin de centrar la atención y organizar el comportamiento y la actividad de los niños, se le debe proporcionar, en esta etapa, una serie de ayudas externas como son el orden y la organización temporal de las actividades.

En este sentido, para evitar la desorientación temporal conviene facilitar una serie de normas (en forma de juego y razonadas) de manera que, una vez interiorizadas, sea capaz de organizar su actividad y respetar los turnos, los espacios y tiempos de los demás. Algunas de estas normas en cuanto al tiempo serán:

- Las actividades tienen un comienzo y un final establecidos claramente. El ritual que indica que la actividad ha terminado es, además de la indicación del educador o la educadora, la recogida del material y/o el abandono del lugar, etc.
- Hay un tiempo para cada actividad y un orden de las actividades diarias.

2.2.3. Factores materiales

La elección de los materiales debe responder a los siguientes criterios:

- Deben ser numerosos para permitir la acción simultánea de un número grande de niños.
- Deben ser variados para favorecer la riqueza de respuestas motrices y lúdicas.
- Deben ser simples y poco costosos.

A título de ejemplo, pueden utilizarse: tubos de cemento, neumáticos, aros colgados o no, toneles fijos en el suelo, cuerdas con nudos, dianas pintadas en las paredes, cuerdas atadas a los árboles, toneles de plástico, pelotas de distintos tamaños y materiales (goma espuma, caucho, hinchables, etc.), sacos, elásticos, cajones, cubos, envases de yogur, escalera, botellas de plástico, etc.

2.3. La planificación de la sesión de psicomotricidad

Para trabajar la psicomotricidad se sugieren una serie de consideraciones prácticas que resultarán muy útiles al educador:

1. **Establecer un clima afectivo positivo**. Siempre que trabajamos con niños, es fundamental establecer unos lazos afectivos positivos. En el campo de la psicomotricidad también es necesario, pues las técnicas utilizadas requieren una participación activa del niño y un alto grado de implicación en la tarea. No olvidemos que la psicomotricidad consiste en expresarse y desarrollarse a través del movimiento. Por ello es necesario proporcionar un ambiente los más relajado y distendido posible para que el niño sea capaz de expresarse libremente.
2. **Plantear actividades divertidas**. Este aspecto está en consonancia con el punto anterior. Cuanto más divertida sea una actividad más motivado estará el niño para realizarla. En este sentido la imaginación del cuidador juega un papel importante, debiendo revestir cada actividad de un carácter lúdico, de juego, utilizar cuentos, etc.

3. **Realizar actividades de relajación**. Antes de iniciar una sesión, es necesario realizar actividades de relajación con los niños y así prepararlos corporalmente para ejecutar los distintos movimientos que vamos buscando.
4. **Proporcionar un medio de estimulación rico**. Esto se consigue poniendo en juego el mayor número de vías sensitivas posibles. De este modo se darán más oportunidades de aprendizaje y mayor calidad en los mismos. Las principales vías sensitivas son las cinestésicas o motoras y las visuales.
5. **Partir de la experiencia previa**. Para enseñar nuevas habilidades, debemos partir siempre de lo que el niño ya conoce o sabe hacer, y desde ahí ofrecerles nuevas experiencias. Muchos logros psicomotrices se apoyan en adquisiciones anteriores, así nos aseguramos que la integración del esquema corporal y el control y dominio del propio cuerpo se realice de forma adecuada.

6. **Tomar como eje esencial las actividades motoras**. A través del movimiento el niño va tomando conciencia de su propio cuerpo y va aprendiendo a controlarlo.
7. **Utilizar el "tanteo experimental"**. Con este término nos referimos a que debe ser el niño, a través de su propia experiencia el que llegue a la conquista del movimiento y al conocimiento de su propio cuerpo. Para que esto ocurra de forma adecuada, el cuidador debe crear las condiciones propicias y facilitar los aprendizajes deseados. Por lo tanto, al utilizar el tanteo experimental el papel del cuidador será el de facilitador y mediador de los aprendizajes del niño, para que estos ocurran de forma adecuada y en condiciones seguras.
8. **No acelerar el ritmo de las actividades**. Este punto es fundamental en el campo de la Psicomotricidad, pero más aún cuando trabajamos con niños con alguna discapacidad, pues la principal diferencia con otros niños es que necesitan más tiempo para realizar las mismas actividades y sobre todo para afianzar lo que aprende. Con este principio de no aceleración evitamos las lagunas en los aprendizajes motores.
9. **Acompañar los movimientos de actividad lingüística**. No solo hay que animar al niño a que ejecute distintos movimientos, sino que además hay que animarlos a que verbalicen lo que están haciendo, lo que van a hacer, o lo que hacen otros. De esta forma, contribuimos a un desarrollo integral del individuo y a que el control

de los movimientos se realice desde el propio cuerpo a través del pensamiento y no desde fuera por orden o imitación de otra persona. En definitiva, al actuar así estamos proporcionando independencia y autonomía al niño.

10. **Facilitar la percepción unitaria del cuerpo**. Aunque trabajemos por separado las diferentes partes del cuerpo y las distintas áreas que componen la Psicomotricidad, no debemos olvidar que la finalidad es conseguir la integración de todos los elementos corporales en una visión global del mismo. Por ello estamos trabajando la lateralidad, podemos trabajar al mismo tiempo la coordinación o el equilibrio, por ejemplo.

11. **Seguir una secuencia racional**. La secuencia es el orden que vamos a seguir para realizar las actividades. En este sentido necesitamos tener en cuenta tres principios o leyes referidas a cómo vamos adquiriendo el control sobre las distintas partes del cuerpo.

    - **Ley céfalo-caudal.** Controlamos antes los movimientos de la cabeza y zonas próximas, para seguir con el tronco, etc. Es decir, vamos adquiriendo el dominio corporal de arriba hacia abajo.
    - **Ley próximo-distal**. El dominio y control comienza por las partes centrales del cuerpo para seguir hacia los extremos.
    - **Principio de partes-detalles**. Se conocen antes las partes esenciales del cuerpo, como cabeza o brazos, para seguir con los detalles, por ejemplo, uñas, cejas, etc.